W9-CNA-761

Уильям
и
Марта
СИРС

Уильям и Марта СИРС

В ожидании малыша

Вся необходимая информация для будущей мамы от рождения замысла до рождения ребенка

Москва

Эксмо

2008

ББК 57.14
С 40

William SEARS and Martha SEARS
PREGNANCY BOOK
Copyright © 1997 by William Sears and Martha Sears
Публикуется с разрешения авторов и их литературного агента Denise Marcil
Literary Agency (USA)

Перевод с английского *Ю. Гольдберга*

Оформление художника *С. Ляха*

Сирс У., Сирс М.
С 40   В ожидании малыша. — М.: Эксмо, 2008.— 576 с.

ISBN 978-5-699-01639-6

Девять месяцев беременности — самое счастливое и ответственное время для каждой женщины. Пройти этот непростой период, от которого зависит ваше здоровье и здоровье будущего малыша, помогут вам известные педиатры и акушеры Уильям и Марта Сирс.

Вы узнаете обо всех изменениях, которые произойдут с вашим телом, самочувствием и сознанием, а также о таинственной жизни, происходящей внутри вас. Кроме того, вы научитесь сохранять самообладание в экстренных ситуациях: во время болезни, при непредвиденных осложнениях и даже во время преждевременных родов.

Авторы ответят на самые распространенные вопросы и разрешат все ваши сомнения, а также помогут обрести эмоциональное спокойствие и вооружат вас знаниями, чтобы произвести на свет веселого и крепкого малыша.

ББК 57.14

ISBN 978-5-699-01639-6

От авторов

Мы не просто написали эту книгу, мы прожили ее. Мы обращаемся к вам как профессионалы, делясь опытом работы специалиста по родовспоможению, педиатра и акушера. И, что еще более важно, мы обращаемся к вам как родители: у Марты и доктора Билла восемь детей, а у доктора Линды трое.

Как специалисты и родители мы много полезного узнали у пар, ожидающих рождения ребенка, — особенно о тех тревогах, которые они испытывают, и об информации, которую они хотели бы иметь. Мы обращаемся к вам в твердом убеждении, что, чем больше вы знаете, тем выше вероятность безопасной и приносящей радость беременности, а также родов. Беременность — это не болезнь, которую нужно перетерпеть; это нормальная и здоровая функция женщины. Беременность — это нечто большее, чем недомогание по утрам и ночные прогулки в ванную. Это ваше личное путешествие, во время которого вы узнаете много нового о себе, о загадках своего разума и чудесах своего тела. В течение этих девяти месяцев вы не только выносите ребенка, но сами разовьетесь как личность. Беременность — это испытание для вашего тела и ума, вашего брака, вашей работы и всего вашего существования, поскольку вы сталкиваетесь с ощущениями, которых раньше у вас никогда не было. Каждый день внутри вас появляются миллионы новых клеток, и эти клетки в конечном итоге объединяются и образуют отдельное существо, которое однажды станет совершенно независимым. Беременность может быть трудной, но в то же время прекрасной.

Все изменится — от приготовления завтрака до занятий любовью. Эмоциональные и физические превращения, происходящие со всем вашим организмом, абсолютно не подвластны вашему контролю. Это ощущение уникально для каждой женщины. Умом вы понимаете, что миллиарды женщин до вас уже были беременны, однако только вы носите в себе своего ребенка. Вы испытываете особенные чувства: гордость и ощущение того, что являетесь частью чуда. Когда вы думаете о том, что всего за девять месяцев даете начало новой жизни, то затраченное время, некоторые неудобства и дискомфорт отходят на второй план.

Несмотря на то, что для каждой женщины беременность — это неповторимое состояние, большинство будущих мам испытывают одни и те же эмоциональные и физические трудности. На протяжении всей книги мы будем предоставлять слово специалистам. Вы найдете здесь полезные советы и рассказы беременных женщин, которые уже прошли этот путь.

Мы хотим, чтобы это была ободряющая книга, информирующая вас о том, что является нормой, а что нет, а также о том, что и когда нужно делать. Кроме того, мы хотим, чтобы книга была реалистичной. Беременность — это не постоянный экстаз и блаженство (эмоциональное или физическое), но и не девять месяцев непрекращающихся страданий. Это процесс, который следует прочувствовать в полной мере, а не только перетерпеть. Умея ценить свое тело и зная, как управлять им, вы сможете превратить беременность из девяти месяцев тревоги и жалоб в период, когда происходит развитие вашей личности, в период подготовки к материнству. Здоровье, зрелость и понимание помогут вам получить заслуженную награду — вашего ребенка! Мы предлагаем вам подробный рассказ о том, как развивается ваш ребенок внутри вас.

Уильям и Марта Серс
Линда Х. Холт

Как пользоваться
этой книгой

Чтобы составить представление, что вас ждет впереди, вы можете прочесть всю книгу в самом начале беременности. Это поможет вам понять, что многие неудобства, которые вы испытаете на одной стадии, исчезнут на следующей и что тревоги одного месяца могут превратиться в радости другого. Мы перечислили физические и эмоциональные проблемы большинства женщин в том порядке, в котором они обычно проявляются, — месяц за месяцем. Тем не менее каждая беременность неповторима, и некоторые проблемы у вас могут возникнуть не в те месяцы, которые указаны в книге. Если у вас появился вопрос или проблема, которые отсутствуют в разделе, посвященном соответствующему месяцу беременности, загляните в алфавитный указатель и найдите интересующий вас заголовок.

Эту книгу нужно читать в качестве дополнения к регулярным посещениям врача (но ни в коем случае не вместо них). Книги могут лишь обобщить то, что чувствуют большинство женщин. Ваша беременность — как и ваш ребенок — уникальна. Поскольку у вас могут быть особые акушерские проблемы, выходящие за рамки этой книги и требующие особого подхода, мы рекомендуем обязательно обсуждать свои сомнения с врачом и придерживаться рекомендаций, которые он даст.

Чтобы избежать перегрузки информацией — как книги, так и уже переполненного мозга беременных женщин, — мы поместили редко встречающиеся состояния в специальный словарь. Как родители и как специалисты мы не хотели бы без необходимости тревожить 99 процентов будущих мам, рассказывая о необычных проблемах, которые могут встретиться у 1 процента беременных женщин.

ВИЗИТ К ВРАЧУ: ПЕРВЫЙ МЕСЯЦ (1— 4 НЕДЕЛИ)

Что вас может ждать во время первого визита к врачу:

- установление беременности
- составление медицинской карты и акушерской карты, если в этом есть необходимость
- общее обследование, в том числе и внутренних органов
- анализы крови: гемоглобин и гематокрит для проверки на анемию, группа крови, титр краснухи, тест на гепатит В (тесты на ВИЧ, венерические заболевания и наличие серповидных эритроцитов необязательны)
- анализ на вагинальные инфекции
- мазок Папаниколау для анализа на онкологию шейки матки
- анализ крови на наличие генетических заболеваний, если этого требует медицинская карта
- анализ мочи на наличие инфекций, на сахар и белок
- проверка веса и давления
- рекомендации относительно правильного питания и устранения неблагоприятных факторов окружающей среды
- возможность обсудить свои чувства и проблемы

Первый месяц — начало беременности

ВЫ БЕРЕМЕННЫ! Поздравляем! Впереди у вас один из самых волнующих периодов жизни, который сулит очень важные перемены. Вам есть над чем подумать, и нужно многое сделать, чтобы подготовиться к рождению ребенка — самому важному моменту в жизни большинства женщин.

Однако вы еще можете не ощущать своей беременности. Возможно, ваши «ощущения» лежат только в области эмоций или физические ощущения только-только начинают проявляться. Возможно, вы с нетерпением ждали наступления беременности и радостно ловили сигналы (после пропущенных месячных), которые подавал вам организм. Возможно, вы уже чувствуете легкую тошноту, частый голод, жажду, усталость, жар, слабость или головокружение. Возможно, эта новость застала вас немного врасплох. Возможно, вы сначала думали, что просто подхватили простуду, пока ваш организм или врач не разубедили вас в этом. Возможно, вы просто «знали», что беременны, еще до появления каких-либо признаков.

Каковы бы ни были физические симптомы, вам, вероятно, потребуется привыкнуть к факту своей беременности — даже если этот ребенок планировался заранее. Независимо от того, где вы узнали эту новость — на приеме у врача или дома, после проведения теста на беременность, — вы можете испытать радость, страх, облегчение, недоверие, растерянность или все те чувства, которые упоминались выше. Разумеется, ваша первая реакция будет в значительной степени зависеть от того, является ли беременность для вас сюрпризом или это результат многомесячных надежд и ожиданий. Даже если вы готовы принять это состояние, которое изменит вашу жизнь — во всем, от диеты до отношений в браке, — не удивляйтесь, что вам потребуется некоторое время для осознания факта беременности, прежде чем вы измените свое поведение. Вот что может ждать вас впереди.

ВОЗМОЖНЫЕ ЭМОЦИИ

Счастье. Новость о вашей беременности может вызвать у вас безудержную радость, особенно если вы давно уже пытались забеременеть и, наконец, добились желаемого результата. Вы можете чувствовать удовлетворение и счастье от того, что ваше желание исполнилось и вы теперь — будущая мать.

Знать, что внутри меня растет маленький человечек, который всецело зависит от меня и моей любви, — это не только огромная обязанность, но и великое счастье. Это величайшее наслаждение из всех, которые я испытывала в жизни.

Недоверие. Время от времени вы спрашиваете себя: «Действительно ли я беременна? Я чувствую себя как обычно». Подобные мысли чаще возникают в первые недели беременности, когда вы еще не ощущаете никаких симптомов. Может быть, вы убедили себя, что тошнота и усталость — это всего лишь признаки болезни. Если вы очень хотели забеременеть, то, вполне вероятно, боитесь, что принимаете желаемое за действительное. Возможно, эти первые недомогания лишат вас иллюзий. Совсем скоро округлившаяся

талия заставит исчезнуть все сомнения в том, что внутри вас развивается новая жизнь.

Замечание доктора Линды. Моя собственная реакция — это сильнейшее потрясение и недоверие. Мы совсем не планировали заводить детей, по крайней мере пока не наступит «подходящее» время, что, по моему мнению, могло быть после наступления менопаузы. Поэтому, когда через год после окончания аспирантуры я столкнулась с задержкой месячных, то даже не рассматривала возможность беременности. В задержке я винила длинный рабочий день и неравномерный график дежурств. Я всегда удивлялась, когда мои пациентки отвергали саму возможность беременности, но у себя самой задержка месячных не натолкнула меня на мысль о возможности забеременеть. Мой муж руководил лабораторией, выполнявшей тесты на беременность. Я попросила подругу анонимно сдать в лабораторию мою кровь на анализ. Когда пришел положительный результат, я стала настаивать на повторном анализе, потому что была уверена, что в лаборатории ошиблись.

Раздвоение чувств. Возможно, для вас слово «мать» звучит волшебной музыкой, но в то же время вы ошеломлены изменениями, которые оно несет в вашу жизнь. Смешанные чувства по поводу беременности — это весьма распространенное явление, особенно если эта новость явилась для вас неожиданностью. Это нормально — испытывать счастье от того, что вы скоро станете матерью, но одновременно грустить или беспокоиться, думая, через что вам предстоит пройти и сможете ли вы быть достойны этого высокого звания. С одной стороны, вы можете испытывать волнение, воодушевление, гордость и страстное желание принять на себя эту новую роль, а также обязанности, которые она с собой несет. С другой стороны, вас могут пугать все те изменения, которые должны произойти с вашим образом жизни, с вашим браком и с вашим телом. Многих женщин успокаивает следующий подход: они рассматривают беременность как стадию развития, как, например, подростковый возраст. Женщина в этот период обычно переживает кризис личности. Осознание того, что она скоро станет чьей-то матерью, приводит к следующему вопросу: «Что произойдет с моей личностью?» Тревога — нормальное состояние на пороге таких больших перемен в жизни. Даже в том случае, когда беременность планировалась заранее, женщина начинает сомневаться, действительно ли она готова и способна стать матерью. Перемены всегда болезненны — даже позитивные.

Уже в первый месяц беременности вы можете ощущать некое раздвоение, как будто одновременно заняты на двух работах. Временами вы так воодушевлены (или взволнованы) своей беременностью, что не можете сосредоточиться ни на чем другом и боитесь, что если не сможете спуститься с небес на землю, то вас уволят. Вы беспокоитесь, что придется оставить работу — на время декретного отпуска или навсегда, — и вас пугают многочисленные обязанности, которые накладывает материнство. В другие дни вы так поглощены событиями текущей жизни, что почти забываете о своей беременности (а потом испытываете чувство вины). На работе вам трудно сохранить прежний энтузиазм. Невозможно надолго отключиться от постоянных напоминаний о том, что внутри вас развивается новая жизнь; у вас появляется дополнительная работа — вынашивать ребенка. Ваша «настоящая» работа почему-то кажется вам менее важной. У некоторых женщин биология берет верх, и они понимают, что ни физически, ни психологически уже не в состоянии трудиться в полную силу. Однако большинство женщин скоро привыкают к беременности и лишь слегка изменяют свой образ жизни.

Мама так рассказывала мне о своей первой беременности: «Утром я вставала, меня рвало, а затем я готовила завтрак, и мы с папой отправлялись в школу учить детей».

Ваше отношение к своему телу тоже может переживать подъемы и спады. Возможно, вы будете гордиться свой женственностью и способностью к продолжению рода, испытывать такую радость от того, что вы носите в себе новую жизнь, что будете с нетерпением ждать возможности продемонстрировать свое состояние или рассказать о нем. Вы будете ожидать ощущения счастья, которым, как считается, буквально светятся беременные женщины. С другой стороны, вас, возможно, не обрадует перспектива, что ваше привычное и знакомое тело начнет увеличиваться. Кроме того, подруги, вполне вероятно, рассказывали вам, что не ощущали никакой радости во время беременности — наоборот, они выглядели и чувствовали себя ужасно! Многие женщины беспокоятся, что потеряют привлекательность в глазах своих мужей.

Не удивляйтесь, если вы вдруг начнете восхищаться своим телом и его ощущениями. Даже если вы не склонны к тщеславию, то теперь станете любоваться своим отражением в зеркале, понимая, что не увидите этих форм по крайней мере год. Вы будете задавать себе вопрос, вернется ли к вам назад ваше тело? Будете ли вы выглядеть точно так же? А чувствовать?

Некоторые женщины предполагают, что известие о беременности должно принести им необыкновенную радость, но, к своему глубокому удивлению, не обнаруживают у себя никакого волнения. Не стоит тревожиться и в том случае, если вы не ощущаете нежности и связи с собственным ребенком. Для первых недель беременности вполне нормально ощущать себя скорее инкубатором, чем матерью. Некоторые женщины не испытывают материнских чувств до того момента, пока не ощутят первых толчков ребенка или не увидят его движущееся изображение на экране монитора при ультразвуковом обследовании. Другие ощущают тесную связь с ребенком только после родов. Формирование чувств к ребенку — это длительный процесс, и он протекает по-разному у разных матерей и разных детей.

Перемены настроения. Абсолютно безоблачная беременность — это явление такое же редкое, как идеальная мать. По мере того как первоначальная радость от открытия, что вы беременны, проходит и уступает место реалиям приближающегося материнства, хорошие дни обычно начинают чередоваться с периодами плохого настроения. Вы чувствуете себя наверху блаженства, а на следующий день становитесь печальными и плаксивыми. В основе этих перемен настроения лежит несколько причин. Одна из них — это нормальный эмоциональный спад, который следует за сильными переживаниями; у человека эмоциональные подъемы обычно сопровождаются спадами. Другая причина чисто физиологическая: гормоны. Прилив гормонов беременности, которые изменяют ваше тело, вносит свой вклад в непостоянство ваших чувств. Разумеется, ощущение подавленности может застать вас врасплох, особенно если наступления беременности вы давно и с нетерпением ждали. Переживания из-за того, что вы не все время ощущаете радость, никак не поднимут вам настроения. Добавьте эти эмоциональные спады к обычным для ранней стадии беременности тошноте и чувству усталости, и вы перестанете удивляться, что у большинства будущих мам настроение меняется несколько раз в день. Изменений настроения нужно ждать в первые три месяца, когда уровень гормонов в крови меняется особенно сильно, а также в последние недели, когда накапливается усталость и усиливается ожидание родов.

Сомнения. Даже если вы испытываете огромную радость от того, что беременны, наличие сомнений — это нормальное явление. Бывает, что вы с супругом даже спрашиваете себя: «Что мы наделали?» Ребенок повлияет на вашу карьеру, на образ жизни, на ваш брак, на то, как вы проводите время. Даже если у вас уже есть дети, вас могут посещать сомнения относительно того, как повлияет на вашу семью рождение второго или третьего ребенка. Вы боитесь, что больше не сможете распоряжаться своей судьбой. Жизнь после рождения ребенка никогда не

возвращается в прежнюю колею. Она станет другой, но, несмотря на все сомнения, вы сможете приспособиться к переменам.

Совершенно нормально задавать себе вопросы, сможете ли вы стать хорошей матерью и способны ли вы справиться со всем этим — выносить ребенка до положенного срока, выдержать испытание родами, заботиться о новорожденном. Чувство неполноценности — неотъемлемая часть профессии родителя. Через пару лет, когда ваш ребенок благодарно улыбнется вам и скажет: «Ты самая лучшая мамочка в мире», — вы почувствуете большую уверенность в себе.

Наша жизнь только начинает возвращаться к норме после рождения нашего первого ребенка, которому исполнилось два года. Теперь я понимаю, что после рождения детей моя жизнь все равно никогда не станет такой, как прежде. Теперь это моя «нормальная» жизнь.

Тревога. Волноваться в ожидании неизвестного — это нормально. Если вы за много лет привыкли к самостоятельной и бездетной жизни, то перспектива пеленок, ночных кормлений и полной зависимости от крошечного существа вызовет у вас сильную тревогу. Когда вы завершаете одну главу своей жизни и начинаете новую, то опасения вполне естественны. Объявляя подругам о своей беременности, вы автоматически приглашаете целую армию ветеранов, которые будут делиться своим собственным опытом беременности и родов. Их рассказы могут показаться довольно интересными, но они способны добавить страхов женщине, у которой эта беременность первая. Научитесь относиться к ним с определенной долей скептицизма. Ваши ощущения почти наверняка будут не такими.

Страх перед страданиями во время беременности и болезненными родами вносит свою долю в общее ощущение тревоги — несмотря на то, что через это проходят все матери, а некоторые даже не один раз, причем абсолютно добровольно. На ранних стадиях беременности часто встречается беспокойство из-за возможного выкидыша, однако вероятность такого исхода невелика. По истечении первого месяца беременности вероятность выкидыша у большинства женщин не превышает 10 процентов. Чем больше срок беременности, тем меньше у вас оснований беспокоиться по этому поводу. Тревога относительно возможных осложнений беременности может усилиться в том случае, если врач во время первого визита к нему перечислит вам устрашающий список встречающихся неприятностей. Определенная степень беспокойства — это норма для беременности, однако, если с увеличением срока беременности тревога нарастает или ес-

ли беспокойство мешает вам жить обычной жизнью, обратитесь за помощью к специалисту.

ВОЗМОЖНЫЕ ФИЗИЧЕСКИЕ ОЩУЩЕНИЯ

Усталость. Беременность несет с собой странную усталость, которая, возможно, не похожа на все то, что вы испытывали раньше. Особенно это заметно в первом триместре, когда организм буквально заставляет вас спать. Временами вы ощущаете полное изнеможение. Вам все время хочется спать. Вы можете засыпать прямо за рабочим столом в первой половине дня. Осознав, насколько увеличивается нагрузка на ваш организм, вы перестанете удивляться своей усталости. Практически каждый орган вашего тела работает с дополнительной нагрузкой, чтобы приспособиться к новому существу внутри вас, а каждая клеточка организма находится под воздействием гормональных и физиологических изменений, которые происходят во время беременности. В то же самое время в вашем организме формируются новые органы: в матке для питания ребенка образуется плацента, развиваются органы самого ребенка. Рост клеток требует огромных затрат энергии. Добавьте к этому приступы дурноты по утрам и огромные физиологические изменения, которые несет с собой беременность, и вы поймете, что усталости вам не избежать.

Первые признаки беременности

Вскоре после того, как у вас возникнет подозрение, что вы беременны, ваш организм подтвердит эти подозрения. Сигналы, которые подает женский организм, а также последовательность их появления могут различаться у разных женщин. Вот наиболее распространенные признаки беременности.

ЧТО МОЖНО ОЖИДАТЬ	КОММЕНТАРИИ
Усталость	У вас больше не хватает сил, чтобы заниматься привычными делами, например, вы не в состоянии подняться на холм или бороться со сном после завтрака. Изменения, происходящие в вашем организме, требуют огромных затрат энергии.
Тошнота и рвота (утреннее недомогание)	Утреннее недомогание можно спутать с простудой или признаками отравления. Диапазон ощущений — от легкого неприятного ощущения или подташнивания до тошноты и приступов рвоты в течение всего дня.
Задержка менструации	Существуют и не связанные с беременностью причины задержки менструации, например стресс.
Слабое кровотечение или выделения	Кровотечение или выделения в период имплантации могут быть ошибочно приняты за менструацию, а у некоторых женщин в первые месяцы беременности наблюдается кровотечение в те дни, когда у них должны были бы быть месячные.
Отвращение к запахам, алкоголю и сигаретному дыму	Срабатывает механизм защиты ребенка. Вы начинаете отказываться от утреннего кофе, а сигаретный дым вызывает у вас слабость.

Тяга к определенной пище	Возможно, вы начинаете солить абсолютно все, что едите, или никак не можете напиться апельсиновым соком. Загадочное явление: вы испытываете тягу к продуктам, которые редко ели раньше или которые не любили.

Тесты на беременность

Вам больше не нужно ждать пропуска одной или двух менструаций, чтобы убедиться, что вы беременны. К концу первой недели после зачатия, когда произойдет имплантация зародыша в слизистую оболочку матки, развивающаяся плацента начинает вырабатывать человеческий хорионический гонадотропин. **В таких случаях не следует волноваться.** Этот гормон, наличие которого определяется в крови через неделю, а в моче через семь — десять дней после зачатия, является основой всех тестов на беременность.

Анализ мочи на беременность. Анализ мочи выполняется в лечебном учреждении или в домашних условиях (если вы точно соблюдаете инструкции набора для самостоятельного проведения теста на беременность) и дает почти 100-процентную точность в период от семи до десяти дней после зачатия. Разумеется, ошибки возможны. Обычно результаты анализа, выполненного в лечебном учреждении, бывают точнее,

поскольку анализ выполняется беспристрастным специалистом. Тест, проведенный слишком рано, может дать отрицательный результат, поскольку у вас в крови еще не накопилось достаточное количество гормона, и поэтому повторный анализ спустя несколько дней или неделю может оказаться положительным. Кроме того, по сведениям Американской академии акушерства и гинекологии, некоторые клинические состояния и определенные лекарства могут привести к ложным положительным результатам анализа мочи, указывающим на несуществующую беременность. При точном соблюдении инструкций вероятность ложных положительных результатов невелика. Чаще встречаются ложные отрицательные результаты. Пять минут ожидания при проведении теста в домашних условиях могут показаться вам самыми длинными пятью минутами в вашей жизни, а ваша реакция может являть собой смесь разнообразных чувств. Если вы — независимо от результатов теста — не исключаете возможности беременности или подозреваете, что вы беременны, позаботьтесь о себе и о своем ребенке, как будто беременность подтвердилась. Если вам нужно знать абсолютно точно, выполните анализ крови, который дает более достоверные результаты, чем анализ мочи.

Анализ крови на беременность. Выполняется в кабинете врача или в лаборатории. Для этого теста достаточно нескольких капелек крови, и он дает почти 100-процентную точность (при отсутствии ошибки лаборатории) через неделю после зачатия. Результаты бывают готовы через один или два дня.

К тому моменту, когда вы обнаружили отсутствие менструации, анализ мочи или анализ крови позволит определить беременность со 100-процентной точностью. Если у вас задержка месячных, а тест на беременность отри-

цательный, подождите неделю, а затем сделайте повторный анализ. Возможно, зачатие произошло позже, чем вы предполагали, и уровень хорионического гонадотропина в вашей крови еще недостаточно высок, чтобы его присутствие можно было определить. Если у вас не было месячных и вы подозреваете, что беременны, но проведенные в домашних условиях тесты остаются отрицательными, обратитесь к врачу, чтобы он исключил наличие внематочной беременности.

Независимо от того, как вы узнали эту новость — по изменению цвета тестовой полоски или из телефонного разговора с врачом, — почувствуйте особенность этого момента. Большинство женщин помнят его так же отчетливо, как и вес своего ребенка при рождении.

Мой муж буквально оцепенел. Рот его приоткрылся. В тот день мы оба не находили себе места от изумления, раздираемые противоположными чувствами: тревогой, страхом, счастьем, волнением. Мы плакали и смеялись.

Эта необычная усталость уменьшится в среднем триместре. По мере того как организм начнет привыкать к беременности, вы вновь обретете утраченные силы. Это не значит, что вы не будете время от времени ощущать усталости. В последние шесть

или восемь недель из-за большого дополнительного веса усталость будет чувствоваться особенно сильно, но это совсем другая усталость. Рассматривайте быструю утомляемость на ранних стадиях беременности как сигнал, а также симптом. Организм предупреждает вас: «Полегче, не торопись, не напрягайся и береги свои силы». Вам необходим отдых, потому что большая часть энергии тратится на быстрый рост находящегося внутри маленького существа. Восстанавливайте свои силы, чтобы их хватило на вашего ребенка. Это главное условие нормального протекания беременности. Вот несколько советов относительно уменьшения усталости.

Подумайте о себе. Это важный принцип, которого нужно придерживаться не только во время беременности, но и в первые дни жизни вашего ребенка, а также в течение всех последующих лет материнства: **хорошенько заботьтесь о себе, чтобы вы могли как следует позаботиться о своем ребенке.** Борьба со своей усталостью в первые месяцы беременности — это хорошая подготовка к борьбе с усталостью в первые месяцы послеродового периода. Первое препятствие, которое вам придется преодолеть, заключается в осознании факта, что вам требуется отдых. Убедите себя, что необходимо внести изменения в свою жизнь и что во время беременности вам нужно быть не только дающей, но и получающей заботу и внимание стороной.

Для меня ощущение необыкновенной усталости — это всегда первый признак того, что я беременна. В восемь вечера я засыпаю прямо в машине. Мой муж говорит, что я сплю за двоих. Забавно, но это действительно так.

Смените свои приоритеты. Нельзя требовать от себя, чтобы вы одновременно вели домашнее хозяйство, зарабатывали деньги и всегда были страстной любовницей — даже если вам этого очень хочется. У вас просто не хватит сил. Иногда вы будете чувствовать, что вообще ничего не можете делать или что день у вас проходит в полусне. Тем не менее вы заняты самым важным в жизни делом — вынашиваете ребенка. По возможности (это легче сказать, чем сделать) временно отложите обязанности, которые мешают вам достаточное количество времени отдыхать. Если вы всегда брали на себя слишком много, не пытайтесь быть всем для всех; вам это не по силам, и окружающие не должны ждать этого от вас.

Замечание доктора Линды. Я обнаружила, что полезно составить список всех своих обязанностей, а затем разделить его на три части. Первая часть состоит из того, что нужно сделать обязательно и что я могу сделать только сама. Вторая часть — это обязанности, исполнение которых я могу поручить другим. Третья часть состоит из дел, которые можно пропустить, и я вычеркиваю их жирным красным карандашом. Чувствуя, что не справляюсь, я задаю себе вопрос: «Каковы будут последствия того, если я не сделаю то-то и то-то?» Я обнаружила, что в 90 процентах случаев жизнь будет продолжаться, даже если я просто проигнорирую свои обязанности.

Спать, как младенец. Сделайте сон своим главным приоритетом. Отправляйтесь в постель, когда вы устали, даже если при этом вам придется пропустить любимую телепередачу. (Запишите ее на видеомагнитофон или посмотрите повтор.) Вам нужно дополнительное время, чтобы расслабиться после трудового дня, а также дополнительный сон.

По возможности просыпайтесь естественным образом, когда организм отдохнул, а не по звонку будильника. Вздремните после работы или поспите минут пятнадцать во время обеденного перерыва, положив голову на рабочий стол. Большинство беременных женщин обнаруживают, что не могут, не вздремнув, выдержать весь день от восхода до захода солнца.

История развития вашего ребенка

Во время своих беременностей Марта любила вести дневники, и мы надеемся, что со временем наши дети с интересом прочтут их. Подобно нам, вы можете обнаружить, что дневник беременности — это самое ценное ваше имущество.

Зачем писать. Запись своего состояния и состояния ребенка делает вашу внутреннюю связь более реальной. Это занятие имеет также терапевтическую ценность. Сражаясь с различными эмоциями и облекая их в слова, вы лучше понимаете свои чувства и подбираете им более точное определение. Перечитывая дневник много лет спустя, вы получаете возможность вновь пережить один из самых светлых моментов своей жизни. Эти записи очаруют ваших детей, когда им самим придет пора заводить ребенка. Работая над

книгой, мы перечитали все дневники, которые вела Марта. Наблюдая, как бегает по комнате наш неугомонный сын, мы понимали: «Вот он, этот маленький человечек, которого мы знали только как «драчуна».

Я с нетерпением жду того момента, когда дети сами будут готовиться стать родителями и можно будет показать эти дневники. Мне кажется, им будет интересно читать о своей жизни еще до рождения, а также о своем младенчестве и детстве. Надеюсь, что мои дневники станут еще одним способом сохранить связь со своими детьми.

Что записывать. Что и как вы записываете, всецело зависит от вас. Вы можете составить простейшую хронику того, что вы делаете и что чувствуете. Возможно, вы захотите облечь свои записи в форму беседы с ребенком. Записывайте все, что вы чувствуете каждый день — свои радости, тревоги и особенно свои действия, направленные на улучшение самочувствия. Важно записывать все, не очень беспокоясь о формулировках. Возможно, вам захочется особо подчеркнуть определенные события, например известие о том, что вы беременны, первый толчок ребенка, первая покупка детской вещи, первые родовые схватки. Расскажите своему ребенку, как вы чувствовали себя в эти моменты.

Рекомендации по ведению записей. Можно фиксировать свои мысли в специальном журнале для беременных, а можно ограничиться обычной тетрадкой. Мы обнаружили, что нам удобнее пользоваться диктофоном, который удобен как дома, так и на прогулках. Мы диктовали заметки о памятных событиях иногда прямо в процессе их развития, например первый толчок ребенка. Увлекшись ведением дневника во время беременности (на бумаге или магнитофонной ленте), вы, возможно, захотите продолжить свои записи, распространяя их на младенчество и детство малыша. Лучше всего делать короткие и частые записи, оставляя более длительные и глубокие рассуждения для особенных моментов в развитии ребенка или

в ваших ощущениях. Иногда, когда вы слишком устали или заняты, в дневнике не появляется новых записей в течение нескольких дней.

Мне кажется, что беременность вносит главный вклад в ощущение себя женщиной. Во время беременности я чувствую, что моя жизнь совершенна, как будто я исполняю то, для чего я была рождена. Никогда в жизни я так не радовалась, что я женщина. Я ни на что не променяла бы это ощущение. Кроме того, я еще больше оценила свою мать. Мне кажется, я понимаю, что она чувствовала, когда была беременна мною, и какой она была матерью, когда я была ребенком. Я жалею, что мама не записывала тогда свои мысли.

Если вы ведете дневник во время каждой беременности, то у вас появляется возможность проследить за происходящими с вами изменениями. Вы будете удивлены, насколько разными получатся записанные истории. Кроме того, поощряйте супруга делать записи в дневнике. Ведь у отцов тоже есть чувства.

Во время беременности я испытывала чувства, которых никогда не испытывала раньше и которые, возможно, никогда не испытаю снова. То же самое относится к моему мужу. Эти чувства настолько необычны, что их обязательно нужно записать.

Эту очень ценную историю можете рассказать только вы (возможно, прочесть ее захотят только члены вашей семьи). Время, проведенное внутри вас, — это лишь небольшой отрезок жизни вашего ребенка, но дневник поможет сохранить воспоминания об этом периоде на всю жизнь.

В конце каждой главы, посвященной очередному месяцу беременности, вы найдете пару страниц, которые помогут вам вести собственный дневник беременности. После рождения малыша вы можете сделать копию этих страниц и сшить их в дневник, который будет представлять ценность как для вас, так и для второго персонажа этого произведения.

Показывайте и рассказывайте. Возможно, ваш супруг и старшие дети до конца не понимают, почему вы так устаете и почему вы не в состоянии успеть все, что делали раньше. Они должны знать, почему вы засыпаете, читая детям сказку на ночь, почему у вас отсутствующий вид во время разговора, почему вы оставляете неразобранным прибывшее из прачечной белье, почему три раза в неделю заказываете обеды на дом или обслуживаете меньшее количество клиентов. Немногие мужчины и дети действительно не понимают, сколько дополнительной энергии требуется беременной женщине, особенно в первые месяцы беременности. Поговорите с ними. Расскажите им, как вы устаете (и скажите, что через месяц или два это пройдет). Прочтите эту главу вместе. Используйте иллюстрации из этой книги, чтобы продемонстрировать членам семьи, как растет внутри вас ребенок, как формируются его органы, как образуется плацента, а матка увеличивается в размерах. После того как вы объясните супругу, почему вы больше не можете работать с полной отдачей только при помощи печенья и получасового сна, он, возможно, проявит к вам больше сочувствия и станет больше помогать вам.

Замечание доктора Линды. Во время третьей беременности я рассказывала о своих ощущениях старшим детям — о расстройствах пищеварения, тошноте и неимоверной усталости.

Прислушайтесь к себе. Иногда вам будет казаться, что лучше заняться каким-то делом. Вы будете стремиться побыстрее попасть на работу или начнете с удовольствием строить планы переустройства дома.

В другие дни организм скажет вам, что нужно взять выходной, причем отдых требуется не только ногам; необходимо отдохнуть от обязанностей, домашнего хозяйства и общения. К сожалению, вам не дано знать заранее, как вы будете чувствовать себя завтра. Постарайтесь не расстраиваться из-за непредсказуемости своего организма, а просто признайте, что у вас недостаточно сил и энергии, чтобы вести такую же жизнь, как до беременности. Не позволяйте себе чрезмерно уставать; таким образом вы сохраните силы на обязательные дела. Время от времени вам понадобится день или два «отпуска по болезни». Если у вас напряженная работа, то вам, возможно, следует договориться о сокращенном рабочем дне. (См. раздел «Работа в период беременности».)

Поддерживайте мир в доме. Психика беременной женщины нуждается в отдыхе не меньше, чем ее тело. Отдавайте предпочтение тем факторам в вашем окружении, которые вас успокаивают, и минимизируйте остальные. Наймите няньку для детей дошкольного возраста или отдайте их на несколько часов в детский сад. Попробуйте обратиться к таким средствам, как классическая музыка, записи для релаксации или теплая ванна (не принимайте слишком горячую ванну). Это самое подходящее время для вашего супруга научиться сложному искусству массажа. Не стоит испытывать чувство вины из-за потраченного на отдых и расслабление времени. Это нужно и вам, и вашему ребенку.

Наслаждайтесь длительными прогулками. Для усталого ума и тела очень полезна смена обстановки. Если ваш организм не сопротивляется, доставьте себе удовольствие от физических упражнений: долгой прогулки по парку, похода по магазинам, расслабляющего плавания. Смена обстановки полезна усталому мозгу не меньше, чем умеренная нагрузка телу. Не забывайте о том, что иногда тело противится вашим желаниям, и в этом случае нужно прислушаться к тому, что говорит тело. Велосипедная прогулка может вполне подождать до завтра (см. раздел «Безопасная физическая нагрузка во время беременности»).

Ешьте столько, сколько хочется. Недостаточное питание способно лишить вас энергии и усилить ощущение усталости. Отдавайте предпочтение питательным продуктам и перекусывайте несколько раз в течение дня (см. советы относительно правильного питания в периоды плохого самочувствия, а также общие рекомендации для беременных в разделе «Едим за двоих»).

Обратите внимание, что приведенные выше рекомендации содержат основы благополучия любого человека: правильное питание, достаточный сон, релаксация и физические упражнения. Во время беременности вам требуется дополнительное пополнение запасов энергии.

Недомогания. Тошнота, рвота и общие неприятные ощущения в желудке, которые испытывают многие женщины, способны испортить все радостные чувства, связанные с беременностью. Трудно радоваться развитию своего ребенка, когда вы отвратительно себя чувствуете и особенно когда «утреннее недомогание» растягивается на весь день. На первых стадиях беременности безупречное пищеварение встречается редко, но в ваших силах существенно уменьшить испытываемый дискомфорт. Вот несколько вопросов относительно утреннего недомогания, которые обычно задают беременные женщины.

У меня небольшой срок беременности, и я прекрасно себя чувствую. Но я боюсь утренних недомоганий, которыми, как я слышала, страдают многие беременные женщины. Что меня ждет?

Интенсивность и продолжительность утреннего недомогания для каждой женщины индивидуальны — точно так же, как прибавка в весе. Вы можете наблюдать у себя все симптомы, перечисленные в ответе на этот вопрос, или только некоторые из них. К счастью, очень немногие будущие матери постоянно испытывают все эти симптомы.

Две главные беды утреннего недомогания — это повышенная чувствительность к запахам и отвращение к определенной пище. Некоторые запахи могут «воздействовать прямо на желудок», вызывая приступ рвоты. Некоторых женщин особенно раздражают резкие запахи, такие, как запах чеснока, рыбы или кофе — независимо от того, как они реагировали на эти продукты раньше. Другие жалуются, что обычные домашние запахи, которые нисколько не беспокоили их до беременности, вдруг стали вызывать сильную неприязнь. Запах живущей в доме собаки вдруг становится более «собачьим». Любимые духи могут вызвать приступ рвоты, так что приходится срочно бежать в ванную. Даже любимая еда может не лезть в горло, потому что ее запах вызывает рвотный рефлекс. У некоторых женщин даже вызывает отвращение нормальный мужской запах любимого супруга.

Отвращение к пище тоже может принимать разнообразные формы. Иногда женщина не в состоянии есть определенную пищу (мясо, зелень, молоко), которая вызывает у нее рвоту. В других случаях приемлемыми оказываются лишь несколько видов продуктов. Мы подозреваем, что свойственная беременным женщинам тяга к определенным продуктам на самом деле является тягой к новой пище, которую она в состоянии переносить. Не так уж редко женщине вообще ничего не нравится. Зачем же в таких случаях есть? Голодание может усугубить цикл тошноты: женщина ощущает тошноту и не ест слишком долго, затем переедает, и в результате ее рвет.

Утреннее недомогание, как правило, связано с пищей, однако иногда оно возникает без видимой причины. Некоторые будущие матери замечают, что тошнота появляется в определенное время дня, а другие все время чувствуют себя плохо. Очень распространено явление, когда женщина прекрасно себя чувствует, а затем вдруг испытывает сильнейший приступ тошноты — без какой-либо причины или неприятного запаха.

Некоторые женщины справляются с приступами тошноты, подавляя их волевым усилием. Другим приносит облегчение рвота, и они не сопротивляются ее позывам. (Многие женщины, которые плохо себя чувствуют весь день, хотели бы вызвать у себя рвоту, но не могут.) Некоторым нужно спать подольше, потому что дополнительный сон помогает им побороть утреннее недомогание.

Нельзя вести речь о «правильном» недомогании по утрам. Если у вас легкая тошнота, одышка, головокружение, ощущение, что вам не хватает воздуха, или приступы рвоты, можете считать себя «членом клуба».

У всех ли беременных женщин наблюдается утреннее недомогание?

Нет. Небольшой процент женщин проходят первую стадию беременности без каких-либо признаков тошноты. У некоторых отмечается расстройство пищеварения, другие

лишь изредка испытывают легкое подташнивание. Однако эти счастливицы скорее исключение, чем правило. Около 80 процентов беременных женщин испытывают тошноту, позывы к рвоте или другие перечисленные выше симптомы на той или иной стадии беременности.

У меня неприятные ощущения в желудке по вечерам. Может ли это быть «утренним недомоганием»?

Термин «утреннее недомогание» сбивает с толку. Назовите свое состояние утренним недомоганием, дневным недомоганием, вечерним недомоганием — как захотите. Мы сталкивались с таким термином, как «недомогание беременных», но нам он не нравится. Беременность и так в определенных кругах воспринимается как болезнь, а использование этого термина поощряет эту неверную концепцию. Беременность — это нормальное и естественное состояние. Обычно тошнота ощущается утром и на ранних стадиях беременности, но неприятные ощущения могут появиться в любое время дня или ночи на любом месяце беременности. Термин «утреннее недомогание», вероятно, был придуман мужчинами, которые видели страдания своих жен по утрам, но отсутствовали остальную часть дня.

Если беременность — это здорово, то почему я чувствую себя такой несчастной?

С точки зрения биологии было бы правильно обвинять в частой смене настроения и утреннем недомогании гормоны. Полезно рассматривать гормоны как чудесные лекарства, необходимые для благополучия матери и ребенка. Однако эти гормоны, как все лекарства, имеют определенные побочные эффекты, в частности нарушение пищеварения. Например, тот же самый гормон, который способствует сохранению беременности (человеческий хорионический гонадотропин, или ЧХГ), приводит к расстройству пищеварения. У беременных женщин также повышается уровень гормона холецистокинина. Этот гормон повышает эффективность пищеварения, усиливая усваивание пищи организмом матери. Неприятный побочный эффект заключается в том, что гормон, усиливая способность организма запасать энергию, одновременно приводит к понижению уровня сахара в крови, к тошноте, головокружению, задержке опорожнения желудка и сонливости после еды — симптомы, ощущаемые многими беременными женщинами. Повышение уровней эстрогена и прогестерона тоже вызывает тошноту из-за непосредственного воздействия этих гормонов на кишечник. Вероятно, вы чувствуете себя хуже всего во время пиков гормональных изменений, то есть в первом триместре. К концу третьего месяца беременности, когда уровень некоторых из этих гормонов стабилизируется или даже начнет снижаться, исчезнут (скорее всего) и проблемы с пищеварительной системой. Если вы вынашиваете близнецов, то в этом случае нужно ожидать более выраженного «утреннего недомогания»: ваш организм вырабатывает больше гормонов, и поэтому вы чувствуете себя «более беременной», чем будущая мать одного ребенка.

Кроме того, гормоны беременности замедляют работу желудочно-кишечного тракта, что приводит к аккумуляции желудочного сока, несварению и изжоге. Все это вносит свой вклад в «утреннее недомогание». Замедление работы пищеварительной системы, а также ее соперничество с увеличивающейся маткой за место в брюшной полости может привести к запорам — еще один пункт в длинном списке желудочно-кишечных расстройств.

Я знаю, что должна прибавлять в весе, но, боюсь, я стала худеть, потому что ужасно себя чувствую.

Не стоит беспокоиться из-за потери веса в периоды плохого самочувствия. На самом деле большинство женщин продолжают хорошо набирать вес даже в течение этих недель или месяцев — вероятно, потому, что в целях борьбы с недомоганием они едят часто, но понемногу. Удивительно, но многие женщины в период «утреннего недомогания» едят не меньше, а больше. Даже те, кто теряет в весе, быстро наверстывают упущенное, когда недомогание проходит.

Когда следует беспокоиться из-за обильной рвоты? Не повредит ли тошнота и рвота моему ребенку?

Нет. Хорошая новость: ваши страдания не распространяются на ребенке. Иногда младенца в утробе матери называют «совершенным паразитом», хотя слова эти не стоит понимать буквально. В отношении большинства питательных веществ справедливо следующее: если этого вещества недостаточно для двоих, ребенок получает столько, сколько ему нужно, а потребности матери остаются неудовлетворенными.

В большинстве случаев «утреннего недомогания» химия организма остается неизменной, и со временем состояние беременной улучшается. Менее 1 процента женщин страдают тяжелой формой постоянной рвоты, которая получила название «*hyperemesis gravidarum*» (в переводе с латыни — чрезмерная рвота при беременности). При этом состоянии организм не способен компенсировать потери от постоянной рвоты. Организм теряет важные соли, которые называются «электролитами», а также жидкость; другими словами, наступает обезвоживание. Если *hyperemesis gravidarum* не распознать и не лечить, постоянная и обильная рвота может привести к тяжелому состоянию, что отрицательно скажется

на ребенке. При соответствующем лечении и мать, страдающая от *hyperemesis gravidarum*, и ребенок остаются абсолютно здоровыми.

Ниже приводятся симптомы начинающегося обезвоживания, при появлении которых следует обратиться к врачу.

- Рвота не прекращается.
- Количество мочи уменьшается, и она приобретает более темный цвет.
- Рот, глаза и кожа становятся сухими.
- Вы ощущаете все большую усталость.
- Снижается быстрота мышления.
- Усиливается слабость, возникают обмороки.
- Организм не удерживает еду и питье в течение двадцати четырех часов.

Помимо предотвращения обезвоживания организма, следует принять меры, чтобы не допустить состояния, которое носит название «голодный кетоз». Когда организму не хватает каких-либо веществ, и особенно углеводов, его ткани начинают расщепляться, и при этом в крови накапливается избыточное количество кетоновых тел (органических соединений), которые усиливают тошноту. Чтобы предотвратить развитие этого состояния, пейте соленые жидкости, например куриный бульон, или принимайте специальные растворы электролитов, которые продаются в аптеке без рецепта.

Из-за неуверенности в безопасности противорвотных препаратов большинство врачей для борьбы с обезвоживанием предпочитают назначать (а большинство женщин с радостью соглашаются) внутривенную терапию в течение двадцати четырех или сорока восьми часов. Потеря жидкости и солей восполняется, и хорошее самочувствие быстро восстанавливается. Если степень обезвоживания не слишком высокая, то беременные женщины, страдающие от обезвоживания или кетоза, могут проходить курс внутривенной терапии в домашних условиях.

Мне всегда кажется, что для ощущений и реакций моего организма всегда существует какая-то естественная причина. Относится ли это к утреннему недомоганию?

Да. В данном случае это логика биологических процессов. Воспринимайте утреннее недомогание как защитный механизм, заставляющий вас сторониться определенных веществ или ситуаций, которые могут неблагоприятно сказаться на вас или на вашем ребенке. Наиболее показательным в этом отношении может быть повышенная чувствительность к потенциально опасным запахам, таким, как краска, выхлопные газы и табачный дым. Однажды Марта поняла, что беременна, когда ей стало плохо от запаха кофе; в другой раз

сигналом послужило внезапное отвращение к бокалу шампанского. Тошноту и отвращение к запахам можно считать способом, при помощи которого природа предупреждает будущую мать, чтобы та внимательно следила за тем, что она вдыхает или ест. Некоторые будущие матери называют это обостренное обоняние «нос-локатор». Биологи выдвигают предположение, что обостренное обоняние позволяет беременным самкам животных чуять опасность еще до того, как они увидят ее. Беременные женщины, конечно, не всегда радуются этой особенности. Создается впечатление, что иногда организм будущей матери перестраховывается.

Моя акушерка сказала мне, что тошнота — это признак здорового ребенка, но я подозреваю, что она просто хотела таким образом успокоить меня.

Если вашим страданиям требуется научное обоснование, то вам, наверное, будет полезно узнать, что высокий уровень гормонов беременности в крови, который вызывает тошноту, свидетельствует также о надежной имплантации эмбриона. И действительно, статистика свидетельствует, что чем сильнее приступы тошноты у будущей матери, тем выше вероятность рождения здорового ребенка. На акушерском жаргоне это звучит так: «Чем хуже чувствует себя мать, тем лучше результат». У некоторых женщин низкий уровень гормонов беременности может свидетельствовать об аномалиях в развитии беременности и о повышенном риске выкидыша. Однако это не означает, что если вы чувствуете себя нормально, то ребенок не будет здоровым. Многие женщины, у которых «утреннее недомогание» было выражено в легкой форме, рожали абсолютно здоровых детей.

Бывают дни, когда мне очень плохо, и единственное, что приносит мне облегчение, — это продукты, к которым меня неудержимо тянет. Но я волнуюсь, что мое питание становится несбалансированным.

Когда вы плохо себя чувствуете, то в самую последнюю очередь думаете о содержании питательных веществ в пище. Вы просто хотите съесть то, что облегчит ваше состояние — именно так и нужно поступать. Запомните, что любая пища (за исключением той, что явно вредна для здоровья или небезопасна), которая помогает матери чувствовать себя лучше, удерживаясь в желудке и снабжая организм энергией, полезна для ребенка. Возможно, временами вам будет казаться, что вы переборщили с углеводами или съели огромное количество белка. Иногда вы будете просто есть то, что удерживается у вас в желудке. Вы удивитесь, когда обнаружите, что тяга к различной пище, которую вы испытывали на протяжении нескольких месяцев, приведет к тому,

что ваша диета в конечном итоге окажется сбалансированной. Когда вас мучает тошнота, забудьте о сбалансированном питании. Ваша цель — сбалансированное самочувствие.

При наличии проблем с пищеварением понятие хорошей и плохой диеты неприменимо. Ешьте то, что вам хочется и что улучшает ваше самочувствие. (Мы знаем одну беременную женщину, бывшую вегетарианку, которая в течение двух месяцев питалась исключительно сэндвичами с ростбифом, апельсиновым соком и помидорами. Вероятно, ее организм требовал железа и витамина С, необходимого для его усвоения, хотя это и не имеет особого значения: она просто не могла есть ничего другого.) Если тошнота преследует вас постоянно, держите под рукой набор продуктов, которые улучшают ваше самочувствие, и перекусывайте время от времени. Старайтесь придерживаться сбалансированной диеты в те дни, когда вы чувствуете себя лучше и способны вынести ее.

У меня вторая беременность. Во время первой беременности четыре месяца мне было очень плохо. Улучшится или ухудшится мое состояние в этот раз?

Скорее всего улучшится. Подобно родам, утреннее недомогание легче выдержать, если вы один раз уже через это прошли. Вы можете представить себе, что вам предстоит, и вы уже выработали стратегию, помогающую справиться с этой проблемой. Тем не менее, поскольку при разных беременностях уровни гормонов в крови отличаются друг от друга, продолжительность и интенсивность утренних недомоганий тоже могут быть разными. Марта отмечала, что две последние беременности она перенесла хуже и что период плохого самочувствия длился дольше, чем при первых трех беременностях. Две средние по времени беременности оказались средними и по самочувствию. Однако во всех случаях — как в последних двух, так и в первых пяти — по истечении шестнадцати недель Марта уже получала удовольствие от своей беременности.

Мой муж не проявляет сочувствия, когда мне плохо. Он считает, что я все выдумала.

Тот, кто считает утреннее недомогание выдумкой, никогда не вынашивал ребенка. Вашему мужу нужно наглядно объяснить, что вам приходится переносить. Если он когда-нибудь страдал морской болезнью или его укачивало в машине (тот, кто это перенес, никогда не забудет своих ощущений), пусть представит, что испытывает подобные ощущения в течение всего дня. А потом скажите ему, что он все это выдумал. Разумеется, отрицательные эмоции могут усилить утреннее недомогание, но все это происходит

с вашим телом, а не у вас в голове. Нежно напомните мужу, что это ваше тело меняется во время беременности, а не его. Многие мужчины испытывают чувство беспомощности, когда их супруга плохо себя чувствует, и впадают в еще большее отчаяние, если не могут ничем помочь. Им тяжело наблюдать за страданиями любимого человека. Расскажите мужу, как он может помочь вам справиться с тошнотой и уменьшить дискомфорт. Эти навыки пригодятся ему, когда придет время оказывать вам помощь при родах.

Тем не менее в утреннем недомогании определенную роль может сыграть эмоциональный настрой. В нашей культуре женщина запрограммирована на ожидание плохого самочувствия. Подход: «Я беременна, значит, я буду плохо себя чувствовать», — способствует самореализации дурных предсказаний. Наше семейное хобби — это яхты. Один из морских законов гласит: никогда не говорите о морской болезни, особенно с новичками. Заразной может стать сама мысль о морской болезни. По этой же причине не пользуется особой популярностью неплохая идея групповых занятий по преодолению утреннего недомогания.

У большинства женщин утреннее недомогание появляется к концу третьей недели беременности и ослабевает к концу третьего месяца. Тем не менее не стоит рассчитывать, что конец первого триместра принесет вам облегчение. У некоторых женщин тошнота и рвота сохраняются во втором триместре, хотя с течением времени эти симптомы постепенно ослабевают. Гораздо реже встречаются невезучие, у которых тошнота присутствует все девять месяцев и исчезает только после рождения ребенка.

Замечание доктора Линды. Я могу определить ритм или причину моего утреннего недомогания. Оно было очень слабым во время моей первой беременности, когда я вынашивала мальчика, и почти незаметным во время третьей беременности, девочкой. Очень плохо я себя чувствовала в первые несколько месяцев второй беременности, когда тоже носила под сердцем девочку. Мое состояние никак не было связано с уровнем стресса, который был относительно высок во всех трех случаях.

Как долго длятся эти неприятные ощущения?

Многие будущие матери получают «награду» в виде периодов хорошего самочувствия, которые продолжаются несколько часов или даже целый день и во время которых они нормально себя чувствуют и могут вести обычную жизнь. Вы должны понимать, что вас ожидает. С увеличением срока беременности хороших дней будет становиться все больше, а количество и интенсивность плохих дней пойдут на спад. Утреннее недомогание, как и роды, рано или поздно закончится.

Семнадцать способов облегчить свое состояние при утреннем недомогании

Существует множество средств борьбы с утренним недомоганием — как и с коликами у новорожденного. Большинство женщин находят приведенные ниже рекомендации полезными — по крайней мере в некоторых случаях.

Определите причину и по возможности устраните ее. Через пару недель плохого самочувствия у вас в голове, вероятно, сформируется список образов, звуков и запахов, которые вызывают приступ тошноты. Большинство женщин самым неприятным считают повышенную чувствительность к запахам. Избавиться от всех запахов невозможно — как невозможны абсолютно безболезненные роды, — но в вашей власти определить и устранить запахи, которые вызывают у вас негативную реакцию. Чем отличается день, когда вы постоянно ощущаете тошноту, от дня, который можно назвать относительно нормальным? Сделайте все, что в ваших силах, чтобы избежать раздражителей. Если дыхание вашего мужа вызывает у вас приступ тошноты, отложите утренний поцелуй на более позднее время. Если вам плохо от запаха мокрой собаки или контейнера с мусором, скажите мужу, что у него временно появились новые обязанности. (*Примечание:* беременным женщинам в любом случае следует избегать кошачьих фекалий, поскольку в них содержатся бактерии токсоплазмоза, которые могут нанести серьезный вред ребенку.) В определенной степени выявление раздражителей отвлечет ваше внимание, а тем временем проблема разрешится естественным путем.

Разумеется, если вы реагируете на корм для собаки, а кормить собаку больше некому, то вам придется найти способ, чтобы побороть недомогание. Большинство беременных женщин начинают дышать ртом, задерживают дыхание на несколько секунд или зажимают нос, чтобы уберечься от неприятных запахов. (Навык делать все одной рукой очень пригодится после рождения малыша.)

Тяга к определенной пище

Женщины, у которых беременность не первая, считают, что лучший способ борьбы с тягой к определенным продуктам во время утреннего недомогания — это не сопротивляться ей. Если вы порадуете желудок тем, что он требует, то можете превратить заполненный приступами тошноты день в период нормального самочувствия. Тяга к определенным продуктам во время беременности может отражать мудрость вашего организма: многие диетологи, изучавшие этот вопрос, пришли к выводу, что некоторые распространенные желания действительно отражают потребность в определенных питательных веществах во время беременности. Рассмотрим два продукта, тяга к которым встречается особенно часто: солевые огурцы и картофельные чипсы. Эти продукты богаты солью, необходимой для вашего организма, а кроме того, они вызывают жажду, заставляя вас пить больше воды. Возможно, ваш организм знает, что ему нужна дополнительная жидкость, чтобы наполнить околоплодный «плавательный бассейн» ребенка. Некоторые женщины испытывают тягу к продуктам, которые им раньше не нравились. Вероятно, их изменившийся организм испытывает потребность в питательных веществах, которые ему не были нужны до беременности. У большинства женщин пристрастия меняются на протяжении всего срока беременности, возможно, отслеживая таким образом потребности организма в питательных веществах. Как и утреннее недомогание, тяга к определенным продуктам ослабевает в последние месяцы беременности.

Замечание доктора Линды. На ранней стадии беременности я заметила у себя тягу к стейку и гамбургерам — довольно необычная реакция. Мой муж был поражен, поскольку я практически не ела мясных продуктов — только изредка нежирную курятину или рыбу. Я уверена, что таким образом мой организм требовал дополнительное количество минеральных веществ и железа, поскольку в моей обычной пище их было недостаточно.

Ваши желания и потребности вашего организма могут быть довольно схожими, однако не стоит рассчитывать, что ваша тяга к определенным продуктам будет на 100 процентов правильной. В настоящее время, при наличии ресторанов быстрого питания, полуфабрикатов и навязчивой рекламы желания беременной женщины могут определяться не только потребностями ребенка, но и многочисленными внешними воздействиями. Ощущение, что жизнь кончится, если вы вечером не получите свою порцию горячего сливочного крема с орехами и фруктами, лежит скорее в области эмоций, чем диктуется потребностями ребенка. Если вам абсолютно необходимо съесть перед сном это китайское лакомство (даже если для этого вашему мужу придется рисковать жизнью в темную зимнюю ночь),

уступите своему желанию и считайте его не капризом, а биологической потребностью. Однако если вы чувствуете, что ваши желания выходят из-под контроля, проявите бдительность. Записывайте, какое количество того или иного продукта вы съедаете, а также как часто вы это делаете. Проконсультируйтесь с наблюдающим вас врачом или диетологом, и они помогут вам определить, соответствуют ли ваши желания вашим потребностям и интересам ребенка. В любом случае есть общее правило относительно тяги к определенным продуктам во время беременности: считайте, что ваши желания отражают потребности вашего организма, если только пища, к которой вы испытываете пристрастие, не является безоговорочно вредной для здоровья.

Я смотрю на сладости в витрине магазина, и у меня в буквальном смысле текут слюнки. Больше всего мне хочется «жевательных» медвежат. Мне они очень нравятся. К сожалению, мне кажется, что моей двухлетней дочери не стоит наблюдать, как ее мама с жадностью поглощает «жевательных» медвежат, а потом выслушивать объяснения, что это вредно для здоровья. Мне хотелось бы больше походить на подруг, которые испытывали тягу к таким полезным вещам, как фрукты или салаты.

Хорошее начало дня. Многие женщины замечали, что резкий подъем с постели на голодный желудок — это верный путь к утреннему недомоганию и что плохое самочувствие утром может растянуться на весь день. Дайте своему измученному тошнотой желудку шанс прийти в норму. Съешьте что-нибудь перед сном, чтобы в семь утра желудок не был бы абсолютно пустым. Поставьте у кровати поднос с легко перевариваемой и не вызывающей отвращения пищей. Во время ночного похода в ванную побалуйте свой желудок легкой закуской. Очень полезное правило: ешьте до того, как ваши ноги коснулись пола. Продолжайте жевать все утро, при необходимости таская за собой поднос с закусками.

Приступы тошноты часто вызываются резкой переменой состояния. А что может быть хуже, чем внезапное пробуждение от неприятных звуков будильника? Постарайтесь сгладить этот переход от сна к бодрствованию. Просыпайтесь под звуки спокойной музыки. В продаже имеются бесшумные будильники, которые в установленное время постепенно увеличивают яркость освещения. Если вам не нужно вставать в определенное время, не делайте этого. При необходимости приобретите мужу какой-нибудь бесшумный будильник, например пейджер с виброзвонком, который прикрепляется к одежде.

По возможности начинайте день с приятных и не вызывающих стресса занятий, таких, как прогулка, медитация или чтение. Запрограммируйте свой организм на такой день, каким бы вы хотели его видеть.

Ешьте, когда этого требует желудок. Низкий уровень сахара в крови, способный вызвать приступ тошноты, может иметь место не только утром, но и в любое другое время, когда после приема пищи прошло несколько часов. Традиционный режим трехразового питания не подходит беременной женщине. Более приемлемым являются шесть приемов пищи с меньшими порциями. Попробуйте перейти на этот режим тогда, когда ваш желудок как будто бы вообще ничего не хочет. Перекусывание *питательными* продуктами на протяжении всего дня позволит вам удовлетворить свой желудок и поддерживать постоянный уровень сахара в крови.

Я ощущаю постоянный голод и все время думаю о следующем приеме пищи. Как только мой желудок становится пустым, у меня ухудшается самочувствие, и поэтому мне необходимо постоянно чем-то наполнять желудок. Сразу после завтрака я начинаю думать: «Что бы мне съесть на обед?» Весь день мои мысли крутятся вокруг еды и того, что я буду есть в следующий раз.

Перекусывайте полезными для желудка продуктами. Некоторые продукты по своей природе тяжелее для желудка, чем другие. Жирную, острую и богатую клетчаткой пищу труднее переваривать. Постарайтесь следовать следующим рекомендациям, чтобы облегчить нагрузку на желудок.

● Ешьте быстроусваиваемую пищу: продукты с питательными веществами, которые быстро перевариваются и проходят через пищеварительную систему, например жидкости, йогурты, нежирные и богатые углеводами продукты. Избегайте трудноперевариваемой жирной пищи и жареного, например жирного мороженого, чипсов и жареных кур.

● Отдавайте предпочтение продуктам, в которых на каждую калорию приходится большое количество питательных веществ: авокадо, фасоли, сыру, рыбе, ореховому маслу, макаронным изделиям из неочищенной муки, шелушеному рису, тофу и индейке. Если вы не любите арахисовое масло, замените его маслом с менее резким вкусом, например из миндаля или орехов кешью. Полейте небольшим количеством масла крекеры, хлеб, дольки яблок или зелень; польза от этого заключается в замедлении процессов пищеварения, которое происходит из-за большого содержания жиров в ореховом масле.

● Чтобы избежать обезвоживания, которое усиливает тошноту, ешьте продукты, вызывающие жажду. Можно посоветовать соленые огурцы, чипсы и соленые крендельки.

● Не позволяйте слюне попадать в пустой желудок. Пустой желудок отличается повышенной чувствительностью к слюне, что может привести к быстрому появлению тошноты. У большинства беременных женщин вырабатывается избыточное количество слюны, причем ее выделение может провоцировать даже одна мысль о еде. «Смажьте» стенки желудка молоком, йогуртом или мороженым, прежде чем приступать к пище, которая вызывает повышенное слюноотделение (например, сухая или соленая пища, вроде крекеров). Это предотвратит вызванную слюной тошноту. Многие беременные женщины утверждают, что бороться с тошнотой помогает мятная карамель или жевательная резинка, однако лучше воздержаться от их употребления на голодный желудок, поскольку эти продукты вызывают повышенное слюноотделение, но не заполняют желудок.

● Если тошноту у вас вызывают витамины для беременных, попробуйте принимать их во время самого обильного приема пищи.

● Продукты с высоким содержанием воды не только облегчают пищеварение, но и предотвращают обезвоживание и запоры, которые способны усиливать тошноту. Попробуйте включить в свой рацион дыни, виноград, замороженный фруктовый сок, латук, яблоки, груши, сельдерей и ревень.

● Выясните, какие леденцы помогают вам бороться с тошнотой (таблетки от укачивания, лимонные леденцы и т. д.), и держите их всегда при себе.

Всякий раз, когда я приходила в ресторан, то при одном взгляде на меню у меня к горлу подкатывала тошнота. Иногда приступ становился сильнее при одной мысли о еде. Я научилась открывать меню и выбирать первое блюдо, которое попадалось мне на глаза.

Я научилась избегать всего, что могло вызвать у меня изжогу. Для меня изжога и утреннее недомогание составляли неприятный дуэт, которого я очень опасалась.

Употребляйте продукты с высокой энергетической ценностью. Сложные углеводы (наши бабушки называли их «крахмалами») выступают в роли энергетических таблеток пролонгированного действия, медленно поставляя энергию в систему кровообращения и удовлетворяя аппетит. Эти вещества в больших количествах содержатся в злаках (рис, кукуруза, пшеница, овес, просо, ячмень), из которых вырабатываются такие продукты, как хлеб, каши, макаронные изделия и печенье. Еще более

питательны и полезны сорта этих продуктов, изготовленные из неочищенной муки.

Выбирайте из любимых продуктов те, которые улучшают ваше самочувствие. После нескольких недель борьбы с утренним недомоганием у вас в голове, наверное, уже сложился список тех продуктов, которые улучшают ваше самочувствие — или по крайней мере не усиливают тошноту. Не удивляйтесь, если вдруг любимый продукт потеряет свои волшебные свойства. Переключитесь на что-то другое, даже если эта пища кажется вам менее полезной. Велика вероятность того, что продукты, к которым вас тянет, помогут вам улучшить самочувствие.

Заставляйте себя есть. Возможно, у вас бывают такие дни, когда вам ничего не хочется. Однако ваше самочувствие только ухудшится, если вы не заставите себя что-либо съесть или выпить. Не обрекайте себя на день сидения в ванной, допуская наполненный желудочным соком желудок и низкий уровень сахара в крови. Съешьте что-нибудь. Все равно что.

Выходите на прогулку. Бывают дни, когда вы не можете проглотить ни кусочка. Точно так же иногда вам не хочется вставать с дивана. Сделайте над собой усилие. Свежий воздух, смена обстановки, даже посещение друзей или поход в кинотеатр могут отвлечь вас и благотворно сказаться на вашем пищеварении. Если вы лучше чувствуете себя во время активных занятий, поддерживайте эту активность. Если вам лучше в спокойном состоянии, отдыхайте. Однако не пытайтесь весь свой отдых проводить в одном месте. Если вы работаете в офисе, не обедайте за своим письменным столом. Выйдите на свежий воздух — даже на несколько минут.

Замечание доктора Линды. Даже если мне очень не хотелось идти на работу, там я действительно чувствовала себя лучше. Мое состояние все равно оставалось ужасным, но во время работы у меня по крайней мере не было времени думать о том, как отвратительно я себя чувствую.

Садитесь за руль автомобиля, а не на место пассажира. Если поездка в автомобиле вызывает у вас неприятные ощущения, попробуйте сесть за руль. Когда ваш мозг занят, а глаза выискивают возможные помехи, вы меньше обращаете внимания на свое самочувствие. (Кстати, именно поэтому у рулевого в лодке меньше всего шансов заболеть морской болезнью.)

Делегируйте свои обязанности. Оставайтесь в постели, пока ваш желудок не успокоится, а в доме не воцарится тишина. Пусть супруг отведет старших детей в школу или покормит и займет младшего, прежде чем тот сделает маму объектом своего внимания. Такой распорядок подготовит вашего мужа к выполнению утренних обязанностей в течение по крайней мере первых нескольких месяцев после родов. Не забывайте о списке причин, вызывающих приступы тошноты, и попросите членов семьи — мужа и старших детей — выполнять обязанности, которые ухудшают ваше самочувствие. Пусть они покормят собаку и вымоют после нее миску. Накануне вечером нужно вынести мусор и вымыть посуду. Расскажите о том, что вам нужно для комфорта. Огласите список того, что вас беспокоит и что улучшает ваше самочувствие. Обязанности вашего мужа могут меняться в зависимости от вашего самочувствия: иногда ему приходится исполнять роль мальчика на побегушках, отправляясь за покупками и выполняя различные поручения, а в другие дни он становится заведующим кухней, подавая вам различные закуски и блюда. Не нужно испытывать чувство вины, если вы просите подать себе завтрак в постель. Помните, что вы вынашиваете вашего общего ребенка. Если вам поможет определенная пища (даже если для этого потребуется сходить в бакалейный магазин), массаж ног или освобождение от тех или иных обязанностей, не молчите. Возможно, вам придется готовить более простые блюда. Если семья несколько раз пообедает сыром, крекерами и морковью, ничего страшного с ними не случится. Если муж начнет жаловаться, пусть готовит еду сам.

Замечание доктора Билла. Марте все время хотелось цуккини, и мне часто приходилось совершать вечерние походы в супермаркет, чтобы удовлетворить ее желание и приготовить оладьи из цуккини, которые она съедала перед сном. Однажды, когда я стоял перед кассой с огромным цуккини в руках, кассир сделал следующий вывод: «Должно быть, ваша жена беременна».

По мере того как у вас развивается повышенная чувствительность к окружающей обстановке, муж должен проявлять максимальную отзывчивость к вашим потребностям. Многие женщины не переносят смеси различных ароматов в супермаркете — по крайней мере в первые месяцы беременности. Обдумайте варианты своих действий: посылать в магазин супруга, нанимать подростка, который будет приносить вам продукты, или выбрать магазин, доставляющий товары на дом.

Я любила вздремнуть перед обедом, пока мой муж готовил. Затем мы наслаждались совместной трапезой.

Планируйте свои действия заранее. Если вы знаете, что именно провоцирует приступ тошноты, постарайтесь найти обходные пути, чтобы избежать этих вещей. Если вас беспокоят запахи кухни, приготовьте еду и поместите ее в холодильник заранее в те дни, когда вы чувствуете себя сносно. Можно временно снизить свои требования к еде и покупать более удобные в приготовлении продукты. Если вас пригласили на обед, попросите позволения принести с собой блюдо, которое вы хорошо переносите. На работе или на улице всегда носите с собой что-нибудь съедобное: за внезапным приступом голода обязательно последует тошнота, если под рукой не окажется проверенного лакомства.

Снизьте уровень стресса. Утреннее недомогание — это реакция вашего тела, а не психики. Тем не менее физическое и психическое тесно связаны между собой. И в мозгу, и в желудке есть нервные окончания, и поэтому эмоциональное расстройство может вызвать расстройство желудка. Многие будущие матери попадают в цикл «стресс — тошнота». Чем хуже они себя чувствуют, тем сильнее расстраиваются, что, в свою очередь, приводит к ухудшению самочувствия.

Возможно, во время беременности вам потребуется внести серьезные изменения в свой образ жизни и в свою карьеру. Медики считают, что ребенка в утробе матери лучше беречь от постоянного воздействия гормонов стресса. Если работа приносит множество стрессов и мало радости, то вам, возможно, придется договориться об изменении рабочего времени или обязанностей, чтобы уменьшить психические и физические нагрузки. Освободите свой дом от лишних стрессовых факторов — исключая супруга и детей. Умение избавляться от стресса — это важный навык для сохранения спокойствия молодой матери. Напоминайте себе, что ВАШЕМУ РЕБЕНКУ БОЛЬШЕ ВСЕГО НА СВЕТЕ НУЖНА СЧАСТЛИВАЯ И ОТДОХНУВШАЯ МАМА, КАК ДО, ТАК И ПОСЛЕ РОЖДЕНИЯ.

Для меня беременность стала возможностью избавиться от бешеного ритма жизни. Я оставила чрезвычайно напряженную профессию биржевого маклера, где я была буквально окружена атмосферой мужских гормонов; теперь я могу погрузиться в свои женские гормоны и быть счастлива.

Наиболее распространенные успокаивающие продукты

Во время приступов утреннего недомогания нет смысла говорить о полезной или вредной пище — есть только продукты, которые помогут улучшить самочувствие. Ниже приводится список благотворно воздействующих на желудок продуктов, включая несколько природных средств от тошноты.

- имбирь в разнообразных формах: экстракт корня, порошок, капсулы, чай, плитки, кристаллы, маринованный имбирь или печенье
- лимон: можно сосать или нюхать
- чай из листьев малины
- мята и мята перечная
- картофельные чипсы
- картофель (печеный, отварной, пюре)
- подсоленные семена подсолнечника
- сок папайи
- жевательная резинка
- арбуз
- йогурт
- замороженный йогурт
- рисовое печенье
- виноград
- соленые огурцы
- пудинг
- ромашковый чай
- газированная минеральная вода с добавлением лимона
- авокадо
- яблочный сок
- ревень

- шербет
- крекеры
- сельдерей
- морковь
- лимонные леденцы
- бананы
- лакричник

- цуккини
- рогалики
- макароны
- хлопья
- помидоры
- овсяная каша

Еда или напиток, который снимает тошноту у одной женщины, может вызвать приступ у другой. Методом проб и ошибок вы составите собственный список «лекарств» от тошноты. Сохраняйте верность этому набору продуктов во время первого триместра. По мере того как пищеварительная система начнет утрачивать избирательность, расширяйте свой рацион. Кроме того, составьте список из пяти-шести наиболее подходящих вам продуктов, которые можно будет грызть во время родов. Это поможет вам справиться с возможным приступом тошноты.

Попробуйте обратиться к помощи акупрессуры. И восточные, и западные медики указывают на точку, расположенную на два дюйма выше складки на внутренней стороне запястья, нажатие на которую может снять приступ тошноты или рвоты, связанный с беременностью или другими состояниями (например, морской болезнью). Ремешки для акупрессуры продаются без рецепта в аптеках и магазинах корабельных принадлежностей и надеваются на одно или на оба запястья. Каждый ремешок содержит кнопку, которая нажимает на активную точку. В статье, опубликованной в уважаемом журнале «Акушерство и гинекология», сравнивается частота появления приступов тошноты у женщин, которые носили ремешок, и женщин, у которых был ремешок-пустышка с кнопкой, расположенной на обратной стороне руки. Облегчение испытали около 60 процентов беременных женщин с настоящим ремешком для акупрессуры, носивших его в течение трех дней, и только 30 процентов женщин — с ремешком-пустышкой. Исследователи пришли к выводу, что акупрессура безопасна и эффективна одновременно.

Носите удобную одежду. Надевайте свободную, не стесняющую движений одежду. Многие беременные женщины обнаруживают, что давление на живот, талию или шею раздражает их и вызывает приступ тошноты.

Найдите правильную позу. Помимо тошноты и рвоты — как будто этого недостаточно — многие бере-

---

Продукты, которые обычно вызывают дискомфорт

- жареное
- жирная пища
- продукты с высоким содержанием жиров
- колбасы
- яичница
- острая пища

- продукты, содержащие глутамат натрия
- лук
- квашеная капуста
- белокочанная капуста
- цветная капуста
- напитки, содержащие кофеин, например кофе и кола

менные женщины по утрам страдают от изжоги. Жжение, которое обуславливается выбросом желудочного сока в верхний отдел пищевода, во время беременности (опять благодаря действию гормонов, которые ослабляют стенки желудка) возникает гораздо чаще, чем в другое время. Лучшим лекарством от изжоги является сила тяжести: любое положение, при котором вход в желудок оказывается выше выхода, поможет уменьшить обратный ток желудочного сока. После еды оставайтесь в вертикальном положении или ложитесь на правый бок. Положение лежа на спине увеличивает вероятность изжоги.

Переспите свое недомогание. Удачным стечением обстоятельств можно считать тот факт, что повышенная потребность в сне во время беременности совпадает с фазой утреннего недомогания. По крайней мере вы можете рассчитывать, что сон принесет долгожданное избавление от тошноты. Марта вспоминает, что жаждала сна по одной-единственной причине — он спасал ее от тошноты. Этот отдых для вас настолько важен, что вы должны спать столько, сколько возможно. Некоторым женщинам сон не помогает. Им нужно чем-то занять свой мозг, чтобы сосредоточиться на чем-то другом, кроме собственного желудка.

Если у вас есть маленький ребенок, то вы скорее всего не можете позволить себе роскоши полежать в постели или подольше поспать. Чтобы не вставать с плохим самочувствием, немного перекусите перед отходом ко сну, желательно фруктами и пищей, которая содержит медленно усваивающиеся сложные углеводы (зернопродукты и легкие макароны). Эти вещества будут медленно снабжать энергией ваш организм в течение всей ночи и в то же время не нарушат ваш сон. Не забывайте также о натуральных противокислотных средствах, таких, как молоко, мороженое или йогурт, которые нейтрализуют обладающий раздражительным действием желудочный сок во время отхода ко сну. Одни женщины предпочитают перед сном принимать свою дневную дозу таблеток с препаратами кальция, другие делают это утром. (Эти содержащие кальций таблетки следует жевать, и они тоже действуют как противокислотное средство.)

Известная поговорка «встать с левой ноги» имеет определенную физиологическую основу. Обычно это означает, что вы легли спать в плохом настроении. Если вы заснули в состоянии стресса, то, вполне вероятно, проснетесь в неважном расположении духа. За бессонной ночью почти наверняка последует день, заполненный приступами тошноты и рвоты. Чтобы перед сном отвлечься от неприятных мыслей, почитайте на ночь или займитесь чем-нибудь успокаивающим. Многие пары используют время отхода ко сну, чтобы поговорить о радостях предстоящего материнства и отцовства, или проделывают упражнение, которое мы в шутку называем «рукоположением»: вместе с супругом вы кладете ладони на ваш живот и начинаете разговаривать с еще не рожденным ребенком, благословляя его. Беременные женщины говорят, что это помогает им расслабиться и заснуть.

Будьте позитивными. Выбирайте людей, с которыми вы делитесь своими страданиями. Женщины, которые уже прошли через это испытание, поймут вас. Остальные — нет. Старайтесь подчеркнуть позитивные аспекты беременности, когда разговариваете со своими детьми. В особенно трудные дни сосредоточьтесь на награде, которая вас ждет впереди.

Утром я чувствовала себя прекрасно, потому что хорошо высыпалась; мое самочувствие ухудшалось днем, когда дети возвращались из школы. Они видели меня усталой, раздражительной и страдающей. Кроме того, часто я была не в состоянии их как следует накормить. Однажды наш четырнадцатилетний сын услышал мои стоны и жалобы и спросил: «Мама, ты жалеешь, что у тебя будет ребенок?» Эта фраза заставила меня умолкнуть, и я поняла, что нужно немного сдерживать себя и в присутствии детей проявлять больше оптимизма. Я не хотела, чтобы в памяти дочерей остались только негативные стороны беременности.

Радость от рождения дочери перевешивала все утренние недомогания.

КАК РАЗВИВАЕТСЯ ВАШ РЕБЕНОК (1— 4 НЕДЕЛИ)

Все время, пока вы работаете, гуляете, отдыхаете или спите, внутри вас происходит чудо.

Одна неделя: яйцеклетка встречается со сперматозоидом, и происходит оплодотворение. Как только сперма-

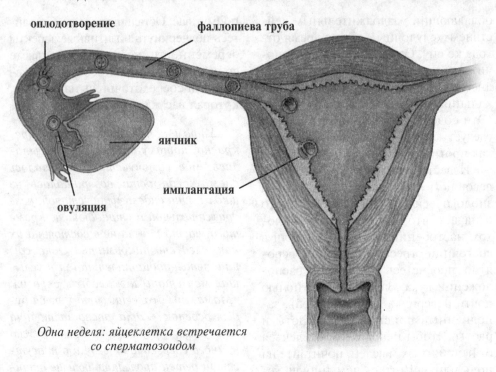

оплодотворение

фаллопиева труба

яичник

имплантация

овуляция

*Одна неделя: яйцеклетка встречается
со сперматозоидом*

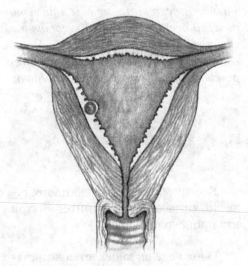

Имплантация эмбриона

тозоид проникает в яйцеклетку, происходит оплодотворение; обычно это случается в верхней части одной из фаллопиевых труб. В момент оплодотворения определяется пол будущего ребенка (из одних сперматозоидов развиваются мужчины, из других женщины). С самого начала оплодотворенная яйцеклетка содержит в себе полный генетический набор: двадцать три хромосомы от матери и двадцать три хромосомы от отца. Иногда двумя сперматозоидами оплодотворяются две яйцеклетки, что приводит к появлению на свет двуяйцевых близнецов. Реже одна яйцеклетка оплодотворяется одним сперматозоидом, а затем делится на две части, в результате чего рождаются однояйцовые близнецы. Во время четырехдневного путешествия по фаллопиевой трубе на расстояние в четыре дюйма оплодотворенная яйцеклетка делится, и к тому времени, как этот будущий ребенок добирается до матки, он состоит по крайней мере из шестнадцати клеток. В первые восемь недель своей жизни эти клетки называются «эмбрионом», но большинство матерей предпочитают термин «ребенок».

Две недели: имплантация. На седьмой день эмбрион, напоминающий по внешнему виду микроскопическую ягоду малины, находит подходящее место и имплантируется в слизистую оболочку матки, обычно в верхней трети или ближе к верхней

части своего нового дома. Когда зародыш внедряется в пронизанную кровеносными сосудами слизистую оболочку, возможно выделение нескольких капель крови. Этот увеличивающийся росток новой жизни, который получил название «бластоцит», начинает организовываться в группы клеток, в каждой из которых насчитывается несколько сотен. Некоторые из этих клеток укрепляются в рыхлой слизистой оболочке матки, другие собираются в группы, каждую из которых ждет своя судьба. Матка, реагируя на присутствие эмбриона, начинает формировать зачаток плаценты, которая передает питательные вещества из крови матери развивающемуся ребенку и удаляет продукты жизнедеятельности плода. По мере своего развития плацента начинает вырабатывать гормон

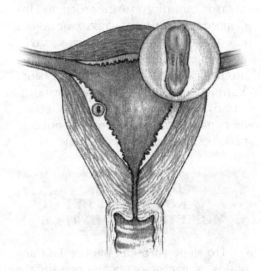

Эмбрион в возрасте 3 недель

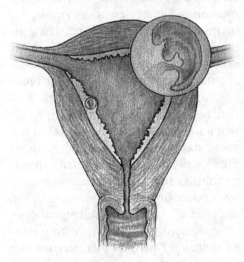

Эмбрион в возрасте 4 недель.

ЧХГ (человеческий хорионический гонадотропин), который укрепляет слизистую оболочку матки и стимулирует рост эмбриона, поддерживая высокие уровни эстрогена и прогестерона. С развитием плаценты ЧХГ попадает в кровь матери. К концу второй недели при проведении теста на беременность в моче матери тоже обнаруживается этот гормон.

Три недели: плацента и ребенок растут, уровень гормонов повышается. К этому времени менструация уже пропущена. Женщина может подозревать, что беременна, а повышающийся уровень гормонов в крови вызывает симптомы, подтверждающие ее подозрения. Гормоны беременности блокируют овуляцию яичников, и яичники при помощи гормонов дают сигнал гипофизу мозга больше не стимулировать менструации. За три недели одна-единственная клетка превращается в несколько миллионов клеток, которые начинают дифференцироваться в три типа: клетки, которые превратятся в нервную систему, кожу и волосы; клетки, из которых сформируется желудочно-кишечный тракт; клетки, которые дадут начало системе кровообращения, мочеполовой системе и скелетно-мышечной системе. К концу третьей недели у плода начинает биться рудиментарное сердце, имеющее форму трубки, а также циркулировать кровь.

Четыре недели: ребенок обретает форму. За эту неделю ребенок вырастает до размеров рисового зернышка и принимает изогнутую форму. Появляется пуповина с тремя отдельными кровеносными сосудами. На внешней границе крошечного тела ребенка формируется ткань, из которой впоследствии разовьется позвоночник. От тела отделяются крошечные отростки, которые должны превратиться в руки и ноги. Похоже на мяч сердце делится на две половинки и начинает качать кровь в почти сформировавшиеся главные кровеносные сосуды. Специализированные ультразвуковые аппараты позволяют даже наблюдать регулярное сердцебиение. Маленькие пятнышки на голове ребенка указывают места, в которых будут формироваться глаза. Развиваются полушария головного мозга и зачаток спинного мозга ребенка. Появляются рудименты таких органов, как трахея, пищевод, желудок, мозг, рот, печень, желчный пузырь, щитовидная железа и мочевой пузырь. Удивительно, но к тому времени, как будущая мать приходит к врачу на первый осмотр, основные органы ребенка уже сформировались.

ПРОБЛЕМЫ, С КОТОРЫМИ ВЫ МОЖЕТЕ СТОЛКНУТЬСЯ

По мере того как растет ваш ребенок, у вас появляются все новые вопросы и сомнения. С вашим телом происходит нечто новое и необычное, и вам есть о чем подумать. Вот несколько проблем, которые могут волновать вас на первых порах.

Предполагаемый срок родов

Точную дату рождения вашего ребенка предсказать невозможно, и это характерно для многих других аспектов подготовки к материнству. Это происходит потому, что дети в утробе матери растут с разной скоростью — как и после появления на свет. Ваш врач вычислит предполагаемую дату родов следующим образом: возьмет первый день вашей последней нормальной менструации, прибавит 266 дней, или тридцать восемь недель (средняя продолжительность беременности с момента зачатия), а затем еще четырнадцать дней (средний срок от первого дня последней менструации до следующей овуляции). Таким образом врач получит ориентировочный срок рождения вашего ребенка. Нельзя забывать, что расчеты эти приблизительны. Точный медицинский термин звучит так: «предполагаемая дата родов». Попробуйте выполнить следующие вычисления самостоятельно:

● возьмите первый день вашей последней нормальной менструации (например, 1 января)

● прибавьте один год (1 января следующего года)

● вычтите три месяца (1 октября)

● прибавьте семь дней, и у вас получится предполагаемая дата родов (8 октября).

Вы можете заметить, что вычисленная таким способом предполагаемая дата родов отличается от той, которую сообщил вам врач. Это происходит потому, что вы в своих подсчетах используете месяцы (не во всех месяцах одинаковое количество дней), а врач пользуется таблицей, в которой срок беременности определяется в днях. Если вы абсолютно точно знаете дату зачатия, прибавьте к ней 266 дней, и точность ваших вычислений превзойдет любые таблицы. Однако вам следует знать, что только 5 процентов детей появляются на свет в предсказанный срок, а большинство женщин разрешаются от бремени в промежуток плюс-минус две недели от предполагаемой даты родов.

Понять, почему вычисление предполагаемой даты родов не может быть точным, вы сможете в том случае, если рассмотрите множество неопределенностей. Женщина необязательно знает точную дату последней «нормальной» менструации. У женщин, которые недавно прекратили прием противозачаточных таблеток, могут наблюдаться нерегулярные месячные, и в этом случае трудно сказать, когда возобновились менструации и произошла овуляция. У некоторых женщин нерегулярные менструации вызываются другими причинами, и поэтому промежуток времени между началом месячных и овуляцией может быть меньше четырнадцати дней. Даже если регулярность месячных не вызывает у вас сомнений, длительность вашего менструального цикла тоже сказывается на точности расчетов: чем ближе он к двадцати восьми дням, тем выше вероятность, что роды наступят в предполагаемый день. При более длинном цикле вы скорее всего родите позже расчетной даты, а при коротком цикле — раньше.

Для некоторых женщин при определенных акушерских показаниях очень важно знать точную дату рождения. Если расчеты не соответствуют процессу роста ребенка, врач должен искать другие признаки того, что ваша беременность особенная (близнецы или проблемы с развитием ребенка). Хорошей новостью можно считать то, что чем больше срок беременности, тем точнее врач может предсказать предполагаемую дату родов. Вот почему использование указанной ниже информации позволит вам подкорректировать расчеты по мере развития ребенка.

● Во время ваших визитов врач будет измерять размеры матки, чтобы определить, соответствует ли развитие ребенка ожидаемому. (В среднем матка увеличивается в размерах и доходит до уровня пупка примерно за двадцать недель.)[1]

● При помощи ультразвукового аппарата с доплеровским режимом врач способен услышать сердцебиение вашего ребенка начиная с двенадцати недель.

● Большинство будущих матерей впервые чувствуют движение ребенка в период от шестнадцати до двадцати недель. (Женщины, у которых эта беременность не первая, могут ощущать движение раньше, поскольку они знают, как отличить его от перистальтики кишечника.)

● При необходимости врач проведет одно или два ультразвуковых обследования между шестнадцатой и двадцатой неделями, чтобы использовать полученные данные для корректировки предполагаемой даты родов.

Ультразвуковое обследование особенно полезно для вычисления предполагаемой даты родов у жен-

---

[1] «Недели», которыми врач измеряет вашу беременность, отсчитываются от первого дня последней нормальной менструации (а не от даты зачатия), и поэтому их оказывается примерно на две больше, чем действительный срок беременности. Не забывайте, что при описании развития ребенка в этой книге мы будем использовать реальный срок беременности с момента зачатия. Точно так же вы можете поступить при ведении собственного дневника.

щин с нерегулярным менструальным циклом. Точность ультразвукового метода зависит от срока беременности. В первые двенадцать или тринадцать недель ошибка в возрасте ребенка может составлять несколько дней. В период от шестнадцати до двадцати недель погрешность увеличивается до недели или десяти дней. В третьем триместре вычисленный при помощи ультразвука срок может отличаться от реального на три недели.

Для акушерских наблюдений очень полезно определить точную дату родов на первых месяцах беременности. Обычно врачи придерживаются вычисленной даты, если нет убедительных и постоянных свидетельств, что она с самого начала неточна. Во многих случаях, когда женщина знает дату зачатия, предполагаемая дата родов, вычисленная на основе этой информации, оказывается точнее той, что определяется по началу последней менструации или по результатам ультразвукового обследования. Врач обычно использует срок, определенный по началу последней менструации, если он совпадает с периодом, вычисленным по результатам ультразвукового обследования. Если повторные ультразвуковые обследования указывают на другую дату, врач может изменить предполагаемую дату родов. Результаты, полученные при помощи ультразвукового обследования, могут быть неверными как для нормальных биологических вариаций, так и для ненормального развития беременности.

Теория — это прекрасно, но факты говорят о том, что дети сами определяют дату своего рождения. Отметьте в календаре предполагаемую дату родов *карандашом*, поскольку ее, возможно, придется стереть и поставить отметку на другое число. Чтобы избежать разочарований последней недели — «Я не могу дождаться рождения ребенка» или «Я больше не в силах выносить беременность», — можно отодвинуть предполагаемую дату родов на одну неделю. Таким образом, вы получаете возможность радоваться, если ребенок появится на свет «раньше».

Кроме того, вы избежите вопросов по телефону: «Ты еще не родила?» — которые посыплются на вас на следующий день после того, как минует вычисленная дата родов. Другая стратегия, помогающая избежать беспокойства (ваш живот растет, ребенок не торопится появляться на свет, настроение ухудшается), заключается в том, что вы должны говорить всем, что у вас срок, к примеру, в начале января, а не 2 января, в середине января, а не 10 января, в конце января вместо 20 января, в начале февраля вместо 29 января. Попробуйте оперировать не днями, а неделями.

Когда делиться новостью

Когда следует сообщить друзьям и членам семьи, что вы беременны? Возможно, вы больше не в состоянии скрывать эту новость, потому что округлившаяся талия говорит сама за себя. Возможно, в первые минуты после того, как вы узнали о своей беременности, вас переполняет желание поделиться радостью со всеми, кого вы знаете. Возможно, вы не хотите скрывать свою гордость. Возможно, вы решите немного подождать, прежде чем сообщить о своей беременности друзьям и семье. Это особенное объявление — независимо от того, кому и когда вы это говорите.

Сообщение о своей беременности супругу — это особое событие. Такая важная и меняющая всю вашу жизнь новость заслуживает большего, чем телефонный разговор. Обязательно сообщите супругу о своей беременности лично. Вы же хотите увидеть его реакцию. Если это ваш первый ребенок, то разговор с глазу на глаз особенно важен. Супруг заслуживает такого внимания. Можно сообщить радостное известие за семейным ужином при свечах. Чтобы лучше освоиться с этой новостью, вносящей такие важные перемены в ваши отношения, можно уехать куда-нибудь на день, на выходные или на неделю. Это время вы посвятите тому, чтобы привыкнуть к реальностям беременности, поделитесь друг с другом мыслями и чувствами, выработаете необходимые решения.

Замечание доктора Билла. *Прошло десять лет, но я до сих пор отчетливо помню, как Марта сообщила мне, что беременна нашим шестым ребенком, Мэтью. На Рождество она подарила мне завернутую в подарочную бумагу коробочку, в которой лежал результат теста на беременность. Я вспоминаю, как открыл коробочку и увидел красный кружок, свидетельствующий о положительном результате теста. Особую радость мне доставила записка от Марты с объяснениями в любви.*

Использование корректного выражения: «Мы беременны!» — с самого начала даст понять вашему супругу, что нечто необычное и волнующее происходит не только с вами, но и с ним. Не расстраивайтесь, если муж на первых порах не разделит вашу радость, особенно если новость окажется для него неожиданной. Его реакция не обязательно должна совпадать с вашей. У вас уже было время, чтобы разобраться в своих чувствах, а супругу еще нужно привыкнуть. Не воспринимайте негативную реакцию как личную обиду. Возможно, мужу потребуется высказать свои сомнения: «Ты не ошиблась в подсчетах?», «Мы сейчас можем себе позволить ребенка?», «Как этот новый человечек повлияет на наш брак?» Некоторым мужчинам требуется время, чтобы привыкнуть к мысли о своем отцовстве и испытать радостное волнение.

Вместе с супругом решите, когда следует сообщить новость остальным. Возможно, вы предпочтете немного подождать, прежде чем рассказывать о вашей беременности друзьям и семье. Возможно, вы почувствуете, что не готовы к неизбежным вопросам и советам, и поэтому поделитесь своей радостью лишь с немногими. Возможно, вы в первую очередь сообщите новость самым близким и дорогим людям. Если вы не очень общительны, то, вероятно, захотите сначала сохранить этот приятный секрет втайне. Если у вас раньше был выкидыш или вы боитесь возможного выкидыша, то можете нервничать или из суеверия ничего не говорить другим, пока не будете уверены, что беременность развивается нормально. Возможно, вы хотите избежать неприятных расспросов в случае выкидыша. Будьте готовы к «глупым вопросам, которые люди задают беременным женщинам»: «Это не ошибка?». «Зачем вам еще один ребенок? У вас уже есть мальчик и девочка!» Воспринимайте эти высказывания как подготовку к материнству, когда вам придется иметь дело с множеством непрошеных и бесполезных советов.

Если вы сообщили новость детям, будьте готовы к тому, что о ней узнает весь город. Разный возраст и разные характеры требуют разного подхода, и поэтому обстоятельства и

время вашей беседы с детьми будут зависеть от их уровня интереса и понимания. Большинство малышей любят книги с картинками про беременную маму и новых братиков и сестер. Можно ввести более старших детей в курс дела, показав иллюстрации из данной книги, на которых показаны стадии развития ребенка. Даже очень маленькие дети почувствуют, что с их мамой происходят какие-то изменения, и поэтому вам нужно обязательно поговорить с ними, особенно если до их слуха доносятся обрывки взрослых разговоров о беременности. Они будут гордиться, что были среди первых, кому вы сообщили эту волнующую новость. Убедитесь, что дети поняли, что теперь вы нуждаетесь в отдыхе, в помощи и понимании. Объясните детям, почему вы иногда можете быть раздражительными или плохо себя чувствовать, но одновременно заверьте их, что с вами все будет в порядке и что вы будете по-прежнему любить их и заботиться о них. Возможно, ваши маленькие дети впервые почувствуют, что потребности другого человека могут быть не менее важны, чем их собственные. Ваши объяснения должны соответствовать возрасту ребенка: «Малыш внутри мамы растет и отбирает у нее очень много сил, и поэтому мама должна много отдыхать. Маме нужно, чтобы ты вел себя тихо, как мышка, чтобы и мама, и твой новый братик могли отдохнуть».

Момент, который вы выберете

для сообщения своей беременности начальнику, может иметь огромное значение для вашей карьеры, особенно если вы озабочены тем, как беременность отразится на ваших служебных обязанностях или на шансах сохранить работу. По закону беременная женщина не может подвергаться дискриминации, однако вам нужно тщательно обдумать свои планы возвращения на работу после рождения ребенка, прежде чем сообщать руководству о своей беременности. Так вы подготовите себя к вопросам, которые непременно последуют, а также получите возможность занять выгодную позицию в переговорах по поводу увеличенного декретного отпуска или гибкого рабочего графика на то время, пока ребенок еще маленький. (См. соответствующий раздел «Работа во время беременности».)

Я знала, что, как только объявлю о своей беременности, в моей фирме перестанут воспринимать меня всерьез, и поэтому я выжидала как можно дольше. И действительно, я получила солидную прибавку к зарплате, когда срок моей беременности составлял уже два месяца. Они были шокированы, когда, находясь на четвертом месяце, я объявила, что жду ребенка.

Когда делиться с окружающими своей новостью — это сугубо личное решение. Даже если вы ничего никому не скажете, рано или поздно ваше тело выдаст эту тайну.

ВНЕМАТОЧНАЯ БЕРЕМЕННОСТЬ

Внематочная беременность развивается в тех случаях, когда оплодотворенная яйцеклетка имплантируется не в матку, а в другое место. Девяносто пять процентов таких беременностей происходят при имплантации зародыша в фаллопиевых трубах и поэтому получили название «трубной беременности». Внематочная беременность также бывает при имплантации яйцеклетки в яичник, брюшную полость или шейку матки, но эти случаи крайне редки.

Внематочной бывает только одна из ста беременностей. Если у вас не наблюдается никаких симптомов внематочной беременности до того момента, как вы стали подозревать, что беременны, тогда вам, скорее всего, уже нечего волноваться. Симптомы внематочной беременности обычно проявляются в первую неделю после оплодотворения. Тем не менее некоторые женщины не наблюдают у себя никаких признаков внематочной беременности до тех пор, пока не обнаружат, что беременны.

Причины внематочной беременности. Большая часть этих аномальных беременностей происходит из-за закупорки фаллопиевой трубы, из-за врожденного дефекта фаллопиевой трубы или рубцов, оставшихся после перенесенной ранее инфекции. Дефект или соединительная ткань рубцов препятствует нормальному прохождению оплодотворенной яйцеклетки в матку, и эмбрион начинает внедряться в слизистую оболочку фаллопиевой трубы (или в любое другое место вне матки). Часть внематочных беременностей развивается без всякой видимой причины. Как вы могли уже догадаться, некоторые женщины подвержены большему риску развития внематочной беременности. К факторам риска относятся:

● *Предыдущая внематочная беременность.* Для женщины, у которой уже была внематочная беременность, вероятность того, что последующие беременности окажутся внематочными, составляет 10 процентов.

● *Перенесенная хирургическая операция на фаллопиевых трубах или расположенных рядом органах.* После операции могут остаться рубцы, блокирующие фаллопиевы трубы. Снятая или неудачная лигатура фаллопиевых труб повышает риск трубной беременности.

● *Перенесенные инфекционные заболевания органов таза.* Воспалительные заболевания или инфекции, передающиеся половым путем, могут вызвать повреждение фаллопиевых труб.

● *Разрастание эндометриоидной ткани.* Ткань, напоминающая слизистую оболочку матки (эндометриум), образуется вне матки.

● *Воздействие диэтилстильбэстрола.* У женщин, чьи матери принимали во время беременности диэтилстильбэстрол, повышен риск развития аномалий репродуктивной системы, включая вероятность внематочной беременности.

● *Инфекции, связанные с внутриматочными контрацептивами.* Инфекции, связанные с внутриматочными контрацептивами, имевшие место до или после зачатия, повышают вероятность развития внематочной беременности.

Если у вас присутствует хотя бы один из перечисленных факторов риска, обязательно обсудите со своим врачом возможные признаки внематочной беременности. Ранняя диагностика и лечение внематочной беременности очень важны не только для увеличения шансов на нормальную последующую беременность, но и, возможно, для сохранения вашей жизни. Плод, развивающийся в фаллопиевой трубе, постепенно увеличивается в размерах, что может привести к серьезному повреждению трубы и разрыву проходящих в ней кровеносных сосудов, что вызовет опасное для жизни кровотечение.

Когда нужно волноваться. Любой из перечисленных ниже симптомов может свидетельствовать о внематочной беременности, а в том случае, когда присутствуют все симптомы, в диагнозе можно не сомневаться.

● *Боль.* Практически 100 процентов внематочных беременностей сопровождаются болью, от общих болезненных ощущений в нижней части живота до односторонней боли в месте развития внематочной беременности (похожа на боль при аппендиците, но может ощущаться с любой стороны). Если произошла перфорация фаллопиевой трубы (или этот момент близок), женщина может почувствовать внезапную резкую колющую боль внизу живота, которая может отдавать в плечо с той же стороны. Любая боль в животе, которая постепенно усиливается, локализуется и быстро меняет свой характер, должна стать поводом немедленного обращения к врачу.

● *Кровотечение.* Само по себе кровотечение не является признаком внематочной беременности. (Около 75 процентов женщин, у которых наблюдаются вагинальные кровотечения во время беременности, рожают здоровых детей.) До перфорации фаллопиевой трубы кровотечения может не быть вообще или оно незначительное. Кровь бывает густой или жидкой, коричневатой или темно-красной. Кровотечению часто предшествуют боли.

● *Тошнота, рвота и головокружение.* По мере того как боль становится сильнее и локализуется, кровотечение усиливается и кровь приобретает ярко-красный оттенок, женщина может испытывать приступы тошноты, рвоты и головокружения. Бывает, что она теряет сознание или у нее резко учащается пульс.

● *Сильная боль во время осмотра.* Еще один признак — это сильная боль при движении шейки матки во время осмотра.

● *Болезненность в месте расположения трубы.* Болезненность легкой или средней степени может ощущаться в области развития внематочной беременности. Иногда врач даже может пальпировать эмбрион.

Очень трудно различить выкидыш и внематочную беременность. Однако боль при выкидыше обычно не такая острая и локализуется ближе к центру живота — подобно менструальным спазмам. Боль при трубной беременности обычно острая и локализованная, как боль при аппендиците. Кровотечение при выкидыше обычно бывает более обильным и содержит сгустки крови, тогда как в случае внематочной беременности, когда перфорация еще не произошла, кровь менее густая и более темная.

Что делать, если вы подозреваете у себя внематочную беременность? Если вы чувствуете боль, немедленно обратитесь за медицинской помощью. Если у вас присутствует хотя бы один из перечисленных выше симптомов и осмотр дает основания предположить трубную беременность, то врач назначит вам ультразвуковое обследование, которое позволит выявить либо пустую матку, либо присутствие крошечного зародыша вне матки. Если ультразвуковое обследование не выявит внематочной беременности и признаки перфорации отсутствуют, врач может отслеживать уровень гормона ЧХГ в вашей крови в течение нескольких дней, который в случае внематочной беременности либо упадет, либо останется стабильным. Если предполагаемая внематочная беременность остается неподтвержденной, врач может назначить лапароскопию, чтобы непосредственно исследовать фаллопиевы трубы. Эта процедура, при которой гибкая трубка со световодом вводится в маленькое отверстие в области пупка, позволяет избавиться от шрамов и уменьшает время послеоперационной реабилитации. Во время операции делается все возможное, чтобы сохранить фаллопиеву трубу и, значит, способность к деторождению. Использование этих новейших методов позволяет диагностировать и лечить большую часть внематочных беременностей еще до того, как возникает угроза перфорации. Даже если разрыв трубы уже произошел и она серьезно повреждена, новые методы микрососудистой хирургии в некоторых случаях позволяют восстановить трубу. Даже если это не удается, ваша вторая труба остается неповрежденной, что делает возможным наступление следующей беременности. Последнее достижение медицины — медикаментозное, а не хирургическое лечение трубной беременности.

В определенном смысле внематочная беременность похожа на выкидыш — она заканчивается раньше срока. Вероятно, ваши чувства в обоих случаях будут сходными.

Варианты родов

Наше время — это чудесное время для рождения ребенка. Никогда раньше будущие родители не имели такого широкого выбора: как и где появится на свет их ребенок. Однако за возможность выбора приходится платить ответственностью, подчас растерянностью и серьезным напряжением из-за желания обеспечить «идеальные» роды. Нам хотелось бы помочь вам найти то, что вам больше всего подходит. Однажды, когда мы с группой гинекологов, медицинских сестер и акушерок обсуждали степень подготовки женщин к родам, все пришли к единому мнению: чем лучше женщина информирована, тем легче проходят роды. В поисках различных вариантов вы будете читать книги и журналы, беседовать с друзьями и специалистами. Довольно быстро вы поймете, что сегодняшний выбор может существенно отличаться от того, что имела ваша мать, когда рожала вас.

Историческая справка. Чтобы лучше понять современное состояние акушерства, полезно узнать историю его развития. Тридцать лет назад роды приравнивались к хирургической операции, вроде удаления аппендикса. Роженица считалась пациентом: ее брили, готовили к операции, а затем укладывали на хирургический стол, привязывая ноги ремнями. Родив ребенка, мать восстанавливалась после «операции», а за младенцем ухаживали врачи, часто давая ему искусственные молочные смеси. Даже после того как мать забирала ребенка домой, она должна была следовать советам «специалистов», которые предупреждали ее об опасности испортить ребенка и позволить ему манипулировать мнением родителей. Советы: «Пусть накричится вдоволь» и «Кормите ребенка по расписанию», — превратились в стандарт воспитания детей.

В двадцатом столетии достижения техники и медицины сделали роды более безопасными как для матери, так и для ребенка. К концу 60-х годов прогрессивно настроенные женщины хотели, чтобы этот процесс приносил бы больше радости. Возникла новая философия родов, и многие женщины стали посещать специальные занятия, чтобы понять ее. Самыми популярными словами стали «выбор» и «альтернатива». В последующее десятилетие роли в процессе родов стали перераспределяться: центральное место заняла роженица, и многие врачи пришли к пониманию того, что в интересах матери и ребенка позволить беременной женщине самой управлять своим телом и контролировать боль во время родов, вместо того чтобы заглушать ее сильнодействующими лекарствами. В этом случае мать становилась активной участницей принимаемых решений.

Бритье лобка теперь отошло в прошлое (исследования показали, что эта процедура повышает риск инфекции), а ремни и эпизиотомия перестали быть обычным явлением. Во время родов женщина может стоять или сидеть, находиться в наклоненном положении, на корточках. Вместе с новыми позами появились и новые участники процесса. На протяжении двух последних десятков лет отцы присутствуют при родах, чтобы поддержать роженицу и разделить с нею радость от появления на свет их малыша. Кроме того, в настоящее время развивается сеть акушерского патронажа.

По мере того как увеличивались затраты семьи на ребенка, а рождаемость падала, существенным экономическим фактором стало желание тех, кто вынашивает ребенка и платит налоги, чтобы к их голосу тоже прислушивались. Врачебные маркетологи, стремясь привлечь это новое поколение потребителей такой услуги, как роды, сменили свой девиз «Мы все сделаем за вас» на «Мы исполним все ваши желания». Родильные отделения были преобразованы в «Семейные центры по принятию родов». Столы для рожениц превратились в более удобные «родильные кровати». Во многих больницах во время родов имеется возможность принять не только душ, но и специальную ванну. Родильные отделения больниц теперь рекламируются в воскресных газетах. Врач уже не исполняет главную роль, а лишь «помогает при родах». (Марта сердится, когда доктор Билл говорит, что «рожал» их детей, даже несмотря на то, что он действительно принимал троих — двоих из-за того, что акушерка не успела приехать вовремя, а одного потому, что ему этого хотелось. Она спорит с мужем, утверждая, что делала всю работу сама и что это именно она рожала детей. Билл присутствовал при родах в качестве «ассистента» — этот титул он считает выше, чем «ловец малышей».)

Наряду с изменениями в процессе родов в 90-х годах двадцатого века произошли существенные перемены во взглядах на связь матери и ребенка, на ношение ребенка на руках и грудное вскармливание. Вместо того чтобы забирать «пьяных» от наркоза младенцев от такой же не пришедшей в себя матери и поручать их заботам медсестер, теперь здоровых малышей сразу же передают матери и оставляют с ней все время. Врачи и акушерки согласились с учеными, что лучший старт для налаживания отношений между матерью и ребенком выражается формулой: «Из утробы матери — на руки матери». Этот подход к связи матери и ребенка — всего лишь научная реконструкция того, что естественным образом сделала бы сама мать. Кормление грудью — не только как способ доставки питательных веществ, но и как общение и воспитание — почти повсеместно заменило искусственное вскармливание в первые месяцы жизни ребенка. Ношение ребенка в специальном рюкзачке вместо того, чтобы сажать его в коляску, стало нормой для современных пар, укрепляя связь матери и ребенка.

В настоящее время существует огромное количество вариантов выбора технологии родов, ассистентов и мест, которых не было раньше: акушерка или врач, без медикаментов или с эпидуральной анестезией, «рискованные», «высокотехнологичные» или полностью самостоятельные. Женщины теперь могут делать осознанный выбор, но они должны понимать, что за все приходится платить. Отказ от лекарств означает усиление боли. «Высокотехнологичные» роды и контроль над болью могут привести к усложнению процесса родов. Роды в домашних условиях очень удобны и позволяют самой женщине в большей степени контролировать ситуацию, но они несут с собой повышенный риск в случае чрезвычайных обстоятельств. Этот список компромиссов можно продолжить. С одной стороны, роды еще никогда не были такими простыми и безопасными, а с другой стороны, они никогда не были такими сложными.

Что дальше? Отношение к родам будет все время меняться по мере того, как женщины станут более информированными о процессе родов и станут брать на себя ответственность за этот процесс. Реформа законодательства, касающегося преступной небрежности врача — если она осуществится, — возродит искусство принятия решений на основе блага матери и ребенка, а не того, что представляет меньший риск для врача. Экономическая реформа заставит поставщиков услуг медицинского страхования задаться вопросом, сколько стоят самые лучшие роды и так ли уж необходимы для безопасных и доставляющих удовольствие родов услуги высокооплачиваемого персонала и новейшее медицинское оборудование.

Читая эту книгу месяц за месяцем, вы получите представление обо всех доступных вам вариантах выбора, включая новейшие возможности, и сможете сделать вывод, какой из них вам подходит больше. Новое не означает лучшее — по крайней мере для всех женщин без исключения.

Кроме того, мы попытаемся удержать вас от выбора рискованных вариантов, которые не прошли проверки временем, хотя в свое время получили большой резонанс в средствах массовой информации. Изучая бесчисленное количество вариантов родов, вы обнаружите множество вопросов, которые раньше вам не приходили в голову, а также множество процедур, о которых вы прежде не догадывались спросить. Кроме того, вы поймете, что выбор своих родов похож на изучение меню в ресторане и что нужно соотносить каждое «блюдо» со следующим, чтобы в результате получился удовлетворительный «ужин». В зависимости от того, где вы живете и какая у вас медицинская страховка, те или иные пункты «меню» могут оказаться вам недоступны. То, чему вы научитесь в процессе принятия решения, не менее важно, чем сам выбор. Подходите к выбору места, а также людей, которые будут вам помогать при родах, со знанием альтернатив и уверенностью, что роды должны быть такими, какими вы их хотите видеть. Вы не должны испытывать чувства вины за то, что желаете обеспечить себе и своему ребенку самое лучшее медицинское обслуживание.

Подбор команды

Беременность несет с собой не только привилегии, но и ответственность за принятие разумных решений. В первую очередь вы должны определить, кто будет помогать вам при родах. Кому вы доверяете и кто поможет вам обеспечить здоровую беременность и безопасные роды? Прежде чем беседовать с предполагаемыми ассистентами, полезно разобраться в себе. Неплохо бы знать, что вы считаете действительно важным и что вам действительно нужно, прежде чем требовать этого.

Расспросите себя. Поиск врача, который разделяет ваше отношение к родам, предполагает, что у вас сформировалось это отношение. Но если эта беременность у вас первая, то вы можете не знать, какие предпочитаете роды или какая у вас «философия». В идеале вы должны быть в достаточной степени подготовлены: прочитать книги, изучить все альтернативные варианты родов, а также преимущества и опасности различных процедур, тестов и технологий.

В реальной жизни вы имеете лишь смутные представления о том, как должны проходить у вас роды, причем эти представления по большей части сформированы тем, что вы слышали от членов семьи и подруг или видели в кино и по телевизору. Многие женщины, беременные в первый раз, не способны определить свои конкретные требования к будущим родам до того, как они начнут выбирать себе ассистента. У большинства женщин философия родов

формируется во время беременности, часто под воздействием врача, у которого она наблюдается. По мере развития беременности расширяются ваши знания об альтернативных вариантах родов, а также о ваших потребностях.

Тем не менее вам нужно сейчас выбрать себе помощника, того, кто будет работать с вами во время развития беременности и формирования вашего отношения к родам. Если это ваш первый ребенок и ваше первое серьезное столкновение с системой медицинского обслуживания, возможно, выбор врача вызовет у вас затруднения. Откуда вам знать заранее, что вам захочется в процессе родов? Вы можете думать, что знаете, каким вы будете «пациентом», однако эти знания могут оказаться бесполезными, поскольку для большинства женщин беременность это не болезнь и вы не пациент. Вы не больны. Даже если вам уже приходилось обращаться за медицинской помощью — скажем, для удаления аппендикса, — то это не имело никакого отношения к философии. Вы просто хотели, чтобы воспаленный аппендикс был удален как можно быстрее квалифицированным хирургом и в хорошей больнице. Теперь ваши потребности несколько сложнее. Разумеется, вы хотите, чтобы у вас была нормальная беременность, хотите родить здорового ребенка, но вы также желаете бороться с болью подходящими для вас методами, использовать преимущества приемов релаксации, получать радость и удовлетворение от начала вашего материнства.

Даже если эта беременность у вас не первая, вам, возможно, все равно придется пройти через процедуру выбора врача. Возможно, вас не удовлетворили предыдущие роды или медицинский персонал и вы хотите, чтобы на этот раз все было иначе. Возможно, ваш врач ушел на пенсию или вы сменили место жительства. Вы знаете, какие вопросы следует задавать, и, возможно, решили быть более настойчивы при изложении своих желаний. Возможно, вы решили проявлять большую гибкость, прислушиваться к советам тех, кто вас консультирует.

Для определения требований к своему врачу полезно задать себе следующие вопросы:

● Есть ли у меня конкретное представление о том, что я хочу от родов? Могу ли я рассказать об этом другим?

● Мне нужен врач или акушерка? Или оба специалиста?

● Хочу ли я сама управлять ответственной ситуацией или предпочитаю передать контроль кому-то более авторитетному?

● Хочу ли я снять боль при помощи медикаментов или приемов самопомощи?

● Как я буду реагировать на необходимость кесарева сечения?

● Чего я боюсь?

● Безразличен ли мне пол врача — мужчина он или женщина?

● Хочу ли я узнать максимум о беременности и родах или мне достаточно просто пройти через все это?

● Какое участие хочет принять мой супруг в беременности и родах? Что я жду от него?

● Будет ли супруг поддерживать меня, если процесс пойдет не так, как планировалось?

Поговорите с подругами о том, какие роды были у них, чтобы составить себе представление, как это происходит в реальной жизни. Расспросите подруг, которые придерживаются тех же убеждений, что и вы, что они изменили бы в следующий раз и чем они остались довольны. Познакомьтесь со всей доступной информацией об альтернативных вариантах родов. Составьте точное представление о своих желаниях *до* визита к врачу.

Разобравшись в себе, вы готовы побеседовать со своими помощниками, с людьми, которые будут заботиться о вас во время беременности и будут с вами во время родов. Если вы решили играть первую скрипку и сами управлять драмой под названием роды, большинство врачей с удовольствием возьмут на себя обязанности консультанта — если вы хорошо выучили свою роль. Если же вы хотите остаться на вторых ролях и доверить управление помощнику, то вы будете чувствовать себя в надежных руках, если остановите свой выбор на авторитетном специалисте, желательно враче, а не акушерке. Какие бы отношения будущей матери и специалиста вы ни сконструировали, мы надеемся, что ответственность за это решение вы возьмете на себя. Уже сам факт прочтения этой книги свидетельствует о наличии у вас такого желания.

Наилучшее сочетание для безопасных и приносящих удовлетворение родов: женщина отвечает за то, что у нее лучше всего получается, а помощник руководит тем, что лучше знает он. В таком двустороннем сотрудничестве каждый партнер дает советы и выражает пожелания, уважая выбор другого. Сложившиеся с самого начала доверительные отношения позволят вам избежать споров и столкновения мнений в критических ситуациях, которые могут возникнуть во время беременности и родов. Даже на этой ранней стадии выбора врача и формирования философии родов необходимо помнить, что по мере накопления знаний и опыта вы можете обнаружить, что роли в процессе родов определены не так четко, как вы себе представляли, и что они часто могут меняться в самый последний момент, когда ситуация развивается неожи-

данным образом. Как бы то ни было, драма под названием роды проходит без всякой репетиции.

Поиск подходящего врача

При выборе врача спросите совета у подруг, которые разделяют ваш образ мыслей. Ценным источником информации могут быть медицинские сестры родильного отделения, которые видели многих врачей в действии. Сузьте список до нескольких кандидатур и по телефону договоритесь о встрече с этими врачами (если ваша страховка ограничивает выбор врачей, остается достаточный выбор акушерок). Обязательно предупредите регистратора, что ваше посещение — это лишь предварительная беседа, а при ограниченной страховке не забудьте спросить, принимает ли ее врач. Если у регистратора есть время, то вы можете поделиться с ним или с кем-нибудь из медицинских сестер своими сомнениями еще до записи на прием.

В идеале следует нанести визит врачу вместе с супругом. Не стоит обижаться, если врач ведет предварительные собеседования всего раз в неделю или если ваш визит перенесут, поскольку врач в это время принимает роды. Главная его забота — это пациентки (вы по достоинству оцените это, когда перейдете в эту категорию).

Не торопитесь

Постарайтесь не растеряться от количества вариантов выбора, находящихся в вашем распоряжении. Время еще есть. Где рожать, на какие курсы для будущих матерей записываться, какое обезболивание предпочесть — все эти решения можно отложить. В настоящий момент лучше сосредоточиться на том, как пережить эти первые месяцы, сопровождающиеся усталостью и тошнотой. Сосредоточьтесь на том, что происходит внутри вас, а также на заботе о себе. Решения по поводу родов можно отложить на некоторое время. Однако если вы хотите обеспечить качественное наблюдение во время беременности, врача следует выбрать как можно раньше. (В середине беременности можно при необходимости сменить врача.) Другие решения принимайте постепенно. По мере увеличения срока беременности вы можете рассматривать различные варианты и вместе с врачом формировать философию родов и строить конкретные планы.

Составьте список вопросов, на которые вам важно получить ответ. Держите этот список при себе и вносите в него новые сомнения по мере их возникновения. (Это позволит вам ничего не забыть в том случае, если вы относитесь к тем женщинам, у которых одним из побочных эффектов беременности является забывчивость.)

Оценка лечебного учреждения. Приходите пораньше и обойдите лечебное учреждение. Познакомьтесь с персоналом. Дружелюбны ли работающие здесь люди? Услужливы ли они? Если вы остановите свой выбор на этом враче, то вам придется часто говорить с ними по телефону. Много важной информации вы можете узнать от персонала еще до беседы с врачом: расписание приема, время отпуска (не совпадает ли оно с предполагаемой датой родов), принимаемые страховые полисы, расценки, связи с больницами и — если у врача частная практика — кто его заменяет. Если вы зададите эти вопросы персоналу лечебного учреждения, врачу понравится, что вы цените его время, и, кроме того, во время беседы вы получите возможность сосредоточиться на особенностях вашей беременности и предстоящих родов. По возможности поговорите в приемной с другими клиентками. Беседы с другими будущими матерями помогут вам понять, какой философии родов придерживается этот врач. Однако при этом не следует забывать, что качества, которые желают видеть у своего врача другие беременные женщины, могут абсолютно не устраивать вас.

Беседа с врачом. Основная цель предварительного разговора заключается в том, чтобы определить, способен ли этот врач обеспечить вам такие роды, которые вы хотите. Если у вас это первый ребенок и первое посещение врача, вы, вероятно, еще не знаете всех возможных вариантов или не выбрали тот, который вам больше подходит. Поделитесь своими мыслями с врачом. Возможно, он обсудит с вами различные варианты и поможет сделать осознанный выбор. Такое качество, как способность и желание врача вести с вами двустороннюю дискуссию, подскажет вам, тот ли это человек, с которым вам будет легко во время беременности и родов.

Из беседы с врачом вам нужно получить информацию по двум вопросам: каков *подход* этого специалиста к родам и как он *ведет* роды. Постарайтесь понять его философию родов. Относится ли врач к беременности и родам как к нормальному и здоровому процессу, который требует лишь наблюдения, а вмешательство необходимо лишь тогда, когда этот процесс развивается в нежелательном направлении? Или у вас возникло ощущение, что он на словах соглашается с вашими пожеланиями, но в процессе родов может все делать по-своему — когда у вас не будет ни душевных, ни физических сил вступать с ним в спор?

В настоящее время большинство женщин ищут врача, который придерживается философии информированного партнерства. В идеале во время беседы он должен заявить примерно следующее: «Я отношусь к нормальной беременности и к родам как к здоровому и несложному процессу, и я делаю все, что в моих силах, чтобы помочь природе. Однако в отдельных случаях беременность или роды развиваются не так, как планировалось или хотелось бы, и тогда я смогу предложить вам альтернативные варианты. Я сделаю все, что умею, чтобы обезопасить и вас, и ребенка, и я помогу вам сделать все возможное, чтобы вы выносили и родили здорового малыша. Именно в этом будет заключаться наше партнерство».

После того как вы получили представление о взглядах врача на роды, определите, как он *ведет* роды. Именно в этом вопросе ваши желания могут совпадать или не совпадать с практикой данного врача, и вам полезно выяснить это до заключения договора. Даже если вы не до конца представляете себе желаемый процесс родов, задайте врачу вопросы о том, как он помогает будущей матери во время родов. Ищите равновесие между естественными и медикаментозными методами обезболивания, а также психологическую поддержку. Вот несколько вопросов, которые помогут вам понять отношение врача к ведению родов:

● Как большинство ваших пациенток борются с болью?

● В каком положении рожают большинство ваших пациенток?

● Какой процент рожениц пользуется эпидуральной анестезией?

● У какого процента женщин приходится прибегать к эпизиотомии?

● У какого процента женщин приходится прибегать к кесаревому сечению?

● У какого процента женщин, которым вы делали кесарево сечение, следующие роды прошли естественным путем?

● У какого процента женщин приходится прибегать к стимуляции родов?

Ответы врача на эти вопросы укажут вам на атмосферу, которую он создает во время родов. Один из наиболее ярких показателей того, какой философии родов придерживается врач, — это его отношение к вам: как к *участнику* процесса или как к *пациенту*. Другой признак — понимает ли врач важность смены положения роженицы на различных стадиях родов как средство снятия боли и стимуляции процесса. Слишком большое количество врачей по-прежнему привержены теории «горизонтального положения женщины».

Во время беседы скажите врачу, что безопасные роды, которые принесут удовлетворение, являются для вас приоритетом. Таким образом вы

дадите ему понять, что желаете выбрать наилучший вариант, и «переведете мяч» на его половину. Обычно после этого у врача возникает желание убедить вас, что он может обеспечить (насколько это в человеческих силах) вам такие роды, которых вы хотите. Помните о том, что доктор оценивает вас точно так же, как вы его. Расскажите ему о себе, о своих желаниях и потребностях, о том, что для вас важно. Как мы уже отмечали, маловероятно, что через несколько дней после положительного теста на беременность у вас в голове сложится подробное представление о родах, однако вам нужно дать врачу хотя бы общее представление о своих желаниях. Вы, в свою очередь, получите возможность понаблюдать, насколько внимательно и сочувственно слушает вас врач и насколько явно у него желание помочь вам сформировать философию родов. Насколько подробно он рассказывает об обследованиях, технологиях и других медицинских аспектах. Вы не испытываете неловкости, делясь с врачом своими желаниями относительно предстоящих родов и выслушивая его советы?

Не смущайтесь, если врач немного замешкается, когда вы изложите ему все свои пожелания. Опытный специалист знает, что роды не всегда проходят по заранее намеченному плану. Если вы похожи на большинство современных будущих мам, то вы предполагаете, что у вас будут идеальные роды. В этом случае вам необходимо составить об этом идеале четкое представление — в противном случае вы не будете знать, что следует предпринимать для его достижения. Врач же прекрасно понимает, что роды редко проходят по плану, и поэтому вы должны быть готовы примерно к следующему ответу: «Я с глубоким уважением отношусь к вашим желаниям, однако в интересах вас самих и вашего ребенка я должен получить право на медицинское вмешательство, если в этом возникнет необходимость, и я хочу, чтобы вы доверяли моим решениям». Врач ждет от вас такого же уважения и гибкости, которых вы требуете от него самого.

Несколько замечаний по поводу этикета предварительной беседы. Негативные заявления не оставляют хорошего впечатления, и поэтому не начинайте беседу с потока условий («Я не хочу внутривенных вливаний, электронного мониторинга, ремней и т. д.».) Начните разговор с позитивных заявлений относительно того, какими вы представляете себе свои роды. Вы же не хотите произвести впечатление новоиспеченной выпускницы курсов для беременных, которые несправедливо представляют всех врачей как противников. Даже если ваше мнение уже сложилось до того, как вы переступили порог кабинета врача (хотя очень немногие женщины так хорошо информированы на ранней ста-

дии беременности), вы обязаны ради себя самой и ради своего ребенка беспристрастно рассмотреть другую точку зрения, о которой вы могли даже не подозревать. С другой стороны, вы, возможно, не желаете допускать, что рекомендуемый врачом вариант может быть лучше любого решения, которое вы принимаете самостоятельно. Отказ от ответственности за свои решения по поводу родов свидетельствует как о вашей индивидуальности, так и об особенностях предстоящих родов.

Замечание доктора Линды. *Одна из проблем, которые часто проявляются во время первой беседы, — это непреклонность женщины. Эти женщины приходят ко мне с твердым ожиданием «хороших» родов, и отсутствие гибкости может привести к тому, что они останутся неудовлетворенными процессом родов. «Хорошие» роды могут потребовать небольшой толики гибкости со стороны женщины и желания «следовать естественному процессу».*

Мардж, у которой эта беременность была первой, позаботилась обо всем, что, по ее мнению, могло обеспечить приятные ощущения во время родов. Она рассказывала нам, как представляет себе партнерство с тем, кто будет помогать ей во время родов.

Я хочу сохранить полный контроль над собой — никаких лекарств и никакого вмешательства без крайней необходимости. Но в то же время мне нужна безопасность, которую обеспечивает квалификация врача. Я хочу все время получать информацию от сестер и врачей — что происходит и почему. Я не желаю, чтобы меня исключали из принятия решений, но одновременно не хочу нести единоличную ответственность за них.

Эта будущая мать максимально использовала свои возможности и возможности помогавших ей при родах специалистов и была довольна, как прошли роды.

Выбор акушерки

Достижения акушерской науки и современной технологии сделали рождение ребенка гораздо безопаснее, чем когда-либо. Никогда раньше у матери с различными осложнениями беременности не было столько шансов родить здорового ребенка. Сегодня у беременной женщины есть еще одна возможность, чтобы сделать беременность и роды более приятными. Это помощь акушерки.

Около 95 процентов женщин рожают в родильных отделениях клиник или под наблюдением семейного врача, однако все большее количество будущих мам доверяются акушеркам. Современные «повивальные бабки» по большей части работают в больницах или родильных домах, но некоторые принимают роды и на дому. Дипломированная акушерка имеет соответствующее образование и квалификацию. У Марты и Билла есть опыт общения со всеми этими специалистами: трое детей родились в клинике под наблюдением врача, одного ребенка принимал семейный доктор, а троим детям помогали появиться на свет акушерки. Это разные специалисты с разной философией родов, разной подготовкой и разными ролями. Нельзя сказать, что один из них лучше другого, однако в конкретной ситуации тот или иной специалист может оказаться предпочтительнее. Вспомните, что основная установка врача — никакого риска. Так учат всех акушеров-гинекологов. Именно за это вы платите. Нет смысла предполагать, что взгляды врача совпадут со взглядами акушерки. Этого и не должно быть, поскольку они прошли разную подготовку.

В зависимости от выбранной клиники или акушерской службы вы можете получить все лучшее от обоих вариантов: заботливого профессионала, который будет помогать вам во время родов, а в случае возникновения осложнений — медицинскую помощь от врача, который вас наблюдал. Во многих европейских странах врачи и акушерки работают вместе, и там отмечаются высокий уровень удовлетворенности женщин родами и хорошие результаты. В настоящее время многие лечебные учреждения Соединенных Штатов приняли на вооружение эту систему; кроме того, она может быть доступна в некоторых частных клиниках. Если вам повезло и вы имеете возможность воспользоваться услугами таких учреждений, то во время беременности и родов за вами будут наблюдать и акушерка, и врач, а помощь окажет тот, от кого она потребуется в конкретной ситуации.

Вопросы, которые нужно задать врачу

Несмотря на то, что во время первого визита к врачу вам не стоит надеяться, что вы получите ответы на все эти вопросы, об этом все же следует спросить во время беременности. Задавайте эти вопросы по мере того, как будет формироваться ваша философия родов и развиваться ваши отношения с врачом.

● К какой больнице приписан ваш врач? Иногда выбор врача означает выбор родильного отделения, хотя некоторые врачи принимают роды в нескольких лечебных учреждениях. Что предложит вам врач, выслушав ваши пожелания относительно родов? Одни больницы отличаются самым современным оснащением, другие славятся заботой о пациентах, третьи совмещают и то, и другое.

● Поинтересуйтесь графиком работы врача. Кто его заменяет, как часто и каков их взгляд на роды? Если у врача совместная практика, то придется ли вам встречаться с его коллегами во время следующих посещений?

● Какие физические упражнения безопасны во время беременности? Как часто их нужно выполнять? Следует ли прекратить занятия, когда живот станет увеличиваться?

● Какая прибавка в весе во время беременности считается нормой? Может ли врач проконсультировать вас относительно правильного питания?

● Какие скрининг-тесты врач посоветует вам пройти во время беременности, и почему? Если он предложит лишь стандартные обследования, попросите его обратить внимание на те или иные особенности вашей беременности, которые вы считаете «необычными».

● Какие курсы для беременных женщин порекомендует вам врач?

● Согласен ли врач с вашим желанием пригласить специалиста, который будет вам помогать при родах, и имеется ли в лечебном учреждении справочная информация о таких специалистах?

● Каков рекомендуемый график посещений врача в период беременности?

● Каково мнение врача относительно планирования родов и какую помощь он сможет вам оказать в этом планировании?

● Каковы взгляды врача на ходьбу и смену положений в процессе родов? Будет ли он помогать вам найти наиболее удобное положение — стоя, на корточках, лежа на боку? Вам полезно знать, прибегает ли врач к помощи силы тяжести во время родов и не является ли он стойким сторонником горизонтального положения роженицы. Приветствует ли он ваше активное участие в процессе родов?

● А как насчет обезболивания? Что думает врач по поводу эпидуральной анестезии, внутривенных инъекций и использования специальных ванн во время родов, а также о достижении баланса между естественными и медикаментозными средствами обезболивания родов?

● Выясните, какие процедуры считаются стандартными во время беременности и родов: ультразвук, внутривенные вливания и электронный мониторинг плода.

● Каковы взгляды врача на эпизиотомию? Это обычная процедура? Необходимость? Какие альтернативы эпизиотомии предлагаются и используются во время родов?

● Если вам раньше делали кесарево сечение и теперь вы хотите родить естественным путем, поинтересуйтесь, каков процент успеха в подобных случаях и какие меры вам нужно предпринимать, чтобы повысить свои шансы. Верит ли врач в успех естественных родов после кесарева сечения?

● Вопросы для персонала лечебного учреждения: расценки, принимаемые страховые полисы, время отпуска врача, порядок расчетов.

Почему акушерка? Многие женщины отдают предпочтение медицинской модели родов, особенно если в прошлом или в настоящем они сталкивались с риском осложнений беременности или родов. Многих женщин привлекает медикаментозное обезболивание, которое может обеспечить врач, а также чувство безопасности, которое дает оснащенная современным оборудованием родильная палата в клинике. Другим женщинам не нужны обеспеченные с медицинской точки зрения роды или они не хотят их.

Наиболее привлекательный аспект родов с участием акушерки заключается в том, что в идеале руки акушерки все время помогают вам, начиная с самых первых схваток и кончая последним усилием. Врач же будет время от времени проверять ваше состояние, но не останется рядом с вами, пока не начнутся непосредственно роды. Акушерка не только принимает ребенка, но и выступает в роли ассистента. Она становится неотъемлемой частью процесса родов, иногда просто внимательно наблюдая за процессом, а иногда оказывая помощь, которая позволяет ослабить дискомфорт или ускорить роды.

В случае родов с акушеркой мать является главным действующим лицом и одновременно режиссером процесса и события протекают с удобной для нее скоростью. Постоянное присутствие акушерки и ее квалифицированная помощь позволяют надеяться, что роды пройдут как положено. Тем не менее акушерка обучена выявлять осложнения и при необходимости действовать совместно с врачом, чтобы обеспечить безопасность матери и ребенка. Подготовка акушерки и ее философия предполагают, что она воспринимает роды как естественный процесс, требующий минимального вмешательства. Нужно лишь информировать роженицу и помогать ей управлять своим телом. Врач же часто исповедует принцип «что, если» и ожидает неблагоприятного развития

событий. Обе эти позиции могут оказаться полезными для беременной женщины — в зависимости от конкретных обстоятельств. Мы обнаружили одну любопытную особенность: акушерка убеждена, что страх является врагом номер один для роженицы, поскольку он усиливает боль и замедляет течение родов. Иметь рядом опытную акушерку очень полезно, поскольку ее позитивный настрой передается роженице; спокойствие может быть заразительным.

Если там, где вы живете, система медицинского обслуживания не предусматривает роды под наблюдением акушерки, вы по-прежнему можете обеспечить себе преимущество обоих подходов, пригласив профессиональную акушерку на проводимые в лечебном учреждении под наблюдением врача роды.

Подходит ли вам акушерка? Если беременность не сопровождается никакими осложнениями и развивается нормально и если вы предпочитаете более дружественную обстановку с минимальным количеством оборудования, то вам подойдут роды под наблюдением акушерки. Разумеется, окончательное решение зависит от общего состояния вашего здоровья, от понимания процесса родов, от вашей способности переносить боль, а также от вашего отношения к опасностям, которые могут подстерегать вас в процессе родов.

Кроме того, на это решение повлияет диапазон акушерских услуг, доступный в вашем регионе. Если этот ребенок у вас не первый, то выбор определяется в основном прошлым опытом родов.

Кроме того, этот выбор зависит от того, что вы ждете от родов. Большинство женщин хотят не только хорошо перенести беременность и родить здорового ребенка, но и получить удовлетворение от самого процесса родов. Спросите себя, что вам действительно хочется. Шансы получить желаемое повышаются, если у вас будет врач, а в качестве страховочного варианта — акушерка и врач.

Разберитесь в себе. Прежде чем вы решитесь на беседу с акушеркой на предмет того, чтобы она наблюдала за вами во время беременности и родов, задайте себе следующие вопросы:

 Достаточно ли у вас крепкое здоровье, и нет ли у вас осложнений беременности? Или у вас присутствуют осложнения, которые требуют медицинского наблюдения, например диабет или повышенное артериальное давление?

 Есть ли у вас повод предполагать, что во время родов вам может потребоваться специальная медицинская помощь — в случае недоношенного ребенка, материнского диабета или токсемии?

 Предусматривает ли система медицинского обслуживания в вашем регионе роды под наблюдением акушерки? Ваша акушерка должна иметь не только соответствующую профессиональную подготовку и лицензию, но и рабочие контакты с квалифицированными врачами, которые подстрахуют ее в случае возникновения непредвиденных осложнений.

Дополнительные вопросы, которые могут возникнуть относительно акушерской помощи

Не могут ли медсестры предоставить мне помощь, которая потребуется во время родов?

Вероятно, нет. Мы слышали, что многие женщины восторженно отзываются о медицинских сестрах в родильном отделении, но это им просто повезло. Вам может попасться опытная и сочувствующая медсестра, которая рожала сама, а может — новенькая и нетерпеливая, с негативным отношением к процессу. Очень может быть, что у медсестры, к которой вы испытываете доверие, смена закончится раньше, чем ваши роды. Кроме того, вам не дано знать заранее, придутся ли ваши роды на относительно спокойный день, когда у сестер будет много времени, чтобы заняться вами, или на напряженную ночь, когда вас придется на продолжительное время оставлять в одиночестве. Акушерки обычно присутствуют на протяжении всего процесса родов исключительно ради вас. Они следят за тем, что вам нужно, уделяют вам внимание, когда вы в нем нуждаетесь, и оставляют вас в покое, когда вы этого хотите.

Мне сказали, что приглашение акушерки в значительной степени снижает риск кесарева сечения. Правда ли это, и достаточная ли это причина для приглашения акушерки?

Статистика свидетельствует, что более низкий процент кесарева сечения у пациенток акушерок может ввести в заблуждение, поскольку будущие матери, которые обращаются к акушеркам, обычно не принадлежат к группе риска и не нуждаются в кесаревом сечении. Однако здравый смысл показывает, что любой ассистент (акушерка или кто-либо другой), который будет помогать вам управлять своим телом, а также делать осознанный выбор в процессе родов, снизит вероятность того, что вам потребуется кесарево сечение.

Рассердится ли на меня акушерка, если во время родов я решу, что мне требуется обезболивающее?

Большинство акушерок придерживаются принципа «никаких лекарств», но, если в этом вопросе вы занимаете выжидательную позицию, спросите акушерку, с которой вы ве-

дете предварительную беседу, что она думает по поводу использования медикаментов во время родов. Ни один профессионал не рассердится на вас, какие бы предпочтения вы ни высказали, но большинство акушерок предложат вам альтернативы, чтобы отговорить вас от приема лекарств в минуты острой боли. Если вы решите воспользоваться обезболивающими препаратами во время родов, то ответственность за ваше состояние перейдет к врачу, потому что акушерки без помощи врача обычно не принимают роды с использованием лекарств.

У меня есть подруга, которая учится на акушерку — у нее самой четверо детей, — и она предложила свою помощь при родах. Я полностью ей доверяю. Могу ли я обратиться к ней?

Нет. Вероятно, она прекрасный человек, но пока она не приобретет достаточного опыта как акушерка (а не в качестве студентки, помощницы акушерки или роженицы) и пока у нее нет врача для подстраховки, вам лучше использовать ее не в профессиональном качестве (скажем, для оказания моральной поддержки), а за помощью обратиться к более опытному специалисту. Если вы не хотите обидеть ее, скажите, что ваша страховая компания не оплатит стоимость экстренной помощи, если вы прибегнете к помощи человека, не имеющего лицензии.

Я слышала, что акушерки очень поддерживают рожениц. А как они относятся к мужьям?

Великолепно! Акушерки концентрируют внимание на семье, и помощь женщине, чтобы она сделала все, что от нее требуется при родах, частично состоит в том, чтобы обеспечить ей полную поддержку со стороны мужа. Хорошая акушерка проявляет осторожность и старается не брать на себя роль отца, а подсказывает ему, что нужно делать, если тот теряется. Акушерки утверждают, что для них нет ничего лучше, чем видеть всю семью — мать, отца, иногда даже бабушек и детей, — принимающую участие в родах.

СОЗДАНИЕ ЗДОРОВОГО ОКРУЖЕНИЯ ДЛЯ ВАШЕГО РЕБЕНКА

Теперь при принятии любого решения, касающегося вашего организма, вам нужно учитывать еще одного человека, и на этого маленького человечка ваши вредные привычки могут воздействовать гораздо сильнее, чем на вас самих. Воспитание малыша начинается задолго до рождения, когда вы стремитесь создать здоровую атмосферу вокруг вынашиваемого вами ребенка.

Если вы сомневаетесь, что вам можно есть и пить, какие лекарства принимать, обратитесь за советом к своему врачу. Не менее важно опираться на здравый смысл. Любое вещество, которое воздействует на ваш организм, еще в большей степени воздействует на ребенка, потому что его несформировавшиеся печень и почки еще не способны разлагать и удалять вредные вещества так быстро, как это делают ваши органы. То, что полезно для матери, скорее всего принесет пользу ребенку; то, что вредно для матери, скорее всего окажется еще более вредным для ребенка. Во время беременности у вас с ребенком не только общая кровь, но и общие привычки. (При помощи гормонов вы даже делитесь с ребенком своими эмоциями.) Для вашего здоровья будет полезнее, а для ребенка безопаснее, если вы воздержитесь от употребления веществ, которые изменяют естественные функции вашего организма.

Доктор подтвердил, что ты живой и что ты растешь внутри меня. Как это здорово! Бери все, что тебе нужно, мой малыш. Я постараюсь есть то, что тебе необходимо, и откажусь от всего, что может принести тебе вред.

Спасибо, что ты не куришь

Представьте себе, что ваш еще не рожденный малыш должен войти в комнату, на двери которой вы видите предупреждающую табличку: «В этой комнате находятся ядовитые пары примерно 4000 химических соединений и некоторые из них способны нанести вред вашему ребенку или убить его, а также повышают вероятность выкидыша». «Зачем мне приводить своего ребенка в такую комнату», — подумают большинство матерей, но именно это происходит тогда, когда беременная женщина курит или вдыхает дым от чужих сигарет[1]. Среди множества ядовитых составляющих сигаретного дыма можно выделить никотин (наркотик, который, как известно, сужает кровеносные сосуды), окись углерода (отбирает кислород), бензол (потенциальный канцероген), цианистый водород (используется в качестве крысиного яда) и формальдегид. Вредное воздействие сигаретного дыма на мать и ребенка усиливается с увеличением количества выкуриваемых в день сигарет. Кроме того, новейшие исследования показали, что для женских легких курение вреднее, чем для мужских, поскольку легкие женщин меньше.

Когда курит мама, вместе с ней курит ребенок

Курение лишает ребенка питательных веществ. Многие исследования показали, что у курящих матерей дети рождаются с меньшим весом, чем у тех, кто не курит. Никотин из дыма, вдыхаемого матерью, попадает в кровь. Ядовитое вещество сужает кровеносные сосуды матки, уменьшая приток крови к находящемуся в ней ребенку. Здоровое развитие ребенка зависит от притока крови — его уменьшение означает недостаточное питание, а значит, и замедление роста. Как правило, крупные младенцы оказываются здоровее и реже нуждаются в особом уходе после рождения.

Новейшие исследования опровергают теорию, что плацента может

---

[1] Практически все, что мы говорим о вреде курения, относится и к пассивному курению.

служить барьером, предотвращающим попадание ядовитых веществ, содержащихся в сигаретном дыме, из крови матери к ребенку. Когда ученые взяли на анализ кровь из пуповины младенцев, чьи матери курили или подвергались воздействию сигаретного дыма во время беременности, то обнаружили в ней присутствие канцерогенных веществ. Новорожденные получили около 50 процентов канцерогенов, содержавшихся в крови матери, причем чем в большей степени женщина подвергалась воздействию сигаретного дыма, тем выше был уровень этих ядовитых веществ в крови младенцев.

Курение лишает детей кислорода.
Помимо того, что курение и вдыхание чужого сигаретного дыма ограничивают приток крови к матке, сигаретный дым уменьшает количество кислорода, доступного для ребенка. Уровень окиси углерода в крови курящей беременной женщины на 600—700 процентов выше, чем у некурящей. Окись углерода блокирует кислород, то есть препятствует клеткам крови переносить кислород к другим тканям. Ученые сравнивают уровень окиси углерода в сигаретном дыме с уровнем этого вещества в выхлопных газах автомобиля; и действительно, в утробе курящей матери ребенок буквально задыхается. Недостаток кислорода может сказаться на развитии практически любого органа плода.

Курение повреждает мозг плода.
Новейшие исследования дают основания предположить, что на развитии мозга ребенка негативно сказывается не только недостаток кислорода, но и присутствие различных химических соединений, которые напрямую могут повреждать клетки мозга. У детей, чьи матери курили во время беременности, и особенно если они выкуривали больше пачки в день, отмечались меньшая окружность головы, отставание в умственном развитии в возрасте одного года, меньший коэффициент интеллекта, проблемы с поведением и худшая успеваемость в школе по сравнению с теми детьми, чьи матери не курили.

Даже пассивное курение вредит ребенку. Исследования последних лет показали, что, когда беременные женщины попадают под воздействие дыма от чужих сигарет, их дети тоже испытывают на себе вредное воздействие. Такие дети рождаются с меньшим весом и в большей степени подвергаются риску развития синдрома внезапной смерти ребенка — точно так же, как и дети курящих матерей. Если курят и отец, и мать малыша, то риск синдрома внезапной смерти удваивается по сравнению с ситуацией, когда курит только мать. Риск синдрома внезапной смерти в том случае, когда курит только отец, выше, чем в полностью некурящей семье. Настаивайте на том, чтобы муж, родственники, друзья и коллеги уважали новую жизнь внутри вас и не курили в вашем присутствии. Если служебные обязанности требуют, чтобы вы работали в заполненном сигаретным дымом помещении, у вас есть все основания требовать перевода на другую должность; беременные женщины имеют законное право на свободную от дыма окружающую среду.

А как насчет общественных мест, где много курильщиков? «Мы всегда сидим в зонах для некурящих», — возразите вы. Зоны для некурящих в общественных местах — это шаг в правильном направлении, но в воздухе многих из них содержится довольно много вредных веществ. Попытка создания зоны, свободной от курения, напоминает попытку хлорировать половину плавательного бассейна. Загрязняющие окружающую среду вещества переносятся по воздуху. Чтобы обезопасить себя, держитесь как можно дальше от сигаретного дыма.

Отказ от курения

Чем раньше вы бросите курить, тем здоровее будете и вы, и ваш ребенок. Лучше всего отказаться от курения еще на стадии подготовки к беременности. Несмотря на то, что неблагоприятное воздействие курения считается максимальным в первом триместре, даже дети тех, кто бросил курить на поздних стадиях беременности, оказываются значи-

тельно здоровее тех, чьи матери продолжали курить в течение всего срока. В этой книге вам встретится не очень много жестких правил, и вот одно из них: бросайте. Откажитесь от курения.

Разумеется, это легче сказать, чем сделать. Курение — это не просто привычка, это наркотическая зависимость. От привычки отказаться довольно легко, особенно если вас мотивирует к этому маленький человечек, растущий у вас в животе. Зависимость разрушить гораздо сложнее. Вы уже привыкли ощущать сильное физиологическое воздействие курения. Никотин влияет практически на все системы организма. Кроме того, у вас может сформироваться привычка к приятным вкусовым ощущениям во время курения. Организму потребуется некоторое время, чтобы хорошо себя чувствовать без никотина. Отказ от курения — это одна из самых сложных вещей, которые вы когда-либо делали в своей жизни. Никотиновая зависимость очень сильна, но вы просто обязаны попробовать. Вот несколько рекомендаций.

Убедите себя, что опасность реальна. Если вы по-прежнему спрашиваете: «Действительно ли курение нанесет вред мне и моему ребенку?» — то вы ищете подтверждения, которое сможет вам дать опытный врач. Взгляните на эту проблему так: если бы доказательства вреда куре-

Превентивные меры

Если вы собираетесь забеременеть или пытаетесь это сделать, то вам лучше воздержаться от алкоголя и других наркотических веществ. То же самое относится к периоду наибольшей вероятности оплодотворения, который бывает ежемесячно в течение двух-трех дней — просто на всякий случай. Считайте это «контролем врожденных дефектов». Кроме того, если вы курите или употребляете алкоголь, то сокращение количества выкуриваемых сигарет или выпитых рюмок облегчит отказ от этих вредных привычек во время беременности.

ния не были такими впечатляющими, то правительство никогда бы не победило мощное табачное лобби и не смогло бы настоять, чтобы на каждой сигаретной пачке была надпись, предупреждающая об опасности курения для беременных. Статистика подтверждает, что вероятность развития осложнений беременности, а также того, что ваш ребенок будет менее умным и здоровым, повышается в том случае, если вы курите. Просто нечестно заставлять рисковать и себя, и своего ребенка.

Попробуйте резко бросить курить. Самый подходящий момент погасить последнюю сигарету — это минута, когда вы узнали о положительном результате теста на беременность. Некоторым женщинам это удается. Другие считают, что резкое физическое и эмоциональное отлучение от сигарет может привести к излишним волнениям, что неблагоприятно скажется на ребенке. Для таких женщин больше подходит постепенное отвыкание от этой вредной привычки. Некоторым везет — появившееся отвращение к запаху сигаретного дыма облегчает процесс.

Попробуйте метод постановки целей. Если вы не в состоянии отказаться от сигарет в первый же день, когда вы узнали о своей беременности, поставьте перед собой цель постепенно избавиться от вредной привычки, скажем, на десятый день. Придумайте себе вознаграждение. Подсчитайте, сколько денег вы сэкономите за год, если бросите курить, и потратьте эту сумму, купив что-нибудь особенное для себя или своего ребенка.

Более тщательно выбирайте себе отраву. Поменяйте марку сигарет. В некоторых сортах сигарет никотина и окиси углерода больше, чем в других.

Ограничьте количество вдыхаемого яда. Делайте меньше затяжек. Выкуривайте только первую половину сигареты. (Концентрация вредных веществ у фильтра больше.) Лучше всего совсем не затягиваться. Это вдвое уменьшит дозу никотина.

Сделайте все, чтобы курение было связано с неудобствами. Покупайте всегда только одну пачку сигарет. Оставляйте сигареты в каком-нибудь неподходящем месте, например в гараже.

Заполните образовавшийся вакуум. Вспомните, что заставило вас закурить. После того как вы выясните физиологические факторы, которые могли привести к физиологической зависимости, вам будет легче отказаться от курения или заменить эту привычку более безопасной.

Попробуйте заменители, менее вредные для здоровья. Если вам нужно чем-то занять свои руки, попробуйте писать, рисовать, решать кроссворды. Если вам необходимо что-то ощущать во рту, можно погрызть морковку или черешок сельдерея, палочку корицы или соломинку. Попробуйте пососать лед, замороженный фруктовый сок или леденцы. Погрызите семечки или гранолу. Пожуйте жевательную резинку. Если вы курили для того, чтобы расслабиться, обратитесь к таким средствам, как спокойная музыка или чтение. Иногда можно потратиться на массаж. Прогуляйтесь. Сходите в бассейн. Если вы курили ради удовольствия, придумайте себе развлечение без табака: посетите кинотеатр или ресторан для некурящих, пройдитесь по магазинам или нанесите видит некурящей подруге.

Переключитесь на более полезные для здоровья ассоциации. Если курение у вас ассоциируется с определенным человеком, местом или удовольствием, поищите другие варианты, более полезные для здоровья. Например, если курение ассоциируется у вас с ресторанами, посещайте только рестораны для некурящих. Если вы любили выкуривать сигарету за утренней чашкой кофе, переключитесь на сок или настой из трав.

Сформируйте неприятные ассоциации. Наркотическая зависимость усиливается, когда она ассоциируется с приятными мыслями или событиями. Постарайтесь связать удовольствие от курения или сам процесс курения с неприятной картиной. Например, когда вы испытываете желание закурить, представляйте себе, что ребенок у вас в животе начинает задыхаться.

Попробуйте тактику запугивания. Напишите собственные предупреждающие таблички, например: «Каждая затяжка может стоить моему ребенку еще одной нервной клетки», или «Курение может навредить моему ребенку или убить его», — и развесьте их в местах, где вы курите чаще всего. Оберните полоску с такими надписями вокруг пачки сигарет.

Найдите себе компанию, которая поможет вам бросить курить. Если для отказа от курения вам нужна компания, заручитесь помощью подруги или супруга. Почувствовав желание закурить, позовите этого человека, чтобы вместе с ним заняться чем-нибудь интересным для вас обоих.

Доверяйте себе. Вместо того чтобы отчаиваться при случайном срыве, хвалите себя за каждую затяжку, от которой вы отказались. Примите твердое решение с каждым днем курить все меньше и меньше.

Обратитесь за помощью к специалисту. Если после двух недель самостоятельной борьбы с курением у вас ничего не получилось, обратитесь за помощью к специалисту. Если попытки бросить курить вызывают у вас тревожное состояние, вполне вероятно, что за этим стоят глубокие причины, которые могут быть успешно выявлены психотерапевтом.

Не сомневайтесь в своем решении. Матери, продолжавшие курить в период беременности, обычно не отказываются от этой привычки и после рождения ребенка, еще больше увеличивая риск для здоровья своего малыша. Респираторные и ушные заболевания, синдром внезапной смерти — все это чаще встречается у младенцев, чьи матери курят. Более того, исследования показывают, что у курящих матерей наблюдается пониженный уровень пролактина, гормона, отвечающего за выработку грудного молока и спокойное «материнское» поведение женщины. У курящих матерей возникает больше проблем с кормлением грудью, и они раньше отнимают детей от груди (возможно, из-за недостатка пролактина). У грудных младенцев, чьи матери курят, в крови обнаруживается никотин, и это свидетельствует о том, что дети получают содержащиеся в табачном дыме вещества с молоком матери (тем не менее курящей женщине все же лучше кормить ребенка грудью, чем давать ему искусственные молочные смеси). Отказ от курения имеет три положительных аспекта: во-первых, ребенок не подвергается воздействию вредных веществ в утробе матери, во-вторых, он не получает токсинов в младенческом возрасте, и, в-третьих, малыш не перенимает от матери эту вредную привычку.

Замечание доктора Билла. Во время работы над книгой, посвященной синдрому внезапной смерти ребенка, я, наконец, понял, почему женщины продолжают курить во время беременности, несмотря на то, что знают об исследованиях, доказывающих вред курения как для них, так и для их ребенка. Обычно беременная женщина не сделает ничего, что могло бы повредить ее ребенку. Почему же так трудно отказаться от курения во время беременности? То, что бере-

менные женщины продолжают курить, доказывает, что курение — это действительно наркотическая зависимость, причем настолько сильная, что она способна поработить материнский инстинкт. Многие женщины, продолжавшие курить во время беременности, рассказывали мне, что предупреждения врача о вреде курения для ребенка не произвели на них особого впечатления. Они получали примерно следующую информацию: «Курение может снизить вес новорожденного». Этого не очень серьезного предупреждения оказалось недостаточно, чтобы справиться с зависимостью от табака. Заботливым друзьям, а также специалистам лучше быть откровеннее и заявить: «Курение может убить вашего ребенка, привести к выкидышу, вызвать осложнения беременности и преждевременные роды, а после рождения ребенка стать причиной синдрома внезапной смерти». В своей книге «Пособие для родителей: синдром внезапной смерти ребенка и его предотвращение» я привожу пример, как нужно рассказывать о вреде курения. Прочитав книгу, многие будущие матери либо бросают курить, либо резко сокращают количество выкуриваемых сигарет во время беременности и после родов. Если наркотическая зависимость оказывается сильнее материнского инстинкта (у вас самих или вашей подруги), прочтите эту книгу, из которой вы узнаете, почему нужно отказаться от курения и как это сделать.

Спасибо, что ты не пьешь

Неблагоприятное воздействие алкоголя на развитие ребенка было обнаружено еще в начале XX века, когда врачи заметили, что через девять месяцев после проводившихся в Европе винных праздников повышалось количество новорожденных с пороками развития. К сожалению, выпиваемый вами алкоголь поступает не только в вашу кровь, но и в кровь ребенка, причем в той же концентрации.

Неумеренное потребление алкоголя во время беременности может привести к тому, что ребенок родится с плодным алкогольным синдромом, который включает в себя разнообразные пороки развития. У детей с этим синдромом отмечаются меньший рост, а также меньший вес и размер мозга, чем у нормальных младенцев. Иногда их мозг недоразвит и они отстают в умственном развитии. Дети с плодным алкогольным синдромом отличаются и внешне: глаза у них меньше обычного, нос короткий, верхняя губа тонкая. Кроме того, у них бывают аномалии в развитии рук, ног и сердца. Наибольший вред алкоголь наносит в первом триместре беременности. Исследования показывают, что алкоголизм матери может привести к осложнениям беременности, таким, как выкидыш, низкий вес новорожденного или рождение недоношенного ребенка. Подобно курению, наиболее сильно алкоголь повреждает клетки головного мозга.

Помимо непосредственного вреда развивающемуся ребенку, алкоголь имеет еще один недостаток: он содержит много «пустых» калорий, лишая мать полноценного питания. Последствия алкоголизма матери для ребенка получили название «пожизненное похмелье».

Возможные вопросы относительно употребления алкоголя

Мне нравится иногда выпить бокал вина за обедом. Может ли это повредить моему ребенку?

Вероятно, нет. Тем не менее вам никто не сможет назвать безопасной дозы. Любое потенциально опасное вещество имеет некий «порог», при превышении которого это вещество начнет приносить вред. В отношении алкоголя нам известно, что большое его количество сильно вредит ребенку, а среднее количество приносит меньший вред. Однако мы не знаем — и возможно, никогда не узнаем, — наносит ли небольшая доза алкоголя незначительный вред. Может быть, дети трезвенников чуть-чуть умнее и крупнее, чем у тех, кто иногда позволяет себе выпить рюмку? Исследования показывают, что вред ребенку наносит как «праздничная» выпивка (пять или более порций за один раз), так и регулярное употребление алкоголя во время

беременности (в среднем две порции в день). (Под «порцией» подразумевается 1 унция крепких напитков, 8 унций вина или 12 унций пива.) В первом триместре риск значительно выше, чем, к примеру, на тридцать шестой неделе, когда все органы вашего ребенка уже полностью сформированы. Изредка выпитый бокал вина или кружка пива на последнем месяце беременности вряд ли повредят вашему ребенку.

Я несколько раз пила вино до того, как узнала о своей беременности. Может ли это повредить моему ребенку?

Вероятно, нет. Нет никаких причин предполагать, что алкоголь на самой ранней стадии беременности (до того, как произойдет имплантация) может повредить плоду, поскольку плацента еще не начала формироваться. Народная мудрость гласит, что две недели (в среднем) между оплодотворением и пропущенной менструацией являются в этом отношении абсолютно безопасными. Если в этот период вы пили каждый день или выпивали больше пяти порций за один раз, поделитесь своими сомнениями с врачом. Если нет, расслабьтесь.

Однако теперь в своем поведении вам следует опираться на здравый смысл и результаты научных исследований. Воздержитесь от употребления алкоголя во время беременности. Влияние небольших доз еще не выяснено, но на всякий случай лучше не пить совсем. Случайный бокал вина *вряд ли* повредит вашему ребенку, однако в отношении алкоголя никто не может гарантировать, что существует такое понятие, как «безопасная» доза. Если вы присутствуете на мероприятии, где подаются алкогольные напитки, пейте то, что пил бы ребенок, — в конце концов вы его носите в себе. Закажите привычные напитки, но без алкоголя. (Если это томатный или апельсиновый сок, то польза будет двойная.) Можно побаловать себя чем-то особенным, например необычной закуской или десертом.

Если вы чувствуете, что время от времени вам нужно выпить, чтобы расслабиться, проконсультируйтесь с вашим врачом или акушеркой, и они посоветуют вам альтернативу (расслабляющая ванна, теплое молоко, ромашковый чай, медитация). Очень скоро вы обнаружите, что усталость первых месяцев беременности сделает сон самым притягательным средством расслабления!

Спасибо, что не принимаешь наркотики

Героин, кокаин, крэк, ЛСД и фенциклидин (РСР). Когда мать принимает наркотик, вместе с ней принимает наркотик и ребенок. Если мать наркоманка, наркоманом становится ребенок, и после родов у него наблюдаются точно такие же симптомы «ломки», как при отказе от наркотиков (сильная раздражительность и нервное возбуждение). У детей, чьи матери принимали наркотики во время беременности, чаще возникают проблемы после рождения, а последствия могут остаться на всю жизнь.

Наркотики, воздействующие на ребенка во время беременности, наиболее опасны в первом триместре. Возможное воздействие наркотиков на развитие ребенка включает в себя риск рождения мертвого плода, выкидыша, пониженного веса новорожденного, задержки умственного развития, преждевременных родов, а также развития синдрома внезапной смерти ребенка. (У детей, чьи матери принимают опий, риск синдрома внезапной смерти повышается в двадцать раз.) Исследователи считают, что такие наркотики, как опий и кокаин, наносят вред ребенку и косвенным образом, сужая кровеносные сосуды плаценты и ограничивая таким образом снабжение кислородом плода, создают удушающий эффект, подобный воздействию никотина. Кокаин воздействует на мозг ребенка, приводя к повышенной раздражительности.

Марихуана. До недавнего времени считалось, что употребление матерью марихуаны во время беременности безопасно для ребенка. Однако новейшие исследования показали, что марихуана может точно так же влиять на развитие плода, как и другие наркотики, из-за содержащегося в ней активного соединения ТНС.

Амфетамины («СПИД»). Амфетамины также оказывают неблагоприятное воздействие на развитие плода, а также повышают риск преждевременных родов и задержки внутриутробного развития ребенка. У новорожденных, чьи матери принимали амфетамины, наблюдалась типичная для таких случаев «ломка» (учащенное сердцебиение и дыхание).

Мудрость тела

Организм обычно сообщает своему владельцу, что для него полезно, а что нет. У многих женщин во время беременности развивается отвращение к вредным веществам, таким, как сигаретный дым, алкоголь, кофеин и выхлопные газы. Несмотря на то, что эти потенциальные яды теряют свою привлекательность, не стоит надеяться исключительно на свой организм. Природная защита не является безупречной. Для обеспечения безопасности лучше избегать этих опасных веществ даже в том случае, если они не вызывают у вас тошноты.

Если вы принимаете наркотики, проконсультируйтесь со специалистом или разработайте собственную программу отказа от наркотиков, как только узнаете о своей беременности. А еще лучше обратиться к такой программе тогда, когда вы только планируете забеременеть.

Кофеин

Возможно, во время беременности вы захотите отказаться от кофе или по крайней мере уменьшить его потребление, заменив стимуляторами, которые не проходят через плаценту. Тревога по поводу кофеина вызвана результатами исследований, которые показали, что у потомства беременных самок животных, которым во время беременности давали кофеин, отмечался повышенный уровень пороков развития. Полученные результаты должны быть еще проверены на людях, однако в целях безопасности Управление по контролю за продуктами и лекарствами США рекомендует беременным женщинам ограничить потребление или отказаться от продуктов, содержащих кофеин: кофе, колы, чая, какао, шоколада и некоторых продаваемых без рецепта лекарств, например от головной боли. Последние исследования продемонстрировали, что кофеин может вызвать больше проблем, чем предполагалось ранее, по результатам опытов на животных. Теперь кофеин обвиняют в причине выкидышей и в уменьшении веса новорожденных.

Вредное воздействие кофеина, выявившееся в процессе этих исследований, являлось результатом больших доз этого вещества (эквивалентным от шести до десяти чашек кофе в день), однако результаты новейших работ дают основание предположить, что употребление трех и более чашек кофе в день во время первого триместра удваивает риск выкидыша. Кофеин увеличивает частоту сердечных сокращений и скорость обменных процессов ребенка — точно так же, как и у взрослого человека. Более того, кофеин может оставаться в крови ребенка дольше и в более высоких концентрациях, поскольку не до конца сформировавшаяся печень ребенка не способна избавляться от этого вещества так же быстро, как материнская. Кофеин повышает уровень гормона стресса адреналина и — по крайней мере, теоретически — может ограничить приток крови к матке, лишая таким образом ребенка кислорода и питательных веществ.

Какова бы ни была вероятность причинить вред ребенку, употребление кофеина во время беременности не приносит пользы и матери. Организм беременной женщины гораздо медленнее выводит кофеин, и этот стимулятор задерживается у нее в крови более длительное время. Кроме того, кофеин способствует выведению кальция из организма, увеличивая его количество, выводимое с мочой. Кофеин также обладает мочегонным действием, что может привести к чрезмерной потере жидкости,

а также к частому мочеиспусканию, что и так уже является проблемой для беременных женщин. Помимо этого, кофеин влияет на усвоение железа, поступление которого очень важно во время беременности.

Если ваш организм привык к ежедневному подстегиванию кофеином, обратите внимание на приведенные ниже советы, которые помогут вам (и вашему ребенку) заменить его на более естественный стимулятор.

● Не варите кофе и не заваривайте чай слишком долго. Пакетик чая, который заваривался в течение одной минуты, отдает в два раза меньше кофеина, чем тот, который заваривался пять минут. Как правило, чем дольше заваривался кофе или чай или чем темнее шоколад, тем больше в них содержится кофеина.

● Попробуйте перейти на настои из трав, которые не содержат кофеина. Кофе или чай без кофеина все же содержат небольшое количество этого вещества. Если вы не можете отказаться от кофе, возьмите растворимый кофе без кофеина, а не тот, который получен химическим способом, — он может содержать вредные вещества.

● Читайте этикетки на прохладительных напитках или спрашивайте продавцов об их составе, прежде чем купить бутылку.

● Если вас устроит просто горячий настой или напиток, попробуйте пить горячую воду (можно добавить лимон), теплое молоко, горячий яблочный сок или чай из трав.

● Если вы не можете начать день без привычной чашки утреннего кофе, отучайте себя от кофеина постепенно. Варите напиток из смеси обычного и не содержащего кофеина кофе, постепенно снижая в ней долю обычного. (Даже небольшое количество кофеина снимет головную боль, которая иногда сопровождает отказ от кофе.)

Вредное воздействие окружающей среды

Желание защитить ребенка приходит вместе с материнством, и появляется оно сразу же после зачатия. Внимание будущей матери приковано к растущему у нее внутри ребенку, и ее не может не беспокоить окружающий мир, заполненный загрязнителями, радиацией и всевозможными химикатами. Многие химические соединения, которые бездумно используют взрослые (инсектициды, моющие средства, строительные материалы и многое другое), содержат известные тератогены — вещества, которые могут вызывать уродства. Однако излишнее беспокойство тоже ни к чему — статистика на вашей стороне. Если вы воздерживаетесь

от «самой опасной тройки» (наркотики, алкоголь и курение), полноценно питаетесь и следите за своим здоровьем, ваши шансы родить здорового ребенка превышают 95 процентов.

Когда принимать усиленные меры предосторожности. В процессе развития ребенка существует несколько периодов повышенного риска, когда он особенно уязвим для вредного воздействия окружающей среды. Как правило, наибольшую опасность поступающие из окружающей среды токсины представляют в первый триместр. В течение двух недель после оплодотворения матка готовится к имплантации. В этот период некоторые токсины, воздействующие на то, как «приживется» ребенок, могут увеличить вероятность выкидыша. Однако в эти первые две недели, до окончательного формирования плаценты и пуповины, ребенок находится в относительной безопасности и защищен от тератогенов, попадающих в кровь матери. После того как зародыш «пустил прочные корни» и начала развиваться плацента, начинается самый опасный период: десять недель, во время которых формируются основные органы ребенка.

Именно в это время токсины из окружающей среды могут повредить основные органы плода. К концу первого триместра все основные органы и системы ребенка сформиро-

Корреляция и причинная связь — это не одно и то же

Желание делать то, что полезно для вашего здоровья и здоровья вашего ребенка, приведет к тому, что вы с повышенным вниманием станете относиться к различного рода предупреждениям, касающимся беременности. Возможно, вам станет легче, если вы будете знать, что многие акушерские исследования выявили лишь статистическую связь между врожденными пороками развития и предполагаемыми тератогенами. Например, подозрения относительно употребления кофеина и использования видеотерминалов были основаны на результатах исследований, которые показали, что у детей, чьи матери подвергались воздействию этих потенциально опасных веществ, отмечалась повышенная вероятность аномалий развития. Другие факторы, скажем образ жизни матери или просто невезение, приведшее к генетическому дефекту, не принимались во внимание. Другими словами, данные исследования не доказали, что воздействие этих факторов действительно приводит к аномалиям; выяснилось только то, что два факта по какой-то причине сопровождают друг друга. Более того, небольшое увеличение риска в среднем не означает, что опасность увеличится для каждого, кто подвергается воздействию этого фактора. Не забывайте также о том, что результаты одного исследования часто противоречат результатам другого. Статистические результаты просто предупреждают нас о возможной корреляции и дают возможность избежать нежелательного воздействия.

вались и начали работать, и риск повреждений начинает снижаться. Второй и третий триместры — это в основном время роста уже сформировавшихся органов и систем, и воздействие вредных веществ, скорее всего, вызовет замедление развития, а не серьезные пороки. Например, воздействие наркотиков и алкоголя на ранней стадии беременности может привести к повреждению мозга ребенка. На более поздних стадиях то же самое воздействие не окажется таким губительным, а вызовет лишь небольшие отклонения в мыслительной или двигательной функции.

Загрязнитель окружающей среды, практически безопасный для матери, может нанести огромный вред ребенку. Токсины присутствуют в крови плода более длительное время и в более высоких концентрациях, чем в крови матери. На ранних стадиях беременности печень ребенка (она расщепляет токсины) и почки (они выводят вредные вещества) еще недостаточно развиты, чтобы защитить малыша. К концу срока беременности эти органы уже сформировались в достаточной степени, чтобы справляться с этой задачей.

К счастью, не все, что содержится в окружающей женщину среде, проникает в матку. Случайное воздействие паров бензина, выхлопных газов, чужого сигаретного дыма и других загрязняющих веществ, встречающихся в современном мире, не принесет вреда вашему ребенку. Если вы заботитесь о своем здоровье, то растущий внутри вас ребенок родится здоровым. Поэтому старайтесь не переживать из-за воздействия загрязняющих природу веществ, которых никак нельзя избежать. Вызванный тревогой стресс может быть опаснее, чем сама причина этой тревоги. Независимо от того, беременны вы или нет, старайтесь избегать ненужного риска. Нет никакого смысла ехать целую милю за автобусом, изрыгающим клубы черного дыма, если можно обогнать этот автобус или выбрать другую дорогу. Однако не нужно думать, что ради рождения здорового ребенка вам следует немедленно упаковать вещи и переехать в такое место, где автомобили запрещены законом.

Рентгеновские лучи и радиация

Термин «радиация» вызывает в памяти многих людей страшные картины, однако никто не волнуется из-за опасности рентгеновского обследования во время беременности. Сначала кратко рассмотрим два типа радиации, ионизирующую и неионизирующую. Специалисты считают безвредными маломощные волны неионизирующей радиации, испускаемые радиоприемниками, телевизорами, микроволновыми печами, ультразвуковой аппаратурой, электросетями и солнцем. К ионизирующей радиации относится рентгеновское излучение, а также мощная радиация с энергией больше, чем у неионизирующей. Повторяющееся воздействие высоких доз этого типа радиации может привести к повреждению тканей организма, однако большинство медицинских процедур используют такие низкие уровни излучения, что повод для беспокойства практически отсутствует.

Оцените источник излучения. Вероятность того, что диагностические рентгеновские лучи нанесут вред вашему ребенку, чрезвычайна мала. С медицинской точки зрения рентгеновские лучи делятся на два вида: диагностические (например, для рентгена грудной клетки или зуба) и терапевтические (например, используемые при лечении рака). Единица измерения полученной дозы носит название «рад». Специалисты в области радиации Американского института радиологии утверждают, что доза облучения менее 5 рад не опасна для развития плода и что никакая одиночная диагностическая процедура не может угрожать благополучию будущего ребенка. Диагностическое излучение, направленное на отличные от живота части тела, практически не воздействует на плод; так, например, при рентгене грудной клетки доза радиации, получаемая ребенком, не превышает 0,05 рад. Современное радиологическое оборудование излучает очень мало радиационного «мусора». Рентгеновские лучи направлены в определенную зону, и они не могут воздействовать на весь организм, разносясь с током крови по всему телу.

Даже диагностическое излучение, направленное на живот, приводит к дозе, которая лежит гораздо ниже опасного порога: при рентгеновском снимке нижнего отдела позвоночника или живота плод получает дозу облучения около 0,4 рад. Тем не менее определенные диагностические процедуры могут представлять собой опасность из-за того, что в них используется многократное облучение рентгеновскими лучами. Если вы нуждаетесь в диагностическом рентгеновском обследовании, которое может привести к потенциально опасным дозам облучения, врач по возможности порекомендует вам альтернативный метод

исследования, например при помощи ультразвука.

В компьютерной томографии используется многократное облучение рентгеновскими лучами; при этом получаются «срезы» определенной части тела, которые затем совмещаются с целью получения трехмерного изображения. Из-за многократного облучения компьютерная томография применяется при беременности только в случае крайней необходимости. Из-за возможной опасности облучения большинство методов исследования, предполагающих высокую дозу облучения, заменены ультразвуком. Более чем тридцатилетняя практика ультразвукового сканирования не выявила какого-либо неблагоприятного воздействия ультразвука на плод.

Радиоактивные контрастные вещества тоже не используются при обследовании беременных женщин, поскольку они могут повредить щитовидную железу плода. Некоторые радиоактивные материалы, например ксенон, считаются безопасными для беременных женщин и могут использоваться в тех случаях, когда диагностическая процедура с их применением абсолютно необходима.

Оцените время облучения. Предположим, что вы подвергались облучению — даже такому, которое не исключает высоких доз — еще до того, как узнали о своей беременности. При однократном облучении, и особенно если не был превышен безопасный порог, отрицательные последствия для плода маловероятны. В качестве меры предосторожности даже при малейшем подозрении, что вы можете быть беременны, предупредите об этом лаборанта. Вам либо дадут специальный фартук, чтобы укрыть живот, либо предложат альтернативную процедуру обследования. Высокие дозы облучения наиболее опасны для ребенка в период формирования его органов, то есть в первом триместре.

Взвесьте соотношение между степенью риска и выигрышем. Если ваш врач советует диагностическую процедуру с использованием рентгеновского излучения во время беременности, обсудите с ним степень риска и возможные преимущества. Если риск не поддается оценке, а польза сомнительна, пропустите процедуру или отложите ее на более позднюю стадию беременности, а еще лучше — на послеродовой период. С другой стороны, если рентгеновский снимок абсолютно необходим для выявления или устранения проблемы и его результаты могут повлиять на назначаемое врачом лечение, отказ от процедуры может нести в себе больший риск, чем само обследование. Спросите, можно ли видоизменить процедуру (уменьшив дозу облучения и минимизировав рассеивание лучей) и существуют ли альтернативные методы, например с использованием ультразвука.

Обследование с использованием рентгеновских лучей нужно вам, а не ребенку. В рентгеновских кабинетах с высокой репутацией перед обследованием вас обязательно спросят, не беременны ли вы. Кроме того, они обязательно закроют просвинцованным фартуком ваш живот и область таза. При малейшем подозрении, что вы можете быть беременны, проинформируйте об этом лаборанта и примите следующие меры предосторожности. Чтобы предотвратить возможное повреждение яйцеклеток женщинам при рентгеновском обследовании всегда следует защищать область живота и таза (для мужчин это не так важно, поскольку новая сперма вырабатывается постоянно; у девочки в младенческом возрасте уже имеются все яйцеклетки, которые она выработает в течение жизни).

Если вы работаете с рентгеновским излучением. Если вы работаете лаборантом в рентгеновском кабинете или имеете дело с рентгеновскими аппаратами, обязательно надевайте фартук при включении оборудования. Всегда носите с собой дозиметр и проверяйте его показания не реже раза в месяц.

Видеотерминалы

Опасны ли видеотерминалы для здоровья плода? Первые исследования указывали на возможную связь между использованием видеотерминалов (более двадцати часов в неделю) и выкидышами. Новейшие исследования не подтвердили это предположение. Излучение от видеотерминала является неионизирующим, а проведенные клинические испытания не выявили отрицательного воздействия этого типа излучения на деление клеток плода, как при ионизирующем излучении (то есть рентгеновских лучах). В действительности излучение от видеотерминала может быть даже меньше, чем от телевизора или даже от солнца на открытом пространстве. Тем не менее несмотря на то, что новейшие исследования не выявили причинно-следственной связи между видеотерминалами и аномалиями беременности, вопросы безопасности все же остаются. Две простейшие меры предосторожности помогут существенно уменьшить риск. По возможности сократите время работы за видеотерминалом до двадцати часов в неделю и не находитесь перед тыльной стороной видеотерминала, где вредное излучение сильнее. Теоретически вы получаете большую дозу от терминала коллеги по работе, расположенного позади вас, чем от вашего собственного. (Пора переставлять мебель!)

Опасные бытовые загрязнители

Вероятно, вы никогда не считали свой милый дом опасным для здоровья местом. Тем не менее вещества, которые вы обычно используете для «облегчения жизни», могут представлять собой потенциальные яды. Теперь, когда вы беременны, вам необходимо внимательно оглядеться и предпринять доступные меры, чтобы улучшить качество воздуха, которым вы дышите, и воды, которую вы пьете, — ради себя самой и своего ребенка. Вот список источников наиболее распространенных токсинов.

Водопроводная вода. В большинстве случаев водопроводная вода, которую вы пьете — а вам во время беременности нужно пить много воды, — безопасна. Тем не менее полезно периодически проверять водопроводную воду на наличие вредных химических веществ, таких, как соединения хлора или свинец, в местном отделении санэпиднадзора или в частной лаборатории. В старых домах со свинцовыми трубами свинец может попадать в воду, если вода остается в трубах в течение нескольких часов. Если вы не пользовались краном шесть часов или больше, дайте воде стечь в течение нескольких минут, чтобы уменьшить содержание в ней свинца. Для питья и приготовления блюд используйте только холодную воду. Там, где качество питьевой воды оставляет желать лучшего (посоветуйтесь со своим врачом), используйте бутилированную или отфильтрованную воду. Многие современные фильтры превосходно удаляют свинец и другие нежелательные химические вещества из водопроводной воды. Даже если вы остановите свой выбор на одной из самых дорогих систем фильтрации, она обойдется вам дешевле, чем покупка воды в бутылках в течение всего срока беременности.

Моющие средства. Избегайте всех аэрозолей, средств чистки плит и особенно веществ с сильным запахом, например аммиака или хлора. Никогда не смешивайте отбеливатель, в состав которого входит хлор, с аммиаком, уксусом и другими чистящими средствами, поскольку в результате произойдет химическая реакция с выделением ядовитых газов. Вместо синтетических чистящих средств можно использовать «экологически чистые» вещества: питьевую соду, уксус, лимон.

Косметические средства. Химические вещества, которые улучшают вашу внешность, могут быть небезо-

пасны для ребенка. Во время беременности откажитесь от посещения парикмахерских. Пары от средств для укладки волос, а также от растворителей и лаков для ногтей делают воздух непригодным для дыхания человека (как взрослого, так и ребенка). Во время беременности не пользуйтесь средствами для завивки и красками для волос. Исследование безопасности этих химических веществ не дало убедительных доказательств их связи с аномалиями беременности, но разумнее не подвергать себя возможному риску. Дома для распыления лака для волос используйте пульверизатор вместо аэрозольного баллончика, а также задерживайте дыхание, чтобы лак не попадал вам в легкие. Хорошо проветривайте помещение, где вы приводите себя в порядок, особенно при использовании лака для ногтей. Лучше всего красить ногти у открытого окна или вообще на свежем воздухе.

Избегайте перегрева: ванны, душ и сауна

Во время беременности не обязательно отказываться от горячих ванн, но вам, возможно, придется немного понизить температуру воды и сократить время пребывания в ванне, особенно в начале беременности. Исследования показывают, что длительное повышение температуры тела до 102 F (39°C)

или выше в первом триместре беременности может повысить риск аномалий развития позвоночника у ребенка. Опасность, что высокая температура повредит ребенку, выше всего к концу первого месяца беременности. Точно неизвестно, какое именно тепловое воздействие опасно для ребенка; результаты исследований основаны на экспериментах с животными и статистическом анализе данных, полученных от беременных женщин, подвергавшихся воздействию тепла. Предполагается, что вред наносит длительное повышение температуры тела матери до 39°С и выше.

Предположим, что вы любите расслабляться в теплой ванне и что вы не изменяли своей привычке вплоть до того момента, когда обнаружили, что беременны. Не беспокойтесь — большинство женщин автоматически выходит из воды, как только им становится слишком жарко, причем еще до того, как температура их тела достигнет 39°С. Новейшие исследования показали, что беременная женщина может оставаться в ванне с температурой воды 39°С в течение пятнадцати минут, и при этом температура ее тела не поднимается до опасного уровня. В результате других исследований выяснилось, что во время интенсивных физических упражнений в течение сорока пяти минут (маловероятно, что беременная женщина будет подвергать себя интенсивной физической нагрузке такое продолжительное время) температура беременной женщины не достигает 39°С. Эти исследования легли в основу рекомендаций беременным женщинам ограничивать

длительность физических упражнений тридцатью минутами, особенно при жаркой и влажной погоде.

Сауна, по-видимому, тоже безопасна для беременной женщины. В тех случаях, которые получили широкую известность, женщины посещали сауну чаще, пребывали там дольше и при более высоких температурах, чем это обычно принято. В Финляндии, где сауна — это обычное явление, беременные женщины ограничивают свое пребывание в ней десятью минутами, и в этой стране не отмечается повышенного числа аномалий развития плода, обусловленных высокой температурой. Кроме того, вам следует знать, что наука — вопреки всевозможным домыслам — не обнаружила никакой связи между использованием одеял с электрическим подогревом и аномалиями развития плода.

Если вы находите, что сауна или горячая ванна помогает вам расслабиться, не лишайте себя этого удовольствия во время беременности. Однако следует принять следующие меры предосторожности:

● Прекратите тепловое воздействие, как только почувствуете дискомфорт. (Грубая оценка: если вода в ванне вызывает у вас дискомфорт, значит, она слишком горячая.)

• Ограничьте время горячей ванны пятнадцатью минутами и поддерживайте температуру воды не выше 38°С. Ограничьте пребывание в сауне десятью минутами и поддерживайте температуру не выше 38°С. Из-за охлаждающего эффекта конвекции и испарения вероятность перегревания в сауне ниже, чем при принятии ванн.

• Короткие и частые погружения в горячую ванну безопаснее длительного пребывания в воде. Поза, когда большая часть вашего тела находится над поверхностью воды, также уменьшает риск перегрева.

• Ограничьте энергичные физические упражнения максимум тридцатью минутами, а в жаркую и влажную погоду продолжительность их должна быть еще меньше.

Микроволновые печи. Быстрота приготовления или подогрева пищи очень важна для занятых родителей. Этот прибор — чудо космической эры, и вы можете продолжать пользоваться им во время беременности. В основе страшных историй о микроволновых печах лежат эксперименты, показавшие, что развитие тканей эмбриона может быть нарушено излучением от этих приборов. Однако новейшие исследования показали, что излучение микроволновой печи настолько незначительно, что не может повредить даже ткани матери, не говоря уже о находящемся внутри ребенке. Возникали также вопросы относительно химических реакций, которые могут происходить в нагреваемой в микроволновой печи пище. Опасность их тоже не была доказана. Однако на всякий случай не стойте прямо перед включенной микроволновой печью.

Домашние питомцы. Собака, которая живет в доме, не представляет никакой опасности для будущей матери. Проблемой могут стать кошки, но беременные женщины могут спокойно жить и рядом с ними, если будут соблюдать несколько простейших мер предосторожности. Опасностью грозит паразит токсоплазмоза, который переносится некоторыми кошками и может заражать беременную женщину, проникая затем через плаценту в плод. Однако поражение плода токсоплазмозом у человека встречается крайне редко. Большинство людей в тот или иной период своей жизни сталкиваются с этим микроорганизмом, и поэтому у них уже выработался иммунитет, а большинство кошек не передают человеку содержащиеся в их организме токсоплазмы. Тем не менее, если у вас дома живет кошка и вы беспокоитесь из-за этого, попросите своего врача назначить вам анализ крови, чтобы выяснить, есть ли у вас иммунитет к бактерии токсоплазмоза. Если есть, то вам нет нужды волноваться. Кроме того, можно отнести вашу кошку к ветеринару, чтобы проверить наличие у нее активной инфекции токсоплазмоза. По возможности пусть кто-нибудь другой моет кошачий туалет, поскольку токсоплазмоз передается через фекалии кошек. Если этим делом все же придется заниматься вам, надевайте резиновые перчатки.

Хорошо бы ограничить возможность кошки заразиться этой болезнью, а также возможность передать ее вам. Поскольку кошки заражаются токсоплазмозом, поедая инфицированных мышей, птиц, подумайте о том, чтобы сделать свою свободно разгуливающую кошку исключительно домашним животным, а также надевайте резиновые перчатки, когда имеете дело с землей в саду или с песком в песочнице, потому что там могут находиться фекалии соседских кошек. Лучше всего прикрыть песочницу, если вы ею не пользуетесь. Чтобы еще больше уменьшить риск заболевания токсоплазмозом, не ешьте недоваренного или недожаренного мяса и не пейте сырого молока.

Инсектициды. Во время беременности безопаснее жить вместе с насекомыми, чем подвергаться воздействию потенциально опасных веществ, которые их убивают. Если вы спросите дезинсектора, безопасен ли тот или иной пестицид, то скорее всего получите ответ: «Не знаю». Но давайте посмотрим правде в глаза: если химикат достаточно силен, чтобы убить рой насекомых, то он, скорее всего, небезопасен для развивающегося в утробе матери ребенка. Как бы то ни было, а дезинсекторы надевают респиратор. Если вам абсолютно необходимо избавить свой дом от насекомых, запланируйте уехать из дома по крайней мере на несколько дней. Если обрабатывался примыкающий к вашему дом или здание, расположенное с наветренной стороны, покиньте свое жилище раньше, чем запах станет невыносимым. Средства для уничтожения блох, которыми вы обрабатываете ковер, могут быть изготовлены на основе солей, которые не только не токсичны, но и полезны для человека.

Пестициды, гербициды и удобрения. О вредном воздействии этих веществ на развитие ребенка известно немного. Считающиеся безопасными уровни пестицидов указываются только для взрослых. Эта концентрация не может считаться «безопасной» для уязвимых тканей развивающегося ребенка, чьи клетки могут обладать повышенной чувствительностью к пестицидам, а органы еще недостаточно развиты, чтобы избавляться от этих веществ. Ради обеспечения безопасности откажитесь от использования пестицидов во дворе и в саду.

При покупке продуктов нужно

Дышите свежим воздухом

Тот факт, что ваши легкие и плацента предотвращают попадание некоторых веществ к ребенку, не подлежит сомнению, однако этот механизм очистки не совершенен. Мы не хотим, чтобы вы волновались из-за каждого вдоха, но вы должны подумать о мерах предосторожности, которые следует принять, чтобы понизить вероятность попадания вредных веществ к вашему ребенку.

● Если вы живете рядом с оживленными транспортными магистралями, фабриками, которые загрязняют воздух, или просто в районе с повышенной концентрацией смога, теперь самое время подумать о переезде — ради вашего еще не родившегося ребенка, а также малыша, в которого он скоро превратится. Беременность — подходящее время для решений, ведущих к более здоровому образу жизни.

● При высоком уровне смога оставайтесь внутри помещения с закрытыми окнами и включенным кондиционером.

● По возможности избегайте запруженных машинами улиц и старайтесь не ехать вслед за чадящим транспортом, таким, как грузовики и автобусы.

● Старайтесь сами не заливать бензин в бензобак машины. Это еще одно дело, которая беременная женщина должна перепоручить другим.

● Старайтесь поддерживать выхлоп вашей машины на максимально безопасном уровне. Проверьте наличие утечек выхлопных газов в системе. Не заводите двигатель в гараже. При езде в автомобиле закрывайте заднее стекло. В плотном транспортном потоке поднимайте стекла, отключайте вентиляцию и включайте кондиционер.

● Если у вас угольная печь или газовая плита, проверьте, нет ли утечки из газовых труб и дымохода.

● Откажитесь от интенсивных физических упражнений в дни с повышенным уровнем смога. Глубокое дыхание, сопровождающее аэробные упражнения, повышает количество вдыхаемых вредных веществ.

● Настаивайте, чтобы ваш дом и рабочее место были свободны от сигаретного и сигарного дыма.

Помните о том, что люди и их дети на протяжении десятилетий жили в условиях с различным уровнем загрязнения окружающей среды и при этом большинство младенцев рождались абсолютно здоровыми. Поэтому состояние окружающего мира не должно лишать вас драгоценного сна; примите разумные меры предосторожности и расслабьтесь.

Новейшую информацию о потенциально опасных для беременной женщины веществах можно получить в центрах репродукции и семьи.

иметь информацию — но не впадать в паранойю — о том, что вы едите и пьете, а также соблюдать несколько простейших мер предосторожности: тщательно мыть продукты экологически чистым и безопасным моющим средством; чистить овощи и фрукты. По возможности покупайте органические, выращенные без применения пестицидов овощи и фрукты и отдавайте предпочтение отечественной продукции (содержание пестицидов в импортных продуктах регулируется не так строго).

Пары красок и растворителей. Преодолейте искушение перекрасить фамильную колыбель или кроватку для младенца. Во время беременности нужно особенно тщательно избегать соприкосновения со старыми красками, содержащими свинец и ртуть (они уже сняты с производства и запрещены к продаже), средствами для удаления старой краски и растворителями, а также с баллончиками с краской, особенно содержащими полиуретан. Использования современных латексных красок в хорошо проветриваемом помещении считается безопасным для беременных, однако даже их пары могут вызвать тошноту. Даже если вы уговорили кого-нибудь другого перекрасить фамильную кроватку для будущего ребенка, держитесь подальше от помещения, где выполняются эти работы, чтобы избежать воздействия частичек старой краски, содержащей свинец (в состав всех красок, выпускавшихся до 1978 года, входил свинец). По возможности покраску нужно производить на улице, в хорошо проветриваемом гараже или подвале. В последние недели беременности подавите горячее желание сделать ремонт в детской, даже если непреодолимый инстинкт заставляет вас «вить гнездо». (Кроме того, беременным женщинам не стоит лазить по лестницам.) Безопасная альтернатива, которая может удовлетворить ваше желание создать уютный уголок для своего малыша, заключается в том, чтобы разработать дизайн, а ремонтные работы переложить на супруга. К этому времени вы, наверное, уже овладели искусством делегирования полномочий. Покиньте дом на время окраски и проветрите свежевыкрашенные комнаты. Растворители, мебельные лаки и спреи тоже относятся к опасным веществам. Уйдите из дома во время их применения и не возвращайтесь, пока пары этих веществ не выветрятся. Если вы увлекаетесь живописью и не можете отказаться от своего хобби во время беременности, постарайтесь удовлетвориться акварельными красками. Откажитесь от использования маркеров, поскольку они издают едкий и, возможно, токсичный запах.

Свинец. Свинец может проникать сквозь плаценту и повреждать нервную систему развивающегося ребенка. Наиболее распространенные источники свинца — это старые трубопроводы, освинцованный бензин, загрязненная вода, старая или импортная керамика, строительные материалы, средства для консервации древесины, припой, аккумуляторные батареи и старая краска. В 1979 году правительство запретило выпуск краски, содержащей свинец, и с 1980 года при покрасочных работах запрещено использовать лакокрасочные материалы, в состав которых входит этот элемент. Таким образом, в зданиях и сооружениях, построенных после 1980 года, нет красок, содержащих свинец, однако в старых домах под слоем новой краски могла сохраниться старая, в которой содержится этот вредный для здоровья химический элемент. Поэтому во время беременности лучше воздержаться от ремонтных работ.

Если в этот период вам необходимо обновить дом или детскую, покиньте дом на то время, когда производится удаление старой краски, и обяжите рабочих использовать жидкое средство для удаления краски или высокоэффективную вакуумную установку с фильтром. Как указывалось выше, нужно выполнить анализ водопроводной воды, особенно если вы пользуетесь артезианской скважиной или живете в старом доме, где могут сохраниться свинцовые или освинцованные трубы. При высоком содержании свинца в водопроводной воде покупайте бутилированную воду для питья или используйте фильтр. Не ешьте из импортной керамической посуды или той, которая старше двадцати лет.

Помимо свинца, еще одним потенциально токсичным металлом является ртуть. Не употребляйте рыбу из загрязненных ртутью водоемов.

Опасности на производстве

К воздуху, которым вы дышите на работе, должны предъявляться такие же требования, как и к атмосфере, которая окружает вас дома. Если вы по профессии парикмахер, то должны знать о токсичных аэрозолях, красках и растворителях, которые вам приходится использовать при работе. Работники транспорта должны особенно остерегаться окиси углерода и других газов, содержащихся в выхлопах автомобилей. Те, кто трудится в типографиях и фотоателье, должны избегать воздействия свинца, растворителей и красок (и их паров). Занятым на конвейерном производстве нужно беречься асбеста, формальдегида и промышленных химикатов. Уборщицы должны соблюдать меры предосторожности и не вдыхать пары моющих средств. Работники здравоохранения должны избегать воздействия радиации и лабораторных химикатов. По закону беременная женщина имеет право на безопасную среду на рабочем месте.

Первые признаки возможной беременности (например, изменения грудных желез, утреннее недомогание, усталость): _____

_____

_____

_____

Мои первые мысли: _____

_____

_____

_____

Начало последней менструации: _____

Наиболее вероятная дата зачатия: _____

Дата положительного теста на беременность: _____

Моя реакция: _____

_____

Реакция других людей: _____

_____

Мои главные тревоги: _____

_____

Мои главные радости: _____

_____

Мои главные проблемы: _____

_____

_____

Изменение образа жизни и привычки, от которых пришлось отказаться:

_____

_____

Вопросы, которые у меня возникли, и ответы на них: _____

_____

_____

_____

Предыдущие гинекологические заболевания/беременности/, роды:_____

_____

_____

Общее состояние здоровья (перенесенные ранее заболевания): _____

_____

Мой первый медицинский осмотр. Что я чувствовала:_____

_____

_____

Обследования и их результаты; моя реакция: _____

_____

Моя группа крови: _____

Мой вес:_____

Мое кровяное давление:_____

Предполагаемая дата родов:_____

Как я представляю себе своего ребенка:_____

_____

Что я сказала бы ребенку, если бы он мог меня слышать: _____

_____

фотография на первом месяце беременности

(Поместите сюда вид сбоку, чтобы иметь возможность каждый месяц оценивать изменения, происходящие с вашим телом. Кроме того, рядом можно поместить распечатку ультразвукового обследования с соответствующими пометками, которые сделает врач.)

Комментарии: _____

_____

_____

_____

_____

_____

_____

_____

_____

_____

_____

_____

_____

ВИЗИТ К ВРАЧУ: ВТОРОЙ МЕСЯЦ (5 — 8 НЕДЕЛЬ)

Что вас может ждать во время визита к врачу в этом месяце:

- осмотр живота
- определение размеров и высоты матки
- анализ крови: гемоглобин и гематокрит для проверки на анемию
- рекомендации относительно правильного питания
- проверки веса и давления
- анализ мочи на наличие инфекций, на сахар и белок
- возможность обсудить свои чувства и проблемы

Второй месяц — вы чувствуете, что вы беременны

ВО ВРЕМЯ ВТОРОГО МЕСЯЦА БЕРЕМЕННОСТИ (с пятой по восьмую неделю) большинство женщин говорят о том, что определенно «ощущают себя беременной». Даже те, у кого в первый месяц симптомы беременности были выражены слабо, теперь чувствуют — хотя бы немного — тошноту и усталость. С этого момента ваше тело ежедневно будет напоминать вам о чуде, которое происходит внутри вас. Теперь уровень гормонов, необходимый для увеличения размеров матки и развития ребенка, вызывает эмоциональные и физические изменения, не поддающиеся сознательному контролю. С радостью встречайте эти быстрые изменения. Вы должны испытывать особое чувство гордости, ощущать себя частью чуда. Напомните себе, что ваши ощущения уникальны: миллионы женщин до вас уже были беременны, но только вы носите в себе своего ребенка. Когда вы подумаете о том, что всего за девять месяцев дадите начало новой жизни, то затраченное время, а также некоторые неудобства и дискомфорт отойдут на второй план.

ВОЗМОЖНЫЕ ЭМОЦИИ

Тело и разум сообщат вам о беременности гораздо раньше, чем ваше состояние заметят окружающие. Поглощенность своей беременностью, когда еще никто об этом не знает, — это нормальное состояние. На протяжении первых месяцев беременности вы можете обнаружить у себя склонность к самоанализу и к размышлениям о том, какое чудо происходит внутри вас и что вас ждет впереди. Теперь уже на протяжении нескольких недель внутри вас происходит нечто очень значительное, не сравнимое ни с чем, что вы испытывали раньше.

Многие ваши чувства первого месяца могут усиливаться и оставаться такими же взбудораженными, как ваш желудок. Привыкание к мысли о том, что вы беременны, требует времени. Раздвоение чувств, которое вы ощущаете на первом месяце, может достигнуть апогея на втором. Это нормально — радоваться тому, как развивается ребенок внутри вас, и одновременно беспокоиться из-за дани, которую беременность собирает с вашего тела, психики и с вашего образа жизни. Многие матери испытывают даже некоторую антипатию к своим детям за то, что они стали причиной таких мучений. Чувство вины здесь неуместно. (После рождения ребенка все это пройдет.) Независимо от того, насколько сильно вы любите своего ребенка, вам совсем не нравится испытывать тошноту.

Мое эмоциональное состояние было крайне неустойчивым. Сегодня беременность вызывала у меня радостное волнение, а завтра я почти забывала о ней. Иногда я с удовольствием рассматривала модели одежды для будущих мам, а иногда грустила о том, что у меня портится фигура.

Повышенная чувствительность. Когда ваши мысли заняты различными аспектами беременности, мелочи, которые раньше оставляли вас равнодушными, теперь выбивают вас из колеи, и вы можете обнаружить, что излишне бурно реагируете на обычные раздражители. Раньше вы терпимо относились к причудам супруга, а теперь вы не выносите некоторых его привычек. Возможно, вы выходите из себя, когда он задерживается с работы на десять минут. Вас может испугать лай собаки или внезапный звонок в дверь. Если в какой-то день старший ребенок требует повышенного внимания к себе, то у вас возникает желание убежать подальше и спрятаться от всех. Когда вы измучены тошнотой, усталостью и раздвоением чувств, ежедневные обязанности могут показаться вам непосильными. Воспринимайте эту повышенную чувствительность как сигнал от своего организма, который требует, чтобы вы очистили окружающую среду от всего, что нарушает ваше спокойствие. Разумеется, вы не можете требовать от мужа или трехлетнего ребенка, чтобы они на несколько месяцев уехали из дома, но вы можете сделать все, чтобы обеспечить себе полноценный отдых, чтобы каждый день ваше тело и ваш мозг имели возможность расслабиться, а также требовать покоя и тишины, когда вы в них нуждаетесь.

Размолвки с мужем. По мере того как радостное волнение и новизна беременности начнут ослабевать, вы погрузитесь в реальности семейной жизни беременной женщины. Скорее всего вы станете менее терпимы к обычным спорам, которые возникают в любой семье. В то же самое время муж может относиться к вам с меньшим пониманием. Беременность не кажется ему пока реальной, и он не понимает, что у вас больше нет сил делать то, с чем вы без труда справлялись два месяца назад. Желание близости с мужем ослабевает: трудно сохранять сексуальность, когда вы ощущаете усталость и тошноту, когда все мысли сосредоточены на изменениях, происходящих с вашим телом.

Это еще больше расстраивает вашего мужа, ухудшая атмосферу в семье. Напомните ему (по возможности тактично), что это вы беременны и что он, несмотря на то, что видит происходящие с вами изменения, не может чувствовать их. Кроме того, скажите ему, что надежда еще есть: «В книгах пишут, что через месяц-другой ты будешь чувствовать себя лучше».

Мой муж привык к тому, что я всегда энергична и полна сил, но после наступления беременности я чувствовала себя больной, усталой и мне требовалось много отдыхать. Похоже, он считал, что я все это придумываю, чтобы не ходить на работу, не делать ничего по дому и не заниматься любовью. Он отпускал язвительные замечания, например: «Хочешь, я угадаю — ты не можешь постелить постель, потому что беременна». Я испытывала желание задушить его. Мне так хотелось заставить его понять мое состояние.

Зависимость. До того как забеременеть, вы, возможно, привыкли к относительной независимости и на работе, и дома. Возможно, вы привыкли заботиться о других и получать в ответ благодарность и ласку. Теперь забота нужна вам, и положение слабейшей стороны может нанести удар по вашему самолюбию.

Я испытывала такую усталость, что ко мне на несколько недель приехала мать, чтобы помочь мне присмотреть за старшими детьми, и я из-за этого чувствовала себя виноватой перед ней. Как справляются со всем этим другие женщины, когда у меня нет сил даже встать утром с постели и отвести ребенка в детский сад? Мне очень не нравится такая зависимость. Как я могу отблагодарить свою мать, особенно если ей вновь придется приехать ко мне после рождения ребенка?

Помните, что вы и ваше тело должны проделать огромную работу, чтобы подготовиться к материнству. Теперь пришла пора позволить другим заботиться о вас, а вы должны восполнять внутренние резервы, чтобы подготовиться к грядущим переменам. «Материнская забота о матери» — это очень ценные инвестиции мужей, бабушек, дедушек и старших детей. Кроме того, эти инвестиции вы можете сделать и сами. Наградой вам будет новорожденный.

ВОЗМОЖНЫЕ ФИЗИЧЕСКИЕ ОЩУЩЕНИЯ

Признаки беременности, которые вы ощущаете на втором месяце, постоянно напоминают вам о том, какие грандиозные изменения происходят в вашем организме. Вот типичные ощущения, которые женщины испытывают на втором месяце беременности.

Тошнота. Тошнота и утреннее недомогание, которые, вероятно, появились еще в предыдущем месяце, на втором месяце беременности часто достигают своего максимума. Вы спрашиваете себя, зачем вы вообще во все это ввязались, а подруга или врач небрежно замечают: «Это всего лишь гормоны. Тошнота — признак того, что ваш ребенок здоров». Это замечание в достаточной степени справедливо, однако оно может и не принести облегчения, когда вы все время отвратительно себя чувствуете.

Усталость. Приступы усталости, которые изредка накатывают на вас на первом месяце беременности, теперь могут смениться постоянной усталостью. Раньше вам хотелось отдохнуть, а теперь вы просто не можете без отдыха. Такой усталости, как при беременности, вам не приходилось испытывать прежде, и поэтому время, выделяемое вами для отдыха, должно увеличиться. Многие женщины описывают свое состояние как «полное изнеможение». Таким способом природа предупреждает занятую разнообразными делами женщину, чтобы она «притормозила» и направила свою энергию туда, куда следует. Возможно, вы обнаружите, что нужно ходить медленнее и что вы быстро начинаете задыхаться даже при нормальной ходьбе. Не пытайтесь бороться с этой усталостью — вы ее все равно не победите. Ради собственного благополучия и благополучия ребенка прислушайтесь к сообщению, которое вам посылает организм, и отдыхайте как можно больше. Если у вас напряженная работа, требовательный супруг или маленький ребенок, которому нужно уделять внимание, то вы не можете себе позволить такой роскоши, как поспать подольше или поваляться в постели, но иногда ваше тело просто заставляет дать ему необходимый отдых. Если у вас не получается вздремнуть, вы должны хотя бы прилечь. Уйдите пораньше с работы, закажите в ресторане обед на дом, поставьте кассету с любимыми мультфильмами для старших детей и ложитесь на диван.

Мне помогал следующий прием: я запасала продукты быстрого приготовления, с которыми мог справиться муж. Боюсь, что в первые несколько недель я вообще не принимала участия в приготовлении обеда.

На работе при выполнении обыч-

ных обязанностей у меня учащался пульс. Вероятно, это был сигнал, что в моем организме происходят изменения и что мне нужно снизить темп. Я была удивлена, что это произошло так рано. Режим сна у меня тоже изменился. К вечеру я уставала как собака и засыпала перед телевизором. Затем я просыпалась в два часа ночи и долго ворочалась в постели, пытаясь заснуть вновь.

Следите за изменением грудных желез. Ваша грудь сообщит вам о беременности гораздо раньше, чем живот. Сначала грудь просто станет немного полнее, и самые первые ощущения будут напоминать то, что вы обычно чувствуете во второй половине менструального цикла — только немного сильнее. Затем грудь начнет заметно увеличиваться, приобретая типичный для беременных женщин вид. Обычно грудь увеличивается на один размер во время первого триместра и еще на один размер в течение остальной части беременности. (Самое сильное увеличение груди произойдет на второй—четвертый день после родов, когда благодаря приливу стимулирующих выработку молока гормонов и набухания тканей ваша грудь значительно увеличится буквально за одну ночь.) Только лишь изменения грудных желез дадут прибавку веса около двух фунтов за весь период беременности. У женщин с маленькой грудью и тех, у кого эта беременность пер-

вая, эти изменения бывают более заметными. Повышенная чувствительность груди сильнее ощущается в первые три месяца и, подобно другим неприятным ощущениям во время беременности, с увеличением срока постепенно ослабевает.

Происходящие с грудью изменения вызваны, как вы уже могли догадаться, усиленной выработкой гормонов, которые стимулируют рост молочных желез и усиливают приток к груди крови, необходимой для питания этих желез. По мере того как гормоны делают свое дело, вы можете обратить внимание на пульсирующее ощущение в груди. Вы почувствуете покалывание, грудь станет полнее, теплее и более чувствительной к прикосновению. Возможна резкая внезапная боль, которая проходит в течение пяти минут. Вы заметите, что околососковые кружки увеличились и потемнели, а крошечные железки на них, которые выделяют увлажняющую и антибактериальную смазку, стали более заметными и выпуклыми. Кроме того, на груди могут проступить вены, напоминающие реки с разветвленными притоками, которые питают вашу грудь кровью.

После беременности ваше тело вернется к норме, но грудь уже никогда не будет такой, как раньше. Она приобретет другую форму, возможно, став более женственной, полной и округлой. Невозможно предсказать, как ваша грудь будет выглядеть через год. Пышность сохранится во время кормления грудью. Не забывайте о том, что изменения, происходящие с формой вашей груди, обусловлены беременностью, наследственностью и силой тяжести, и они произойдут независимо от того, кормите ли вы грудью или нет. Берегите грудь во время беременности. Почаще принимайте успокаивающий теплый душ и массируйте грудь, если это вам помогает. Если вы беспокоитесь, что грудь может отвиснуть, носите — при необходимости даже ночью — во время беременности поддерживающий бюстгальтер, который уменьшит нагрузку на кожу и мышцы (см. раздел «Выбор подходящего бюстгальтера»).

Зуд. Сухость кожи и зуд характерны для более поздней стадии беременности, особенно на увеличивающемся животе, однако многие женщины отмечают этот симптом уже на втором месяце. У некоторых наблюдается общая сухость кожи, другие ощущают зуд в определенных зонах, например, ладонях и пятках. Если вы отмечаете у себя неприятную сухость кожи, откажитесь от концентрированного мыла и других моющих средств, которые растворяют естественный жир кожи. Попробуйте заменить душ принятием ванны, поскольку постоянный поток горячей воды может раздражать и сушить кожу. С другой стороны, многие будущие матери предпочитают душ, поскольку слишком долгое пре-

бывание в ванне тоже лишает кожу естественных жиров (см. раздел «Основы ухода за кожей во время беременности»).

От соприкосновения с любой тканью у меня все время чесался живот, и поэтому мне приходилось опускать пояс как можно ниже, чтобы ослабить чувство дискомфорта.

Частое мочеиспускание. Наступило время привести в порядок свою ванную комнату, потому что в последующие месяцы вам приведется проводить здесь довольно много времени. Увеличивающаяся в размерах матка располагается рядом с мочевым пузырем, что делает ее присутствие особенно заметным. Несмотря на то, что частые позывы к мочеиспусканию характерны для всего срока беременности, наиболее сильно этот симптом проявляется в первые три месяца, прежде чем матка выйдет за пределы таза; давление матки на пустой мочевой пузырь тоже может вызвать позыв. Позывы к мочеиспусканию можно ослабить, если каждый раз полностью опорожнять мочевой пузырь (для этого нужно трижды тужиться — см. раздел «Упражнения Кегеля» — и максимально наклоняться вперед).

Вы можете также заметить, что для мочеиспускания вам теперь требуется больше времени. Постарайтесь не спутать симптомы цистита — инфекции мочевого пузыря, к которой предрасположены многие беременные женщины — с нормальной потребностью частого мочеиспускания. Признаки цистита: смена продолжительности и увеличение частоты мочеиспускания, болезненные ощущения, усиленные позывы к мочеиспусканию (нередко без необходимости), иногда лихорадочное состояние. Если вы подозреваете у себя воспаление мочевого пузыря, врач назначит вам анализ мочи, чтобы выявить возможное присутствие в ней бактерий. Позвоните в лабораторию и спросите, как правильно взять образец мочи, какую стерильную посуду следует использовать и куда сдавать образец.

Повышенное слюноотделение. Состав и количество слюны меняются на протяжении беременности. Вы можете заметить, что у слюны изменился вкус и что ее стало больше. Некоторые женщины обнаруживают неприятную взаимосвязь между утренним недомоганием и выработкой слюны. У одних повышенное слюноотделение вызывает тошноту, а у других тошнота становится причиной выделения слюны. Повышенное слюноотделение обычно прекращается к концу третьего месяца беременности. Если этот симптом вас раздражает, попробуйте пососать мяту.

Жажда. Потребность в более частом мочеиспускании во время беременности означает, что вам нужно пить больше жидкости, чтобы избежать обезвоживания. Жажда — это нормальный сигнал, что вам и вашему ребенку нужно больше жидкости. Дополнительное количество воды, которое вы выпиваете, помогает почкам избавиться от продуктов жизнедеятельности ребенка. Вам требуется дополнительное количество жидкости еще и потому, что во время беременности объем крови в вашем организме увеличивается на 40 процентов. Кроме того, ребенку нужна жидкость для заполнения постоянно увеличивающегося в размерах «плавательного бассейна» (плодного пузыря). Пейте, когда вы чувствуете жажду, а затем на всякий случай выпивайте еще один стакан воды. Нельзя сознательно ограничивать себя в употреблении жидкости, чтобы уменьшить количество прогулок до туалета; для вашего здоровья и здоровья вашего ребенка необходимо выпивать достаточное количество жидкости.

Вам нужно выпивать не меньше 8 стаканов (по 250 г) жидкости в день, желательно воды или овощного сока (в нем больше питательных веществ, чем во фруктовом соке). Откажитесь от напитков, содержащих кофеин, который оказывает мочегонное действие и может вызвать бессонницу. Если тошнота не дает вам выпить сразу целый стакан жидкости, попробуйте следующий метод: пейте часто и понемногу или сосите кубики льда или замороженного сока. Отдавайте предпочтение продуктам с высоким содержанием воды, таким, как салат-латук или дыня.

Запоры. Большинство женщин во время беременности склонны к запорам. На ранних стадиях это можно приписать действию гормонов беременности, которые замедляют продвижение пищи по кишечнику. На языке врачей это называется «пониженная желудочно-кишечная моторика». Чем медленнее продвигается пища и жидкость по желудочно-кишечному тракту, тем больше всасывается воды (возможно, это еще один способ, при помощи которого природа обеспечивает поступление достаточного количества жидкости в организм). Сочетание пониженной перистальтики и более твердого стула приводит к запорам. На поздних стадиях беременности давление увеличившейся матки на толстый кишечник еще больше затрудняет прохождение пищи по нему. Однако это неблагоприятное воздействие гормонов можно преодолеть, если отдавать предпочтение пище, которая разжижает содержимое кишечника или быстрее проходит через желудочно-кишечный тракт. Вот несколько способов борьбы с дискомфортом, который вызывают запоры:

● *Увеличьте потребление клетчатки.* Клетчатка («грубая пища») проходит через желудочно-кишечный тракт непереваренной и действует как губка, впитывая в себя жидкость. Увеличенное количество жидкости помогает содержимому кишечника двигаться быстрее. Кроме того, это облегчает дефекацию. Попробуйте фрукты (особенно сливы, груши, инжир и абрикосы), овощи (особенно твердые, такие, как морковь, цуккини, огурцы и сельдерей), подорожник (натуральное слабительное, продающееся во всех магазинах натуральных продуктов), изделия из неочищенного зерна, бобовые и кукурузу. Для получения наибольшего количества клетчатки ешьте фрукты и овощи с кожурой, а также сырыми или полусырыми.

● *Увеличьте количество потребляемой жидкости.* Если вы увеличили долю клетчатки в своем рационе, то следует увеличить и количество выпиваемой жидкости; избыток клетчатки и недостаток жидкости могут привести к усилению запора, сделав стул еще тверже. Если вы любите соки, переключитесь на нектары (сливовый, грушевый, абрикосовый), в которых содержится не только жидкость, но и клетчатка, отсутствующая в соках. Не забудьте в дополнение к сокам выпивать от шести до восьми стаканов воды в день. Избегайте напитков, содержащих кофеин.

● *Увеличьте физическую нагрузку.* Когда вы двигаетесь, перистальтика кишечника тоже усиливается. Регулярные физические упражнения упорядочивают работу всех систем организма, и желудочно-кишечный тракт не является исключением.

● *Прислушивайтесь к требованиям своего организма.* Одним из удобств современной жизни является то, что люди почти все время находятся в нескольких шагах от туалета, однако занятые беременные женщины не всегда находят время, чтобы опорожнить кишечник, когда в этом возникает потребность. Происходит то же самое, что со всеми коммуникационными системами организма: оставшиеся без ответа сигналы теряют свою информационную ценность. Если вам нужно в туалет — идите. В противном случае кишечник станет вялым, сигналы от него ослабеют, и запор усилится.

(Дополнительную информацию о полезной для кишечника пище можно найти в разделе «Правильное питание для двоих».)

Газы и вздутие живота. Изменения в желудочно-кишечном тракте, способствующие запорам, могут стать причиной метеоризма. С увеличением срока беременности ощущение вздутия может усилиться, поскольку увеличивающаяся в размерах матка и наполненный газами кишечник конкурируют за место в брюшной полости. Чтобы избавиться от газов:

● *Поддерживайте перистальтику кишечника.* Избегайте запоров, которые способствуют образованию газов и вздутию живота (см. предыдущие рекомендации).

● *Ешьте медленно.* Во время торопливой еды или питья вы заглатываете воздух. Чем больше воздуха вы

проглотите, тем труднее придется вашему и без того вялому кишечнику. Долго и тщательно пережевывайте пищу. Чем лучше верхний отдел пищеварительного тракта справится со своей частью работы по усвоению пищи, тем легче будет нижним отделам.

● *Отдавайте предпочтение пище, не вызывающей образования газов.* Кишечник сам скажет вам, что ему нравится, а что нет. Обычно образованию газов способствуют такие продукты, как белокочанная капуста, брокколи, цветная капуста, брюссельская капуста, бобы, зеленый перец и газированные напитки.

● *Откажитесь от жареной и жирной пищи.* Продукты с высоким содержанием жиров тоже усиливают ощущение вздутия, поскольку они медленно перевариваются и остаются в кишечнике на долгое время.

● *Питайтесь, как маленький ребенок.* Если вы едите часто и понемногу, то это полезнее для вашего кишечника, чем три обильные трапезы в день. Большинству беременных женщин удобнее переходить на пяти- или шестиразовое питание с небольшими порциями и равными интервалами между едой.

Я ощущала легкое вздутие в животе, как перед месячными. Внешне я еще не выглядела беременной, но все время думала о своем состоянии и задавала себе вопрос, видят ли люди это по моим глазам.

Склонность к изжоге. Многие беременные женщины сразу после еды, а иногда и между приемами пищи страдают отрыжкой и испытывают неприятное жжение за грудиной. В появлении изжоги тоже виноваты гормоны. Гормоны беременности (и особенно прогестерон) вызывают общее ослабление функций пищеварительного тракта, ослабляют мышцы желудка и увеличивают время, за которое пища и желудочный сок проходят через желудок. Таким образом, пища и желудочный сок остаются в желудке дольше, чем до беременности. Кроме того, гормоны беременности ослабляют мышцы, защищающие вход в желудок, что облегчает попадание пищи и желудочного сока в нижний отдел пищевода, когда стенки желудка сокращаются. Медицинское название этого явления — «гастроэзофагеальный рефлюкс». Гастроэзофагеальный рефлюкс вызывает также неприятное ощущение «несварения желудка». Впоследствии, когда матка увеличится в размерах и начнет давить вверх, на кишечник и желудок, изжога может усилиться.

Вот несколько способов ослабить неприятное ощущение изжоги во время беременности:

● *Ешьте часто и понемногу.* Таким образом вы сможете избежать перегрузки желудка.

● *Используйте силу тяжести, чтобы протолкнуть пищу вниз.* Не ложитесь сразу после еды. Постарайтесь сидеть по крайней мере в течение получаса.

● *Ложитесь на правый бок.* Такое положение позволяет силе тяжести опустошить желудок. На более поздних стадиях беременности многие женщины избавляются от изжоги, став на четвереньки, потому что при такой позе матка перестает давить на желудок и содержимое желудка опускается в кишечник, а не выталкивается обратно в пищевод.

● *Составьте список продуктов, усиливающих изжогу, и старайтесь избегать их* (например, острой или жирной пищи).

● *Избегайте пищи с высоким содержанием жиров.* Богатые жирами продукты труднее перевариваются и поэтому дольше задерживаются в желудке.

● *Непосредственно перед едой выпейте молоко, сливки или съешьте нежирное мороженое.* Обволакивая стенки желудка, эти продукты могут ослабить изжогу.

● *Перед едой принимайте продающееся в аптеках противокислотное средство с высоким содержанием кальция и низким содержанием солей.*

● *Старайтесь не пить большое количество жидкости во время еды.*

Большинство женщин после родов избавляются от изжоги, поскольку уровень гормонов беременности в крови падает, а матка больше не стремится занять все свободное пространство в брюшной полости.

Увеличивающаяся талия. В этом месяце вы начнете чувствовать, что ваша талия увеличивается — даже если внешне это еще не заметно. Это абсолютно нормальное ощущение. Матка стала лишь чуть-чуть больше, но окружность живота может увеличиться из-за вздутия кишечника и прибавки в весе. По мере увеличения окружности талии необходимо внести изменения в одежду, а также по-другому взглянуть на свое тело. Это первый шаг на пути привыкания к тому, как выглядит ваше тело во время беременности. Некоторые женщины ждут не дождутся момента, когда их беременность станет видна и они смогут подобрать себе соответствующий наряд. Другие по различным причинам желают некоторое время скрывать свою беременность и одеваются как обычно.

КАК РАЗВИВАЕТСЯ ВАШ РЕБЕНОК (5—8 НЕДЕЛЬ)

Пять недель. К концу пятой недели ребенок вырастает до размера зеленой горошины, достигая 0,4 дюйма (1 сантиметра) в длину. Появляются точки, которые затем должны превратиться в глаза, уши, нос и рот. От туловища, подобно крошечным почкам, начинают отделяться руки и ноги, а на похожих на ласты руках появляются зачатки пальцев. Кишечник уже достаточно развит, а перекачивающее кровь сердце делится на правую и левую половины. Формируются дыхательные пути, то есть бронхи. Только подумайте, какое чудо происходит в вашем теле. Каждую минуту к растущему телу вашего ребенка прибавляется миллион новых клеток.

Шесть недель. Длина ребенка достигает половины дюйма. Специальное ультразвуковое обследование позволяет подсчитать частоту сердечных сокращений плода — от 140 до 150 ударов в минуту, то есть в два раза выше, чем у матери. Руки удлиняются, появляется локтевой сустав, становятся различимыми пальцы. От зачатка ноги отделяется ступня, и обозначаются пальцы ног. Наклоненная вперед голова выглядит непропорционально большой по сравнению с остальным телом. Начинают формироваться веки, а в крошечных глазах уже имеются хрусталик, зрачок, роговица и пигментированная радужная оболочка. Становится виден кончик носа.

Семь недель. Теперь ребенок достигает дюйма в длину и размером напоминает небольшую маслину.

Видны локоть, запястье и коленный сустав; сформировались пальцы ног, а пальцы на руках стали длиннее. Веки почти прикрывают глаза, и начинают проступать ушные раковины. На изображении, полученном при помощи ультразвукового аппарата, видны движения туловища и конечностей. Голова постепенно выпрямляется. Нервные клетки головного мозга разветвляются и вступают в соприкосновение друг с другом, формируя зачаточные проводящие пути. Через прозрачный череп видны доли мозжечка. По подсчетам ученых, у плода каждую минуту появляется сто тысяч новых нервных клеток.

Восемь недель. Длина ребенка достигает уже полутора дюймов (как крупная маслина), а вес приближается к половине фунта. Склоненная голова и скрюченное тело выпрямляются еще больше. Уже сформировались все органы ребенка. Сердце теперь разделено на четыре камеры. Полностью сформировались ладони и ступни вместе с пальцами рук и ног. Видны основные суставы: плечо, локоть, запястье, колено и голеностоп. Рот, нос и ноздри стали более отчетливыми, сформировались все структуры глаза. Начинают проступать наружные половые органы, но еще невозможно определить, мальчик это или девочка. Растущий ребенок, которого раньше называли «эмбрионом», теперь получает название «плода» (в переводе с латыни — «юный») и выглядит уже как крошечное человеческое существо.

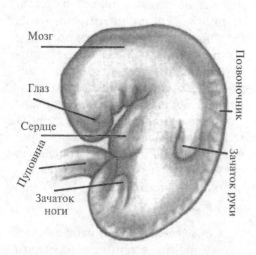

Плод в возрасте 5 недель

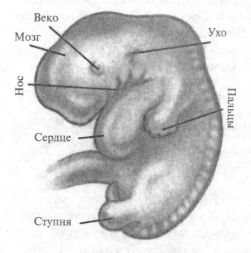

Плод в возрасте 6 недель

ПРОБЛЕМЫ, С КОТОРЫМИ ВЫ МОЖЕТЕ СТОЛКНУТЬСЯ

Трудности со сном

Чем сильнее вы ощущаете свою беременность, тем больше у вас возникает трудностей со сном — несмотря на ужасную усталость. Ваш организм трудится изо всех сил и днем, и ночью, а ваши гормоны никогда не отдыхают, и поэтому неудивительно, что вам трудно погрузиться в такой желанный и приносящий отдых сон. Вы очень хотите спать, но вам трудно как следует выспаться — благодаря изменениям, которые происходят в организме беременной женщины. С увеличением срока беременности вы начинаете спать, как новорожденный младенец. Доля «медленного» сна уменьшается, а доля «быстрого» сна увеличивается. Быстрый сон, получивший свое название из-за быстрых движений глазных яблок во время этой фазы сна, представляет собой состояние, в котором вы сильнее реагируете на окружающую среду и легче просыпаетесь. Физиологическую цель таких изменений представить себе трудно, однако они, несмотря на все неудобства, подготавливают вас к реалиям ночных бдений новоиспеченных родителей: материнство не является работой, которую выполняют лишь с девяти до пяти. Кроме того, обменные процессы ребенка не замедляются ночью, и поэтому метаболизм матери не может по ночам замедляться так же, как и до беременности.

Недостаток сна является неиз-

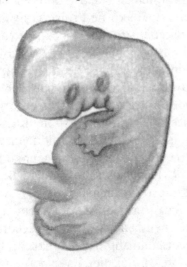

Плод в возрасте 7 недель

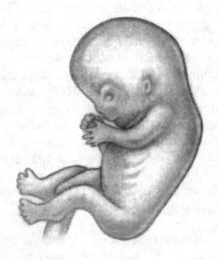

Плод в возрасте 8 недель

Курсы для будущих мам на ранней стадии беременности

Большинство женщин записываются на курсы по подготовке к родам на шестом или седьмом месяце беременности, чтобы к моменту родов полученная информация не стерлась из памяти. Однако к этому времени вы давно уже выбрали врача и предполагаемое место родов, а также приняли многие важные решения относительно будущих родов. Постарайтесь записаться на курсы на первом или втором месяце беременности. (Если вы не можете их найти, обратитесь к тем, кто пропагандирует метод Брэдли, — они всегда начинают заниматься с будущими мамами как можно раньше.) Чем больше вы узнаете о различных вариантах родов на ранней стадии беременности, тем выше вероятность того, что вы правильно выберете специалиста, который будет вам помогать, а также место, где будут проходить ваши роды. Такие «ранние» курсы — это хороший способ понять философию преподавателя и убедиться, что на поздней стадии беременности регулярные занятия с ним будут вам полезны.

бежным спутником материнства, но для ночных кормлений и смены пеленок время еще не пришло. Поскольку уход за ребенком и его питание пока осуществляются автоматически, вы получаете возможность убедить свой организм, чтобы он насладился полноценным ночным сном. Вы должны примириться с тем, что сон, продолжающийся всю ночь, для беременной женщины такая же редкость, как для младенца, однако существуют несколько способов помочь как мозгу, так и телу насладиться полноценным ночным отдыхом.

Отдыхайте днем. То, как вы провели день, оказывает влияние на ваш ночной отдых. Дополнительная физическая нагрузка поможет убедить усталое тело, что оно нуждается в сне. Однако не стоит заниматься интенсивными физическими упражнениями менее чем за час до сна: учащенное сердцебиение и приток гормонов не помогут вам заснуть. Кроме того, постарайтесь свести все стрессы к минимуму — день, заполненный эмоциональными подъемами и спадами, перейдет в беспокойную ночь. Научитесь сохранять безмятежность и расслабляться. Изучите методы релаксации или воспользуйтесь специальными аудиокассетами, помогающими расслабиться. Если вы уже записались на курсы для будущих матерей (см. врезку), то используйте методы релаксации, которым вас там научили, чтобы расслабиться и заснуть. Учитесь управлять своими эмоциями.

Работать нужно на работе. Будущие матери, которые успешно совмещают две карьеры, должны научиться не брать работу — по крайней мере служебные тревоги и заботы — домой. Беспокойство по поводу проблем на работе скорее всего не даст вам заснуть.

Есть, чтобы спать. Перекусите перед сном. Вы быстрее погрузитесь в освежающий сон, если отдадите предпочтение продуктам, содержащим натуральное снотворное, — аминокислоту триптофан. Это вещество содержится в изделиях из цельного зерна, молочных продуктах, нежирном мясе (особенно много его в мясе индейки) и фруктах. Попробуйте щадящую пищу, которая снимает изжогу и легко переваривается, например, фрукты, йогурт и изделия из цельного зерна. Сложные углеводы, содержащиеся в зерновых продуктах, имеют дополнительное преимущество: они медленно отдают энергию, поддерживая ночью постоянный уровень сахара в крови и предотвращая приступы голода среди ночи. Чтобы ослабить мышечные спазмы, попробуйте принимать назначенные врачом препараты кальция вечером. Можно также выпивать на ночь чашку настоя ромашки,

известной своим усыпляющим действием. Откажитесь от продуктов, содержащих кофеин, — по крайней мере во второй половине дня. Избегайте пищи, которая — как вы выяснили методом проб и ошибок — раздражает ваш кишечник. Не принимайте продающееся без рецепта снотворное, если его не прописал вам врач, и ни в коем случае не пейте алкоголь, как бы сильно вам ни хотелось спать. Алкоголь — это скорее наркотик, чем снотворное. Возможно, с его помощью вам удастся заснуть, но естественные ритмы сна будут нарушены, и вы скоро проснетесь, а на следующий день не будете чувствовать себя отдохнувшей.

Ешьте то, что уменьшает количество ночных посещений туалета. Если частые посещения туалета нарушают ваш сон, после трех часов дня избегайте продуктов, обладающих мочегонным действием. Это напитки, содержащие кофеин (чай, кофе, кола), клюквенный сок и спаржа.

Кроме того, используйте технику полного опорожнения мочевого пузыря перед сном. Если вы проснетесь среди ночи и почувствуете позыв к мочеиспусканию, вставайте и отправляйтесь в туалет. Чем раньше вы это сделаете, тем быстрее заснете снова.

Сделайте свою постель удобной. Известная аксиома, что жесткий матрас улучшает осанку, не всегда применима к округлым контурам тела беременной женщины. Поэтому при покупке нового матраса отдавайте предпочтение мягкому. Чтобы обеспечить себе достаточно места на последних месяцах беременности, побалуйте себя роскошью широкой, «королевской» кровати. Однако форма вашего выступающего живота по-прежнему не совпадает с плоским матрасом, и поэтому смягчите свое «гнездо» подушками или специальным матрасом для беременных, который представляет собой длинный эластичный коврик, принимающий форму вашего изменяющегося тела.

Мой муж называет это «подушечной зависимостью». Эта зависимость появляется во время первой беременности и остается навсегда. Теперь, после трех беременностей, наша постель состоит из горы подушек — для головы и для тела, больших и маленьких — причем половина из них принадлежит мужу!

Многие женщины говорят, что лучше спят на свежем воздухе. Откройте окно и посмотрите, поможет ли это вам лучше выспаться. Если на улице слишком холодно, просто увлажните воздух в комнате, чтобы избежать неприятной сухости дыхательных путей.

Выбирайте удобную позу для сна. Будьте готовы к тому, что по мере увеличения живота вам придется сменить привычную позу. После того как появится ощущение дискомфорта, ваше тело или врач подскажут новое положение. (Поза лежа на животе постепенно будет становиться все более неудобной.) В первом триместре можно спать в любом положении, хотя полезно вырабатывать привычку спать на боку. Если вас мучает изжога, лучше спать на правом боку, поскольку в этом случае сила тяжести помогает избавить желудок от избытка желудочного сока. Во втором и третьем триместрах лучше спать на левом боку. Один из основных кровеносных сосудов тела, нижняя полая вена, проходит вдоль правой стороны позвоночника, и поэтому теоретически, когда вы лежите на левом боку, тяжелая матка не сдавливает этот сосуд, ограничивая кровоснабжение плода. С практической точки зрения вам нет смысла волноваться по поводу безопасной позы во время сна. Большинство будущих мам ночью постоянно меняют положение.

Успокойтесь перед сном. Сон — это не то состояние, в которое можно привести себя силой. Вместо этого нужно создать условия, при которых сон возьмет над вами верх. Попробуйте следующие занятия, навевающие сон:

● Легкое чтение (пожалуйста, никаких захватывающих и будоражащих триллеров).

● Непринужденная беседа. Время перед отходом ко сну прекрасно подходит для того, чтобы снять психологическое напряжение. Избегайте споров, бурных обсуждений или любых оживленных дискуссий, которые будоражат вас и приводят к тому, что вы ложитесь спать, переполненные эмоциями. Перенесите серьезные разговоры с супругом на дневное время.

● Посмотрите фильм, который поможет вам расслабиться (комедия заставляет вас смеяться, а смех успокаивает), и, разумеется, со счастливым концом.

Дайте своему телу расслабиться перед сном. Попробуйте полежать в теплой ванне. Попросите супруга сделать вам массаж. Возможно, заключительным аккордом станут занятия любовью.

Обратитесь за помощью к успокаивающим звукам. Найдите мелодии, которые навевают на вас сон. Для этих целей прекрасно подходят баллады и классические произведения с медленно нарастающими крещендо и диминуэндо, а также композиции с многократно повторяющимися и немного монотонными темами. Кроме того, можно попробовать имеющиеся в продаже записи белого шума (он состоит из монотонных и повторяющихся звуков, которые погружают мозг в забытье), а также композиции, воспроизводящие или имитирующие звуки окружающей среды, например журчание ручья или шум океанского прибоя.

Не боритесь с бессонницей. Возможно, вы начинаете злиться, когда мозг не желает подчиняться требованиям уставшего тела. Постарайтесь не попадать в замкнутый круг, когда вы отчаянно хотите спать, а затем начинаете злиться из-за того, что никак не можете заснуть, что еще больше усиливает бессонницу. Не усугубляйте проблему беспокойством из-за того, что вы мало спите. Недостаток сна не может повредить ребенку, а волнение только усилит вашу усталость. Если вы понимаете, что сон к вам не идет, почитайте книгу, послушайте успокаивающую музыку (возьмите наушники, если у мужа чуткий сон) или побалуйте себя стаканом теплого молока. Освободившись от ненужных мыслей, предпринимайте вторую попытку заснуть. Если вы просто лежите в кровати, закрыв глаза и расслабившись, это восстанавливает ваши силы даже в том случае, когда вам не удается заснуть.

Влагалищные кровотечения или выделения в первые три месяца беременности

Влагалищные кровотечения во время беременности пугают женщину, однако они не обязательно указывают на какие-либо аномалии развития беременности. По мере роста плаценты формируется множество кровеносных сосудов, и поэтому неудивительно, что иногда может произойти разрыв одного из этих крошечных капилляров. В этом случае возможны выделения или даже небольшое кровотечение. Около 20 процентов женщин с нормальной беременностью наблюдали у себя влагалищные выделения или кровотечения на первых неделях беременности. Очень важно знать, когда следует беспокоиться, а когда нет и что нужно делать при обнаружении кровотечения.

В каких случаях не следует волноваться. Кровотечение, которое не должно вызывать у вас беспокойства (если каждая капелька крови вызывает у вас тревогу, вы можете посетить своего лечащего врача в приемные часы), обычно бывает безболезненным, кратковременным, не очень обильным и не сопровождается другими симптомами. Цвет крови красный или розоватый, и в ней не содержится фрагментов ткани.

Три наиболее распространенные причины безопасных кровотечений на первых месяцах беременности:

● *«Имплантационное» кровотечение.* Возникает через две—четыре недели после оплодотворения, когда эмбрион внедряется в богатую кровеносными сосудами слизистую оболочку матки. Такое кровотечение

может быть ошибочно принято за менструацию, особенно если у вас нерегулярные месячные.

● *Менструальное кровотечение.* Развивающаяся плацента вырабатывает гормоны, подавляющие менструацию, однако в первые недели уровень этих гормонов может быть недостаточно высок, чтобы полностью предотвратить месячные. Поэтому на первом и втором месяцах беременности в положенное время у вас может наблюдаться небольшое кровотечение.

● *Кровотечение после соития.* Кровотечение после полового сношения — это довольно распространенное явление, и такое кровотечение не представляет опасности.

В каких случаях следует волноваться. Тревогу должно вызывать вагинальное кровотечение, сопровождающееся болью или спазмами, обильное или не прекращающееся кровотечение, а также кровь коричневатого оттенка со сгустками и фрагментами тканей. Немедленно сообщите об этих симптомах своему врачу. Подобное кровотечение может быть признаком выкидыша или внематочной беременности.

Что делать при кровотечении. Если кровотечение оставляет всего лишь одно или два пятнышка красного или розового цвета на нижнем белье, не сопровождается болью и не является долговременным, проконсультируйтесь со своим врачом, посетив его в обычные приемные часы. Это не экстренный случай. Если такого рода кровотечение начинается после физических упражнений или полового сношения, откажитесь от этих занятий до консультации с врачом. Если вместе с кровью (красной или темно-каштановой) выделяются фрагменты тканей (серовато-розового или коричневатого цвета), сохраните эти фрагменты в чистой емкости (пластиковом пакете или банке) и позвоните врачу. Фрагменты тканей помогут определить наличие внематочной беременности или выкидыша, а иногда и причину выкидыша.

Если кровотечение достаточно обильное, чтобы пропитать гигиеническую прокладку, болезненное, длительное сопровождается спазматической болью в животе, слабостью или обмороком, немедленно обращайтесь за медицинской помощью. Ложитесь и ждите звонка от врача. Сохраните пропитанную кровью прокладку и ткани эмбриона в чистом сосуде.

При разговоре с врачом старайтесь сохранять спокойствие, чтобы дать ему всю необходимую информацию; только в этом случае он сможет определить, нуждаетесь ли вы в медицинской помощи или волноваться пока рано. Врачу нужно знать, как началось кровотечение (внезапно или постепенно), насколько оно обильное, как долго оно продолжается и какова его природа (кровь ярко-красная, коричневатая, розовая, содержит сгустки), заметили ли вы фрагменты тканей, сопровождается ли кровотечение болью, спазмами или другими тревожными симптомами.

В большинстве случаев редкие кровотечения или влагалищные выделения на ранней стадии беременности не являются признаком неблагополучия, и вы скорее всего родите здорового ребенка. Если врач во время телефонного разговора не находит причин для беспокойства, а вы продолжаете волноваться, запишитесь к нему на прием на следующий день, чтобы избавиться от тревоги. Врач может назначить ультразвуковое обследование, чтобы определить, угрожает кровотечение ребенку или нет.

Страх выкидыша

Страх потерять дорогого человека — это нормальное явление, особенно когда этот маленький человечек растет внутри вас. Возможно, вы при каждом посещении туалета начнете проверять, нет ли у вас кровотечения или влагалищных выделений. Это естественная реакция, особенно для женщин, у которых уже были выкидыши. Выкидыш — медицинский термин «самопроизвольный аборт» — означает естественное прерывание беременности, прежде чем плод развился до состояния, позволяющего ему выжить вне матки.

Возможные вопросы относительно выкидыша

Каковы причины выкидышей?

По меньшей мере половина ранних выкидышей (те, что происходят на сроке до двенадцати недель) обусловлена серьезными дефектами хромосом плода, мешающими его дальнейшему развитию. К другим, менее распространенным причинам выкидышей относятся инфекции, гормональная недостаточность (особенно нехватка прогестерона), редкие дефекты иммунной системы (например, в крови матери присутствуют антитела к ткани плаценты) и неблагоприятное воздействие окружающей среды, например тератогенов, наркотиков или сигаретного дыма.

Поздние выкидыши (после двенадцатой недели беременности) по большей части обусловлены аномалиями строения матки (например, матка разделена перегородкой из мышечной ткани), а не генетическими аномалиями плода. К счастью, подобные дефекты встречаются менее чем у 1 процента женщин. Другие причины поздних выкидышей — это плохое прикрепление плаценты, фиброз матки (доброкачественная опухоль), недостаточность шейки матки или инфекции.

Причины примерно третьей части всех выкидышей остаются неизвестными. Причинами выкидыша *не могут* стать половое сношение, безопасные физические упражнения, поднятие тяжестей, попытка повесить картину, обычные обязанности на работе и дома, падение или небольшая травма, стресс или эмоциональное расстройство.

Когда чаще всего случаются выкидыши?

Большая часть выкидышей происходит до восьмой недели беременности. С увеличением срока беременности вероятность выкидыша уменьшается.

Насколько часто встречаются выкидыши?

Большинство беременностей начинаются со здорового зародыша, который развивается в нормальной матке, в результате чего на свет появляется здоровый ребенок. Исследования показывают, что около 10 процентов подтвержденных беременностей заканчиваются выкидышем. Однако выкидыш на самой ранней стадии беременности легко спутать с обильным кровотечением во время задержанной менструации. Таким образом, общая доля выкидышей может достигать 20 процентов.

Что может предпринять женщина, чтобы снизить вероятность выкидыша?

В большинстве случаев вам не под силу предотвратить выкидыш, поскольку большая часть выкидышей обусловлена факторами, не поддающимися контролю. Тем не менее кое-какие шаги в этом направлении вы можете предпринять: создайте своему ребенку здоровое окружение, отказавшись от курения, наркотиков, лишнего алкоголя и предохраняясь от неблагоприятного воздействия окружающей среды.

Если у вас уже было несколько выкидышей, врач, вероятно, сочтет возможным назначить специальное обследование, чтобы выявить их причину. Дефекты строения матки могут быть исправлены хирургическим путем. Дефицит гормонов часто восполняется при помощи инъекций. Медицинская наука знает средства борьбы со многими распространенными — и не очень распространенными — причинами повторных выкидышей.

Как мне определить, что у меня выкидыш или что существует опасность выкидыша?

Вот несколько признаков того, что у вас был или начинается выкидыш:

● *Кровотечение* с ярко-красной или коричневой кровью — в зависимости от того, как давно начался выкидыш. Поскольку примерно у 20 процентов беременных женщин с нормальной беременностью на ранних стадиях наблюдается один или два случая незначительного кровотечения, то выделение крови из влагалища не обязательно означает вы-

кидыш или угрозу выкидыша. Обильное кровотечение, напоминающее менструацию или продолжающееся несколько дней, с большой долей вероятности указывает на выкидыш.

● *Схваткообразные боли в животе*, похожие на боли при менструации, или боли в пояснице.

При больших сроках беременности признаки выкидыша более очевидны. Кровотечение в этом случае бывает обильным, и в крови содержатся сгустки. Сокращения матки могут быть очень сильными. Иногда эти симптомы могут указывать на угрозу выкидыша, а не на сам выкидыш. В общем случае чем продолжительнее кровотечение и чем сильнее выражены сопутствующие симптомы и боль, тем выше вероятность того, что беременность окончится выкидышем. Если вы подозреваете угрозу выкидыша, доктор проведет вагинальный осмотр, чтобы определить, не вышла ли ткань плода из шейки матки. (Этот осмотр нисколько не усиливает угрозу выкидыша.) При помощи ультразвукового обследования и измерения уровня гормона ЧХГ в крови врач сможет определить, будет ли беременность развиваться нормально или окончится выкидышем. Если повторные ультразвуковые исследования покажут, что ребенок растет, а уровень гормона ЧХГ будет оставаться высоким, шансы на то, что беременность не прервется, довольно велики.

Не стоит считать любое пятнышко крови или спазмы в животе признаком выкидыша. У многих женщин со здоровой беременностью на ранней стадии наблюдается небольшое кровотечение (оно называется «имплантационным»), когда эмбрион имплантируется в насыщенную кровеносными сосудами слизистую оболочку матки.

Что нужно делать при подозрении на выкидыш?

Если вы подозреваете, что у вас выкидыш, немедленно позвоните врачу — особенно когда в крови присутствуют сгустки и фрагменты тканей. Если кровотечение интенсивное или боль усиливается, вызывайте «Скорую помощь». (Постарайтесь сохранить фрагменты тканей. Их можно будет проанализировать на наличие тканей эмбриона и при желании определить, нет ли у плода генетических аномалий.)

Если вы подозреваете, что у вас был выкидыш, то врач проведет вагинальный осмотр или ультразвуковое обследование, чтобы проверить, был ли выкидыш полным (то есть что в матке не осталось тканей эмбриона). Выкидыши при сроке до восьми недель обычно бывают полными. Чем больше срок беременности, тем выше вероятность неполного выкидыша. Если врач определит у вас неполный выкидыш, то скорее всего назначит дилатацию и выскабливание. Поскольку причин вагинального кровотечения может быть несколько, для подтверждения выкидыша до проведения этой процедуры назначается УЗИ. При дилатации и выскабливании под местным или общим наркозом производится расширение шейки матки и из матки удаляются остатки плаценты и тканей эмбриона. Во время выскабливания врач может попытаться определить причину выкидыша, исследовав матку на структурные аномалии. Кроме того, имеется возможность отправить образец ткани эмбриона в лабораторию для проведения генетического анализа.

Если это не выкидыш, врач просто отправит вас домой. Возможно, он назначит УЗИ или анализ крови.

Если у меня уже был выкидыш, означает ли это повышенный риск повторного выкидыша?

Необязательно. Если тот выкидыш был первым, то вероятность второго лишь чуть-чуть выше, чем обычно, особенно если причиной первого выкидыша был дефект хромосомного набора, если он случился на ранней стадии беременности или если вы уже рожали здорового ребенка. Даже после двух выкидышей вероятность третьего повышается ненамного. Например, если у вас уже было два выкидыша, то вероятность того, что вы нормально выносите ребенка, составляет 65 процентов; для женщины, у которой был один выкидыш или вообще не было выкидышей, эта вероятность достигает 80 процентов. После трех выкидышей подряд вам следует пройти тщательное гинекологическое обследование, чтобы выявить возможную медицинскую проблему, которая может привести к последующим выкидышам. Если определенной причины не выявлено, то разумнее будет предположить, что у вас есть все шансы выносить ребенка.

Я так рада, что мне назначили УЗИ перед выскабливанием, потому что ультразвук показал, что причиной кровотечения было предлежание плаценты, а не выкидыш. Держа своего малыша на руках, я с ужасом думаю о том, что могло бы произойти из-за неправильно поставленного диагноза.

Очень важно сделать все возможное, чтобы обуздать свои чувства и не позволить воспоминаниям о предыдущих выкидышах омрачать течение беременности. Однако, несмотря на все старания, многие женщины, перенесшие несколько выкидышей, не могут совладать со своим страхом до того момента, как возьмут на руки своего здорового младенца. Абсолютно нормальным для женщины, перенесшей несколько выкидышей, является желание как можно дольше сохранить свою беременность в тайне (по крайней мере до того срока, когда случались предыдущие выкидыши), поскольку она не хочет вновь травмировать себя, когда придется сообщить о несчастье. Возможно,

она даже сознательно подавляет свою радость, медлит с выбором имени для ребенка и на последний момент откладывает ремонт детской. Важно ощутить связь с растущим у вас в животе ребенком — даже в том случае, если есть риск его потерять. Страх, что эта беременность тоже закончится выкидышем, вполне естественен, однако вероятность, что этого не произойдет и что вы родите здорового ребенка, гораздо выше.

У меня уже было два выкидыша, и поэтому мы решили пока никому не говорить о моей беременности — слишком тяжело после выкидыша давать объяснения. Мы сообщили новость только самым близким людям, а с остальными решили подождать.

Я боюсь говорить о своих надеждах из-за страха потерять тебя еще до того, как ты появишься на свет. Я боялась узнать тебя из-за страха тебя потерять, потому что я уже потеряла одного ребенка, но я знаю, что этим лишаю нас обоих радости от нашей связи.

Я знала, что статистика на моей стороне, потому что у меня уже было два выкидыша, но мой страх потерять ребенка не исчезал до самого последнего момента, пока я не услышала первый крик дочери.

Страдания после выкидыша. Люди, у которых никогда не было выкидыша, могут не понять горя женщины, беременность которой завершилась таким образом. «Ничего страшного, — говорят они. — У вас еще будут дети». Но для женщины это большое горе, и ей может потребоваться много времени, чтобы справиться с ним. Все знают, как реагировать на беременность, но никто не может привыкнуть к мысли о том, что она прервалась. Нужно делать все, что поможет вам преодолеть печаль, позволит расстаться с этим ребенком и думать о будущих детях. Возможно, вы захотите дать имя этому ребенку и заказать частную заупокойную службу. Не пытайтесь немедленно «заменить» этого ребенка другим, пока не пройдет горе и пока вы окончательно не попрощаетесь с ним. Обсудите с врачом время, когда вам можно будет возобновить попытки забеременеть.

Моя первая беременность прервалась на одиннадцатой неделе, и мы были очень подавлены. Печаль, боль от потери и мучительное крушение всех радостных ожиданий могут понять только те, кто через это прошел. Мой муж страдал молча (он делился своим горем с другими мужчинами, но старался поддержать меня). Вторая беременность прервалась на десятой неделе. Я боялась, что ситуация повторится, и чувствовала себя так, как будто это было самоосуществившимся предсказанием. Я задавала себе вопросы: «Почему рожают незамужние женщины?», «Почему дети рождаются в семьях алкоголиков?», «Поче-

му некоторые женщины вынашивают детей безо всяких проблем?», «Может быть, в случившемся виноваты физические упражнения?», «Может быть, я сделала что-то не так?» Мои друзья, знакомые и члены семьи не знали что сказать, и это делало ситуацию еще тяжелее. Я могла бы записаться на специальные групповые занятия, но предпочла сама справиться с моей личной бедой. После удаления фибромы я родила здорового ребенка, а затем еще двоих. Потом у меня было еще два выкидыша. Теперь я на одиннадцатой неделе беременности, и мне уже трудно скрывать это волнующее событие от людей, с которыми я вижусь каждый день. Я знаю, что огорчусь из-за очередной потери, но переживу ее, как я это делала раньше. Но я знаю, что моя жизнь не кончится с выкидышем. Потребуется осторожность и следующий подход: если ты чего-то сильно хочешь, повторяй попытки вновь и вновь. Я не знаю, закончится ли эта восьмая беременность рождением четвертого ребенка, но пока я придерживаюсь выжидательной тактики и веду полноценную жизнь. (Эта женщина впоследствии родила здорового мальчика.)

Беременность и роды после тридцати пяти лет

Мне недавно исполнилось тридцать пять, но я слышала, что чем старше женщина, тем выше риск развития аномалий беременности. Правда ли это?

И да, и нет. В основе беспокойства, о котором вы читали и слышали, лежат научные данные. По статистике у женщин старше тридцати пяти лет немного повышается вероятность развития осложнений беременности. Женщины старшего возраста в большей степени предрасположены к выкидышам, повышению артериального давления и гестационному диабету (более современный и точный термин звучит следующим образом: «гестационная непереносимость глюкозы»). Возможно, вы также слышали, что у женщин старшего возраста роды проходят тяжелее. Мнения ученых в этом вопросе расходятся, и особенно потому, что выводы строятся на основе старой статистики, когда беременные женщины старшего возраста так не следили за своим здоровьем и физической формой, как в настоящее время. Новейшие исследования привели акушеров-гинекологов к заключению, что у здоровой тридцатипятилетней женщины шансов выносить и родить здорового ребенка не меньше, чем у молодой. Вы попали в хорошую компанию. За последние десять лет количество женщин старше тридцати пяти лет, родивших ребенка, удвоилось.

По своему опыту мы знаем, что женщина, решившаяся родить ребенка после тридцати пяти лет, имеет некоторые преимущества. Более зрелая женщина будет лучше заботиться о своем питании, примет более разумные решения относительно родов и задаст более глубокие вопросы в предварительной беседе с акушером или педиатром. Очень часто немолодые супружеские пары во время беременности приходят к нам на собеседование и начинают разговор со следующего заявления: «Этот тщательно спланированный ребенок».

При современном уровне акушерской помощи, которую женщины старшего возраста могут использовать разумнее, чем молодые, тридцатипятилетним будущим мамам больше нет нужды бояться рожать своего первого ребенка. (Для второго ребенка после тридцати пяти лет риск возникновения проблем еще меньше, если предыдущие беременности развивались нормально.)

Синдром Дауна

Правда ли, что у женщин старше тридцати пяти лет повышается риск рождения ребенка с синдромом Дауна? Нужно ли мне пройти необходимые тесты?

Статистические данные могут испугать женщин старшего возраста и отбить у них желание забеременеть. Обычно именно в возрасте тридцати пяти лет начинает обсуждаться необходимость генетических исследований, и этот факт имеет под собой статистическую основу, однако эта статистика не носит обязательного характера. Изучив статистические данные, мы пришли к выводу, что возраст, в котором женщина должна беспокоиться по поводу синдрома Дауна, равняется сорока годам, хотя другие повреждения хромосомного набора снижают этот возраст до тридцати пяти лет. Изучите приведенные ниже цифры и самостоятельно примите решение, стоит ли заводить ребенка, если вам уже исполнилось тридцать пять, а если вы уже беременны, то нужно ли проводить внутриутробное исследование ребенка.

Риск рождения ребенка с синдромом Дауна (или другими хромосомными аномалиями) с возрастом повышается. Статистика выглядит следующим образом:

Возраст матери	Риск рождения ребенка с синдромом Дауна	Риск рождения ребенка с любыми хромосомными аномалиями
20	1:1667	1:526
30	1:952	1:385
35	1:378	1:192
40	1:106	1:66
45	1:30	1:21

Однако эта статистика может ввести вас в заблуждение. Риск рождения ребенка с хромосомными аномалиями у тридцатипятилетней матери равняется 1:192, а это значит, что вероятность рождения здорового ребенка составляет 99,5 процента.

Вопрос лишь в том, как посмотреть на эти цифры.

Обсудите с вашим врачом соотношение между степенью риска и выгодой внутриутробного скрининг-теста. Если доктор настаивает на тесте, вы не должны считать, что вас дискриминируют по признаку возраста. По закону врач обязан проинформировать женщину старше тридцати пяти лет о возможности проведения внутриутробного скрининг-теста для выявления пороков развития ребенка. Поскольку выбор остается за вами, обдумайте следующие моменты:

● Заставят ли вас результаты теста прервать беременность?

● Поможет ли вам информация о хромосомных аномалиях ребенка привыкнуть к этой мысли и приготовиться к уходу за особым ребенком?

● Сделает ли эта важная информация вашу беременность безрадостной или полной тревог?

● Поскольку тест на альфа-фетопротеин может не выявить от 30 до 40 процентов детей с синдромом Дауна, единственным абсолютно надежным способом узнать, нет ли у вашего ребенка хромосомной аномалии, остается амниоцентез. Однако для матерей младше тридцати лет риск выкидыша, спровоцированного этой процедурой, может быть сравним с риском рождения ребенка с генетическим дефектом. Каково соотношение риска и преимуществ именно в вашем случае? Обсудите статистические данные со своим врачом. Спросите о проценте осложнений после амниоцентеза у того специалиста, который выполняет эту процедуру. Средний риск выкидыша после амниоцентеза оценивается как 1:200 (для тридцатипятилетней женщины он почти совпадает с риском рождения ребенка с хромосомными аномалиями). У конкретного врача, который выполняет эту процедуру, риск выкидыша может в ту или иную сторону отличаться от среднего, и поэтому для принятия такого важного решения вам нужно иметь эту информацию.

Подумайте также о том, что страхи по поводу рождения ребенка с синдромом Дауна могут быть вызваны недостатком информации об этом состоянии или устаревшим отношением к таким детям. С одной стороны, вы можете достаточно хорошо знать себя и свою семью, чтобы прийти к выводу, что вы не в состоянии принять на себя заботу о ребенке, требующем особого ухода. С другой стороны, вы можете быть удивлены, узнав об особой любви и радости, которые дает вам общение с таким ребенком. Наш седьмой ребенок, Стивен, родился с синдромом Дауна, причем мы не знали об этом заранее (мы решили отказаться от внутриутробных тестов). Стивен

стал подарком для нашей семьи, поставив перед нами задачи, которые обогатили нашу жизнь. В определенном смысле возможности детей с синдромом Дауна ограничены по сравнению с возможностями других детей, но во многих отношениях им дано больше. Стивен очень восприимчив, изобретателен, любвеобилен, и мы стали ценить в жизни то, о чем даже не задумывались до его появления на свет. Медицинская и социальная помощь, а также образование, ставшее доступным детям, нуждающимся в особом уходе, способствовали тому, что такие дети перестали быть обузой, которой их считали прежде. Теперь они превратились в счастье для семьи, которая заботится о них, — такое же счастье, как и любой ребенок.

Генетическая консультация

У двух моих подруг родились дети с наследственными болезнями, но матери не знали об этом заранее. Я очень волнуюсь, что то же самое может случиться со мной, и врач советует мне во время беременности пройти генетическое обследование. Целесообразно ли это?

Возможность генетической консультации — это великое благо для того относительно небольшого числа пар, которые в ней действительно нуждаются (см. ниже), однако это может усложнить жизнь родителям, не относящимся к группе риска. Если консультация или технология способны успокоить вас, нужно ли воспользоваться этим преимуществом? Изменит ли результат принятые вами решения? Повысит или понизит консультация уровень вашей тревоги? Или лучше иметь дело с естественной неопределенностью? Подобно внутриутробному скрининг-тесту, окончательный выбор остается за вами, и он зависит от ценностей, которые вы исповедуете, а также от конкретной жизненной ситуации. Пройдите через все стадии принятия решения. Какую реакцию вызовут у вас цифры, сообщенные генетиком? У вас будет больше детей или меньше? Ваше беспокойство усилится или ослабеет?

Консультация у генетика, во время которой вы получите возможность обсудить риск и возможные варианты действий, может иметь множество преимуществ, поскольку не требует никаких анализов и не несет опасности для вашего ребенка. Побеседовав со специалистом, вы получите информацию из первых рук (в книгах может приводиться устаревшая статистика). Факты и цифры, которые вы узнаете от генетика, позволят вам сделать осознанный выбор относительно внутриутробного тестирования; в настоящее время многие пары не соглашаются на эти процедуры просто потому, что «так положено». Генетическая консультация также поможет вам выбрать только те тесты, которые необходимы именно вам и вашему ребенку. Если вы не можете назвать конкретную причину необходимости генетической консультации, полезно взглянуть на таблицу, которая напомнит вам, что у матерей младше сорока пяти лет от 98 до 99 процентов детей рождаются без каких-либо генетических аномалий. Если ваша тревога настолько сильна, что мешает вам испытывать радость от беременности, запишитесь на прием к генетику — возможно, ему удастся вас успокоить.

Моя третья беременность в возрасте тридцати восьми лет явилась для меня полной неожиданностью, и мы с мужем растерялись от этой новости. Нашему второму ребенку, который родился с синдромом Дауна, к этому моменту исполнилось всего тринадцать месяцев. Девочка развивалась хорошо, и мы справлялись, но одна мысль о возможном появлении еще одного ребенка с дополнительными проблемами вносила сумятицу в наши и без того неоднозначные чувства. Я узнала о доступных внутриутробных тестах после консультации с генетиком и решилась на амниоцентез. Ожидание результатов было ужасным — что будет, если они укажут на проблемы? Но когда я узнала, что вынашиваю нормального, здорового мальчика, то, наконец, смогла расслабиться, наслаждаться беременностью и с нетерпением ждать рождения сына.

Генетическая консультация обычно рекомендуется в следующих случаях:

● *У вас или у вашего супруга уже был ребенок с каким-либо наследственным заболеванием.* Специалист сможет сказать вам, какова вероятность наличия этого заболевания у следующих детей и какие внутриутробные анализы рекомендуются в вашем случае.

● *Вы беспокоитесь, что у вашего ребенка обнаружится конкретное заболевание.* Многие родители очень хотят исключить наличие определенного заболевания, о котором они знают или которое встречалось в семье. Генетик может проконсультировать их относительно вероятности проявления этого заболевания и порекомендовать соответствующие тесты. Наличие многих заболеваний может быть определено еще до рождения ребенка, причем в некоторых случаях достаточно анализа крови родителей.

● *У одного из родителей врожденный порок сердца или почечная патология.* Одни из этих дефектов чаще передаются по наследству, чем другие; консультант проинформирует вас о степени риска в вашей ситуации. Многие наследственные заболевания сердца и почек выявляются при ультразвуковом исследовании плода.

● *Вы с супругом состоите в близком родстве.* Поскольку генетические заболевания передаются по наследству, то чем ближе степень родства, тем выше вероятность передать генетическое заболевание ребенку.

За генетической консультацией лучше обращаться до начала беременности, особенно в ситуациях, когда в семье одного из супругов имеется наследственное заболевание. Тем не менее, если вы уже забеременели и беспокоитесь по поводу возможных генетических аномалий, поговорите с наблюдающим вас врачом. Он либо рассеет ваши сомнения, либо посоветует хорошего генетика.

Матери-одиночки

Я очень радуюсь своей беременности, но оказалось, что без мужа справляться со всеми трудностями во время беременности гораздо труднее, чем я думала.

Беременность и рождение ребенка связаны со значительными переменами в вашей жизни, а любые перемены, даже позитивные, несут с собой стресс. Вполне естественно, что в подобных испытаниях вы хотели бы иметь поддержку супруга. Независимо от того, обусловлено ли ваше одиночество сознательным выбором или стечением обстоятельств, вам понадобятся люди, которые будут помогать вам во время беременности. Освоившись с этой новостью, большинство друзей и членов семьи с удовольствием выслушают ваши радости и тревоги, будут сопровождать вас на занятия для беременных (или на процедуры), помогут вам приготовить место для ребенка и подготовиться к обязанностям матери-одиночки. Возможно, вы пригласите кого-то из особенно близких вам людей присутствовать при родах. Постепенно вы определите круг тех людей, кто способен оказать вам наибольшую помощь, кто может и хочет поддерживать вас во время беременности и родов, а также после них.

Если вы не знакомы с другими одинокими матерями, постарайтесь завязать такие контакты. Вы сможете многому научиться у этих женщин — что следует делать, а от чего нужно воздержаться. Иногда самый полезный совет может дать женщина, которая уже прошла этот путь и выработала решения, полезные для нее самой и для ее ребенка. Тем не менее основным источником любви и поддержки для вас скорее всего будет семья — при условии, что они благожелательно относятся к вам и к вашей беременности. Если вы чувствуете, что семья не оказывает должной поддержки, подумайте, не обратиться ли к психологу. Он поможет вам разрешить наиболее сложные проблемы. Если длительные напряженные отношения не позволяют создать семейную атмосферу, которой вы желали бы для вашего ребенка, не сдавайтесь. Делайте все возможное, чтобы ваш ребенок рос в окружении любящих друзей всех возрастов, которое будет способствовать его развитию. Не волнуйтесь, если беременность — это не то, на что вы рассчитывали. Ваш ребенок ожидает, что вы сделаете все возможное для него в этой далекой от идеала ситуации.

Я забеременела при помощи искусственного оплодотворения, и когда по телефону сообщила матери о своей беременности, то она буквально лишилась дара речи. Теперь же она просто боготворит свою четырехлетнюю внучку.

Переезд

Мы живем в маленькой квартире, и мы точно знаем, что после рождения ребенка в доме станет тесно. Может быть, разумнее сменить квартиру сейчас, а не после родов?

Такие вопросы подчеркивают, насколько сильно меняется ваша жизнь: при принятии важных для семьи решений приходится учитывать интересы еще одного человека. В данном случае этот новый человечек служит толчком для принятия решения. Тем не менее, прежде чем упаковывать чемоданы, задумайтесь, зачем вам переезжать. Может быть, вы давно мечтали, как будете украшать просторную детскую? Или вам нужен двор, в котором мог бы играть ребенок? Может быть, ребенок ассоциируется у вас с собственным домом? Повлечет ли переезд удлинение дороги на работу для одного из вас? Означает ли новая закладная, что вам придется работать вдвоем с мужем?

В первый год своей жизни ребенок может свободно обходиться небольшим пространством. Ему безразлично, есть ли у него собственная комната или нет (все равно он предпочитает быть рядом с вами), и он не скучает по розовым обоям в горошек. После того как ребенок начнет ходить, ему понадобится место, где можно использовать свои ноги — но для этого подойдет и тротуар, и магазин, и дом дедушки. Если вы не знаете, куда складывать игрушки ребенка, то вас удивит, сколько их помещается под кроваткой или колыбелькой малыша. Несколько встроенных шкафов обойдутся вам дешевле, чем переезд.

Если вы все же решили сменить место жительства, то лучше всего это делать в середине беременности. В первом триместре вы скорее всего плохо себя чувствуете, ощущаете ужасную усталость и еще не осознали реальность перемен, которые вам предстоят. На последних месяцах беременности вам тяжело даже покидать насиженное место, не говоря уже о том, чтобы сменить его. На последнем месяце, когда инстинкт заставляет вас «вить гнездо», лучше уже устроиться на новом месте. Переезд может стать причиной сильного стресса, который никак не способствует эмоциональному здоровью женщины, которая вот-вот должна родить. Первые несколько месяцев материнства — это тоже довольно стрессовый период, чтобы еще усложнять его поисками подходящего дома, оформлением закладных и переездом.

В среднем триместре вам будет легче заняться выбором нового жилья. Принимая решение о переезде, сначала прикиньте, что вы можете себе позволить, а потом подумайте о том, какой вы представляете себе жизнь с вашим будущим ребенком. Что важнее всего для вашей семьи? Квартира на первом этаже? Близость к парку? Безопасная улица? Огороженный забором двор? Близость к месту работы? Попытайтесь представить себе, какой будет ваша жизнь, когда у вас на попечении окажется ребенок. Если вы переезжаете в новый район, проведите в нем некоторое время и составьте собственное мнение о вашем будущем окружении, не надеясь на описание агента по продаже недвижимости.

То, что вы берете на себя часть решения по выбору нового места жительства, не означает, что вы должны брать на себя часть тяжелой работы по переезду. Оставаясь мозгом (или частью мозга) этого предприятия, вы не должны быть его мускульной силой. Пусть грузчики, муж или друзья таскают коробки, а вы управляйте их перемещением или упаковывайте посуду.

Воздержитесь от переезда, если он не упростит, а усложнит вашу жизнь после рождения ребенка. Подумайте, не принесет ли переезд дополнительных стрессов из-за денег, поездок на работу или необходимости заводить новые знакомства. Изменения, которые внесет в вашу жизнь ребенок, достаточно серьезны, чтобы добавлять к ним другие важные перемены.

Необходимость обследований в период беременности

Так ли уж необходимо посещать врача во время беременности? Я хорошо питаюсь, каждый день занимаюсь зарядкой, достаточно времени сплю, и я прочла массу книг о беременности. Моя работа отнимает много времени, и мне еще нужно много успеть до рождения ребенка. Эти ежемесячные взвешивания кажутся мне напрасной тратой времени.

Даже если вы знаете, что нужно делать, чтобы выносить здорового ребенка, всегда полезно посоветоваться с другими людьми. Для многих женщин сознание того, что их будут регулярно проверять, помогает им не сбиться с верного пути. Неважно, насколько вы информированы и уверены в благополучном развитии своей беременности. Вы должны помнить, что книги и курсы для беременных — это обобщение, а ваша беременность уникальна. Более того, посещение врача во время беременности — это не только взвешивание, измерение артериального давления и размеров ребенка, анализ мочи. Это возможность обсудить эмоциональные изменения и перемены образа жизни, с которыми сталкиваются почти все женщины во время беременности, а также высказать многочисленные опасения (серьезные и не очень), возникающие практически у каждой будущей матери. Посещения врача во время беременности дают женщине шанс принять решение относительно будущих родов и — возможно, это даже важнее — привыкнуть к людям, которые будут помогать ей произвести ребенка на свет.

Обычное расписание посещений врача во время беременности: раз в месяц в первые двадцать восемь недель, раз в две недели с двадцать девятой по тридцать шестую неделю, а затем еженедельно до наступления родов. Частота визитов и сложность обследований могут изменяться в зависимости от взглядов врача, от состояния вашего здоровья — как в прошлом, так и в настоящем, — а также от процесса развития ребенка. (Что должно происходить при каждом посещении врача и как извлечь из этого визита максимальную пользу, рассказывается в начале каждой главы.) Врач или акушерка используют ваши визиты для того, чтобы следить за изменениями, которые происходят с вами и вашим ребенком. Большинство изменений скорее всего будет естественным, свидетельствуя о естественной перестройке организма матери и нормальном развитии ребенка. Другие могут служить сигналом возможных или уже развивающихся осложнений, которые незаметны для неспециалиста и которые при раннем обнаружении и внимательном отношении можно устранить или ослабить. Другими словами, визиты к врачу увеличивают ваши шансы родить здорового ребенка.

При воспитании ребенка заранее нельзя сказать, каким он станет, когда вырастет, но родители могут предпринять определенные шаги, чтобы повысить его шансы на благополучную жизнь. То же самое справедливо для беременности — родители способны повысить шансы рождения здорового ребенка. Первыми в этом списке стоят регулярные посещения врача во время беременности. При вынашивании ребенка, а затем его воспитании мамы должны усвоить одну очень важную вещь — следует заботиться о себе, чтобы вы могли как следует позаботиться о своем ребенке.

ЕДИМ ЗА ДВОИХ

Во время беременности при составлении меню вам нужно учитывать не только свои потребности, но и потребности маленького человечка, растущего у вас в животе. Справиться с беспокойством по поводу правильного питания беременной женщине бывает сложнее, чем переварить пищу. Полезно задуматься над тем, что вы едите, однако нет смысла анализировать каждый кусок, который вы отправляете в рот.

Списки рекомендуемых продуктов, различные меню и рецепты часто становятся причиной необоснованных ожиданий работающих беременных женщин, у которых нет ни времени, ни сил считать каждую калорию и взвешивать каждый глоток. Лучше придерживаться общих принципов, чем той или иной предписанной диеты. Правильное питание во время беременности предполагает следование тем же рекомендациям, касающимся здоровья и хорошего самочувствия, что и до беременности, плюс учет потребностей еще одного человека, развивающегося внутри вас. Понимая основные принципы правильного питания, вы сможете выбрать нужное количество наиболее полезных для здоровья продуктов, которые не противоречат вашим привычкам и вашему образу жизни.

Ваш организм — независимо от того, беременны вы или нет — нуждается в шести видах веществ. Это белки, углеводы, жиры, витамины, минералы (больше всего кальций и железо) и вода. «Сбалансировать» свое питание во время беременности — это значит попытаться получить эти вещества в нужном соотношении: от 15 до 20 процентов белков, от 50 до 60 процентов углеводов и от 20 до 30 процентов жиров плюс рекомендуемая ежедневная норма витаминов и минералов. Ниже приводятся данные о том, сколько вам нужно этих основных питательных веществ и почему.

Включите в свой рацион жиры. Организм беременной женщины нуждается в жирах. Жиры являются важным источником энергии, и, кроме того, определенные жиры (их называют «основными жирными кислотами») служат строительным материалом для многих жизненно важных тканей, особенно клеток мозга и нервной системы. Во время беременности вам не нужно ограничивать потребление жиров, однако следует отдавать предпочтение полезным для организма жирам. Наибольшее количество необходимых жиров содержится в рыбе, авокадо и в большинстве растительных масел (оливковом, рапсовом, льняном). Необходимые жиры, хотя и в меньших количествах, содержатся в молочных продуктах. Менее полезные, но тоже необходимые организму жиры мы получаем из мяса. «Плохими» можно считать лишь искусственные жиры, которые вырабатываются из натуральных жиров. Исключите из своего рациона все продукты со словом «гидрогенизированный» на этикетке. Это вредные для здоровья жиры, обычно придающие прошедшим предварительную обработку продуктам сальный привкус.

Замечание Марты: «Я делаю масло более питательным, «улучшая его». Для этого я смешиваю растопленное сливочное масло с небольшим количеством рапсового масла, а затем даю смеси застыть в холодильнике».

А как насчет холестерина — этого пугала, которые специалисты по маркетингу используют для того, чтобы подчеркнуть достоинство своих продуктов? Хорошая новость, касающаяся холестерина, заключается в следующем: в вашей жизни есть два периода, когда не нужно беспокоиться о холестерине. Это детство и беременность. Во время беременности и вашему организму, и развивающемуся ребенку требуется дополнительное количество этого вещества. Растущий мозг малыша нуждается в холестерине. Кроме того, холестерин является строительным материалом для синтеза гормонов беременности. В любом случае гормоны беременности способствуют выработке и усвоению холестерина, и поэтому его уровень в крови беременной женщины увеличивается.

Это не значит, что во время беременности вы должны поглощать масло без меры. Калории, получаемые с жиром, должны составлять от 20 до 30 процентов дневной нормы. Эта же пропорция рекомендуется до и после беременности.

Важность белков. Белки поставляют строительный материал для вашего организма и организма ребенка. Ткани и органы ребенка растут, «настраивая» друг на друга миллионы молекул белка, пока не достигнут нужных размеров. Белки состоят из крошечных элементов, которые называются аминокислотами. Большинство аминокислот, необходимых для синтеза белка, вырабатываются «в домашних условиях», то есть самим организмом. Тем не менее некоторые аминокислоты не могут синтезироваться в организме и должны поступать в него с пищей. Эти вещества называются «основными аминокислотами». Без этих аминокислот организм не может расти. Продукты, содержащие все необходимые аминокислоты, называются «полноценными белками». Это мясо, рыба, птица, яйца и молочные продукты. Полноценные белки мы получаем с животной пищей. Овощи, цельное зерно и бобовые (например, соя, чечевица, сушеные бобы и арахис) тоже являются ценным источником белка. Однако в отличие от продуктов животного происхождения растительная пища (за исключением сои) не содержит полноценного белка, то есть в ней присутствуют основные аминокислоты, но не все. Поэтому для того, чтобы обеспечить свой организм полным набором необходимых аминокислот, нужно сочетать различные источники белка. Зерновые в сочетании с бобовыми дают полный набор необходимых белков — точно так же, как комбинация продуктов растительного и животного происхождения (например, овощи с молочными продуктами, зерновые с молочными продуктами, зерновые с мясом). Попробуйте следующие комбинации продуктов, обеспечивающие полноценный набор белков:

● хлеб с сыром (цельное зерно и молочные продукты)
● каши с молоком (зерно и молочные продукты)
● хлеб с арахисовым маслом (цельное зерно и бобовые)
● гранола с йогуртом (зерно и молочные продукты)
● суп из бобов или чечевицы из цельного зерна или риса (бобовые и цельное зерно) с крекерами
● рисовый пудинг (зерно и молочные продукты)
● бобы с рисом (бобовые и зерновые)
● макароны с мясным бульоном (зерновые и мясо)
● брокколи в сырном соусе (молочные продукты с овощами)

Беременным женщинам требуется около 100 граммов белка в день. Если вы плотно кушаете три, четыре или пять раз в день (мясо, рыба, птица, молочные продукты и яйца), то, вероятно, получите достаточное количество белка, просто увеличив порцию. Потребность в дополнительном белке особенно велика во втором и третьем триместрах, и поэтому не стоит волноваться, если из-за тошноты вы не сможете есть белковую пищу в первые три месяца беременности. Некоторые женщины, которые раньше не употребляли мяса, во время беременности испытывают к нему сильную тягу. Если вы не едите мяса, если у вас повышенная чувствительность к молочным продуктам или вы придерживаетесь вегетарианской диеты, то вам нужно подсчитать количество потребляемого белка, а также заранее предусмотреть приемлемые смеси и сочетания продуктов. Очень распространен миф о том, что люди едят больше белка, чем необходимо их организму. На самом деле большинство людей, и особенно беременных женщин, потребляют больше, чем нужно, углеводов и меньше белка.

Углеводы должны быть сложными. Среди людей, обеспокоенных правильным питанием, сахар имеет незаслуженно плохую репутацию. Даже во время беременности от 50 до 60 процентов калорий должно поступать в организм в виде сахаров — основного источника энергии. Тем не менее питательные свойства различных сахаров неодинаковы. Наименьшую ценность имеют простые сахара, получившие такое название из-за небольшого размера молекул, которые легко проходят через слизистую оболочку желудочно-кишечного тракта и быстро всасываются в

кровь. Это вызывает повышение уровня сахара в крови, что приводит к выбросу инсулина, в результате чего уровень сахара быстро падает. Некоторые женщины подвержены резким переменам настроения, которые обусловлены этими колебаниями уровня сахара в крови. Существует множество разновидностей простых сахаров: сахароза, декстроза, глюкоза. Найти все эти вещества можно в рафинированном сахаре, в карамели, мороженом, сиропе и большинстве продающихся в магазине продуктов. Поскольку гормоны беременности изменяют процесс усвоения сахара, многие женщины, ранее не отличавшиеся повышенной чувствительностью к изменению уровня сахара в крови, во время беременности начинают остро реагировать на «плохие сахара».

К полезным сахарам относится фруктоза, которая содержится преимущественно в фруктах, и лактоза, входящая в состав молочных продуктов. Эти сахара являются быстрым источником энергии, но в отличие от более простых сахаров не стимулируют синтеза инсулина и поэтому не вызывают перепадов настроения.

Полезнее всего, особенно для беременных, сложные сахара, которые называются так из-за более крупных молекул, которые медленнее всасываются, длительное время поддерживая постоянный уровень сахара в крови. Эти вещества также называют «сложными углеводами», или «крахмалами». Больше всего сложных углеводов содержится в макаронных изделиях, в картофеле, зерновых, бобовых, в ореховых маслах и семенах. В отличие от простых сахаров крахмалы, фруктоза и лактоза обеспечивают равномерный и постоянный приток энергии, длительное время поддерживая ощущение сытости. В результате уровень сахара в крови остается постоянным, самочувствие и настроение улучшаются.

Вы нуждаетесь в дополнительном количестве железа. Железо необходимо для того, чтобы вырабатывать дополнительную кровь, которая нужна вам для питания ребенка, а также для образования миллионов красных кровяных клеток в организме ребенка. Недостаток железа (анемия), или «усталая кровь», способствует развитию чувства усталости у матери. К концу первого триместра (в это время утреннее недомогание обычно проходит) врач советует повысить содержание железа в своем рационе и принимать пищевые добавки, в состав которых входит железо. Большинству женщин во время беременности требуется удвоенное количество железа, и они принимают не менее 60 миллиграммов этого вещества, а при наличии анемии или вынашивании близнецов даже больше. Нужны ли вам пищевые добавки с железом во время беременности? Обычно нужны. Несмотря на то, что

в этот период мать-природа повышает содержание железа в вашем организме, усиливая его усвоение из пищи, практически невозможно получить необходимое количество железа, не получив при этом лишних калорий. Лучше начать прием пищевых добавок, содержащих железо, в самом начале беременности или еще до ее начала, чтобы в организме накопился необходимый запас этого вещества. У некоторых женщин железосодержащие препараты оказывают неблагоприятное воздействие на желудок и усиливают запоры. Если железо обостряет проблемы с пищеварительной системой, спросите врача, нельзя ли отложить прием этих препаратов до того времени, когда утреннее недомогание исчезнет. Наибольшую потребность в железе организм беременной женщины испытывает во второй половине беременности. Если железосодержащие добавки продолжают оказывать неблагоприятное воздействие на ваш желудок, попробуйте принимать их маленькими дозами в течение всего дня. Постарайтесь следовать приведенным ниже рекомендациям, которые помогут вам выбрать богатые железом продукты и лучше усваивать железо, поступающее в ваш организм с пищей.

● Степень усвоения железа отчасти зависит от того, с какой пищей вы комбинируете богатые железом продукты. Одна пища способствует

Продукты с наибольшим содержанием железа

Продукт	Железо, мг*	Продукт	Железо, мг*
печень (120 г)	8,5	свекла (1 чашка)	3
устрицы (1/2 чашки)	8	горох (1 чашка)	2—3
бобы (1 чашка)	5	картофель с кожурой,	
турецкий горох		тунец (120 г)	2,7
(1 чашка)	5	креветки (120 г)	2
соевые бобы (1 чашка)	5	инжир (5 шт.)	2
тростниковая меласса		макароны	
(1 стол. ложка)	5	(1 чашка)	2
артишоки (1 чашка)		семена подсолнечника	
каши с добавками	5	(30 г)	2
железа (30 г)	4—8	брокколи (1 стрелка)	2
ячмень (1 чашка)	4	рогалик (1 шт.)	2
чечевица (1 чашка)	4	вишня (1/2 чашки)	1,8
говядина (120 г)	3,5	изюм (1/2 чашки)	1,6
сардины (120 г)	3,5	пивные дрожжи	
квашеная капуста		(1 стол. ложка)	1,5
(1 чашка)	3,5	сливы (5 крупных)	1,4
тыква (1 чашка)	3,4	курица,	
морские моллюски		индейка (120 г)	1,2
(120 г)	3	хлеб (1 кусочек)	1
сушеные абрикосы		орехи (30 г)	1
(1/2 чашки)	3	тофу, особо твердый	
сушеные персики		(100 г)	1
(1/2 чашки)	3		

* Рекомендуемая ежедневная норма железа для беременной женщины равняется 60 мг.

восприятию железа, другая препятствует этому процессу. Богатые витамином С продукты (например, цитрусовые, земляника, зеленый перец, киви) помогают усвоению железа. Молоко, чай, кофе и противокислотные средства блокируют поступление железа. Таким образом, чтобы с максимальной эффективностью использовать содержащееся в пище железо, пейте во время еды апельсиновый или грейпфрутовый сок, а молоко оставьте для того, чтобы перекусить между едой.

● Вспомните о связанных с железом мифах. Заставляла ли вас мама есть шпинат? Да, шпинат богат железом, но большая его часть не усваивается кишечником. Есть множество других продуктов, которые, подобно шпинату, содержат много железа, которое не попадает в организм. На бумаге цифры выглядят впечатляюще, но все это железо остается «бумажным». Например, плохо усваивается железо из овощей и яичного желтка. Количество железа, указанное на упаковке продукта, может ввести вас в заблуждение. С точки зрения диетологии более важным является «элементарное железо», то есть количество железа, которое усваивается организмом. К примеру, таблетка сульфата железа весом 300 мг содержит 60 мг элементарного железа. Если в пищевой добавке, которую вы принимаете, не указано количество элементарного железа, проконсультируйтесь у врача или фармацевта. Перечень продуктов с наибольшим содержанием железа приведен на врезке.

С распознанием анемии могут возникнуть трудности, поскольку симптомы дефицита железа — утомляемость, раздражительность, рассеянное внимание, мышечная усталость — могут быть следствием самой беременности. Анализы крови (гемоглобин и гематокрит), которые регулярно назначает врач, покажут лишь последнюю стадию анемии. Вы можете страдать от дефицита железа и при нормальных показателях гемоглобина и гематокрита. При подозрении на анемию попросите врача проверить у вас уровень ферритина в крови. Этот показатель гораздо точнее отражает содержание железа в тканях. Низкий уровень ферритина (менее 20) является признаком того, что запасы железа в тканях вашего организма истощились. Недостаток железа не только отрицательно воздействует на мать, но и вреден для ребенка. У анемичных матерей выше риск преждевременных родов или рождения ребенка с недостаточным весом. И наоборот, анализы на гемоглобин и гематокрит могут указывать на анемию, которой на самом деле нет. Объем крови у вас в организме во время беременности увеличивается — этот процесс называется «гемодилюция», — и поэтому уровни гемоглобина и гематокрита могут понизиться по сравнению с теми, что были до беременности. Такое состояние называется «физиологической анемией беременности».

Позаботьтесь о кальции. Во время беременности ваша потребность в кальции удваивается — у ребенка должны формироваться кости, а скелет матери нуждается в укреплении. Кости и зубы ребенка начинают формироваться на втором месяце беременности, а к шестому месяцу скорость их роста удваивается. Если в вашем рационе недостаточно кальция, ребенок начинает извлекать кальций из ваших костей, делая их более хрупкими. Это состояние называется «остеопороз». Вам и вашему ребенку необходимо около 1600 миллиграммов кальция ежедневно — на 800 миллиграммов больше, чем до беременности. Новейшие исследования показали, что беременные женщины, принимающие в день от 1500 до 2000 мг содержащих кальций препаратов, на 60—70 процентов снижают риск возникновения таких осложнений беременности, как повышенное артериальное давление и преэклампсия. Обеспечьте достаточный запас кальция в организме к тому моменту, когда ребенку его потребуется особенно много, то есть к третьему триместру. Если вам не приходится отказываться от молочных продуктов, то сделать это несложно. Одна кварта (около литра) молока содержит вашу дневную норму кальция. Чемпионом по содержанию кальция — то есть продуктом с наивысшим содержанием кальция на одну калорию — является йогурт, причем он подходит большинству женщин. Если вы не любите молоко, то йогурт может стать его превосходным заменителем; в любом случае то же количество йогурта содержит больше кальция и других питательных веществ, чем молоко. Побалуйте себя ежедневным коктейлем из йогурта. Три чашки йогурта удовлетворяют ежедневную потребность в кальции для большинства беременных женщин. Сыр тоже является ценным источником кальция и мо-

жет служить альтернативой молоку. Если вы не переносите обычное молоко, попробуйте ацидофилиновое. Если у вас непереносимость лактозы, попробуйте кальцинированное соевое или рисовое молоко, а также молоко с пониженным содержанием лактозы; кроме того, можно принимать таблетки с ферментом лактозы, которые продаются в аптеках. Если вы не в восторге от содержащихся в молочных продуктах жиров или калорий, перейдите на нежирные или обезжиренные продукты, содержание кальция в которых может быть даже чуть выше.

Планирование питания

Если вы планируете беременность или пытаетесь забеременеть, заранее спланируйте здоровое питание для себя и своего будущего ребенка — прежде чем тошнота помешает вам принимать витамины и внесет существенные изменения в ваши вкусовые ощущения. Легче избавиться от вредных привычек в питании до начала беременности. Начните прием препаратов железа и фолиевой кислоты по меньшей мере за два месяца до зачатия. Исследования показали, что женщины, принимающие пищевые добавки с фолиевой кислотой, снижают риск аномалий развития позвоночника у ребенка.

Что такое продуктовая пирамида

Вот основные рекомендации по здоровому и сбалансированному питанию. В отличие от устаревшей системы деления всех продуктов на четыре равноценные группы пирамида пытается убедить потребителей, что основой здорового питания должны стать продукты растительного происхождения. Обратите внимание, что зерновые, овощи и фрукты занимают соответственно первое, второе и третье места в пирамиде, а пища животного происхождения (молоко, рыба, птица и мясо) находятся на четвертом и пятом местах. Кроме того, человеческий организм нуждается в небольшой «смазке» полезными жирами. Помимо приносимой пользы, растительное масло или семена улучшают вкус того или иного блюда.

1. Зерновые: хлеб, каши, рис и макароны. 6 — 11 порций (1 порция = 1 ломтик хлеба, 1/2 чашки риса, макарон или сваренной каши, 1/2 чашки картофеля или бобов или 30 г готовых к употреблению хлопьев). По возможности отдавайте предпочтение продуктам из цельного зерна.

2. Овощи. 3 — 5 порций (1 порция = 1 чашка сырых, 1/2 чашки приготовленных овощей или 3/4 чашки овощного сока). По возможности используйте свежие овощи, лучше экологически чистые.

3. Фрукты. 2 — 4 порции (1 порция = 1 средних размеров апельсин, яблоко или банан, 1/2 чашки консервированных фруктов или 3/4 чашки сока). По возможности используйте свежие фрукты, лучше экологически чистые.

4. Молочные продукты: молоко, йогурт и сыр. 2 — 3 порции (1 порция = 1 чашка молока или йогурта, 1/2 чашки творога, 45 г сыра или 1/2 чашки мороженого).

5. Мясо, птица, рыба, яйца, бобовые (бобы и семена) и орехи. 2 — порции (1 порция = 100 г мяса, рыбы или птицы, 2 яйца, 2 столовые ложки орехового масла или одна чашка приготовленных бобов).

Примечание: Приведенная выше пирамида из пяти групп продуктов подходит для здорового питания всех людей, а не только беременных женщин. Количество порций определяется уровнем активности. Чрезвычайно активные люди должны съедать большее количество порций. То же самое относится к беременным женщинам, которые должны включать в рацион дополнительные порции из четвертой и пятой групп, отдавая предпочтение нежирным или обезжиренным молочным продуктам.

Достаточное количество соли. Раньше отеки рук и ног во время беременности приписывали избытку соли. Отеки бывают почти у всех женщин, и избыток соли на них не влияет. Во время беременности не следует ограничивать потребление соли — если на этом не настаивает врач. Тяга к соленому, которую испытывают многие беременные женщины, является еще одним естественным способом для организма сообщить о своих потребностях. Соль заставляет ваш организм задерживать жидкость, потребность в которой увеличивается во время беременности. Во время беременности вам нужно удвоенное количество жидкости, чтобы поддерживать 40-процентное увеличение объема крови и постоянно пополнять амниотическую жидкость, окружающую ребенка. Фермеры очень давно осознали необходимость в дополнительном количестве соли. Пройдите мимо любой молочной фермы, и вы увидите стельных коров, которые лижут блоки из соли. Используйте йодированную соль (не путать с морской), поскольку йод позволит предотвратить проблемы с щитовидной железой во время беременности. Солите пищу, чтобы улучшить ее вкус.

Не забывайте о витаминах. Потребность организма в белке, кальции и железе существенно повышается во время беременности, тогда как потребность во многих витаминах возрастает незначительно. Для большинства женщин при здоровом питании это дополнительное количество витаминов поступает с дополнительной пищей, которую они съедают. Витамины содержатся практически во всех продуктах, и поэтому при сбалансированной и здоровой диете дефицит витаминов у ребенка маловероятен. По этой причине — при условии, что женщина полноценно питается — многие врачи больше не назначают мультивитаминные препараты во время беременности.

Потребляйте дополнительное количество фолиевой кислоты. Исключением из этого правила можно считать фолиевую кислоту, витамин группы В, очень важный для правильного развития ребенка. Фолиевой кислотой богаты такие продукты, как свежие листовые овощи, бобы, орехи, печень, почки, темнозеленые фрукты и овощи, брокколи. Во время беременности потребность в фолиевой кислоте по меньшей мере удваивается. Поскольку этот витамин не накапливается в организме, а во время беременности почки выделяют его еще интенсивнее, ваша ежедневная норма его потребления составляет от 400 до 800 микрограммов. С недостатком фолиевой кислоты связывают пороки развития центральной нервной системы ребенка, и особенно расщелину позвоночника. Исследования показали, что у женщин, принимавших от 100 до 4000 микрограммов фолиевой кислоты в первые 6 — 12 недель беременности, отмечается значительно пониженный риск рождения детей с дефектами спинного мозга. Последние работы ученых позволили предположить, что потребность в фолиевой кислоте определяется на генетическом уровне. Возможно, некоторые женщины генетически предрасположены к дефициту фолиевой кислоты и им во время беременности требуются содержащие это вещество пищевые добавки или витамины. Невозможно определить заранее, относитесь ли вы к этой категории или нет, и поэтому все женщины должны получать достаточное количество фолиевой кислоты в самом начале беременности — упомянутые выше аномалии развития появляются в первые несколько недель. Еще лучше, если вы начнете принимать препараты с фолиевой кислотой за несколько месяцев до начала беременности. Управление по контролю за продуктами и лекарствами США рекомендовало, чтобы начиная с 1998 года во все витаминизированные продукты, включая пшеничную и кукурузную муку, макароны и рис, добавлялась фолиевая кислота. Эта добавка не сможет удовлетворить ежедневную потребность беременной женщины, и поэтому специальные препараты не утратили своего значения. Риск развития аномалий спинного мозга из-за недостатка фолиевой кислоты выше всего в первые месяцы беременности, но принимать препараты с этим витамином следует на протяжении всего срока. Новейшие исследования показали,

что недостаток фолиевой кислоты на всем протяжении беременности увеличивает вероятность рождения недоношенного ребенка.

Остерегайтесь передозировки витаминов во время беременности. Мы достаточно хорошо изучили среднюю дневную потребность в различных витаминах во время беременности, а также последствия авитаминоза, но мы все еще мало знаем о влиянии передозировки, которая может пойти во вред еще не рожденному младенцу. Избыток витаминов A, D и E связывают с различными пороками развития новорожденных, а также с сердечными болезнями матери. Например, проведенные в 1995 году исследования показали, что у беременных женщин, которые принимали ежедневно более 10 000 единиц витамина A, в пять раз повышался риск рождения ребенка с заячьей губой, волчьей пастью или пороком сердца. Организм защищает себя от избытка большей части питательных веществ (и особенно водорастворимых витаминов), однако лишнее количество витаминов A, D и E автоматически не выводится из организма, поскольку они являются жирорастворимыми и накапливаются в жировой ткани. Большие дозы витамина C и витаминов группы B принято считать безвредными, поскольку эти витамины являются водорастворимыми и их избыток легко выводится из организма. Тем не менее новейшие исследования посеяли сомнения в безопасности передозировки и этих веществ. Новорожденные, чьи матери принимали очень большие дозы витамина С, могут появиться на свет со сформировавшейся зависимостью от этого витамина, и в первые дни после рождения у них развиваются признаки авитаминоза. У некоторых младенцев, чьи матери во время беременности злоупотребляли витамином B_6, могут наблюдаться судороги. Результаты этих исследований подталкивают к следующему выводу: нужно придерживаться дозы, назначенной вашим врачом, — не больше и не меньше.

Я не переносила цитрусовых, потому что от них у меня начиналась изжога. Я поняла, что мне не хватает витамина С, когда в супермаркете мне ужасно захотелось земляники и киви, которые богаты этим витамином. Просто удивительно, как во время беременности организм сам подсказывает, что ему нужно.

Не забывайте о жидкости. Дополнительное количество жидкости необходимо не только для того, чтобы на 40 процентов увеличить объем вашей крови и поддерживать уровень амниотической жидкости в плодном пузыре, но и для того, чтобы улучшить общее самочувствие во время беременности. Большое количество воды и других жидкостей поможет сохранить вашу кожу нежной и гладкой. Если вы будете больше пить, то увеличится количество жидкости в вашем кишечнике, что поможет бороться с запорами. Увеличенное количество жидкости помогает организму избавляться от продуктов жизнедеятельности и вынуждает вас чаще ходить в туалет, что приводит к снижению риска инфекций мочевых путей. Чтобы обезопасить себя и ребенка от обезвоживания, вы должны выпивать не менее восьми стаканов жидкости в день. Избегайте алкоголя и кофеина, поскольку они — помимо проблем, рассмотренных ранее — обладают мочегонным действием, способствуя выведению жидкости из организма. Пусть у вас войдет в привычку пользоваться самыми большими стаканами и чашками, а также все время носить с собой бутылку воды. Большая часть вашей потребности в жидкости должна удовлетворяться водой, но можно побаловать себя и более ароматными жидкостями, например супами и соками. Можно использовать сок в качестве альтернативы молоку, которое вы пьете во время еды (витамин С улучшает усвоение содержащегося в пище железа), однако здесь следует соблюдать осторожность — 30 г сока содержат столько же калорий, сколько 30 г молока, но гораздо меньше питательных веществ. Можно отдать предпочтение разбавленному соку или добавлять в стакан сельтерской или простой воды чайную ложку замороженного концентрированного сока. Лучше распределять потребление жидкости равномерно на весь день. Если вы едите часто и понемногу, порции выпиваемой жидкости должны быть больше.

Питание во время беременности — итог

Читая горы литературы, посвященной важности правильного питания во время беременности, немудрено вообще потерять аппетит. От такого количества сложной информации можно растеряться и в страхе решить, что способа обеспечить правильное питание себе и ребенку не существует вообще. Тем не менее сделать это достаточно просто. Если вам уже известны основные принципы здорового питания и вы придерживались их до начала беременности, нужно всего лишь добавить:

- 300—500 калорий в день из богатых питательными веществами продуктов
  - 25 г белка
  - 800 мг кальция
  - 0,4 мг фолиевой кислоты
  - 40 мг железа

Дополнительные калории, кальций и белок можно получить из чашки йогурта и шести унций рыбы (или заменяющих их продуктов). Источником фолиевой кислоты может стать одна таблетка пищевой добавки (0,4—0,8 мг), источником кальция — 500 мг препарата кальция, а источником железа — одна 30-миллиграммовая таблетка сульфата железа (или продукты, в которых содержится не менее 60 мг элементарного железа, если вы хотите каждый день в течение девяти месяцев есть печень).

Итак, не принимайте близко к сердцу все, что написано о правильном питании во время беременности. Просто питайтесь так, как вы привыкли, и не забывайте о дополнительной порции для того, кто находится у вас в животе.

Возможные вопросы относительно правильного питания

Вот несколько вопросов, касающихся правильного питания во время беременности, которые могут у вас возникнуть.

Почему правильное питание во время беременности имеет такое значение? Может быть, мне просто нужны дополнительные калории для питания моего организма и развития ребенка?

Исследования показывают, что чем лучше питается беременная женщина, тем больше у нее шансов родить здорового ребенка. Плохое питание (или недостаток необходимых веществ) повышает вероятность рождения недоношенного ребенка, ребенка с недостаточным весом или врожденными дефектами, а также появление проблем с дыханием или кровью во время родов. Плохое питание во время беременности повышает риск появления таких проблем, как рождение мертвого плода или ребенка с задержкой развития. Плохое питание повышает риск тяжелого течения беременности с более сильными утренними недомоганиями, запорами, усталостью, изжогой и судорогами, повышает вероятность развития различных осложнений, таких, как анемия, токсикоз, а также тяжелых родов и необходимости кесарева сечения. Кроме того, у плохо питавшейся матери выше риск родить недоношенного ребенка или ребенка с дефицитом веса.

Представьте себе беременность как процесс «строительства» ребенка. Вы сами нуждаетесь в энергии — калориях, расходуемых на «строительство». Эту энергию ваш организм получает из жиров и углеводов. Кроме того, вам требуются определенные «строительные материалы» для выращивания тканей — белки, витамины, железо, другие минералы и вода. Если во время «строительства» вам не хватит энергии, работа не будет закончена. Если вы не получите нужных «строительных материалов», конструкция вашего «здания» окажется непрочной. К счастью, для «строительства» ребенка вам не нужно быть инженером или архитектором. Развивающийся ребенок сам руководит своим «строительством».

Вам остается только обеспечивать его достаточным количеством энергии и необходимыми материалами.

Какие изменения в моем питании скорее всего произойдут во время беременности?

Ваши вкусы претерпят изменения как из-за иных потребностей, так и вследствие перестройки в работе желудочно-кишечного тракта. Иногда ваш организм проявит мудрость, заставляя вас хотеть именно те продукты, которые вам необходимы, например соль. В других случаях «мудрость тела» оказывается не такой уж мудрой. Вы можете испытывать тягу к тому, что вам совсем не нужно, скажем, к горячему сладкому десерту (иногда это полезно для души, но редко отражает потребности организма). Поэтому, прежде чем поддаться своим желаниям, рассудив, что организму лучше знать, еще раз сверьте их с принципами правильного питания.

Скорее всего вам захочется есть более легкую пищу, меньшими порциями, медленнее и чаще. Иногда вы будете съедать совсем мало, не больше младенца, а иногда вам придется есть целый день, пытаясь утолить неисчезающий голод. Вам не нужно делать никаких сознательных усилий — организм сам убедит вас действовать тем или иным образом. Вялое пищеварение, обычно сопровождающее беременность, громко заявит о своих предпочтениях. Через некоторое время вы уже будете знать, какая пища подходит вашей пищеварительной системе, как часто и сколько нужно есть.

Что в действительности означает «сбалансированная» диета во время беременности?

Несмотря на существование общих принципов полноценного питания, применимых ко всем беременным женщинам, будущая мать должна составить собственную диету из тех продуктов, которые принимает ее организм. В двух словах: «сбалансированное питание» — это нужное количество пищи и правильный ее состав.

Однако не стоит стремиться к ежедневному сбалансированному рациону. Сочетание тяги к различной пище, колебаний аппетита, изменений образа жизни и других аспектов беременности, а также просто человеческая природа приводят к тому, что вы не потребляете «правильного» количества пищи в «правильных» пропорциях каждый день, — да этого и не требуется. У вашего организма есть удивительная способность делать запасы поступающих с пищей веществ. Сегодня вы недополучаете важного питательного вещества, а завтра можете получить его больше, чтобы компенсировать недостаток. Организм распознает этот изменчивый ритм, запасает излишки (за исключением нескольких жизненно важных веществ) и расходует

их тогда, когда они требуются вам или вашему ребенку. Чем думать о сбалансированном обеде или ужине, лучше позаботьтесь о сбалансированной неделе.

Какие продукты мне лучше есть во время беременности и в каких количествах?

В зависимости от того, насколько интенсивно вы занимаетесь физическими упражнениями и каков был ваш вес до беременности (избыточный или недостаточный), вам необходимо от 300 до 500 дополнительных калорий в день, чтобы обеспечить адекватное питание себе и своему ребенку. Беременной женщине, ведущей сидячий образ жизни, может потребоваться всего 300 калорий, а активной будущей матери, вынужденной весь день присматривать за маленькими детьми, понадобятся все 500. Вероятно, вы удивитесь, как мало дополнительной пищи для этого может потребоваться (300 калорий содержатся в двух стаканах нежирного молока и кусочке хлеба с маслом; 500 калорий содержатся в трех стаканах нежирного молока и двух кусочках хлеба с маслом).

Несмотря на то, что потребность в калориях во время беременности увеличивается всего на 20 процентов, потребность в некоторых питательных веществах возрастает на 50 или даже на 100 процентов. Таким образом, вам потребуется есть лишь немного больше, но тщательнее подходить к выбору продуктов. Другими словами, во время беременности вам нужно немного увеличить *количество*, но обратить серьезное внимание на *качество* пищи. Это означает, что необходимо отдавать предпочтение продуктам, в которых на одну калорию приходится больше питательных веществ, то есть богатых белком, кальцием и железом, но низкокалорийных. Вот несколько богатых питательными веществами продуктов, которые включают в свой рацион почти все беременные женщины:

- нежирный творог
- нежирный йогурт
- тофу
- рыба: тунец и лосось
- бобовые: фасоль, нут (турецкий горох)
- яйца
- мясо индейки

А вот один из любимых рецептов Марты:

Салат для беременных

240 г нежирного творога
120 г тунца в собственном соку
120 г фасоли
120 г нута (турецкого гороха)
3 чашки темно-зеленого салата-латука

Все перемешать и обильно спрыснуть лимонным соком.

Этот салат содержит около 600 калорий, 75 граммов белка (около трети ежедневной потребности), 350 миллиграммов кальция (примерно 20 процентов ежедневной потребности) и 8—9 миллиграммов железа (около 20 процентов ежедневной потребности). Для аромата (еще 125 калорий) добавьте столовую ложку оливкового масла холодной выжимки. И последний штрих (еще 80 калорий) — посыпьте салат столовой ложкой сырых семян подсолнечника. Этот салат не только питателен, но и вызывает чувство насыщения. Некоторые женщины обнаруживают, что не могут справиться с таким количеством за один раз и им приходится готовить половинную порцию или есть это блюдо на протяжении всего дня.

Я придерживаюсь вегетарианской диеты и великолепно себя чувствую, но я волнуюсь, что такого питания будет недостаточно для меня самой и моего ребенка на последних месяцах беременности. Нужно ли мне внести изменения в свой рацион?

Большая часть населения Земли относится к вегетарианцам, и при этом здоровые матери, придерживающиеся вегетарианской диеты, рожают здоровых детей. Тем не менее во время беременности вам нужно задуматься о своем питании и, возможно, пойти на небольшой компромисс, чтобы обеспечить достаточное количество питательных веществ и себе, и растущему ребенку. Меньше всего в растительной пище таких веществ, как железо (в животной пище оно содержится в больших количествах и лучше усваивается из нее), витамин B_{12} (присутствует в основном в пище животного происхождения) и — если вы не получаете очень много солнечного света — витамин D (его добавляют в молочные продукты). Несмотря на то, что фолиевая кислота, как и железо, присутствует в зеленых листовых овощах, вам пришлось бы съесть огромное количество овощей — буквально пастись весь день, как травоядное, — чтобы организм получил дневную норму. Таким образом, беременные женщины, придерживающиеся вегетарианской диеты, нуждаются в пищевых добавках, содержащих железо и фолиевую кислоту, — точно так же, как и те, кто не относится к вегетарианцам.

Если ваша вегетарианская диета содержит молочные продукты и яйца, то вы можете получить нужное количество витамина D и дополнительное количество белка из этих источников, однако железа и витамина B_{12} вам все же будет не хватать, и поэтому придется принимать соответствующие пищевые добавки. Если вы не хотите принимать имеющиеся в продаже добавки, но согласны на компромисс, то 120 г рыбы ежедневно (рыбий жир, лосось, сардины, тунец) обеспечат вас необходимым количеством питательных веществ и

позволят придерживаться «почти» вегетарианской диеты во время беременности.

Если вы строгий вегетарианец (никаких яиц, молочных продуктов, мяса или рыбы), в этом случае вам нужно внимательно следить за своей диетой. Для того чтобы обеспечить своего ребенка полноценным питанием, проконсультируйтесь с диетологом, который поможет вам найти альтернативные источники питательных веществ, которыми бедна растительная пища. Придерживайтесь следующих рекомендаций, которые помогут вам получить достаточное количество питательных веществ.

● Максимально увеличьте усвоение железа, сочетая источники железа растительного происхождения с продуктами, богатыми витамином С (например, цитрусовыми, земляникой, киви, зеленым перцем).

● Обязательно проинформируйте наблюдающего за вами врача, что вы придерживаетесь строгой вегетарианской диеты, и не реже одного раза в месяц проверяйте уровень гемоглобина в крови. Если вы ощущаете слабость и при нормальном уровне гемоглобина, врач может определить у вас уровень ферритина в крови, что гораздо точнее отражает содержание железа в тканях.

● Если врач назначил вам препараты железа, постарайтесь избавить себя от неприятных ощущений и принимайте эти препараты небольшими дозами во время еды — например, 100 миллиграммов сульфата железа в таблетках три раза в день вместо 300 миллиграммов за один прием. Чтобы повысить степень усвоения железа из этих таблеток, одновременно с ними принимайте 100 миллиграммов витамина С.

● Солнечный свет является ценным источником витамина D. Пасмурные дни, холодный климат, многослойная одежда и растущее осознание того факта, что загар способствует развитию рака кожи — все это сделало солнечный свет ненадежным и нежелательным источником витамина D. Организм не делает запасы витамина D, и поэтому вам ежедневно нужно принимать содержащие его препараты. Избыток витамина D тоже не выводится из организма — так что следите за тем, чтобы не превышать рекомендуемую дозу, которая составляет 400 единиц в день.

● Вам понадобятся пищевые добавки с витамином B$_{12}$, поскольку источником этого витамина служит в основном пища животного происхождения. Проконсультируйтесь по этому вопросу с наблюдающим вас врачом. Некоторое количество витамина B$_{12}$ содержится в дрожжах, зародышах пшеницы и цельном зерне.

Я не ем мяса, но употребляю в пищу все остальное, включая птицу и рыбу. Будет ли мое питание и питание моего ребенка в этом случае полноценным?

Да. В мясе нет необходимых вам и вашему ребенку питательных веществ, которые отсутствуют в птице или рыбе. Возможно, вам будет приятно узнать, что рыба питательнее любого мяса. Вы избавляете себя от лишних жиров, которые содержатся в мясе, и, кроме того, вам не нужно беспокоиться из-за всевозможных добавок (гормонов и антибиотиков), которые могут присутствовать в говядине и мясе птицы. Морская рыба считается безопаснее пресноводной, поскольку последняя может быть загрязнена ртутью и соединениями хлора; если вы покупаете пресноводную рыбу, попытайтесь проверить чистоту водоема, в которой ее выловили. Рыба, выросшая в естественной среде, обычно бывает более вкусной и менее жирной, чем та, что разводят на фермах.

Я очень занятой человек. Очень часто мне приходится проглатывать завтрак на ходу, обедать на скорую руку, а ужин для нас с мужем заказывать в ресторане. Забеременев, я начинаю волноваться из-за своего неправильного питания. Как совместить быстроту и качество?

Нельзя путать четыре основные группы продуктов с «Макдоналдсом», пиццей, «Tako Bell» и KFC. Один из самых важных уроков, который должна усвоить работающая женщина, вынашивающая ребенка, заключается в том, что ей необходимо «притормозить». Для этого вам не понадобится делать никаких сознательных усилий. Ваш организм обязательно пошлет — если он этого еще не сделал — вам недвусмысленное сообщение, чтобы вы снизили темп и жизни, и еды. До беременности ваши привычки нерегулярного и нездорового питания сходили вам с рук. Организм прощал вам беспорядочное питание и не обращал внимания на ваши слабости. Теперь, когда вам приходится кормить еще одного человека, а ваше тело требует более внимательного подхода к питанию, вам не нужно торопиться: читайте этикетки, изучайте меню и не стесняйтесь отменить ранее сделанный заказ.

«Быстрая еда» может быть одновременно питательной, если вы не выходите за границы здравого смысла. Если состав и питательная ценность продукта не указаны на этикетке, поинтересуйтесь этой информацией у продавца. Многие рестораны быстрого питания предлагают уже готовые салаты или дают возможность самому смешать салат из различных ингредиентов. В современных супермаркетах всегда есть закусочные с овощными блюдами или другие места, где можно взять «на вынос» питательные блюда. Для салата используйте собственную заправку или берите уксус с растительным маслом. Иногда можно побаловать себя гамбургером, но лучше перейти на овощные гамбургеры — если вы еще этого не сделали. Чаще заходите в одно и то же заведение и просите, чтобы вам готовили блюда так, как вы этого хотите. Попросите взять для гамбургера булочку из неочищенной муки, откажитесь от майонеза, удвойте количество салата и помидоров, а также попросите повара промокнуть лишний жир бумажной салфеткой, прежде чем он положит гамбургер между двумя половинками булки. Вместо содовой воды пейте сок (дома отдавайте предпочтение нектару, который более питателен и служит натуральным слабительным средством), чипсы замените фруктами и откажитесь от коктейлей (более полезный их заменитель — это коктейль из замороженного йогурта домашнего приготовления). Вместо богатой жирами заправки для салата попробуйте следующий рецепт: немного масла, уксус, тертый сыр и орехи. Сметану и масло, которыми вы смазываете печеный картофель, замените на нежирный йогурт. К оладьям лучше подавать не сладкий сироп, а свежие фрукты. Откажитесь от богатых жирами десертов и замените их купленным в ближайшем ночном магазине яблоком или апельсином. На работе перекусывайте не пончиками, а йогуртом, изюмом, орехами и сухофруктами, запивая все это минеральной водой.

Мы с мужем следим за количеством потребляемого холестерина. Мы едим постное мясо, птицу без шкурки, продукты с низким содержанием жира. Нужно ли мне теперь, во время беременности, по-прежнему ограничивать холестерин или мы с ребенком нуждаемся в большем его количестве?

Растущему организму требуется больше холестерина. Есть две группы людей, которые могут и должны баловать себя богатой холестерином пищей: маленькие дети и беременные женщины. Холестерин жизненно необходим для развития мозга ребенка, и ваш организм автоматически откликается на возросшую потребность в этом веществе, увеличивая его синтез не менее чем на 25 процентов. Вам не нужно сознательно увеличивать количество холестерина в потребляемых продуктах, поскольку организм вырабатывает его сам, но изредка вы можете позволить себе расслабиться и съесть блюдо, богатое холестерином.

Тем не менее беременность не означает разрешения включить в свой рацион богатые холестерином продукты. Большинство таких продуктов содержит много нежелательных калорий и ненужных жиров. Кроме того, ситуация, когда вы подаете мужу низкокалорийные макароны, а сами наслаждаетесь сочным стейком, не способствует созданию благожелательной атмосферы во время семейного обеда. Продолжайте подавать пример здорового питания для остальных членов семьи. (Если вы хотите воспользоваться своим временным разрешением на упот-

ребление холестерина, делайте это тайком, не подчеркивая этого.) Не позволяйте себе вернуться к вредным привычкам, от которых будет трудно отказаться после рождения ребенка. Не давайте своим вкусовым рецепторам привыкать к жирной пище.

Теперь, после наступления беременности, я боюсь есть любые продукты, прошедшие предварительную обработку. Могут ли все эти химические соединения и добавки повредить моему ребенку?

Разумеется, беременность не означает, что вы сами должны выращивать себе продукты питания или удить рыбу, однако она требует от вас повышенного внимания к этикеткам. Организм — по крайней мере до беременности — обладает замечательной способностью избавляться от ненужных и часто небезопасных веществ. Тем не менее не стоит распространять этот бесцеремонный подход к диете, весьма распространенный в наше время, на ребенка в утробе матери.

Химические вещества, которые добавляются в пищу, признаны безопасными различными федеральными учреждениями. Однако эта «безопасность» не дает 100-процентной уверенности. Дело в том, что данные о безопасности того или иного соединения получаются из сложных статистических расчетов или приходят из лабораторий, где исследователи кормят ничего не подозревающих

Учимся читать этикетки

Ради собственной безопасности и безопасности своего ребенка вам нужно научиться понимать язык этикеток. Ингредиенты продукта перечисляются на них в определенном порядке: основной идет первым, затем следующий по значению и так далее — в порядке убывания. Полезной может быть информация о количестве белков, углеводов, жиров и калорий, содержащихся в продукте. Это поможет вам в подсчете количества потребляемых калорий и белков, а также в ограничении жира.

Обращайте внимание на названия сахаров. На этикетке может быть указано содержание сахара или содержание сахарозы и декстрозы, которые — хоть их названия звучат «здоровее» — тоже относятся к сахарам. Еще одни распространенные подсластители — это кукурузный и фруктовый сироп, которые маскируются под натуральные, но содержат еще больше калорий, чем старый добрый сахар. В состав некоторых продуктов может входить два или три подсластителя; если сложить их количество, то они могут превратиться в основной ингредиент.

Термин «натуральный» может вводить в заблуждение. Он предполагает такие толкования, как «домашнего приготовления», «выращенный в домашних условиях» и «свежий», тогда как на самом деле он означает, что продукт изготовлен из ингредиентов натурального, а не искусственного происхождения. Остерегайтесь надписей «витаминизированный» и «обогащенный». Это означает, что в продукт добавлены витамины и минералы — обычно из-за того, что эти вещества были утеряны при обработке. Если у вас аллергия на молоко, обращайте внимание на производные молока, такие, как казеин и сыворотка.

Следует придерживаться одного общего правила: если вы не можете произнести название ингредиента, не ешьте его! В настоящее время нет смысла и необходимости самому выращивать, ловить или стрелять себе пищу, однако следует побродить по супермаркету, чтобы найти наиболее подходящие продукты для себя и своего ребенка.

крыс нереально высокими дозами этого вещества. Гораздо меньше нам известно о том, как эти вещества воздействуют на человека. К осторожности в выборе продуктов питания во время беременности — но не переходящей в паранойю — вас должны подталкивать два обстоятельства. Во-первых, наши знания о пестицидах и химических добавках

Некоторые советы по рациональному питанию для будущих матерей

1. Не все калории равноценны. Питательные вещества содержатся в любой пище, однако одни продукты богаче ими, чем другие. Продукты с «пустыми калориями» содержат калории, но в них очень мало остальных веществ, необходимых вашему организму. Оцените концепцию продуктов с высокой «питательной плотностью» (nutrient-dense), в которых на единицу объема приходится максимум питательных веществ и разумное количество калорий. Считается, что продукты, в которых содержится мало питательных веществ и много калорий (пустых), обладают низкой питательной плотностью. Ключ к здоровому питанию во время беременности — это эффективная диета, состоящая из продуктов с высокой питательной плотностью, которые содержат как необходимые вам питательные вещества, так и калории.

2. Crossover позволяет удовлетворить различные вкусы. Симпатии и антипатии к определенной пище — это часть человеческой природы, а во время беременности эта природа проявляется как никогда сильно. Поэтому не стоит волноваться, если во время беременности у вас появится отвращение к брокколи, поскольку те же самые питательные вещества вы получите из продуктов, которые вам нравятся. Диетологи называют это явление Crossover. Ежедневное «обязательное» меню беременной женщины может быть чрезвычайно разнообразным.

3. Избыточные калории превращаются в излишек жира. Потребление чрезмерного количества калорий (независимо от их источника) приведет к увеличению веса ребенка, причем за счет лишнего жира. На практике лишний вес означает лишний жир. (Прибавка веса возможна и за счет увеличения объема мышц, но это относится к культуристам, а не к беременным женщинам.) Для каждого человека можно определить его основную потребность в калориях, то есть минимальное количество калорий, необходимых для роста и функционирования организма. Если калорийность вашей пищи будет меньше этого необходимого минимума, то организм начнет расходовать запасы жира; если вы потребляете больше калорий, то запасы жира начнут расти.

4. Считается каждый кусочек. Возможно, вы удивитесь, когда узнаете, как даже небольшое количество пищи может отразиться на вашем теле. Одно дополнительное шоколадное печенье каждый день (сверх необходимой нормы калорий) приведет к тому, что жировые запасы у вас будут ежемесячно увеличиваться на 0,5 кг — то есть 4,5 кг жира за девять месяцев, которые вам нужно будет сбрасывать после родов. К сожалению, большинству людей легче накапливать жир, чем сбрасывать его. Подумайте о том, сколько усилий вам придется потратить, чтобы избавиться от лишних 4,5 кг, набранных во время беременности из-за привычки грызть шоколадное печенье. Для сжигания 500 калорий потребуется не менее часа интенсивных физических упражнений — то есть для сжигания 3500 калорий, содержащихся в одном фунте жира, вам придется в течение недели один час в день посвящать интенсивным занятиям спортом.

5. Помимо рационального питания, следить за весом вам помогут физические упражнения. Часовая ежедневная прогулка полезна не только для психики, но и для тела. Физическая нагрузка сжигает калории из лишних жировых запасов, и этот метод контроля за весом гораздо полезнее, чем строгая диета, при которой вы подвергаетесь риску недостаточного питания. Кроме того, двигательная активность способствует выработке гормона эндорфина, который повышает ваше настроение.

6. Излишек жиров в пище приводит к излишку жира в организме. Один грамм жиров содержит 9 калорий — в два раза больше, чем один грамм белков или углеводов. Это обстоятельство делает жир более эффективным «топливом». Однако именно жиры вносят наибольший вклад в излишний вес. Жировая ткань тела — это энергетические запасы. В них нуждаются все люди, а беременная женщина — тем более. Однако излишек жира в пище очень быстро откладывается в виде запасов, которые вам могут никогда не понадобиться.

7. Оцените значение клетчатки. Беременным женщинам требуется дополнительное количество клетчатки, чтобы ускорить прохождение непереваренных остатков пищи через вялый кишечник. Больше всего клетчатки содержится в сырых овощах и фруктах, цельном зерне и бобовых, особенно в сливах, грушах, горохе и семенах подорожника (похожее на отруби натуральное слабительное, продающееся во всех магазинах природных продуктов).

нельзя считать исчерпывающими; то же самое относится и к беременности. Мы знаем только о серьезных проблемах, которые возникают из-за потребления больших доз того

или иного соединения, но нам очень мало или вообще ничего не известно о слабых эффектах малых доз. К еще большей осторожности должен призывать тот факт, что еще не до конца сформировавшаяся выделительная система плода не так хорошо справляется с токсинами, как выделительная система взрослого человека. Следовательно, любое вредное вещество может оставаться в органах ребенка (например, в печени) большее время и в более высокой концентрации, чем в органах матери, что увеличивает опасность.

Я вынашиваю близнецов. Насколько усиленным должно быть мое питание?

Вам вряд ли придется есть в два раза больше, потому что вы вынашиваете двух малышей, но вам потребуется большее количество калорий, белков, витаминов, кальция и железа. Ежедневно вам понадобятся дополнительные 250 калорий, 25 граммов белка, 20 миллиграммов препарата железа и повышенная доза фолиевой кислоты, которую определит врач.

Подсчет нормальной прибавки веса

Возможно, беременность — это единственный период в вашей жизни, когда вы с радостью следите, как стрелка весов с каждым разом останавливается на более высокой цифре. Как правило, это непривычное ощущение для тех, кто привык следить за своим весом. Вам придется изменить свой психологический настрой и научиться улыбаться этим ежемесячным прибавкам. Как бы там

ни было, этот дополнительный вес не связан с накоплением жира. В вашем организме происходит чудо.

Даже если вы понимаете, что беременность неизбежно связана с прибавкой веса, у вас обязательно возникнут вопросы, какое увеличение веса вам нужно считать чрезмерным, какое недостаточным, а какое нормальным. Слишком маленькая прибавка веса может быть вредна ребенку, а слишком большая — вам самой. У будущих матерей, которые плохо питаются, повышается риск рождения недоношенного ребенка, а у женщин, которые слишком сильно набирают вес, повышается вероятность развития осложнений во время беременности, а также вероятность трудных родов.

Наиболее распространенные вопросы относительно прибавки веса во время беременности

Какая прибавка веса считается нормальной для меня и моего ребенка?

В настоящее время нормой считается прибавка веса от 11 до 15 кг. Ближе к какой границе этого диапазона вы окажетесь, зависит от двух факторов: от типа телосложения и от того, каким был ваш вес до начала беременности: избыточным, недостаточным или близким к идеальному. Высокие и худые женщины (астенический тип) обычно меньше прибавляют в весе, чем низкие и полные (пикнический тип), а женщины среднего телосложения попадают примерно в середину диапазона 11 — 15 кг.

Если в начале беременности у вас недостаточный вес, то вам, вероятно, придется поправиться больше, чтобы уплатить долг своему телу. Если к беременности вы подошли с избыточным весом, вам, возможно, нужно будет прибавить чуть меньше. Всем беременным женщинам нужен жировой запас — считайте его «жиром для ребенка», — чтобы обеспечить постоянное поступление энергии к ребенку в том случае, если она будет недоедать несколько дней. Этот же запас жира даст ей необходимые калории для выработки молока после рождения ребенка. Если к началу беременности некоторый запас уже накоплен, у вас нет необходимости значительно увеличивать его. Если до беременности вы были слишком худыми, несколько лишних фунтов вам просто необходимы.

В таблицах веса для матери и плода обычно приводятся допустимые границы и средние значения. Если ваш вес не каждый месяц совпадает с тем, что указан в таблице, это не значит, что беременность развивается ненормально. Вот несколько советов, которые помогут вам оценить свою прибавку в весе.

● Если в начале беременности ваш вес близок к идеальному, то нормальная прибавка веса должна составлять от 11 до 15 кг.

● Если в начале беременности ваш вес чуть больше идеального, то нормальная прибавка веса должна составлять от 9 до 11 кг; если вы страдаете ожирением, то прибавка должна быть меньше 9 кг.

● Если в начале беременности ваш вес меньше идеального, то нормальной для вас будет прибавка в весе от 13,5 до 18 кг.

Важнее то, как вы себя чувствуете, а не то, что показывает стрелка весов. Если вы чувствуете себя хорошо, выглядите здоровой, а ваш ребенок развивается нормально, значит, вы набираете *нужный вам* вес. Если вы правильно питаетесь, то вам нет нужды беспокоиться о своем весе. Единственная причина ежемесячного контроля — выявление возможных аномалий (например, токсикоз), которые приводят к резкому набору веса. Опытные врачи знают, что прибавка в весе во время беременности сугубо индивидуальна и что она зависит от особенностей химических процессов конкретного организма. Женщина, придерживающаяся принципов рационального режима питания, может набрать немного больше «разрешенных» 15 кг, но быстро сбросить их после родов. У другой будущей матери, которая уделяет меньше внимания своему питанию, прибавка в весе может быть меньше, но сбрасывать дополнительные фунты эта женщина будет медленнее.

Как быстро я должна набирать вес?

Приблизительную норму скорости набора веса для женщины среднего телосложения с близким к идеальному весом в начале беременности можно определить следующим образом:

● 1,8 кг в первый триместр. Добавьте 0,5 кг при недостаточном весе в начале беременности и вычтите 0,5 кг при избыточном начальном весе.

● 400 г в неделю после первого триместра. Добавьте 100 г при недостаточном весе в начале беременности и вычтите 100 г при избыточном начальном весе.

● На последнем месяце считается нормальным, когда набор веса замедляется — несмотря на то, что ребенок быстро растет. Одни женщины за последний месяц прибавляют от 0,5 до 1 кг, вес других остается неизменным, а некоторые даже теряют в весе. Все это нормально.

У большинства женщин основная прибавка веса приходится на второй триместр, что совпадает с наиболее интенсивным набором веса ребенком (его вес увеличивается от одной унции до двух фунтов, то есть в тридцать два раза). Большая часть беременных женщин быстро прибавляют от 2 до 5 кг между пятнадцатой и двадцатой неделями из-

за ускоренного роста объема крови, необходимого для питания увеличивающейся матки и находящегося в ней плода. И вновь все здесь определяется индивидуальными особенностями обменных процессов (или тем, что будущая мать ни в чем себя не ограничивала в выходные или во время отпуска). Обычно такой скачок случается один раз, а затем все вновь идет своим чередом. Большинство детей набирают 90 процентов веса после пятого месяца, а 50 процентов — в течение двух последних месяцев.

Некоторые женщины поправляются на 3,5—4,5 кг в течение первых недель беременности из-за задержки жидкости в организме, а другие теряют в весе из-за постоянной тошноты и потери аппетита. Большинству женщин с нормальным весом нет нужды беспокоиться о прибавке или потере нескольких фунтов в первом триместре. Тем не менее слишком худым женщинам следует избегать потери веса в первые три месяца беременности.

Я уже на четвертом месяце, и у меня наконец-то появился аппетит. В первые три месяца я так плохо себя чувствовала, что практически не могла есть и поэтому я не прибавляла в весе. Могло ли повредить моему ребенку недостаточное питание?

Нет. Вам не о чем беспокоиться. Редкая женщина может придерживаться норм рационального питания в первом триместре, когда ее мучают приступы тошноты. Кроме того, в течение первых трех месяцев с момента зачатия ребенок прибавляет в весе всего один фунт. Практически любая женщина к началу беременности имеет достаточный запас питательных веществ для себя и своего ребенка — даже в том случае, если она почти ничего не ест в первые месяцы, для которых характерно отвращение к пище. Исследования показывают, что у большинства женщин основная прибавка веса приходится на второй триместр и что питание матери именно в этом триместре оказывает наибольшее влияние на вес новорожденного. Таким образом, ребенок потребует от вас усиленного питания только во втором триместре.

Моя беременная подруга сидит на диете — она слышала, что легче рожать маленького ребенка. Права ли она?

Нет. Она вдвойне ошибается. Во-первых, мнение о том, что маленького ребенка легче рожать, — это опасный медицинский миф. На «легкие» роды влияет множество факторов. Во-вторых, меньшие размеры из-за недостаточного питания — это не та судьба, которую пожелает любая мать своему ребенку. У новорожденных, не получавших достаточного питания (их также называют детьми с низким весом или детьми с задержкой внутриутробного развития), больший риск развития осложнений и, кроме того, они отстают в росте и развитии. Новейшие исследования показали, что у плохо питавшейся матери больше риска родить слабого ребенка.

Предупреждение на сигаретных пачках, в котором говорится, что курение может снизить вес новорожденного, не объясняет, в чем заключается опасность низкого веса младенца. В результате некоторые женщины специально продолжают курить во время беременности, не понимая, что небольшой вес ребенка и легкие роды — это не одно и то же. У ребенка, не получавшего достаточного количества питательных веществ, будут не только узкие плечи; пострадают и все остальные его органы.

Откровенно говоря, я хочу после родов как можно быстрее восстановить свою прежнюю фигуру. Что я могу делать для этого во время беременности?

Насколько быстро вы восстановите свою фигуру, зависит от того, хорошо ли вы заботились о своем теле во время беременности, а также от привычек, которые сформировались у вас раньше. Если вы до и во время беременности регулярно занимались физическими упражнениями и правильно питались, то вы восстановите фигуру быстрее, чем в том случае, когда ваше тело подойдет к родам вялым и ослабленным недостаточным питанием.

Как увеличивается ваш вес

Вес ребенка составляет от одной четверти до одной трети вашей прибавки в весе — несмотря на то, что он является центральной фигурой всего процесса. Все остальное — это вспомогательные средства, без которых не будет конечного результата.

Ребенок	3,4 кг
увеличение матки	900 г
плацента	670 г
амниотическая жидкость	900 г
увеличение груди	900 г
дополнительный объем крови и другой жидкости	3,6 кг
дополнительные запасы жира	3 кг
	~ 13,4 кг

Если вы накопите больше жира, чем необходимо вам и вашему ребенку, то после родов потребуется больше времени, чтобы избавиться от излишков. В процессе родов вы потеряете около половины набранного веса (ребенок, амниотическая жидкость и плацента). В первые несколько недель после родов вы избавитесь от излишков жидкости. Рационально питаясь и регулярно занимаясь физическими упражнениями, вы будете продолжать сбрасывать вес. Грудное вскармливание поможет избавиться от нескольких фунтов в промежутке между третьим и шестым месяцами после родов, когда выработка молока достигает максимума. Приготовьтесь, что в первые девять месяцев вам нужно будет «согнать» от 4,5 до 6 лишних килограммов. Проявите реализм — чтобы избавиться от набранного за девять месяцев веса, вам потребуются полные девять месяцев. Даже у женщин, которые придерживаются идеальной диеты и регулярно занимаются физическими упражнениями во время и после беременности, обычно сохраняется несколько лишних килограммов и после родов формы их становятся более пышными.

Я вынашиваю близнецов. Какая прибавка в весе считается для меня нормальной?

Очень часто относительно большая прибавка в весе служит первым признаком того, что вы вынашиваете не одного ребенка. Для всех приводившихся ранее средних цифр прибавьте еще 4,5 кг в случае близнецов, а если у вас трое или четверо, то еще больше.

Почему я должна так сильно прибавить в весе во время беременности и как распределяется этот лишний вес?

Возможно, эта прибавка в весе для вас нежелательна, но она абсолютно необходима. Распределяется лишний вес по трем важным областям. Естественно, это главное действующее лицо пьесы — ваш ребенок.

Во-вторых, это все вспомогательные системы, от которых он зависит: дополнительный объем крови, амниотическая жидкость, матка, плацента и ткань грудных желез. Несколько фунтов откладываются в качестве энергетического запаса, позволяющего пережить «тяжелые времена» (см. раздел «Подсчет нормальной прибавки веса»).

Я не отношусь к страстным поклонникам здорового питания и физических упражнений, и я не подсчитываю съеденные калории. Нужно ли мне все это делать, чтобы быть хорошей матерью?

Чтобы стать хорошей матерью, большинству женщин необходимо превратиться в диетолога-любителя. К хорошей новости можно отнести то, что во время беременности не нужно делать ничего особенного — только то, что вы делали бы в любом случае ради своего здоровья и благополучия. Во время беременности от вас требуется чуть больше усилий (или чуть меньше); кроме того, у вас теперь появился дополнительный стимул. Все наши советы относительно правильного питания и здорового образа жизни подойдут любому человеку. Еще важнее следовать этим рекомендациям во время беременности. Беременность помогает многим женщинам улучшить питание и направить всю семью на путь, ведущий к более здоровому образу жизни. Необходимость стать

диетологом во время беременности — это хорошая подготовка к тому, как вы будете кормить свою выросшую семью после родов.

До беременности у меня было 4,5 кг лишнего веса, и я волнуюсь, что после рождения ребенка я поправлюсь еще больше. Могу ли я во время беременности придерживаться безопасной диеты, которая не повредит ребенку?

И да, и нет. Вы можете придерживаться «диеты» в том смысле, что измените к лучшему свои привычки и станете придерживаться принципов здорового питания, но вам не нужна диета, чтобы сбросить вес. У ребенка, получавшего недостаточное питание, выше риск осложнений в процессе родов, а также задержек роста и развития. Существуют безопасные способы избавиться от лишнего жира, одновременно обеспечивая и себя, и ребенка дополнительным питанием, в котором вы оба нуждаетесь. Не забывайте, что избавиться вы собираетесь именно от жира. Вы не должны лишать себя и ребенка необходимых питательных веществ.

Во-первых, определите вашу основную потребность в калориях, то есть вычислите, сколько калорий вам необходимо потреблять каждый день, чтобы сохранить здоровье (см. ниже). Эта цифра отчасти определяется вашим телосложением. Одни люди сжигают больше калорий, чем другие. Помимо знания своего телосложения, вам полезно иметь под рукой информацию о своем прошлом весе. Быстро ли вы набираете вес — например, когда позволяете себе расслабиться во время отпуска? Завидуете ли вы подругам, которые едят в два раза больше вас, но не прибавляют в весе, тогда как вам достаточно лишь взглянуть на банановый «сплит» (сладкое блюдо из разрезанных пополам фруктов с орехами и мороженым сверху), и вы начинаете чувствовать, что толстеете? У каждого из нас скорость сжигания калорий запрограммирована генетически. Если вам всегда приходилось следить за своим весом, то во время беременности придется делать это еще тщательнее. Однако один из принципов диетологии, гласящий, что, «чем худее тело, тем меньше поводов для беспокойства», не всегда применим к беременным женщинам. Даже некоторые астеники при невнимательном отношении к своему питанию могут попасть в категорию тучных.

В среднем беременной женщине необходимо около 2500 калорий в день (2200 для себя и 300 для ребенка). Женщинам, с высокой скоростью обменных процессов или ведущим активную жизнь, дополнительно требуется еще 300 калорий; женщинам с низкой скоростью обменных процессов или тем, кто ведет пассивный образ жизни, требуется на 300 калорий меньше. Таким

образом, ваша ежедневная норма составляет от 2200 до 2800 калорий. Чтобы более точно определить именно вашу норму, проконсультируйтесь с диетологом. Потребляйте столько калорий, сколько вам необходимо, — не больше.

Еще один способ контролировать свой вес — это увеличить интенсивность физических упражнений. *Во время беременности избавляться от лишнего жира при помощи физических упражнений безопаснее, чем при помощи диеты.* Физическая нагрузка сжигает излишки жира, а в сочетании с правильным питанием не лишает вашего ребенка необходимых для его развития веществ. Один час в день непрерывных размеренных упражнений (плавание, быстрая ходьба, велосипед) приводит к сжиганию от 300 до 400 калорий, в результате чего вы не прибавляете или теряете один фунт за девять — двенадцать дней. Кроме того, физические упражнения являются естественным средством поднятия настроения и уменьшения тревоги, и поэтому они уменьшают тягу к пище ради получения удовольствия.

Сочетание здорового питания без избытка калорий с физическими упражнениями в течение одного часа в день повысит ваши шансы подойти к окончанию беременности с меньшим — или по крайней мере таким же — количеством жира, как до беременности.

Чтобы избавиться от излишков

жира и в то же время обеспечить растущие потребности своего организма и питание ребенка, придерживайтесь следующих рекомендаций, касающихся ограничения жиров в потребляемой вами пище:

● Старайтесь не использовать еду в качестве вознаграждения или как средство для поднятия настроения (если только депрессия не угнетает ваш аппетит и вам нужно заставить себя поесть). Удовлетворяйте свою потребность в еде ради получения удовольствия более полезными для здоровья альтернативами, от которых не прибавляется вес: пройдитесь по магазинам, пригласите в гости подругу, почитайте книгу, сходите в кино. Беременность — это великолепное время для занятий любимым делом или тем, что вы всегда откладывали «на потом». Материнство может быть еще одним толчком разобраться в своих желаниях и посвятить себя тому, что вам действительно нравится.

● Поскольку во время беременности вам все время необходимо что-нибудь грызть, носите с собой запас питательных и полезных продуктов, который должен быть всегда под рукой. Сделайте труднодоступными любимые продукты, обладающие наименьшей питательной ценностью. Отнесите их в самую дальнюю комнату, а еще лучше — вообще не держите их в доме. Так вы не только призовете себе на помощь принцип «с глаз долой — из желудка вон», но

в качестве наказания будете вынуждены потратить лишние калории, отправляясь в магазин, чтобы удовлетворить свое желание.

● Боритесь с излишками жира до того, как вы его съедите, — это легче, чем «сгонять» его несколько месяцев спустя. Удаляйте жирную шкурку с птицы, срезайте жир с мяса. После приготовления мяса промокните бумажным полотенцем оставшийся на нем жирный соус.

● Отдавайте предпочтение продуктам с низким содержанием жира (см. раздел «Учимся читать этикетки»). Откажитесь от майонеза при приготовлении сандвичей и заправок для салата. Замените сметану и масло для печеного картофеля нежирным процеженным йогуртом (удаление некоторого количества жидкости при процеживании делает йогурт более густым). В магазине практически любому продукту можно подобрать менее жирную альтернативу. Однако при выборе продуктов с низким содержанием жира нужно внимательно читать этикетки: во многих обезжиренных продуктах его все равно больше, чем нужно.

Попытки сбросить вес во время беременности всегда несут в себе определенный риск, однако это можно сделать безопасно. Вместе с наблюдающим вас врачом и диетологом следите за своим питанием и ежемесячно измеряйте прибавку в весе. Возможно, вам время от времени придется вносить коррективы в уровень физической нагрузки и диету. Не стремитесь к полному отсутствию жира во время беременности. Общее увеличение жировых отложений в организме во время беременности — это нормальный процесс. Просто постарайтесь держать его под контролем. Если вы будете вести здоровый образ жизни и правильно питаться во время беременности, прибавка веса, скорее всего, не выйдет за пределы вашей нормы.

Может быть, когда-нибудь я влезу в свою старую одежду. Теперь же она висит в шкафу и всем своим видом жалобно просит: «Пожалуйста, спрячь меня подальше».

Неплохо было бы влезть в свои старые джинсы — но это не является обязательным условием счастливой жизни.

Я была очень обеспокоена тем, чтобы не набрать большего веса, чем необходимо, и впадала в депрессию после каждого ежемесячного взвешивания. В конце концов я перестала смотреть на стрелку весов и попросила врача не сообщать мне результаты взвешивания. Если врач не делал никаких замечаний относительно моего веса, я считала, что все в норме.

Мои эмоции: _____
_____
_____
_____

Мои физические ощущения: _____
_____
_____
_____

Мои мысли о ребенке: _____
_____
_____
_____

Что я ем: _____
_____

Щадящие желудок продукты (запомните этот список до дня родов): _____
_____
_____

Тяга к определенной пище: _____
_____

Мои главные тревоги: _____
_____
_____

Мои главные радости: _____
_____

Так в ожидании малыша

Мои главные проблемы:_____

_____

_____

_____

_____

Вопросы, которые у меня возникли, и ответы на них: _____

_____

_____

_____

_____

Обследования и их результаты; моя реакция: _____

_____

_____

_____

_____

Мой вес:_____

Мое кровяное давление:_____

Как я представляю себе своего ребенка:_____

_____

_____

_____

_____

Что я сказала бы ребенку, если бы он мог меня слышать: _____

_____

_____

_____

_____

фотография на втором месяце беременности

Комментарии: _____

_____

_____

_____

_____

_____

_____

_____

_____

_____

_____

_____

_____

_____

ВИЗИТ К ВРАЧУ:
ТРЕТИЙ МЕСЯЦ (9 — 12 НЕДЕЛЬ)

Что вас может ждать во время визита к врачу в этом месяце:

- обследование живота, чтобы определить верхнюю границу матки
- исследование размеров и высоты матки
- анализы крови: гемоглобин и гематокрит
- анализ мочи на наличие инфекций, на сахар и белок
- проверка веса и давления
- возможность услышать удары сердца ребенка при помощи ультразвукового аппарата с допплеровской функцией
- обсуждение рекомендуемых обследований: ультразвук, биопсия хориона, амниоцентез, тест на альфа-фетопротеин и внутриутробный скрининг для выявления возможных генетических аномалий
- обследование на наличие отеков рук и ног и возможную задержку жидкости
- возможность обсудить свои чувства и проблемы

Третий месяц — почти заметно

МНОГИЕ ЖЕНЩИНЫ ОБНА-РУЖИВАЮТ, что в этом месяце напоминающие о беременности неприятные физические ощущения (постоянная усталость и приступы утреннего недомогания) начинают ослабевать, и, хотя беременность внешне еще не заметна, джинсы уже становятся тесноваты. (У женщин, вынашивающих второго или третьего ребенка, беременность становится заметной раньше.) К третьему месяцу вы скорее всего начинаете уставать от отсутствия таких необходимых вам внимания и заботы. В первом триместре вы ощущаете себя беременной — усталость, тошнота, раздражительность, вспыльчивость и быстрая смена настроений, — даже если ваше тело еще скрывает от окружающих, что происходит у него внутри. Поэтому ваши друзья, родственники и особенно супруг, возможно, не проявляют к вам должного сочувствия или не оказывают необходимой помощи.

ВОЗМОЖНЫЕ ЭМОЦИИ

Эмоциональные подъемы и спады, характерные для первых двух месяцев, могут продолжиться и в третьем. Хорошей новостью можно считать тот факт, что на третьем месяце уровень гормонов беременности в вашей крови достигнет максимума и их побочные эффекты больше не усилятся. У большинства женщин к концу двенадцатой недели почти постоянное чувство ПМС начнет ослабевать.

В первые два месяца я почти все время плакала. Мой муж удивлялся: «Что происходит? Ты же никогда не плачешь?»

Уверенность. Страх выкидыша, превалировавший на протяжении первых двух месяцев, теперь существенно ослабевает, поскольку большая часть выкидышей приходится на первые восемь недель. Если у вас уже был выкидыш, то в начале третьего месяца вы, возможно, с облегче-

Не волнуйтесь

Некоторые женщины обнаруживают, что с увеличением срока беременности растет число поводов для беспокойства. Если и до беременности у вас проявлялась склонность к излишним волнениям, то теперь эта тенденция может усилиться. Наверное, вы сначала волновались, что вам не удастся забеременеть. Забеременев, вы начали бояться возможного выкидыша. Теперь, когда беременность развивается нормально, вы волнуетесь из-за предстоящих родов и здоровья ребенка. (После родов, когда вы избавитесь от всех связанных с беременностью тревог, вы все равно будете беспокоиться, как вы приспосабливаетесь к новой роли и хорошая ли вы мать.) Ставка слишком велика, и поэтому волнение у вас может вызывать практически все: что вы едите, что пьете, чем дышите и как себя чувствуете. Более того, вы можете волноваться из-за того, что слишком много волнуетесь.

Разумеется, во время беременности у вас есть много поводов для беспокойства, но это беспокойство только усиливает дискомфорт, который вы и так ощущаете. Волнение стимулирует выработку гормонов стресса, и вам меньше всего нужна эта лишняя гормональная добавка к тому высокому уровню, с которым вам приходится иметь дело. Возможно, вас успокоит мысль, что миллионы женщин до вас благополучно перенесли нормальную беременность и родили здорового ребенка. Большинство решилось пройти через это во второй и в третий раз (а некоторые и больше!).

Почувствовав, что начинаете беспокоиться, смените направление мыслей. Думайте о радостях беременности, а не о связанных с ней проблемах. Сосредоточьте свое внимание на чуде, которое происходит внутри вас, а не на внешних изменениях в образе жизни. Если вас отнесли к категории «повышенного риска», думайте о позитивных путях снижения риска, вместо того чтобы волноваться из-за обстоятельств, которые вы не можете изменить. Кроме того, не тревожьтесь по мелочам. Зачем тратить нервные клетки на банальные проблемы, когда можно сконцентрироваться на важных вещах, которые поддаются вашему контролю, — например, как увеличить количество кальция в своем рационе.

Если вы чувствуете, что тревога вас окончательно обессилила, попробуйте сменить обстановку. Пройдитесь по магазинам. Пообедайте в ресторане. Возьмите маленький отпуск. И наконец попробуйте прибегнуть к старому средству, которое должно превратить вашу тревогу в радостное удивление: «Я делаю самую важную в мире работу — даю жизнь новому человеческому существу».

Определите, что вам больше всего нужно

Новоиспеченным матерям мы всегда даем один и тот же совет: «*Больше всего вашему ребенку нужна счастливая мать*». Это очевидное замечание справедливо и для беременности; то, что полезно матери, полезно и ребенку. Беременность дает вам прекрасную возможность разобраться в себе. Ваши мысли естественным образом обращаются вовнутрь.

В самом начале беременности подумайте о том, что вам нужно для общего благополучия. Выясните, что вам больше всего подходит; ваши склонности могут отличаться от того, что хотелось во время беременности вашим подругам. Определите, какая пища вам больше всего подходит, наиболее приемлемые физические упражнения, методы релаксации, домашние средства для снятия боли и борьбы с неприятными ощущениями. Составьте список под заголовком «Мне нужно...», повесьте его на видном месте и вносите в него дополнения по мере развития беременности. Включите в перечень ваши пожелания членам семьи и позаботьтесь о том, чтобы муж не проходил мимо этого списка. Чтобы облегчить вам эту задачу, предлагаем внести в список следующие пункты:

- Наиболее подходящая еда: _____
- Наиболее подходящие физические упражнения: _____
- Наиболее подходящие методы релаксации: _____
- Наиболее подходящие темы для разговора: _____
- Наиболее подходящий режим сна: _____
- Наиболее подходящий график работы: _____
- Наиболее подходящие занятия: _____
- Самые памятные даты: _____
- Наиболее подходящий фасон одежды: _____
- Наиболее подходящая прическа: _____
- Наиболее подходящий секс: _____
- Лучшие успокаивающие средства: _____
- Желательное поведение мужа: _____
- Наиболее подходящие книги: _____

Разумеется, ни сама жизнь, ни беременность не могут состоять из одних радостей, но, если вы не знаете, что делает вас счастливой, вы не будете стремиться к этому. Если вы все время будете сверять свою жизнь с этим списком, то скорее всего получите максимум радости от своей беременности.

нием вздохнете и позволите себе почувствовать прилив материнской любви и надежды, которые вы старались сдержать, боясь, что потеряете ребенка. Именно в этом месяце большинство женщин начинают ощущать уверенность, что они родят здорового ребенка.

Стремление к уединению. Многие женщины говорят, что на протяжении всего первого триместра, и особенно в конце, им хочется побыть в одиночестве. Возможно, это еще одно сообщение, которое подает вам природа: «притормозите», отступите назад и сначала разберитесь со своими мыслями. Это желание также является признаком того, что вы готовы познакомиться с новой жизнью, которая развивается внутри вас.

Последнее время я ощущала неимоверную усталость и была очень задумчива. Наверное, у ребенка формируются важные органы.

Беспокойство по поводу прибавки веса. На протяжении первых двух месяцев вы, вероятно, меньше волновались из-за прибавки веса, чем теперь. Скорее всего вы радовались, что в организме удерживается хоть какая-то пища. (Женщины, у которых тошнота и отвращение к пище в первые два месяца были выражены особенно сильно, могут до третьего месяца не прибавлять в весе.) Теперь, когда ваш аппетит усилился, а желудок удерживает большую часть того, что в него попадает, можно задуматься о прибавке веса, которая должна вызываться усиленным питанием. Некоторые будущие матери так радуются улучшению самочувствия, что легко мирятся с небольшой прибавкой веса.

Постарайтесь не волноваться из-за того, что вы начинаете толстеть, — беременность предполагает увеличение веса. По иронии судьбы врачи в последнее время перестали волноваться из-за прибавки веса беременных, а беспокойство самих женщин усилилось. Когда Марта вынашивала нашего второго ребенка, наблюдавший ее врач был достаточно строг.

Я весила на 4 кг больше, чем в начале своей первой беременности (60 кг против 56 — ничего страшного при росте 165 см). Но я до сих пор помню замечание врача, который заглянул в мою медицинскую карту: «Если вы не будете следить за своим весом, то превратитесь в бесформенную тушу». Времена изменились: во время третьей (шесть лет спустя) и последующих беременностей вопрос прибавки веса не поднимался вообще. Я больше прибавляла в весе и получала гораздо больше радости от беременности (разрешение на еду!).

Беспокойство о том, как вы переносите беременность. Если вы относитесь к тем немногим женщинам, у которых к концу третьего месяца утреннее недомогание не ослабевает, у вас может возникнуть вопрос, как вы переживете следующие шесть месяцев. Даже в самых тяжелых случаях к концу четвертого месяца женщина испытывает некоторое облегчение — именно на этом и нужно сосредоточиться. У некоторых женщин самочувствие улучшается настолько, что они начинают переживать, что не чувствуют себя беременными. Не беспокойтесь — по мере увеличения срока вы будете чувствовать себя беременной.

Нервозность. Для этой стадии беременности характерно желание почувствовать себя «по-настоящему» беременной, когда это будет заметно по вашей фигуре и вы начнете ощущать движения ребенка. Ожидание дается особенно нелегко, если вы неважно себя чувствуете.

К концу первого триместра я устала от своей беременности. Я ощущала не ребенка, а непроходящее недомогание. Вместо чудесной округлости живота появилось вздутие от газов и лишний жир. Умом я понимала, что скоро начну чувствовать движения ребенка (и, возможно, получать удовольствие от глупой суеты, которая окружает беременную женщину), но на двенадцатой неделе я просто хандрила.

ВОЗМОЖНЫЕ ФИЗИЧЕСКИЕ ОЩУЩЕНИЯ

Уровень гормонов у вас в крови продолжает расти, и развивающийся ребенок все время напоминает о себе. Тошнота, рвота, изжога и запоры часто сохраняются и на третьем месяце, но обычно к концу месяца эти симптомы начинают ослабевать. Кроме этих ставших уже привычными симптомов, у вас могут появиться и другие ощущения.

Дискомфорт в области таза. Несмотря на то, что внешне ваша беременность еще не заметна, вы начинаете чувствовать, что в вашем животе происходит нечто очень важное. Возможно, у вас появится ощущение тяжести в нижней части живота или не очень сильная колющая боль при резкой смене положения, например когда вы садитесь из положения лежа или встаете со стула. Растущая матка растягивает удерживающие ее связки, что приводит к приступам боли в боку на уровне поясницы. Плавная перемена положения тела позволит ослабить нагрузку на связки и уменьшить связанную с этим боль. В первом триместре дискомфорт, вызванный растяжением связок, обычно бывает спорадическим и не очень сильным, напоминая скорее неприятные ощущения, чем настоящую боль. Чтобы ослабить болезненные ощущения, обусловленные растяжением связок, попробуйте выполнять следующее упражнение. Станьте на пол босиком. Для равновесия возьмитесь рукой за спинку стула и поднимите ногу, со стороны которой вы ощущаете боль, примерно на два дюйма от пола. Задержитесь в таком положении в течение 10 секунд. Повторите движение 10 раз, а затем поменяйте ноги.

Размер одежды. На третьем — пятом месяце беременности вы можете обнаружить, что старая одежда вам уже не подходит. Одежда и белье стали слишком тесными, а в наряде для будущих мам вы чувствуете себя глупо. Купите несколько брюк и юбок — на размер больше и с эластичной резинкой. Вы вновь вернетесь к ним после рождения ребенка.

Замечание Марты: В начале третьего месяца беременности я еще не была готова расстаться со своей стройной фигурой. Однажды утром я решила надеть облегающие джинсы — у меня еще сохранялась талия. С трудом застегнув пояс, я тут же почувствовала приступ тошноты. Меня чуть не вырвало. Я поняла, что мне нужно срочно вносить изменения и в гардероб, и в отношение к своему телу. Я привыкла гордиться своей тонкой талией, но теперь мне придется отступить перед медленно увеличивающимся животом, который выдает мое состояние.

Вы слышите новую жизнь. К концу двенадцатой недели у вас с врачом появляется возможность услышать сердцебиение ребенка — при помощи ультразвукового аппарата с допплеровской функцией. Частота сердечных сокращений ребенка примерно вдвое выше вашей и на слух воспринимается как «причмокивание». Возможно, вы ожидаете услышать слабое трепыхание сердца, а не громкие удары, которые раздаются из ультразвукового аппарата. Вы будете удивлены, насколько мощно звучат удары сердца вашего ребенка. Только не забывайте, что аппарат многократно усиливает звук.

Я была не готова к тому, какое сильное впечатление произведут на меня звуки работающего сердца ребенка. У меня перехватило дыхание, когда я впервые услышала эти ритмичные удары. В следующий раз на прием к врачу я взяла с собой свекровь. Я забыла, что в ее времена эта технология еще была недоступна, и не подготовила ее. Когда свекровь услышала удары сердца ребенка, она широко раскрыла глаза и расплакалась. Это был потрясающий момент.

Дальнейшие изменения грудных желез. Ваша грудь продолжает увеличиваться, чтобы вы могли кормить своего ребенка после родов. К концу этого месяца соски скорее всего значительно увеличатся, а темный околососковый кружок будет занимать существенную часть груди. В народе говорят, что это потемнение облегчает новорожденному задачу нахождения материнской груди. Привыкание к необычным ощущениям и новому виду вашей груди подготовит вас к изменениям, которые произойдут с вашим телом позже. Если вас волнует, сможете ли вы привыкнуть к своему новому виду, и вас не радуют грядущие изменения, теперь самое подходящее время разобраться в своих чувствах.

Почувствуйте,
как увеличивается ваша матка

Опорожните мочевой пузырь, ложитесь на спину, расслабьте мышцы живота и ощупайте область выше тазовой кости (см. рисунок). Высота увеличивающейся матки у разных женщин может быть разной, но на рисунке показан процесс увеличения матки у большинства беременных женщин. К двенадцатой неделе вы почувствуете, что верхняя часть матки выступает за лобковую кость. (При следующих беременностях вы, возможно, прощупаете свою матку раньше, поскольку уже приобрели некоторый опыт, а мышцы живота у вас стали слабее.) Может быть, вы все время будете ощущать эту плотную округлость, ожидая первых движений ребенка; возможно, вам даже покажется, что вы ощутили это движение. К шестнадцатой неделе вы прощупаете нечто вроде дыни между лобковой костью и пупком. К двадцатой неделе матка достигнет уровня пупка. При каждом посещении врача вам будут измерять размеры матки, которые могут дать приблизительную оценку, правильно ли развивается ваш ребенок и не вынашиваете ли вы близнецов. (Если у вас не получается нащупать матку, попросите врача, чтобы он научил вас.) Если вам еще не назначали ультразвукового исследования, то прощупывание матки может дать убедительные доказательства того, что в ней действительно находится ребенок. (Первых толчков ребенка вам придется ждать еще месяц или два.) Возможно, эта процедура положит начало распространенной привычке беременных женщин класть руки на живот — как подготовка к следующим месяцам, когда уже будет что обнимать.

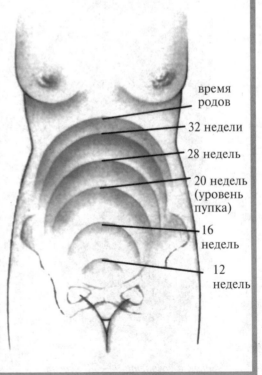

время родов

32 недели

28 недель

20 недель (уровень пупка)

16 недель

12 недель

КАК РАЗВИВАЕТСЯ ВАШ РЕБЕНОК (9—12 НЕДЕЛЬ)

Начиная с девятой недели ребенок, которого раньше называли эмбрионом, приобретает статус «плод»; к этому времени все основные органы ребенка уже сформированы, и на протяжении оставшегося срока беременности они будут развиваться и расти. В этом месяце печень, селезенка и костный мозг ребенка начи-

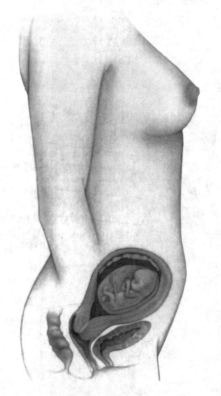

Ребенок в возрасте 9 — 12 недель

нают вырабатывать клетки крови. Желточный мешок, который раньше служил источником этих клеток, больше не нужен и начинает исчезать. Начинают формироваться зубы ребенка; к концу этого месяца в деснах ребенка образуется двенадцать крошечных зачатков зубов. Появляются ногти на руках и ногах, рудиментарные волосы, а кожа ребенка, которая все еще остается прозрачной (сквозь нее просвечивают кровеносные сосуды), начинает реагировать на прикосновение. Кишечник ребенка, который раньше был частью пуповины, перемещается в брюшную полость и покрывается кожей. Во рту формируется язык, а в горле — голосовые связки. Работает кровеносная система ребенка, а в сердце развиваются клапаны, что дает возможность услышать сердцебиение ребенка при помощи ультразвукового аппарата с допплеровской функцией. Поджелудочная железа начинает вырабатывать инсулин. До этого месяца наружные половые органы мальчиков и девочек очень похожи и клитор трудно отличить от такого же по размеру пениса. На протяжении третьего месяца происходит дифференциация наружных половых органов, и к концу месяца при помощи ультразвука можно уже определить пол ребенка.

В предыдущем месяце на голову ребенка приходилась примерно половина всего тела, но теперь туловище начало догонять голову в своем развитии, и к концу двенадцатой недели голова составляет всего лишь треть от размеров всего тела. На протяжении этого месяца ребенок быстро растет: его размеры и вес удваиваются. Его рост увеличивается с 3 см в конце второго месяца до 7,5 см к концу третьего месяца, а вес — с 15 г до 30 г. По мере того как растут туловище и шея ребенка, его склоненная голова и скрюченное тело постепенно выпрямляются. К концу месяца окончательно формируются и начинают раскрываться веки. Ребенок способен открывать рот, двигать языком, глотать амниотическую жидкость, двигать руками и ногами и даже икать. Он может толкать вас своей крошечной ножкой, но вы вряд ли почувствуете эти толчки. Кроме того, он проявляет способность к сознательным движениям, например к глотанию. Ребенок не только внешне начинает быть похожим на человека, но уже ведет себя соответственно.

ПРОБЛЕМЫ, С КОТОРЫМИ ВЫ МОЖЕТЕ СТОЛКНУТЬСЯ

Яркие сны

Гормоны, которые влияют на ваши эмоции, когда вы бодрствуете, продолжают воздействовать на вас во время сна. Понимание, почему во время беременности ваши сны становятся другими, поможет вам обратить себе на пользу эти нередко тревожные ночные мысли и фантазии.

Чем отличаются сны во время беременности. Сновидения во время беременности обычно бывают более интенсивными, яркими, тревожными и странными, чем до беременности, а иногда даже забавными. Беременные женщины говорят, что их сны становятся больше похожими на реальность, чем раньше, и что обычные повседневные проблемы в них сильно преувеличиваются. Во время беременности сновидения становятся не только более экзотичными, но и более частыми, а также лучше запоминаются. Вспомнить происходившие во сне события становится легче потому, что беременная женщина чаще просыпается ночью, нередко сразу после окончания сновидения, когда оно еще не успело стереться из ее памяти.

Я всегда видела сны, но во время беременности они были такими реалистичными! Мне снилось, что я разрешила мужу встречаться со своей бывшей подружкой, и дальше события разворачивались стремительно. Муж пригласил ее на обед по поводу моего дня рождения, а в конечном итоге сбежал с ней. Я проснулась в холодном поту, стала трясти мужа и кричать: «Как ты мог со мной так поступить?»

Почему изменяются сны. Сновидения становятся другими потому, что во время беременности изменяется ваш сон. Во время беременности, и особенно в последнем триместре, большая часть вашего сна (как днем, так и ночью) приходится на быстрый сон. В этом состоянии вы видите сны, а также более чутко реагируете на окружающую обстановку. Во время фазы быстрого сна отдыхает тело, но не мозг. Тем не менее сновидения во время беременности обусловлены не только присутствием гормонов — будущие отцы тоже говорят, что их сновидения стали более яркими, а иногда и пугающими. Будущий ребенок сулит серьезные перемены в жизни каждого члена семьи. Из-за этих изменений мозг беременной женщины всегда готов к размышлениям и самоанализу и днем, и ночью.

Мне снилось, что мы с мужем отвезли нашу двухлетнюю дочь к моим родителям и забыли ее забрать. Я думаю, что этот сон отражает мой страх, что после рождения ребенка старшая девочка будет получать меньше внимания.

Сны развиваются вместе с беременностью. Содержание сновидений во время беременности часто отражает тревоги и сомнения женщины, которые меняются с увеличением срока беременности. На ранних стадиях в снах преобладают символы плодовитости: растения в горшках, фрукты, семена, вода, океанские волны. Ближе к середине беременности в ночных фантазиях появляются дети и сновидения наполняются образами «вашего» ребенка, детей вообще и детенышей животных, например щенками и котятами. Некоторым женщинам снится, что они вовсе не беременны, и тогда они просыпаются в растерянности и страхе. Многие женщины обнаруживают, что в их снах повторяется тема «строительства», и это, возможно, является отражением их роли как создательниц новой жизни. Ближе к концу беременности сны могут превратиться в ночные кошмары: ребенок рождается с аномалиями, вы никак не можете родить, или у вас похищают младенца. В третьем триместре сновидения на другие темы тоже становятся более тревожными — возможно, вам приснятся неприятности на работе или размолвка с супругом, — но у большинства женщин кошмарные сны, как правило, связаны с ребенком. К примеру, у вас исчезает молоко как раз тогда, когда ребенок хочет есть, или вы сами совершаете что-то ужасное. Чаще всего встречается сон, в котором молодая мать роняет своего малыша.

Мне все время снятся сны об изуродованных детях. Врач говорит, что это может быть символическим отражением реальной угрозы, которую представляет ребенок для устоявшегося образа жизни и формы моего тела.

Как сделать сны лечебными. Лучше не доискиваться до смысла своих снов и не волноваться из-за их содержания. Сон, и особенно сон беременных женщин, все равно искажает и преувеличивает действительность. Поскольку сны не могут предсказывать будущее, сновидения во время беременности, и особенно те, в которых повторяется один и тот же сюжет, могут указывать скрытую тревогу и привлекать ваше внимание к тем или иным проблемам. Не стоит особо задумываться над смыслом или важностью сновидений, однако некоторые беременные женщины считают, что размышления над их содержанием способны снять большую часть тревог. Многим будущим мамам помогает следующий прием: они записывают неприятный сон, а затем сочиняют к нему счастливый конец. Если во сне у вас родился урод, это означает, что у вас нормальный, здоровый страх, присущий каждой матери.

Полезно записать сюжет, который повторяется в снах, и попытаться найти закономерность, которая может отражать ту или иную скрытую проблему. Поощряйте мужа рассказывать вам о своих снах. У него они тоже сильно меняются.

Мне все время снился сон, что я обнаружила потайные комнаты в своем доме. У нас и так достаточно места, но я все равно радовалась этим сюрпризам. Подруга сказала мне, что новые комнаты, найденные во сне, указывают на мои новые возможности. Надеюсь, это значит, что я успешно справлюсь с новыми для меня обязанностями матери.

Радость секса во время беременности

Беременность может изменить ваше отношение ко многим жизненным радостям — от приготовления обеда до занятий любовью. Ваше отношение к сексу во время беременности зависит от отношения к сексу вообще, от чувств партнера, от физических и эмоциональных перемен, которые принесла с собой эта беременность. Гарантировать мы можем только одно: во время беременности отношение к сексу изменится. Для многих женщин и их партнеров эти перемены приносят радость. Многие женщины быстрее возбуждаются, а оргазм наступает быстрее, становится более частым и интенсивным; многие мужчины считают своих беременных жен более сексуальными, чем раньше. Для одних супружеских пар беременность — это наиболее эротичный период их брака, другие переживают спад желания или удовлетворенности. Большинство семей говорят о чередующихся подъемах и спадах. К счастью, весь этот диапазон ощущений можно считать нормальным. К хорошей новости можно отнести и тот факт, что знания помогают большинству супружеских пар усилить наслаждение от секса во время беременности. Если вы и ваш супруг понимаете, почему сексуальные ощущения становятся другими во время беременности (и по той же причине на протяжении девяти месяцев после родов), то вам легче приспособиться к этому биологическому факту. Это еще одна фаза вашего брака, требующая чуткости и понимания.

В первые месяцы беременности для многих женщин усталость, тошнота и страх выкидыша превращают секс в неприятную обязанность. Во втором триместре — его называют медовым месяцем беременной — уровень гормонов в крови снижается. Усталость и утреннее недомогание обычно проходят, страх выкидыша по мере уменьшения статистического риска ослабевает, и многие женщины испытывают усиление желания. Мужчина, которому нравятся новые эротические ощущения его супруги, часто чувствует, что период ожидания, когда они были лишены секса, окупается сторицей. Повышенная чувствительность эрогенных зон до такой степени возбуждает многих женщин, что в середине беременности они испытывают самое сильное желание, какого не испытывали никогда в жизни.

Не стоит удивляться, если в последние месяцы беременности ваше тело будет слишком грузным и неловким, а мозг всецело поглощен предстоящими родами, чтобы получать удовольствие от секса. В последнем триместре, когда увеличивающийся живот в буквальном смысле встает между женщиной и ее партнером, многие будущие матери говорят, что все их мысли фокусируются на предстоящем материнстве, а не на повышении сексуальности. Заниматься любовью становится неудобно — даже если ваше тело жаждет наслаждений.

Будьте готовы к переменам. Для большинства женщин желание идет рука об руку с уровнем их энергии: снижается в первом триместре, растет в середине беременности и опять падает в конце.

Изменение половых органов. Изменения половых органов, которые происходят во время беременности, у одной женщины могут привести к усилению наслаждения, а у другой к боли. Гормоны, которые подготавливают ваше тело к родам и обеспечивают питание ребенка, изменяют и восприятие вашим телом секса. Во время беременности ваша грудь полнеет, соски увеличиваются и становятся более чувствительными; во время занятий любовью приток крови к вашей груди усиливается еще больше. Вполне возможно, что увеличившаяся грудь оказывает возбуждающее действие на партнера, но вас самих повышение чувствительности груди может не только возбуждать, но и раздражать — в зависимости от срока беременности.

Изменения во влагалище, которое готовится для прохождения ребенка в процессе родов, тоже приводят к тому, что ощущения во время занятий любовью становятся другими. Усиленный приток крови к мышцам и слизистой оболочке вагины создает ощущение наполненности. Для некоторых женщин — и их партнеров — это усиливает наслаждение, а некоторым причиняет неудобство. Вагинальная секреция усиливается, меняется ее запах. Естественным образом усиливающаяся смазка может помочь женщинам, которые страдали от сухости влагалища во время полового сношения. Для других женщин это еще один источник раздражения, который должен скоро исчезнуть. Повышенная влажность и плотность влагалища беременной женщины могут усилить сексуальное наслаждение некоторых пар. Другие могут посчитать, что наполненные кровью сосуды слишком сужают влагалище, оставляя мало места для пениса. Изменение половых органов более выражено во время второй и последующих беременностей, чем во время первой.

Благодаря притоку крови к клитору после сношения вы можете замечать у себя несколько капелек крови или пятен, причиной которых являются повреждения крошечных кровеносных сосудов головки клитора. Этой безопасной, но пугающей ситуации можно избежать, если не допускать глубокого проникновения пениса во время сношения. Если

кровотечение во время сношения беспокоит вас, партнер поможет определить, откуда выделяется кровь: из самой матки (это должно вызвать тревогу) или из поврежденных сосудов слизистой оболочки влагалища, или шейки матки.

Общение тоже изменяется. Вы обнаружите, что во время беременности язык любовных игр тоже претерпевает изменения. Вам нужно будет объяснить и показать партнеру, какие ласки усиливают наслаждение, а какие вызывают боль и неприятные ощущения. Иногда повышенная чувствительность груди и влагалища приведет к тому, что вы испытаете оргазм еще во время предварительных ласк, а иногда чрезмерная чувствительность половых органов поставит ласки груди и клитора под запрет. Чтобы получить максимум наслаждения и избежать дискомфорта, объясните партнеру, от чего вы получаете удовольствие. Если вам приятны прикосновения к груди и половым органам, поощряйте такие ласки, а если нет, направьте ласкающую руку в менее чувствительную зону.

Многое зависит от вашего отношения. Одни побочные эффекты, сопровождающие беременность, приглушают сексуальное наслаждение, а другие усиливают его. Чашу весов в ту или иную сторону может склонить ваше отношение к сексу.

Естественные процессы, которые могут усилить вашу сексуальность во время беременности, точно так же способны и охладить ваш любовный пыл. В первом триместре вы с трудом справляетесь с тошнотой и усталостью, которые обусловлены присутствием гормонов беременности, и о сексе вы думаете в самую последнюю очередь. Физический дискомфорт — это не единственное, что отдаляет беременную женщину от партнера. Непонимание происходящих процессов вызывают тревогу, которая накладывается на усталость тела. Страх повредить только что зародившейся жизни может ослабить желание и снизить частоту занятий любовью. И вам, и вашему партнеру нужно периодически получать подтверждение, что ребенок хорошо защищен от того, что происходит снаружи.

Для большинства женщин секс во время беременности безопасен. Очень редко есть основания опасаться выкидыша или того, что ребенку может быть причинен какой-либо вред (см. раздел «Когда следует воздерживаться от секса»). Секс во время беременности может быть более раскованным, чем «обычный». Возможно, впервые в жизни вы занимаетесь любовью, не боясь забеременеть или без давления необходимости забеременеть. Таким образом, секс во время беременности может быть в меньшей степени запланированным, более спонтанным. Больше не существует даты овуля-

ции и месячных, которые нужно принимать во внимание, и нет нужды думать о противозачаточных средствах. Вы получаете возможность наслаждаться непосредственностью отношений, такой редкой для пар детородного возраста. Для многих пар, и особенно тех, кто долго ждал наступления беременности, каждое занятие любовью — это повторение момента зачатия их драгоценного ребенка.

Тело беременной женщины очень красиво. Ощущение собственной сексуальности и беременность совсем не противоречат друг другу. Во время беременности многим женщинам требуется пересмотреть свое отношение к сексуальности. Дело в том, что сохранение сексуальности во время беременности в значительной степени влияет на то, как вы впоследствии будете совмещать сексуальность с материнством. Вероятно, до замужества вы связывали свою сексуальность с умением флиртовать и красиво одеваться, с тем, насколько вы похожи на фотомодель с обложки журнала. После свадьбы потребность в сексуальном внешнем виде и поведении ослабла, и ее заслонили прелести супружеской жизни. Однако по иронии судьбы ваша сексуальность, наоборот, усилилась — стабильность взаимоотношений способствует тому, что мы становимся сами собой и принимаем себя такими, какие мы есть. Затем в один прекрасный день вы обнаруживаете, что беременны, и теперь вы вновь сталкиваетесь с необходимостью осознания собственной сексуальности, как это уже происходило в один из переломных моментов вашей жизни — в подростковом возрасте. Забеременев, вы снова задаете себе вопрос: «Что это значит — ощущать свою сексуальность и вести себя соответственно?»

В биологическом смысле вы стоите на пороге высшего воплощения женской сексуальности — материнства и кормления грудью. Как бы то ни было, беременность — это веское подтверждение вашей сексуальной привлекательности. С точки зрения антропологии вы являетесь самим символом сексуальности, воплощением богини продолжения рода. Однако в самом начале беременности, в период плохого самочувствия, вы можете чувствовать себя бесполой. После устранения этого препятствия вы — если вы воспитаны в нашей в определенном смысле противоестественной культуре — наталкиваетесь на другой барьер. Ваше тело, над которым вы столько лет трудились, чтобы сделать его похожим на фигурку куклы Барби, за несколько месяцев меняется до неузнавания, разрушая сложившийся образ собственной сексуальности. Возможно, вы беспокоитесь, что ваше тело никогда уже не станет прежним, — нормальная реакция, которую исследователи ставят на второе

место среди «тревог беременности» после физического дискомфорта.

Немного найдется женщин, которые способны полностью игнорировать ценности общества и насладиться чудом, которое подарила им природа, но вы должны стараться изо всех сил. Расслабьтесь и радуйтесь виду своего тела, а также происходящим с ним изменениям. Не «зацикливайтесь» на измерении своей талии. Вы носите в себе новую жизнь! Если заложенная в вас культурная программа требует считать стройное тело красивым, напомните себе, что полнота и округлость еще больше красят беременную женщину. Расставание с девичьей фигурой дастся вам легче, если вы признаете, что уже не девочка. Даже если расхожая фраза «Ребенок оправдывает все» покажется вам не очень убедительной, вы скоро убедитесь в ее истинности. Если желание сохранить прежнюю фигуру у вас не менее сильное, чем жажда материнства, снизьте уровень своих ожиданий — шанс, что после рождения ребенка ваша фигура останется такой, как до беременности, очень невелик. Возможно, вам придется очень постараться, особенно после второй или третьей беременности, чтобы выглядеть так же, как до рождения детей. Ваши цели и требования к своему телу тоже могут измениться.

Если вы еще не готовы к восприятию своего более зрелого образа, попробуйте применить следующие приемы.

Будущему отцу

Вы могли читать или слышать, что потребность в сексе (читай: желание близости) у женщины во время беременности уменьшается, но на самом деле потребность беременной женщины в сексе (читай: в любви) возрастает. Важно понимать потребность своей беременной супруги в заботе и ласке.

Показывайте свою любовь к жене и ее изменившемуся телу. Если она чувствует, что вам нравятся и что вас даже возбуждают ее изменившиеся формы, то вы будете вознаграждены активной — как никогда раньше — сексуальной жизнью, по крайней мере в середине беременности. Если же она понимает, что ее растущий живот вас нисколько не привлекает, то ее беременность в сексуальном отношении будет ничем не примечательной. В одном из исследований ученые опросили 260 беременных женщин, предлагая им назвать причины уменьшения сексуальности во время беременности. Наиболее распространенными причинами оказались: физический дискомфорт (46 процентов), страх повредить ребенку (27 процентов), ощущение неловкости во время занятий любовью (17 процентов), предупреждения врача (8 процентов). Приятно узнать, что только 4 процента беременных женщин ощущали себя менее сексуальными из-за того, что чувствовали потерю привлекательности в глазах партнера.

Некоторые мужчины теряют интерес к сексу во время беременности супруги по причинам, напрямую не связанным с ее внешним видом или поведением. Мужчины могут бояться, что занятия любовью повредят ребенку, хотя в большинстве случаев об этом не стоит беспокоиться. К этому страху добавляются обычные для будущего отца ощущения — во время беременности жены многие мужчины чувствуют себя скорее отцом, чем сексуальным партнером. Им требуется некоторое время, чтобы совместить роли отца и любовника. Кроме того, они не сразу начинают воспринимать жену как мать их ребенка и любовницу одновременно.

Кроме того, у некоторых возникает неприятное чувство, что ребенок третий лишний. Иногда движение новой жизни, которую они с женой создали вместе, может возбудить мужчину, а иногда это движение убивает желание, когда мужчина понимает, что этот маленький непоседа находится всего в нескольких дюймах от его пениса. У многих мужчин пропадает эрекция, когда они (или их жены) внезапно чувствуют толчок ребенка.

Эта ситуация может служить репетицией будущих недоразумений, когда ребенок с плачем просыпается в разгар таких долгожданных занятий любовью. Поддержание сексуальной жизни для новоиспеченных родителей предполагает преодоление таких препятствий, как восстанавливающееся после родов тело супруги, ее (и ваша) усталость, ее сочащаяся молоком грудь и сухость влагалища, а также новое представление каждого из вас о себе самом как родителе и одновременно сексуальном партнере. В течение года после рождения ребенка секс будет другим. Возможно, эта сторона ваших отношений никогда не будет такой, как прежде. Но она может стать лучше.

Не удивляйтесь, если ваша беременная жена превратится в «тигрицу», даже если она всегда оставалась пассивной. Многие женщины во время беременности испытывают новые сексуальные желания, изумляя супруга не свойственной им ненасытностью. Некоторые мужчины теряются, когда от них требуют большей интимности, чем они могут предложить; кроме того, ощущение, что вас принуждают к сексу, может лишить вас сил. Не отступайте! Обычно в первом триместре жена не в состоянии удовлетворить ваши сексуальные потребности, а во втором триместре вы меняетесь ролями. Не тревожьтесь, если вы не всегда оказываетесь на высоте положения, особенно при опробывании новых позиций. Возможно, вам потребуется некоторое время, чтобы приспособиться к изменившемуся телу партнерши. Сужение влагалища и его обильная смазка могут привести к потере эрекции еще до того, как вы привыкнете к новым ощущениям. Не стоит чувствовать себя обманутым, если во втором триместре у вашей жены не наблюдается гиперсексуальности, которую вы ожидали. Возможно, она плохо себя чувствует, слишком застенчива или просто очень устала.

Ваши сексуальные радости, вероятно, пойдут на спад в последнем триместре, когда интерес жены к сексу уменьшится. Ощущение вины от того, что вы наслаждаетесь сексом, а она нет — это нормально. Такова сексуальная жизнь пары, которая ждет ребенка. Обсудите друг с другом свои желания и попытайтесь найти способ удовлетворить вас обоих. Понимание и уважение сексуальных потребностей друг друга во время беременности — это очередная фаза брака. Привнесите в этот период вашей жизни понимание и любовь, и это обогатит ваши отношения.

• *Заранее проститесь со своим «старым телом».* Возможно, вам будет тяжело отказаться от своего прежнего образа, особенно если он как-то связан с вашей неготовностью стать матерью. Трудно сохранить девичье очарование, имея на попечении ребенка. Потратьте определенное время, чтобы попрощаться со своим образом (сложившимся в вашем сознании или в сознании окружающих), который уже не отвечает новой жизненной ситуации. Убедите себя, что ваш новый облик будет не менее сексуальным — хотя и совсем другим. Если вам действительно нелегко расстаться с прежней ролью, или вы чувствуете, что нуждаетесь в помощи, проконсультируйтесь у психолога.

• *Позитивное мышление.* Старайтесь мыслить глубже и шире. Думайте о том, что вы получаете, а не о том, что теряете. Новые округлые формы предоставляют вашему партнеру больше возможностей для прикосновений и ласк. Почувствовав, что вами вновь овладевают прежние мысли, позвоните подруге, которая уже прошла через эту стадию, и попросите ее убедить вас. Станьте перед зеркалом и внимательно приглядитесь к своему изменившемуся облику. Почувствуйте гордость за свое «новое» тело, проявите к нему уважение, которого оно заслуживает.

• *Сделайте свою внешность более сексуальной.* Ваше тело увеличилось в размерах, но это не значит, что вы не должны выглядеть наилучшим образом. Сделайте новую прическу, измените макияж, купите новую ночную рубашку, подчеркивающую ваши привлекательные стороны. Это должно воодушевить вашего мужа и поднять вашу сексуальность на новый уровень.

• *Сексуальность вашего поведения должна опережать ваши чувства.* Социологи показали, что действия могут влиять на чувства. Например, улыбка заставляет мозг вырабатывать те же самые химические соединения, как при настоящей радости. Если вы не проявляете сексуальности, то ваше поведение может охладить пыл партнера. (А это, в свою очередь, усиливает ваше убеждение в своей непривлекательности для партнера.) Старайтесь вести себя сексуально, и вы в скором времени с удивлением обнаружите, что ощущаете свою сексуальность.

• *Верьте в то, что вы привлекательны в глазах супруга.* Если убедили себя, что ваш растущий живот потерял привлекательность для мужа, то вы обрекаете себя на спад в сексуальной жизни. Кроме того, это убеждение вряд ли соответствует действительности. Именно округлые формы привлекают мужей. И именно во время беременности вы выглядите круглее, чем когда-либо. Результаты исследований не подтверждают предположения, что, забеременев, вы теряете привлекательность в глазах супруга; большинство мужчин считают округлившиеся тела своих жен привлекательными. Муж скорее всего получает удовольствие от свежего вида и округлых форм вашего тела. Добавьте к этому еще одну возможность: пережив тяжелые первые месяцы беременности, вы становитесь инициатором любовных игр, и ваш муж воодушевляется от вашей сексуальности.

● *Говорите о сексе.* Рассказывайте мужу, как беременность влияет на вашу сексуальность, и спросите его, какие чувства вызывает у него ваш новый облик. Каждый из вас должен объяснить возникшие у него чувства. Убедитесь, например, что партнер не воспринимает уменьшение интереса к сексу как уменьшение интереса к нему, и не считайте, что нерешительность его прикосновений к вашему изменившемуся телу означает утрату интереса. По этой же причине не проецируйте неуверенности в собственной сексуальности на мужа. Скорее всего он считает вас более привлекательной, чем когда-либо.

● *«Делитесь» своим телом.* Сделайте своего мужа участником беременности, гордо демонстрируя — а не пряча — происходящие с вами изменения: потемневшие соски, начинающий округляться живот. Сфокусируйте внимание на всем новом, что будет приносить вам обоим радость только во время беременно-

сти. Например, ваша «новая» грудь будет радовать мужа в течение всей беременности — и никакого силикона! Ложитесь рядом обнаженными, чтобы наблюдать за движениями ребенка и чувствовать их. Ваш муж будет радоваться, замечая, как постепенно изменяется профиль вашего тела. Очень увлекательным может оказаться следующее занятие: вы делаете фотографии, отслеживая, как меняется ваш облик во время беременности. Супругу понравится такой подбор фотографий.

● *Устраивайте «загулы».* До рождения ребенка время от времени устраивайте «свидания» по выходным; после появления малыша у вас будет оставаться меньше сил друг для друга. Лучшее время для страстных сексуальных утех — это середина беременности, но нужно стараться устраивать себе романтические свидания на протяжении всех девяти месяцев.

● *Избегайте смотреть на секс как на «обязанность».* Большинство женщин во время беременности в той или иной мере сталкиваются с сексом «по обязанности», но нельзя допускать, чтобы у мужа сложилось впечатление, что вы всегда лишь уступаете его желанию — хотя бывает и такое.

Мой муж каждый месяц снимал на видео мое обнаженное тело, чтобы задокументировать волшебные изменения, которые с этим телом проис-

ходили. Теперь, когда я обрела прежние формы и с трудом могу вспомнить мои ощущения во время беременности, эти записи служат чудесным напоминанием об особом периоде в нашей жизни.

Возможные вопросы относительно секса во время беременности

У меня уже было два выкидыша, и теперь я опять беременна. Может ли секс стать причиной потери еще одного ребенка?

Не существует научно доказанной связи между половым сношением, оргазмом и выкидышем, однако тот факт, что оргазм включает в себя сокращения матки, заставляет некоторых врачей рекомендовать женщинам, у которых уже были выкидыши, избегать оргазма в первом триместре. Несмотря на то, что наука на вашей стороне и вероятность потерять еще одного ребенка из-за секса крайне невелика, лучше обсудить вашу конкретную ситуацию с акушером-гинекологом. К счастью, в тот период, когда вероятность выкидыша максимальна, то есть в первом триместре, ваш интерес к сексу скорее всего минимален. Либидо повышается через несколько месяцев после начала беременности, когда вероятность выкидыша гораздо ниже.

У меня повышен риск преждевременных родов из-за недостаточности шейки матки. Врач посоветовал мне больше лежать и отказаться от секса, но мне нужна близость — и моему мужу тоже.

Предупреждение «никакого секса» нельзя воспринимать как «никаких удовольствий». Доктор имеет в виду, что нужно воздерживаться от соития и оргазма. Эти ограничения должны подтолкнуть вас к поиску других способов доставить друг другу наслаждения. Секс без соития выводит ваши интимные отношения на новый уровень. Теперь фокус перемещается на общение. Расскажите и покажите друг другу, что доставляет вам наибольшее наслаждение.

Если от оргазма следует воздерживаться по медицинским показаниям, имейте в виду, что мастурбация не может быть приемлемой альтернативой для женщины. В этом случае при оргазме сокращения матки бывают более сильными, чем при оргазме, вызванном соитием. Повышенную чувствительность матки беременной женщины к оргазму иногда используют на благо женщине: когда врач определил, что шейка матки раскрылась и ребенок готов к родам, секс может выступать в качестве способа стимуляции родов.

Иногда во время занятий сексом ребенок начинает шевелиться, и весь наш пыл пропадает. Это нормально?

Вы обнаружите, что в отношении секса во время беременности не существует таких понятий, как «нор-

Когда следует воздерживаться от секса

Большинство здоровых женщин могут заниматься любовью практически до самого дня родов. Тем не менее в некоторых ситуациях секс может нанести вред как здоровью матери, так и ребенку.

● Если вы или ваш партнер не до конца излечились от заболеваний, передающихся половым путем, то во время сношения возбудители этого заболевания могут проникнуть в матку.

● Если у вас наблюдается кровотечение или влагалищные выделения, проконсультируйтесь с врачом. Кровь может указывать на возможность выкидыша, и в этом случае врач может посоветовать вам некоторое время воздерживаться от секса.

● Если врач считает реальной угрозу преждевременных родов, то оргазм может стимулировать схватки и повысить риск рождения недоношенного ребенка.

● Если ультразвуковое обследование показало предлежание плаценты, то в этом случае половое сношение может стать причиной отделения плаценты от матки.

● Если у вас уже были выкидыши, врач может посоветовать вам воздержаться от вызывающих оргазм любовных игр в первые месяцы беременности, пока плод прочно не укрепится в матке. (Несмотря на, то что многие исследователи не усматривают связи между оргазмом и стимуляцией выкидыша, каждая женщина, относящаяся к группе повышенного риска, должна проконсультироваться с врачом по поводу целесообразности оргазма.)

● Во время последнего триместра или в том случае, если вы попадаете в группу риска (например, при недостаточности шейки матки или угрозе преждевременных родов), врач может посчитать, что половое сношение или оргазм увеличивают риск, и посоветовать вам воздержаться от секса.

● При разрыве оболочки плода (защитная мембрана, окружающая ребенка) половое сношение повышает риск проникновения бактерий из влагалища и шейки матки к ребенку, и в этом случае секс нежелателен.

Задавая врачу вопросы относительно секса во время беременности, убедитесь, что вы получили четкий ответ, *что* и *когда* можно делать, а что нельзя и *почему*. Основные поводы для беспокойства — это оргазм и соитие. Для некоторых пар медицинские показания могут ограничить секс лишь объятиями и ласками; для них опасно даже прикосновение к груди, поскольку после двадцатой недели беременности стимуляция сосков может вызвать сокращение матки. Если по медицинским показаниям вам приходится ограничивать секс во время беременности, найдите другие способы приятного совместного времяпрепровождения.

мально» и «ненормально». Учитывается лишь то, что вам подходит. Нормальны как движения ребенка, так и ваша реакция. Вы не привыкли, что в спальне во время занятий любовью находится еще один человек, даже если он прячется внутри матки. Отнеситесь к этому вмешательству с юмором и воспринимайте его как подготовку к будущим трудностям сексуальной жизни. Вы тренируетесь наслаждаться сексом, несмотря на возможность несвоевременных помех в виде кричащего от голода младенца или (в отдаленном будущем) подростка, вернувшегося со свидания домой раньше времени.

Мой врач советует отказаться от секса в последнем триместре из-за опасений, что это вызовет преждевременные роды. Может быть, мне проконсультироваться еще у кого-нибудь?

Можно узнать мнение второго, третьего и четвертого врача — и все они будут разными. Возможная причинно-следственная связь между оргазмом и преждевременными родами относится в основном к области теории, однако многие специалисты советуют придерживаться этой теории. Во время и после оргазма у многих женщин наблюдаются сильные сокращения матки, и часть врачей опасаются, что эти сокращения могут стимулировать преждевременные роды. Новейшие исследования не подтверждают связи между оргазмом и преждевременными родами, и

поэтому все большее количество врачей сообщают супружеским парам, что они могут заниматься любовью на протяжении всей беременности. Однако при определенных обстоятельствах, например недостаточности шейки матки, секс может повредить ребенку. Тем не менее в большинстве случаев стимуляция родов оргазмом маловероятна, если только шейка матки на «созрела» для родов, — это может определить врач.

Акушеры-гинекологи пришли к согласию об отсутствии корреляции между сексом без оргазма и преждевременными родами. Кроме того, новейшие исследования показали необоснованность опасений некоторых врачей, что содержащиеся в семени мужчины гормоны, которые получили название простагландинов, могут спровоцировать роды.

Я вынашиваю близнецов. Следует ли мне беспокоиться по поводу секса?

Без соответствующих рекомендаций врача у вас нет никаких причин волноваться из-за секса просто потому, что у вас двойня. В прошлом женщинам, вынашивающим близнецов, советовали воздержаться от оргазма в третьем триместре, поскольку у них повышен риск преждевременных родов, а оргазм стимулирует сокращения матки. Тем не менее новейшие исследования не выявили связи между половым сношением и преждевременными родами двойни.

Скрининг-тесты для выявления аномалий развития плода

Ожидая рождения ребенка, очень трудно смириться с тем естественным фактом, что некоторые дети рождаются с пороками развития. Современное пренатальное тестирование делает попытку выявить детей с серьезными нарушениями еще до рождения, но все эти процедуры являются по определению «скрининговыми» и не дают абсолютно точного диагноза. Несмотря на то, что пренатальные тесты могут дать ответ на множество вопросов относительно процессов, протекающих в утробе матери, одновременно они способны необоснованно успокоить будущих родителей или вызвать у них излишнее волнение, к примеру при получении неопределенного результата. Всем своим студентам мы говорим следующее: «Основная проблема тестов заключается в том, что вам необходимо что-то делать с их результатами». Существует и еще одна проблема. Некоторые процедуры абсолютно безопасны для матери и ребенка, но их результаты, к сожалению, неточны. Другие тесты обеспечивают высокую точность в выявлении той или иной проблемы, но несут в себе повышенный риск для матери или ребенка. В этом разделе мы обсудим наиболее распространенные и доступные пренатальные скрининг-тесты, а также посоветуем растерянным родителям, как выбирать тесты, которые не повредят ни матери, ни ребенку.

Тест на альфа-фетопротеин

Зачем его делают? Наиболее доступным и распространенным исследованием, позволяющим выявить врожденные дефекты ребенка, является тест на альфа-фетопротеин. Альфа-фетопротеин — это вещество, которое вырабатывается печенью ребенка и попадает в кровь матери во время беременности. Уровень альфа-фетопротеина в крови матери повышается, если она вынашивает ребенка с *neural-tube* дефектом — не развивается позвоночник, окружающий спинной мозг, поскольку происходит утечка этого вещества из открытого спинного мозга. К таким дефектам относится расщелина позвоночника (при которой спинной мозг не находится внутри позвоночного столба, что нередко приводит к параличу нижней половины тела) и анэнцефалия (когда головной мозг ребенка серьезно недоразвит или не развивается совсем).

Уровень альфа-фетопротеина в крови матери ниже нормы в том случае, если она вынашивает ребенка с болезнью Дауна или другими дефектами хромосом. Новый тест, получивший название «тройного» (его также называют «пренатальной оценкой риска» или «расширенным тестом на альфа-фетопротеин») включает в себя измерение уровней альфа-фетопротеина, ЧХГ (человеческий хорионический гонадотропин, уровень которого тоже повышается, если женщина вынашивает ребенка с некоторыми хромосомными аномалиями) и эстриола (побочный продукт гормона эстрогена, уровень которого понижается при наличии некоторых хромосомных аномалий у ребенка). Тройной тест повышает точность результатов по сравнению с тестом на альфа-фетопротеин с 25 до 60 процентов. Тройной тест способен выявить до 70 процентов детей с синдромом Дауна у женщин старше тридцати пяти лет и до 60 процентов таких детей у женщин моложе тридцати пяти лет.

Когда его делают? Тест на альфа-фетопротеин проводится между шестнадцатой и восемнадцатой неделями беременности. Результаты обрабатываются в течение одной недели. Некоторые родители расстраиваются, когда врач упоминает об этом тесте, — особенно во время первого или второго осмотра. Это портит им радость от беременности. На ранних стадиях многие родители еще не готовы к рассуждениям типа «что если» и могут считать, что врач перестраховывается. Тем не менее вам нужно понять, что профессиональный долг обязывает врача предложить вам этот тест. В некоторых штатах даже существуют законы, обязывающие врача это сделать.

Как его делают? Для теста на альфа-фетопротеин требуется небольшое количество крови, которую берут из вены матери.

Безопасен ли тест? Сам по себе тест не более опасен для матери и ребенка, чем любой анализ крови. Однако существуют разные мнения относительно его целесообразности и полезности. Некоторые родители и врачи считают, что пренатальные скрининговые процедуры являются продуктом философии, в соответствии с которой в основе принимаемых решений лежит общая цена и удобство для общества, а не риск или благо для каждой отдельной матери или ребенка. Других пренатальные скрининг-тесты успокаивают — особенно родителей с повышенным риском рождения детей с врожденными дефектами. Им кажется, что отрицательный результат их, естественно, успокоит, а в том случае, если результаты теста укажут на наличие проблем, им лучше заранее приготовиться к предстоящим трудностям.

Тест на альфа-фетопротеин физически безопасен, но он может привести к психологической травме. Одна из опасностей теста на альфа-фетопротеин — это ненужные тревоги и волнения. Если результаты теста на альфа-фетопротеин оказываются положительными, врач рекомендует повторную проверку из-за высокой вероятности ошибки. Это означает еще одну неделю волнений и тревожного ожидания результата, который может оказаться отрицательным. За подтверждением положительного результата последуют дальнейшие исследования, которые несут еще больший риск и приводят к усилению тревоги. Обычно выясняется, что с самого начала не было нужды волноваться.

Принимая решения, проходить или не проходить пренатальные тесты, полезно обдумать следующие моменты.

● Будут ли результаты иметь для вас какое-либо значение? Заставят ли они вас прервать беременность? Усилят или ослабят результаты теста вашу тревогу? Что вас заставит больше беспокоиться — тест или его отсутствие? Сделает ли знание о врожденных дефектах ребенка вашу беременность безрадостной или поможет привыкнуть к этой мысли и приготовиться к уходу за особым ребенком? Нужны ли вам результаты теста для того, чтобы избавиться от тревоги, или вы чувствуете, что справитесь с любыми неожиданностями? На собственном опыте мы убедились, что ребенок с синдромом Дауна — это не так ужасно, как мы себе представляли. Мы смогли сосредоточиться на Стивене, ребенке, которого мы держали в руках, и для нас это было меньшей травмой, чем провести пять или шесть месяцев с мыслями о синдроме Дауна. (Разумеется, родители, у которых был шанс приготовиться к рождению ре-

бенка, требующего особого ухода, могут считать, что выбранный ими вариант лучше.)

● Если вы уже решили в своих действиях не руководствоваться результатами теста (то есть прерывание беременности для вас неприемлемо), то вам необязательно проходить этот тест.

● Каковы точность и значимость расширенного теста на альфа-фетопротеин? Этот тест служит для выявления редко встречающихся аномалий: частота дефектов neural-tube составляет два на тысячу, анэнцефалия встречается один раз на семь тысяч родов, а дефект мышц брюшной стенки (он тоже выявляется этим тестом) — меньше чем в одном случае из тридцати тысяч. Кроме того, вероятность наличия хромосомных аномалий составляет менее 1 процента.

● Подумайте также о том, что тест выявляет от 80 до 90 процентов детей с дефектом neural-tube и от 60 до 65 процентов детей с дефектами хромосом, такими, как синдром Дауна. Кроме того, точность результатов теста на альфа-фетопротеин зависит от точного определения срока беременности. Если вы ошиблись со сроками, если вы вынашиваете близнецов или если вы больны диабетом, уровень альфа-фетопротеина у вас в крови не соответствует норме. «Ненормальный» уровень альфа-фетопротеина вынудит вас обратиться к более дорогим и опасным тестам. От 95 до 98 процентов результатов с «положительно высоким» или «положительно низким» уровнем альфа-фетопротеина оказываются ложными (то есть у ребенка нет ни хромосомной аномалии, ни дефекта *neural-tube*).

● Предполагает ли ваша наследственность повышенный или пониженный риск рождения ребенка с выявляемыми тестом аномалиями? У вас уже был ребенок с подобными дефектами? Может быть, возраст или наследственность заставляют вас отнести себя к группе повышенного риска? С другой стороны, если вам еще не исполнилось тридцати лет, если у вас нормальная наследственность и нормальные старшие дети, ваши шансы родить здорового ребенка без синдрома Дауна и дефекта *neural-tube* составляют 99,9 процента. Так ли уж необходимо проводить этот тест, чтобы исключить оставшуюся одну десятую процента?

Как интерпретировать результаты? Предположим, что вам сообщили об отрицательном результате теста. Это должно вас успокоить, но не полностью. Такой результат просто снимает большую часть тревоги по поводу возможного рождения ребенка с такими аномалиями. «Положительный» результат, без сомнения, усилит вашу тревогу. Если уровень альфа-фетопротеина в вашей крови ненормально высок или не-

нормально низок, врач порекомендует вам дальнейшее обследование, например ультразвук или амниоцентез. Как мы уже отмечали раньше, следует помнить, что от 95 до 98 процентов подозрительных результатов теста на альфа-фетопротеин опровергаются другими исследованиями.

Амниоцентез

Амниоцентез попадает в категорию пренатального тестирования, которую мы называем «высокопродуктивной, но ответственной». Амниоцентез позволяет получить массу ценной генетической информации, но сопряжен с некоторым риском для матери и ребенка.

Таким образов, родители и врачи должны осознавать высокий уровень ответственности при принятии решения о выполнении данной процедуры или об отказе от нее.

Зачем его делают? Материал, полученный при амниоцентезе, позволяет определить пол ребенка, исследовать его хромосомный набор, оценить степень развития ребенка (особенно легких), а также наличие или отсутствие некоторых наследственных заболеваний. Амниоцентез рекомендуется в следующих случаях.

● Родители уже имели детей с генетическими аномалиями, например с синдромом Дауна.

● Родители уже имели ребенка с нарушениями обмена веществ. (Амниоцентез позволяет выявить только 10 процентов генетических и биохимических аномалий, встречающихся у новорожденных.) Поскольку каждый специальный тест, например на наличие болезни Тея — Сакса или фиброзно-кистозной дегенерации, стоит несколько сотен долларов, эти тесты проводятся только по требованию врача.

● Мать является переносчиком генетического заболевания, которое передается по наследству. Если мать является переносчиком сцепленной с полом генетической болезни, такой, как гемофилия, то она с вероятностью 50:50 передаст эту болезнь своему сыну. В общем случае амниоцентез позволяет определить лишь пол ребенка, но не унаследованный ген. Если генетическое обследование семьи выявило дефектную хромосому, то при помощи амниоцентеза можно определить, унаследовал ли плод эту хромосому.

● У родителей уже есть ребенок с дефектом позвоночника.

● Уровень альфа-фетопротеина в крови матери высок по неизвестной причине.

● Тройной тест указывает на высокую вероятность наличия у плода синдрома Дауна.

● Оба родителя являются носителями гена наследственного заболевания, например болезни Тея — Сакса или серповидно-клеточной анемии. Вероятность, что ребенок унаследует это заболевание, равняется одной четверти.

● Ультразвуковое обследование выявило аномалии развития плода, которые указывают на серьезный или даже несовместимый с жизнью генетический дефект.

● В интересах матери и ребенка было принято решение о провоцированных преждевременных родах. Амниоцентез нужен для того, чтобы определить степень зрелости легких ребенка и сравнить риск дальнейшего пребывания ребенка в матке с риском преждевременных родов.

● Возраст матери превышает тридцать пять лет.

Когда его делают? Это исследование делают обычно между двенадцатой и шестнадцатой неделями после зачатия, когда ребенок уже окружен достаточным количеством жидкости и ее можно взять на анализ. Амниоцентез также делают в последние восемь недель беременности, когда рассматривается возможность преждевременных родов. Результаты анализа, позволяющие определить наличие хромосомных аномалий, а также пол ребенка, обычно бывают готовы через одну-две недели. Результаты, касающиеся дефектов позвоночника и нарушений обмена веществ, таких, как синдром Хантера или болезнь Тея — Сакса, можно узнать уже на следующий день.

Пренатальный тест:
сначала протестируйте врача

Если врач рекомендует вам тот или иной пренатальный тест, обязательно задайте ему следующие вопросы.

• Какова степень риска и каковы преимущества этого теста? Может ли он принести вред мне или моему ребенку или повысить вероятность осложнений во время беременности и родов?

• Необходим ли он именно для моей беременности? Позволит ли мне информация о генетическом благополучии моего ребенка лучше переносить беременность или принять более разумные в медицинском отношении решения?

• Каков ваш опыт в проведении этой процедуры, и велик ли процент осложнений? Может быть, меня следует направить к специалисту в области фетальной медицины?

• Сколько это будет стоить? Покроется ли эта сумма моей страховкой?

• Какую информацию позволит получить тест? Когда я узнаю результаты? Насколько достоверны эти результаты?

• Существуют ли альтернативные процедуры, более безопасные и позволяющие получить ту же информацию? Будет ли процедура болезненной? Какие осложнения могут возникнуть? Можем ли мы с мужем наблюдать за процедурой на экране ультразвукового аппарата?

Как его делают? Беременная женщина ложится на смотровую кушетку, и ее живот протирают антисептиком. Врач делает местную анестезию. При помощи ультразвукового прибора врач определяет местоположение ребенка и плаценты, чтобы не задеть их, прокалывает кожу и вводит в матку длинную иглу, через которую набирает немного амниотической жидкости. Этот образец отправляют в генетическую и биохимическую лаборатории для анализа. Вся процедура занимает около тридцати минут. Процедура проходит безболезненно, однако некоторые женщины могут испытывать определенный дискомфорт в месте прокола.

Безопасен ли тест? Амниоцентез в целом безопасен, хотя существует небольшой риск повредить органы ребенка, плаценту и пуповину (наблюдение за процедурой при помощи ультразвука значительно снижает риск). Наибольшее беспокойство вызывает следующий факт: в двух случаях из ста существует вероятность, что амниоцентез спровоцирует преждевременные роды. Уровень риска может быть выше или ниже — в зависимости от опытности выполняющего процедуру специалиста. Обязательно спросите врача о проценте осложнений, и особенно спровоцированных амниоцентезом выкидышей. Если ваш врач не имеет достаточного опыта в выполнении этой процедуры, пусть посоветует специалиста. Кроме того, при амниоцентезе существует очень небольшой риск инфекции. Ожидание, которое длится от одной до трех недель, может стать значительной эмоциональной нагрузкой для будущих родителей.

Взвесьте риск и пользу амниоцентеза и, посоветовавшись с врачом, примите решение, которое кажется вам наилучшим.

(См. раздел «Беременность и роды после тридцати пяти лет».)

Биопсия хориона

Биопсия хориона дает больше генетической и биохимической информации, чем амниоцентез, может быть выполнена на более ранней стадии беременности, и результат получается быстрее. Однако при выполнении этой процедуры риск выкидыша значительно выше, чем при амниоцентезе. Таким образом, биопсия хориона налагает на вас еще большую ответственность при принятии решения о согласии или об отказе от теста.

Зачем его делают? Подобно амниоцентезу, биопсия хориона дает массу информации о генетическом наборе ребенка, причем на четыре недели раньше.

Когда его делают? Биопсию хориона обычно делают между восьмой и двенадцатой неделями после последней менструации в тех случаях, когда необходима ранняя диагностика — на несколько недель раньше, чем при амниоцентезе.

Как его делают? Существует два метода проведения биопсии хориона — трансабдоминальный и трансцервикальный. Врач выберет наиболее безопасный именно для вас метод. При трансабдоминальной биопсии процедура похожа на амниоцентез. Через брюшную стенку в матку вводится игла, чтобы взять небольшое количество ткани из хориона, представляющего собой тонкий слой клеток, который окружает эмбрион на ранних стадиях беременности и из которого в конечном итоге формируется плацента. При более распространенном трансцервикальном методе через влагалище и шейку матки в матку вводится катетер в районе того места, где формируется плацента. При обоих методах контроль за процедурой осуществляется при помощи ультразвука. Предварительные результаты генетического анализа доступны уже через сорок восемь часов, а окончательные результаты — через неделю.

Безопасен ли тест? Несмотря на то, что биопсия хориона позволяет получить информацию раньше, чем амниоцентез, риск выкидыша при этой процедуре в два-четыре раза выше, в зависимости от опыта врача. После биопсии хориона могут наблюдаться непродолжительные вагинальные кровотечения и схваткообразные боли. Период физического и психологического восстановления длится примерно сутки — в отличие от мгновенного восстановления после амниоцентеза. Новейшие исследования выявили повышенный риск деформации конечностей плода.

Клетки хориона не всегда содержат тот же генетический материал, что и клетки ребенка, и поэтому примерно в 1 проценте случаев возможен ложный положительный результат (указывающий на аномалию развития, в то время как ребенок совершенно нормален). При амниоцентезе такой проблемы не возникает. Из-за высокого риска выкидыша и вероятности ошибки биопсия хориона постепенно теряет популярность у акушеров и будущих мам. Здравый смысл подсказывает, что взятие образца ткани в непосредственной близости от ребенка опаснее, чем откачивание унции амниотической жидкости, окружающей плод. Многие родители предпочитают подождать несколько месяцев, пока накопится достаточное количество амниотической жидкости.

РАБОТА ВО ВРЕМЯ БЕРЕМЕННОСТИ

Многие женщины разрываются между «внутренней» работой по вынашиванию ребенка и «внешней» работой за деньги. Для некоторых женщин — особенно тех, кто не страдает от утреннего недомогания и для кого обе работы важны, — это приемлемый способ прожить эти девять месяцев. Такие будущие матери желают работать до того момента, когда почувствуют первые схватки. Другим женщинам перед самыми родами требуется месяц или чуть больше, чтобы подготовить свое «гнездо» и сосредоточиться на развивающейся у нее в животе новой жизни; они планируют бросить работу в определенный момент времени, обычно в третьем триместре. Некоторых будущих матерей осложнения вынуждают оставить работу в самом начале беременности. Независимо от того, как вы переносите беременность и какая у вас работа, мы предлагаем вам несколько советов, как выбрать наиболее подходящий (для вас, вашей семьи и вашей работы) отпуск по беременности и родам.

Информирование работодателя

Как только вы узнаете о своей беременности, начните планировать, когда и как вы сообщите об этом своему начальнику. То, как вы будете держать себя в следующие четыре месяца или около того, может определить его отношение к вам на протяжении всего остального срока беременности.

Если вы планируете оставить работу после рождения ребенка, нужно дать своему работодателю достаточно времени, чтобы он нашел вам замену, а себе дать возможность закончить важные проекты. Сообщите начальнику, когда вы собираетесь уволиться, и спросите его, чем вы можете помочь, чтобы облегчить переходный период.

Если вы хотите вернуться на работу после рождения ребенка, вам следует соблюдать осторожность. Вероятно, вы захотите получить устраивающий вас отпуск по беременности и родам и одновременно сохранить за собой свое место. Дискриминация беременной женщины незаконна, но начальство часто охватывает растерянность, когда оно узнает о том, что один из его работников скоро станет матерью. Продвижение по службе, которого вы так ждали, может оказаться под угрозой из-за вашей беременности. Возможно, вам будут даваться менее сложные задания — с учетом вашего «состояния». Возможно, вы не уверены, как воспримут новость ваши коллеги. Некоторые с сочувствием отнесутся к вашей забывчивости и страданиям во время первого триместра. Другие, наверное, будут беспокоиться, что им придется «прикрывать» вас в те дни, когда вы будете не в лучшей форме.

Когда говорить. Лучшее время сообщить о своей беременности товарищам по работе и начальнику после того, как окружающие начнут подозревать о вашем состоянии, но до того, как они окончательно убедятся, что вы беременны. Несмотря на то, что вы очень взволнованны и вам хочется поделиться радостью с другими, большинству женщин не рекомендуется сообщать о своей беременности в первые месяцы. Вот мнение нескольких женщин.

Этот год был для меня особенно удачным: я забеременела, и, кроме того, ко мне проявили интерес несколько других фирм. Я ни в коем случае не собиралась менять место работы во время беременности, но знать им об этом было не обязательно. Разумеется, такие вещи не удается долго скрывать, и однажды начальник — я была тогда на третьем месяце — вошел в мой кабинет, произнес речь на тему: «Мы не хотим вас терять», — и сообщил о солидной прибавке к зарплате. Я была очень удивлена. После рождения ребенка я рассчитывала работать неполный рабочий день, и такое признание моих заслуг могло оказать реальную помощь в переговорах по этому вопросу.

Я сразу же всем сообщила о своей беременности, но на десятой неделе у меня случился выкидыш. Люди были очень добры ко мне, но все ждали, что я опять забеременею.

После того как я объявила о своей беременности, меня «повысили», переведя на менее заметную работу внутри компании. Если бы моя беременность была заметна, они не посмели бы это сделать, потому что их действия выглядели бы как дискриминация, чем они в действительности и являлись.

Я рассказала нескольким сотрудникам о своей беременности, прежде чем обдумала наиболее подходящий для меня отпуск, и меня неожиданно вызвали к начальнику, чтобы обсудить этот вопрос. Не будучи подготовленной, я не смогла договориться о таком отпуске, который был нужен мне.

Однако затягивать с сообщением тоже не следует. Вы же не хотите, чтобы у начальника появился повод заподозрить вас в неискренности; предположение о том, что вы способны скрывать беременность ради собственной выгоды, может привести к выводу, что вы не командный игрок.

Не бойтесь сообщить о своей беременности раньше, чем вы планировали, если больше не в состоянии хорошо справляться со своими обязанностями. Вы же не хотите, чтобы начальник отнес вас к категории плохих работников — особенно теперь, когда вы нуждаетесь в поддержке.

В первые месяцы я не хотела, чтобы коллеги знали о моей беременности, и поэтому старалась выглядеть и вести себя как обычно. Я пыталась при помощи макияжа скрыть бледность лица и носила одежду, которая скрывала изменения моей фигуры, пока эти вещи не стали такими тесными, что оставляли полосу на талии, которая исчезала только за ночь. Я пыталась сосредоточиться на том, что делаю, но полностью потеряла интерес к работе. Раньше моя работа представлялась сложной задачей, а теперь она превратилась в скучную рутину без всякого смысла и цели. Для меня это было странно — не получать удовольствия от работы, но я не могла избавиться от ощущения, что теперь я работаю только ради денег и ради обеспечения лучшего будущего для нашего ребенка.

Не надейтесь, что вы каждый день сможете работать на том же уровне, как до беременности. Если вы не хотите оставлять работу, но считаете, что ваша теперешняя должность отнимает слишком много сил, попросите временно перевести вас на менее напряженную работу. Лучше быть откровенным со своим начальником, чем вызывать его недовольство своей неэффективной работой. Если вы не хотите менять работу, попросите перевести вас на неполный рабочий день, делайте часть работы дома или договоритесь о гибком графике, чтобы вы могли работать дольше или интенсивнее в дни хорошего самочувствия и не перегружать себя тогда, когда вам плохо.

Переговоры по поводу отпуска по беременности и родам

Заранее подготовившись к разговору, вы скорее всего останетесь довольны достигнутым соглашением.

Договоритесь сами с собой. Сначала разберитесь в себе. Если вы действительно знаете, чего хотите, то вам будет легче это осуществить. Определите, что было бы для вас подходящим, что вы можете себе позволить, что больше всего подойдет для вашей беременности и вашей семьи. Вы сможете одновременно вынашивать ребенка и выполнять свои обязанности на работе? Хотите ли вы этого? Не забывайте о том, что различные осложнения и непредвиденные ситуации во время беременности и после родов могут вынудить вас принять те или иные решения. Рассмотрите возможные варианты. Можете ли вы работать на протяжении всей беременности, если врач или ребенок позволяют это делать? Может быть, вам нужно пораньше уйти в декретный отпуск? Согласны ли вы выполнять часть работы дома? Хотите ли вы после рождения ребенка вернуться на прежнюю работу или предпочитаете заняться делом, которое легче совмещать с семейными обязанностями? Вы предпочи-

таете работать полный рабочий день или неполный?

Работа во время беременности не означает, что вы должны разрываться между стремлением сохранить свое рабочее место и заботой о ребенке. Можно все это совместить. Независимо от того, хотите ли вы оставить работу как можно раньше и как можно раньше вернуться или вы желаете работать до самых родов, но потом задержаться в отпуске как можно дольше, необходимо разработать наиболее подходящий план отпуска по беременности и родам — для вас самих, вашего ребенка и вашей семьи. Этот план может быть очень подробным или общим. Одна наша знакомая точно знала, что ребенок для нее гораздо важнее работы, и поэтому не стеснялась просить то, чего ей хотелось. Не зная, как она будет себя чувствовать после родов, она предложила работодателю обсудить подробности после того, как ребенок появится на свет. Во время беременности она попросила разрешения делать часть работы дома или перейти на почасовую оплату. После рождения ребенка она несколько часов в день работала дома, через четыре месяца стала присутствовать на совещаниях (с ребенком), а в восемь месяцев уже знала достаточно, чтобы договариваться насчет продолжения работы на дому за почасовую оплату, — она чувствовала, что при таком графике будут удовлетворены все заинтересованные стороны. В течение четырех лет она работала на дому от десяти до двадцати часов в неделю.

Общеизвестно, что большинство работодателей не склонны прислушиваться к вашим пожеланиям. Но если вы незаменимы для фирмы или можете позволить себе бросить работу, в этом случае можно настаивать на своем. Если нет, постарайтесь оценить свои материнские чувства, свое финансовое положение и философию воспитания ребенка. Расслабьтесь. Никакое решение относительно продолжения карьеры не является окончательным. Вы всегда можете внести изменение в график работы, уволиться или найти себе новое место.

Нужно знать свои права. Вы должны знать политику компании в отношении отпуска по беременности и родам (при приеме на работу работодатель обязан выдавать вам на руки копию этого документа), а также требования законодательства. Если кто-то из сотрудниц, которым вы доверяете, уже брал отпуск по беременности и родам в вашей компании, поговорите с ними, чтобы узнать все подробности, и спросите их совета. Если у вас нет копии документа, определяющего политику компании по отношению к беременным женщинам, получить ее можно у начальника отдела кадров. (Имейте в виду, что он может сообщить об этом вашему непосредственному начальнику.) Если такого документа не существует, а ваша организация

слишком мала, чтобы это предусматривалось законом, то вы, возможно, будете пионером, оговаривая условия, которые окажутся полезными для сотрудниц, которые забеременеют после вас. По возможности перед беседой с начальником познакомьтесь с политикой других компаний в этой области.

Изучая документы своей компании, убедитесь, что понимаете следующие моменты.

● Является ли отпуск по беременности и родам оплачиваемым, неоплачиваемым или частично оплачиваемым?

● Имеете ли вы право на страховку в случае потери трудоспособности (частичной или полной)?

● Обеспечивает ли ваша компания страхование на случай нетрудоспособности, гарантирующее сохранение части вашего жалованья во время отпуска? В соответствии с законом беременность считается нетрудоспособностью по медицинским показаниям. Выясните, какие бланки вам нужно заполнить, куда их отсылать, а затем проследите за процессом оформления документов: заявку должны получить, зарегистрировать и соответствующим образом оформить. Убедитесь, что врач заполнил и подписал документы, в которых указано, когда вы сможете вернуться на работу.

● Гарантирует ли политика вашей фирмы, что после рождения ребенка вы вернетесь на ту же долж-

Безопасное рабочее место для беременной женщины

Изменения, происходящие в вашем организме во время беременности, не только воздействуют на вашу работоспособность, но и вызывают необходимость позаботиться о безопасности своего рабочего места. Организм старается обеспечить максимальный приток крови к увеличивающейся в размерах матке (и ее обитателю), а это может означать, что у вас останется меньше сил для работы. По мере повышения уровня гормонов беременности в крови ваши суставы и мышцы расслабляются, их работа становится нестабильной, и повышается вероятность потери равновесия при выполнении привычной работы. Кроме того, у вас появляется предрасположенность к хроническому растяжению связок и сухожилий при поднятии тяжестей. Все эти изменения могут существенно повлиять на вашу работу.

К сожалению, очень нелегко одновременно защитить своего ребенка и сохранить работу. Вы и ваш еще не рожденный ребенок имеете право на безопасное рабочее место, однако при защите своих прав не стоит полагаться только на федеральные законы: иногда бывает трудно определить, продиктовано ли принятое руководством компании решение стремлением обезопасить ребенка или это просто дискриминация беременной женщины. Возможно, вам потребуется указать, какая работа вредна для вас, а потом бороться за свое право временно перейти на более безопасную работу, но не оставаться постоянно на этой должности. Если служебные обязанности, к примеру, требуют, чтобы вы стояли на протяжении длительного времени (исследования показывают, что у беременных женщин, которым приходится много стоять, выше риск преждевременных родов по сравнению с теми, кто большую часть времени проводит в сидячем положении) и вы просите перевести вас на должность, где вы могли бы сидеть, после родов вам будет тяжело вернуть себе прежнее место. (Если вам приходится много времени проводить в сидячем положении, периодически вставайте, ходите или хотя бы выполняйте упражнения для ног).

Если вы работаете с опасными для здоровья веществами, обратитесь к разделу «Опасности на производстве». Если работа требует физического напряжения (например, поднятия тяжестей, необходимости длительное время стоять или сидеть, не имея возможности размяться), посоветуйтесь с врачом и одновременно подумайте, как можно адаптировать свою работу к изменившимся требованиям организма. Возможно, вам придется временно перейти на другую должность или оставить работу до родов.

ность или, по крайней мере, эквивалентную по оплате труда и возможностям карьерного роста.

● Какова максимальная продолжительность отпуска?

● Можете ли вы использовать другие возможности (больничный, очередной отпуск, праздничные дни), чтобы продлить отпуск по беременности и родам?

● Каковы условия дополнительного отпуска по беременности и родам в вашей компании (оплачиваемый, неоплачиваемый, частично оплачиваемый, работа на дому)?

● Есть ли возможность продолжать работать неполный рабочий день на дому во время и после беременности, связываясь с офисом посредством телефона, факса или модема?

● Какие возможны варианты, если из-за осложнений беременности или по вашему желанию понадобится внести изменения в планы?

● Действует ли ваша страховка во время дополнительного отпуска и какое покрытие она обеспечивает, полное или частичное? Как долго будет оплачивать компания вашу страховку с полным или частичным покрытием? Нужно ли вам самим оплачивать часть страховки?

Разработка оптимального для вас графика отпуска по беременности и родам

Только вы способны определить, какой длительности отпуск по бере-

менности и родам вам необходим; только ваша компания может сказать, сколько времени они могут себе позволить обходиться без вас. Помните, что сила вашей позиции на переговорах зависит не только от того, как вы построите беседу, но и от вашей ценности как работника. Если вы обладаете уникальными навыками, требующимися для выполнения определенной работы, то вы находитесь в более выгодном положении, чем в том случае, когда вас без труда могут заменить другие сотрудники. Реально оцените свои потребности, свое умение договариваться, а также потребности компании, но не забывайте о том, что компания своей политикой в области отпусков беременным женщинам обычно стремится продемонстрировать благожелательное отношение к семье. При ведении переговоров попробуйте применить следующие приемы.

Предложите оставаться на связи во время отпуска. Если выполняемый вами проект далек от завершения, если вы обладаете специальными знаниями и навыками, необходимыми вашей компании, продемонстрируйте свою лояльность и упрочьте позиции на переговорах, предложив связываться с вами при помощи телефона, факса или электронной почты. Факс и электронная почта дают возможность выбирать время для ответа на поступивший запрос. Объя-

Этикет для беременных на рабочем месте

Беременность не должна мешать профессионализму. Вы должны выполнять свои обязанности. Не используйте свою «нетрудоспособность» для получения тех или иных послаблений в работе, чтобы начальник и коллеги не подумали, что щеголяете своим состоянием, чтобы добиться особого отношения. Бутерброды в ящике рабочего стола и крошки на столе — это неотъемлемая часть беременности, но вы должны уважать коллег и убирать за собой. Возможно, вам необходимо немного отдохнуть после обеда, но работа при этом должна быть окончена в срок.

Выбирайте тех, кому можно пожаловаться. Женщины, которые сами работали во время беременности, скорее всего, проявят больше сочувствия, чем бездетные коллеги. Тщательно выбирайте тех, кого вы попросите заменить вас, когда вам требуется отлучиться, и обязательно благодарите их за понимание и помощь — как устно, так и маленькими подарками. Найдите способ отплатить услугой за услугу — в те дни, когда позволяет самочувствие. Используйте юмор, чтобы смягчить сурового сотрудника: «Вероятно, у вашей мамы тоже бывали трудные дни, когда она вынашивала вас?» Что против этого можно возразить?

Если вам трудно выполнять свои обязанности, поговорите сначала с врачом, а потом с начальником. Помните, что ваш организм претерпел серьезные изменения, а ваша работа нет. Уважайте достигнутые договоренности, а если вы обнаружите, что выполнять их вам не под силу, ведите откровенные переговоры.

вив начальнику: «При необходимости вы всегда можете связаться со мной», — вы заставите его почувствовать, что он нуждается в вас.

Предложите свою помощь в подборе замены. Уходите правильно. Предложите помощь в выборе и обучении того, кто временно или постоянно заменит вас. Напомните начальнику, что с вами всегда можно связаться по телефону, факсу или электронной почте, если у нового работника возникнут затруднения и для разрешения ситуации потребуются ваши знания и опыт.

Продемонстрируйте свое желание до наступления отпуска работать с прежней интенсивностью. Оставляя работу — временно или совсем — продемонстрируйте стремление привести в порядок все дела. Закончите начатую работу или убедитесь, что поручили ее другим.

Разработайте план действий на случай непредвиденных обстоятельств. Обязательно обговорите неожиданности, которые могут возникнуть во время беременности и после родов. Что, если осложнение беременности или родов потребует постельного режима под наблюдением врача или продления отпуска? Что, если вашему ребенку потребуется специальный уход и постоянная забота матери? А если вы так увлечетесь ролью матери, что не сможете расстаться со своим малышом по окончании этих волшебных шести недель? Многие блестящие карьеры потерпели крушение, столкнувшись с радостями материнства.

Рабочая одежда

К началу третьего месяца беременности (возможно, раньше) вы заметите, что начинаете отдавать предпочтение свободной и удобной одежде. Скоро вы обратите внимание, что и эта одежда становится неудобной, что свободно болтавшиеся на вас джинсы с каждым разом все труднее застегивать, а на блузке, которая была велика, начинают отскакивать пуговицы. Перестановка пуговиц, резинки, английские булавки и свободная верхняя одежда, возможно, позволят вам поносить привычные вещи еще несколько недель.

Однако к концу третьего месяца многие женщины чувствуют, что сильно располнели, даже если со стороны это не очень заметно, а на четвертом месяце им уже требуется одежда «на вырост».

Сегодня беременной женщине предоставлен как никогда широкий выбор одежды для будущих матерей, и тот, кто старается следить за модой, всегда найдет себе подходящую вещь. Разумеется, придется пожертвовать шиком. Вы должны будете учитывать не только внешний вид, но и удобство. Вот несколько практических советов, касающихся выбора одежды для будущих мам.

Сначала одолжите, а потом покупайте. Вы обнаружите, что после рождения детей подруги стремятся как можно быстрее избавиться от одежды для беременных. У большинства женщин гардероб во время беременности довольно ограничен, и к моменту родов им надоедает даже самая милая вещица. Выбросить (или, по крайней мере, одолжить кому-нибудь) старую одежду — это приятный ритуал для разрешившейся от бремени женщины. Помните, однако, что одежда, хорошо смотревшаяся на подруге, не обязательно подойдет вам. Кроме того, если в вашем климате сезоны меняются каждые три месяца, то вещи подруги могут оказаться слишком теплыми или слишком легкими. И последнее: многие вещи для беременных, такие, как леггинсы, оказываются очень практичными, и женщины носят их в первые несколько месяцев после родов. Поэтому вам все равно придется покупать некоторые предметы одежды. Тем не менее лучше одолжить все, что вам подходит, а после родов поделиться своим гардеробом с беременными подругами. Кроме того, пройдитесь по комиссионным магазинам в своем районе. Многие магазины, торгующие подержанной детской одеждой, предлагают и вещи для будущих мам.

Забеременев, я со страхом ждала того дня, когда придется раскошелиться на одежду для беременных. Лучше я бы потратила деньги на ребенка! Поэтому я стала присматриваться к одежде своих беременных подруг. Если мне нравилась вещь, которую носила подруга, в скором времени собиравшаяся стать матерью, я просила ее одолжить мне эту вещь после родов. Все чувствовали себя польщенными и обычно соглашались выполнить мою просьбу, если только не одолжили эту вещь сами или не обещали ее кому-то еще. Я оставила «заказ» на несколько милых вещичек, и это никому не показалось странным. Все понимают, как дорого обойдется полный комплект одежды, который вы сможете носить лишь в течение шести месяцев. Я с нетерпением жду момента, когда смогу отплатить услугой за услугу.

Шейте сами. Даже если вы не в состоянии сшить полный комплект одежды, подберите ткань, которая вам действительно нравится, и смастерите простейшую блузу, сарафан или юбку. Проинспектируйте магазины для будущих матерей и позаимствуйте некоторые идеи у производителей одежды, например широкие эластичные пояса и растягивающиеся эластичные вставки. Обратите внимание, что застежки на качественной одежде для будущих мам отличаются особой прочностью. Возможность шить одежду самим может быть для вас особенно привлекательной в том случае, если вы хотите носить хлопок — большая часть готовой одежды шьется из синтетических тканей.

Не забывайте о моде. К счастью, времена вычурной и пуританской одежды для беременных давно миновали. Одежда для будущих матерей не должна быть ни детской, ни скучной, ни чопорной. Продавцы в магазине для беременных или следящие за модой беременные подруги помогут вам выглядеть так, как вам хочется. Например, почти все беременные женщины хотят казаться стройнее, а тонкая вертикальная полоска на ткани уменьшает объем — в отличие от широкой горизонтальной. Сужающиеся книзу брюки, соответствующий рисунок ткани, полоска и подплечники помогут вам выглядеть выше и стройнее. Соче-

Как правильно выбрать бюстгальтер

Во время беременности растет не только живот, но и грудь. К четвертому месяцу большинство женщин переходят на более удобный бюстгальтер для беременных. При выборе бюстгальтера следует обращать внимание на следующие моменты.

● **Как сидит бюстгальтер.** Думайте прежде всего об удобстве. Убедитесь, что размер чашечек и застежка регулируются в соответствии с увеличивающимся объемом груди. Чашечки должны свободно, но без морщин обхватывать грудь, а между центром бюстгальтера и грудной клеткой не должно быть зазора. Несмотря на то, что у большинства женщин размер груди становится максимальным к шестому месяцу беременности, продолжающееся расширение грудной клетки может вызвать необходимость передвинуть застежку. Покупая бюстгальтер, убедитесь, что вам в нем удобно при самой тугой застежке. Таким образом вы обеспечите себе запас свободного места.

● **Конструкция.** Выбирайте хлопковую ткань, которая не раздражает кожу и пропускает воздух. Хлопковые чашечки лучше, чем кружевные, которые царапают кожу. Бюстгальтер с «косточками» категорически не подходит многим женщинам во время беременности и кормления грудью, поскольку он может сдавливать увеличивающуюся в объеме нежную ткань грудных желез. Если вы покупаете бюстгальтер с «косточками» для беременных, убедитесь, что он сидит достаточно свободно. Если он сдавливает грудь, отложите его и наденьте снова через два или три месяца после родов, когда грудь уменьшится в объеме, лишившись избытка жидкости.

● **Лента.** Почувствуйте, насколько удобно лента обхватывает вашу грудную клетку. На спине она должна располагаться ниже лопаток и быть достаточно свободной, чтобы не сдавливать грудь, но одновременно плотной, чтобы бюстгальтер не съезжал вверх, когда вы поднимаете руки или пожимаете плечами.

● **Бретели.** Они должны быть широкими и мягкими, чтобы не врезаться в плечи, по мере того как увеличивается вес груди.

● **Ночной бюстгальтер.** Некоторые женщины предпочитают на ночь надевать легкий бюстгальтер, поддерживающий грудь и ослабляющий дискомфорт.

● Бюстгальтер для кормящих грудью. Возможно, на последних месяцах беременности вам захочется купить бюстгальтер для кормящих матерей. (У него отстегиваются чашечки, чтобы было удобнее кормить ребенка.) Если вы рассчитываете носить купленный на последних месяцах беременности бюстгальтер во время кормления грудью, покупайте тот, который сидит достаточно свободно и не будет мешать быстрому увеличению объема груди после того, как прибудет молоко. (В течение нескольких дней после родов грудь может увеличиться на два размера.) Не стоит приобретать больше двух бюстгальтеров, поскольку впоследствии вам, возможно, потребуется выбрать более удобный размер. Некоторые женщины в течение всей беременности носят бюстгальтер для беременных, а бюстгальтер для кормления грудью надевают после того, как у них прибудет молоко. Разнообразные модели бюстгальтеров для беременных и для кормящих матерей можно найти в магазинах для будущих мам и каталогах.

тайте объемный верх с тонким, зауженным низом. Обратите внимание на важность правильной длины платья или надеваемой поверх блузки — неверно выбранная длина может подчеркнуть полноту бедер вместо того, чтобы скрыть ее.

Одевайтесь так, чтобы вам было удобно. Выбирайте не красоту, а удобство. Не обязательно выглядеть так, как будто вы завернулись в портьеру, но лучше отдавать предпочтение «свободному», а не «обтягивающему», «ниспадающему», а не «тесному». Забудьте о хорошо сидящей одежде. То, что подходит вам на этой неделе, на следующей будет уже мало. Тем не менее, покупая одежду «на вырост», вы можете чувствовать себя так, как будто на вас надета плащ-палатка, — еще одна причина одалживать одежду для беременных. Если одолжить ничего не удается, планируйте покупки по мере увеличения ваших размеров.

Стремясь совместить удобство и красоту, обращайте внимание на те части своего тела, которые прежде не доставляли вам никаких хлопот: талия, бедра, промежность, грудь, живот. Именно в этих местах при увеличении срока беременности одежда становится тесной. Запомните, что широкие эластичные пояса удобнее узких. Если вы замечаете следы от сдавливания на талии, значит, одежда стала вам мала. Пора увеличивать размер вещей. Слишком тесная и неудобная одежда может обострить проблемы с пищеварением. Тем не менее не стоит поддаваться искушению и покупать вещи на насколько размеров больше. Чрезмерно широкая и мешковатая одежда некрасива и часто неудобна.

Отдавайте предпочтение хлопковым тканям, которые «дышат» и не раздражают и без того чувствительную кожу. Для меняющего свою форму тела беременной женщины как нельзя лучше подходит свободный трикотаж. Не стоит покупать очень теплых вещей, если вы не живете в районах с действительно холодным климатом. Повышенная скорость обменных процессов и дополнительная прослойка жира все равно не дадут вам замерзнуть. Попробуйте надевать на себя несколько слоев одежды и — по мере изменения температуры на улице или в помещении — постепенно снимать верхние.

Выбирайте свободную, эластичную одежду, которая будет «расти» вместе с вами. Отдавайте предпочтение вещам с завязками, шнуровкой, зажимами, эластичным поясом и специальной вставкой, которая растягивается по мере увеличения вашего живота. Чтобы мешковатый наряд сидел лучше, используйте зажимы, которые прихватывают по бокам лишнюю ткань.

Используйте аксессуары. Если вы хотите отвлечь внимание окружающих от вашего живота, займитесь своей головой, шеей, руками и плечами. Обратитесь к таким средствам, как шикарные шарфы, сережки, ожерелья, шляпы, часы, воротники и подкладные плечи. Аксессуары украсят ваши любимые вещи — простые, но удобные.

Когда я забеременела вторым ребенком, большая часть моей одежды для будущих мам уже вышла из моды. К счастью, мне уже не нужна была одежда для работы, но мне приходилось ходить в церковь и на различные общественные мероприятия. В комиссионном магазине я нашла себе фирменное темно-синее платье и носила его везде. Я меняла прическу, надевала шарфы, броские серьги, ожерелья и браслеты и всегда чувствовала себя привлекательной.

Воспользуйтесь одеждой мужа. По мере того как пропорции между верхней и нижней половиной вашего тела начнут меняться, вы, возможно, начнете рыться в гардеробе своего мужа в поисках свободных рубашек и свитеров. Если он носит одежду большого размера, то его футболки, надетые поверх другой одежды или завязанные на бедрах, могут стать практичной домашней одеждой.

Не забудьте про белье. Носите свободное хлопковое белье. Хлопок «дышит» и не раздражает вашу чрезвычайно чувствительную кожу. Кроме того, хлопковое белье обладает достаточной прочностью и выдерживает много стирок. Одни женщины предпочитают белье в стиле «бикини», которое располагается под животом, а другим нравятся панталоны для беременных, обтягивающие живот. К концу беременности эти панталоны могут сильно растянуться, так что не рассчитывайте воспользоваться ими в следующий раз.

Что касается чулочных изделий, то чулки могут оказаться удобнее колготок, хотя многие женщины считают, что их трудно надевать, особенно во время беременности. Большинство женщин предпочитают специальные колготки для беременных с более широкой и хорошо впитывающей влагу ластовицей. В продаже имеются колготки для беременных со специальной поддержкой для вен. Очень высоким женщинам специальные колготки для беременных часто оказываются малы, и они пользуются обычными колготками самого большого размера.

Начиная со второго или с третьего месяца вы заметите, что бюстгальтер становится вам тесен. Некоторые женщины просто покупают бюстгальтер большего размера. Другие отдают предпочтение специальным бюстгальтерам для беременных, которые можно найти в специальных магазинах или отделах для будущих мам, а также в каталогах. Многие женщины экономят, приобретая

сразу бюстгальтер для кормящих матерей, который можно носить после рождения ребенка. Это неплохая идея, но в первые месяцы кормления грудью вы можете обнаружить, что вам требуется бюстгальтер большего размера. Обратите внимание, что можно уменьшить риск отвисания груди после родов, если во время беременности носить поддерживающий грудь бюстгальтер — при необходимости и ночью (см. врезку «Как правильно выбрать бюстгальтер»).

Удобная обувь. По мере того как увеличивается ваш вес, а центр тяжести смещается, меняться должна и ваша обувь. Из-за дополнительного количества жидкости в теле беременной женщины у вас могут отекать ноги и размер ноги может увеличиться. Не мучайтесь — купите новые туфли. Некоторые женщины на последних месяцах беременности замечают, что обувь на высоких каблуках становится причиной потери равновесия и болей в спине. С увеличением срока беременности каблуки ваших туфель должны становиться меньше и шире. Часто наиболее устойчивыми и удобными оказывается мягкая обувь на невысокой танкетке.

Выбирайте такие туфли, которые легко надеть, не прибегая к помощи рук, поскольку вам будет все труднее наклоняться, чтобы застегнуть пряжку или завязать шнурки.

Кроме того, откажитесь от гольфов с тугой резинкой, которые могут усугубить отек ног.

Преодолеть ощущение, что я выброшенный на берег кит, мне помог следующий прием: я представляла в выгодном свете те части своего тела, которые не увеличились в размере, вместо того чтобы сосредоточиться на тех, что увеличились. Я не привыкла разбрасываться деньгами, и поэтому, купив два нарядных платья, стала проявлять большую изобретательность в выборе аксессуаров, попробовала новую прическу и потратилась на косметику. Когда мне требовалось поднять себе настроение, я наряжалась. Я понимала, что моя теперешняя внешность сохранится всего лишь несколько месяцев, и поэтому делала все возможное, чтобы получать от нее удовольствие.

Мои эмоции: _____
_____
_____
_____

Мои физические ощущения: _____
_____
_____
_____

Мои мысли о ребенке: _____
_____
_____

Мои сны о ребенке: _____
_____
_____
_____

Как я представляю себе своего ребенка: _____
_____
_____
_____

Делюсь радостной новостью. С кем? Их реакция: _____
_____
_____
_____

Мои главные тревоги: _____
_____

Мои главные радости: _____
_____
_____

Мои главные проблемы: _____
_____
_____

Вопросы, которые у меня возникли, и ответы на них: _____
_____

Обследования и их результаты; моя реакция: _____
_____
_____

Уточненная предполагаемая дата родов: _____
_____
_____

Мой вес: _____

Мое кровяное давление: _____

Когда я впервые услышала сердцебиение ребенка: _____
_____
_____

Моя реакция: _____
_____
_____

Самостоятельное прощупывание матки; моя реакция: _____
_____
_____

фотография на третьем месяце беременности

Комментарии: _____

_____

_____

_____

_____

_____

_____

_____

_____

_____

_____

_____

ребенок в возрасте _____ недель (распечатка ультразвукового изображения)

ВИЗИТ К ВРАЧУ: ЧЕТВЕРТЫЙ МЕСЯЦ (13—16 НЕДЕЛЬ)

Что вас может ждать во время визита к врачу в этом месяце:

- исследование размеров и высоты матки;

- обследование с целью выявления отеков, варикозного расширения вен и сыпи

- возможность услышать сердцебиение ребенка;

- возможность при помощи ультразвукового аппарата увидеть движение ребенка, а также полностью сформировавшиеся части тела;

- тройной тест с целью выявления возможных генетических дефектов;

- проверка веса и артериального давления (в последующие три месяца предполагается более быстрый набор веса);

- анализ мочи на наличие инфекций, на сахар и белок;

- ультразвуковое исследование для выявления возможных врожденных дефектов, количества детей и положения плаценты, а также для оценки возраста ребенка (во многих лечебных учреждениях это стандартная процедура);

- возможность обсудить свои чувства и проблемы.

Четвертый месяц — самочувствие улучшается

ДОБРО ПОЖАЛОВАТЬ ВО ВТОРОЙ ТРИМЕСТР! Вероятно, вы отсчитываете срок своей беременности в месяцах, но врач оценивает развитие ребенка в неделях, и именно на тринадцатой неделе вы переступаете магическую черту, отделяющую вас от периода, который многие женщины называют «золотой порой» беременности. У некоторых по-прежнему бывают — особенно на четвертом месяце — дни плохого самочувствия, но большинство женщин соглашаются, что в среднем триместре тошнота отступает и возвращается аппетит, причем не только к еде, но и к сексу. В этом триместре многие женщины чувствуют, что к ним вновь вернулись силы.

Срок моей беременности — тринадцать недель, и у меня такое ощущение, что я только что вернулась к жизни. Теперь я хочу есть, заниматься любовью, ходить по магазином, и даже моя работа больше не кажется мне непрерывным кошмаром, когда я в перерывах между посещениями туалета засыпаю за рабочим столом.

Четвертый месяц — это начало быстрого роста ребенка, что отражается в ускоренном прибавлении веса. В этом месяце ваша беременность станет уже видна, а увеличившиеся грудь и талия будут удобно себя чувствовать в одежде для беременных, которая месяц назад казалась вам непомерно большой. Несмотря на то, что серьезные эмоциональные и физические трудности первого триместра начнут рассеиваться, следующие несколько месяцев тоже потребуют от вас определенной адаптации.

ВОЗМОЖНЫЕ ЭМОЦИИ

Большинство женщин считают, что второй триместр в эмоциональном плане гораздо стабильнее, чем первый. Прилив гормонов беременности, который в первые месяцы застал вас врасплох, теперь стабилизировался — а с ним и ваши эмоции. Возможно, вы обнаружите, что теперь не так остро реагируете на происходящие вокруг события. Более того — почти все женщины, с которыми мы беседовали, говорили, что на четвертом месяце чувствовали себя более счастливыми.

Облегчение. После двенадцатой недели беременности вероятность выкидыша уменьшается практически до нуля, и, хотя возможность позднего выкидыша совсем исключать нельзя, страх потерять ребенка обычно исчезает. Кроме того, вы испытываете чувство облегчения от того, что вас больше не мучают постоянная тошнота и усталость, характерные для первых месяцев беременности. Разумеется, у некоторых женщин эти симптомы сохраняются на протяжении следующих нескольких месяцев, но и в этом случае их интенсивность ослабевает.

Готовность поделиться новостью. Теперь, когда ваша внешность подтверждает, что у вас есть биологическое основание ваших ощущений и действий, вы, возможно, почувствуете желание рассказать о своей беременности друзьям и родственникам. Если раньше вы скрывали свою беременность, то теперь секрет вышел наружу — в буквальном смысле слова. В зависимости от вашего телосложения и развития беременности на этом этапе ваше состояние может быть едва заметно, что заставляет окружающих сомневаться. Когда беременность становится явной — это самый подходящий момент сообщить о ней.

Начало ощущения своей связи с ребенком. Невозможность скрыть происходящие в вашем организме перемены, возможность услышать сердцебиение ребенка и увидеть его изображение на экране ультразвукового аппарата, а также подозрение, что вы уже ощущаете толчки малыша, — все это делает беременность более реальной. Эти признаки усиливают ощущение связи с ребенком, а также понимание того, что крошечное существо внутри вас — это часть вас самих.

Когда в этом месяце мы с мужем увидели изображение ребенка на экране ультразвукового аппарата, то были просто потрясены. Это явилось для нас настоящим шоком. Разумеется, я знала, что беременна, но это изображение было таким реальным и волнующим. Несколько дней я находилась на вершине блаженства.

Двойственность чувств. Даже с учетом всех положительных эмоций, которые вы будете испытывать в этом месяце, в иные дни вас будут посещать сомнения. Конечно, вы стойко перенесли страдания первых трех месяцев. Но впереди еще шесть. Некоторые женщины испытывают страх из-за неуверенности в своем будущем самочувствии. Приступы тошноты еще свежи в их памяти, и они с тревогой ожидают наступления следующих стадий беременности, когда справляться с трудностями будет еще сложнее. Другие женщины жалуются, что они уже устали ждать, что у них складывается ощущение, что на время беременности их жизнь остановилась. Одна наша знакомая рассказывала, что больше всего ей хотелось стать такой, какой она была прежде. К счастью, это раздвоение чувств с увеличением срока беременности обычно проходит.

Сомнения. Теперь, когда вы действительно выглядите так, как выглядит беременная женщина, вновь всплывают сомнения, которые посещали вас в день прихода положительного результата теста на беременность. Это абсолютно нормально. Готовы ли вы к тому, что у вас будет ребенок? Готовы ли вы к переменам в образе жизни, карьере и браке? Готовы ли вы стать чьей-то матерью? На этом этапе, когда беременность стала реальной, эти чувства вполне естественны. Серьезные перемены в жизни всегда вызывают вопросы и сомнения. Беременность и материнство конечно же приведут к серьезным изменениям в вашей жизни, и было бы странно, если бы вы хоть немного не задумались, как

вы будете приспосабливаться к ним. Обдумывание этих вопросов сейчас поможет вам быстрее адаптироваться после родов. Лучше побеспокоиться заранее. А что вообще хорошего может принести беспокойство? Если ваши тревоги укладываются в привычную схему, найдите кого-нибудь (разумную подругу, священника или психолога), с кем вы могли бы поговорить.

Гордость. Некоторые женщины переживают и даже негодуют по поводу своего меняющегося тела, но большинство будущих мам радуются своей пополневшей фигуре и даже гордятся ею. Вынашивание ребенка — это огромное достижение, и теперь, имея видимое доказательство своего успеха, вы можете ощущать необыкновенную гордость. Вы просто обязаны гордиться! Беременность — это очень важный этап на жизненном пути женщины, и он заслуживает прославления. Вы присоединяетесь к своей матери, к ее матери, к матери ее матери, и так далее в создании новой жизни, и осознание такой силы вызывает пьянящее чувство. Пусть ваше представление о самой себе во время беременности будет позитивным.

Сексуальность. По мере того как ваш желудок приходит в нормальное состояние, а силы возвращаются, вы, вероятно, снова почувствуете вкус к жизни. Для многих женщин в это понятие входит и секс. Возможно — в зависимости от физического и эмоционального состояния — секс будет доставлять вам большее наслаждение, чем до беременности. Если вы испытали обычный для первого триместра спад сексуальной активности, то повышенный интерес к любовным играм может стать приятным сюрпризом для вашего супруга, особенно если вы будете брать инициативу на себя. (См. раздел «Радость секса во время беременности».)

Одна из наиболее привлекательных сторон беременности — это возможность наслаждаться сексом без боязни забеременеть.

Сомнения по поводу собственной привлекательности. Даже если вы ощущаете свою сексуальность и гордитесь своим изменяющимся телом, вас могут посещать сомнения, разделяет ли муж ваш энтузиазм. И действительно, многим мужчинам требуется некоторое время, чтобы привыкнуть к формам беременной женщины. Другие считают тело жены в этот период необыкновенно сексуальным (См. раздел «Радость секса во время беременности»).

Раздражительность. Теперь, когда вашу беременность уже нельзя скрыть, друзья, которые в течение первого триместра настойчиво приглашали вас поиграть в теннис, наконец-то верят вам, когда вы говорите, что устали. Возможно, супруг станет более внимательным, потому что теперь собственными глазами видит причину вашей медлительности или странного поведения. Конечно, вам хотелось бы получить это признание еще в прошлом месяце, когда вам было так плохо.

Теперь вы ощущаете повышенное внимание со стороны друзей, членов семьи и коллег, которые просто не могут не заметить вашу пополневшую фигуру, но вы не всегда готовы и не всегда хотите принять это внимание. Возможно, вас оно даже раздражает. Не следует, однако, забывать, что окружающие, привыкнув к вашей беременности и вашему внешнему виду, станут меньше обращать на них внимание — если вы сами не будете поощрять их. Чем комфортнее вы чувствуете себя в новой роли, тем легче вам поощрять или, наоборот, гасить интерес окружающих к вашему пополневшему телу.

Теперь, когда мою беременность уже нельзя скрыть от окружающих, различные доброжелатели стали особенно назойливыми. Они обвиняют меня либо в чрезмерной осторожности, когда я отказываюсь от суши, либо в легкомыслии, когда я позволяю себе глоток вина. Что бы я ни делала, мои действия вызывают осуждение, и это очень неприятно.

На работе коллеги стали относиться ко мне совсем иначе. Мне приходится вежливо намекать им, что я ничуть не изменилась и что я предпочитаю обсуждать с ними курс акций, а не пол моего будущего ребенка. Даже мама обрушила на меня лавину советов, как мне следует заботиться о себе и даже о том, что я должна думать о воспитании моего ребенка. Я еще не готова к такому количеству внимания и советов.

ВОЗМОЖНЫЕ ФИЗИЧЕСКИЕ ОЩУЩЕНИЯ

Точно так же, как побочные эффекты любого лекарства ослабевают по мере привыкания организма к определенной дозе, воздействие гормонов беременности проявляется менее остро по мере того, как организм адаптируется к их присутствию. В середине беременности физическое самочувствие женщины обычно улучшается, а многие даже чувствуют себя так хорошо, как никогда раньше.

Возвращение к норме — почти. Наконец-то вы ощущаете, что вновь стали сами собой. По крайней мере, до определенной степени. Если вы похожи на большинство женщин, то вам нравится весь день думать о еде — когда, что и где вы будете есть. Возможно, вы даже сможете выдерживать несколько часов между приемами пищи, не ощущая вызванных пустым желудком приступов тошноты.

Ваша беременность становится заметна. Если это у вас вторая или третья беременность, то к четвертому месяцу вам уже не удастся скрыть от окружающих свое состояние. Если эта беременность у вас первая, то вы можете еще находиться в том состоянии, которое вызывает вопросы окружающих. Возможно, на этой промежуточной стадии старые вещи стали уже малы, а одежда для беременных вам еще велика.

Прилив сил. Теперь, когда стадия «постели и туалета» миновала (тем не менее эти места могут оставаться надежным убежищем на протяжении всей беременности), у вас появилась возможность вернуться к привычным занятиям. Насколько быстро и до какой степени восстановятся ваши силы, определяется индивидуальными особенностями вашего организма. Большинство будущих матерей не способны (и ожидать этого не следует) расходовать столько же сил, сколько до беременности. Однако небольшой процент женщин ощущают такой прилив энергии во время второго триместра, какого не было у них никогда в жизни.

Женщины, сильно страдавшие на протяжении первого триместра, иногда испытывают желание наверстать упущенное и «включают повышенную передачу», пытаясь успеть слишком много. К счастью, большинство женщин чувствуют, что организм просто не даст им переработать. Независимо от того, к какому уровню активности вы привыкли, обязательно прислушивайтесь к своему телу. Не думайте, что эти вспышки энергии будут продолжаться бесконечно, и не перегружайте себя в периоды хорошего самочувствия, чтобы не «сломаться» впоследствии. Беременные женщины, которые пытаются взять на себя слишком много, за день чрезмерной активности расплачиваются несколькими днями вынужденного отдыха.

Возможно, супруг или начальник ожидают, что вы стали прежней и что вы будете делать все, что делали до беременности — раз уж ваше самочувствие улучшилось. Напомните себе, что за эти три месяца вы сами и ваш ребенок вырастаете больше, чем за любой другой триместр, и что это требует огромных затрат энергии. Природа позаботилась, чтобы энергия в первую очередь доставалась ребенку, а во вторую очередь вам. Все остальные должны довольствоваться остатками.

Частота позывов к мочеиспусканию уменьшается. Частые позывы к мочеиспусканию, заставлявшие вас в течение первых трех месяцев бросать все и бежать в туалет, теперь становятся реже. Это происходит потому, что увеличившаяся матка выходит за границы таза и отодвигается от мочевого пузыря. В последние два месяца беременности, когда матка увеличится еще больше, а ребенок опустится, частота посещений туалета вновь увеличится.

Жар. Возможно, с этого месяца до конца беременности вы будете ощущать жар. Повышение температуры тела на один градус объясняется воздействием гормонов беременности. Это явление напоминает небольшое повышение температуры во время овуляции в каждом менструальном цикле. Вас можно сравнить с биологической машиной, включившей «повышенную передачу». Ваш организм работает сверхурочно и поэтому перегревается. Не удивляйтесь, если вы будете больше потеть. Это способ охлаждения организма.

Чтобы ослабить дискомфорт от повышения температуры, пейте больше жидкости, восполняя ее потерю при потоотделении, а также носите свободную одежду из хлопка, пропускающую воздух. Отдавайте предпочтение многослойной одежде, чтобы можно было быстро снять какие-то вещи, когда вам становится жарко. Чтобы уменьшить дискомфорт и избавиться от запаха пота, чаще принимайте душ и меняйте белье.

Мне все время жарко. Я заметила, что обильно потею при малейшем напряжении сил. Даже в середине зимы я хожу в платье с короткими рукавами, а иногда мне хочется надеть шорты. Ночью мне тоже жарко, и я перестала пользоваться одеялом. Иногда мне так жарко, что я сбрасываю с ног простыню. У меня такое ощущение, что внутри моего тела спрятана печь.

Более обильные выделения из влагалища. Выделения из влагалища молочно-белого цвета со слабым запахом и консистенцией яичного белка считаются нормой во время беременности. Их интенсивность с увеличением срока беременности тоже может увеличиваться. Эти слизистые выделения напоминают предменструальные выделения, только они более обильные и постоянные. Повышенная секреция обусловлена тем же механизмом (присутствие гормонов беременности и усиление притока крови к тканям), который подготавливает влагалище к проходу по нему ребенка. Многие женщины меняют белье несколько раз в день или носят прокладки, чтобы обеспечить себе сухость и комфорт.

По большей части вагинальные выделения доставляют лишь мелкие неудобства, однако в некоторых случаях они могут указывать на вагинальные инфекции. Заподозрить инфекцию и обратиться к врачу вы должны в том случае, если выделения становятся гнойными, желтоватыми, зеленоватыми, творожистыми или у них появляется неприятный запах, если половые губы становятся отечными, красными или чувствительными, или если вы чувствуете жжение во время мочеиспускания.

Ниже приводятся примеры наиболее распространенных вагинальных инфекций.

Дрожжевые грибки. Наиболее распространенные и неприятные вагинальные инфекции вызываются грибковыми микроорганизмами, которые мы называем «дрожжевыми» (например, возбудители кандидоза, монилиаза). Дрожжевые грибки — это обычный обитатель слизистой оболочки различных органов, особенно кишечника и влагалища. При определенных обстоятельствах (которые могут включать в себя неправильное питание, стресс, гормональные изменения и присутствие антибиотиков) эти безопасные в нормальных условиях организмы начинают бурно развиваться, давая начало инфекции. Из-за высокого содержания эстрогена и сахара в клетках слизистой оболочки влагалища во время беременности у беременной женщины повышается риск развития грибковой инфекции. Признаки такой инфекции — это густые творожистые влагалищные выделения без резкого запаха, а также зуд, покраснение и жжение вокруг вагины, боль при мочеиспускании и половом сношении.

Врач обычно диагностирует грибковую инфекцию по характеру выделений, но иногда возникает необходимость отправить образец выделений на анализ, чтобы подтвердить подозрения и исключить другие инфекции. Кандидоз легко лечится при помощи продаваемых как по рецепту, так и без рецепта вагинальных кремов, таблеток или свечей, но не все они безопасны во время беременности. Проконсультируйтесь с врачом, который подберет подходящее именно вам средство.

Вагинальные грибковые инфекции могут возникать несколько раз во время беременности. Они неприятны, но безопасны для ребенка — даже в том случае, когда ребенок подхватывает грибок, проходя по влагалищу во время родов. Грибок может вызвать легкое воспаление слизистой оболочки рта ребенка, которое называется «молочницей», проявляется примерно через неделю после родов и может распространиться на соски кормящей матери, вызывая боль и повышенную чувствительность во время кормления. Иногда у новорожденных развивается не представляющий опасности грибковый дерматит, который легко излечивается отпускаемыми без рецепта противогрибковыми кремами.

К счастью, существует несколько методов профилактики, позволяющих снизить частоту и интенсивность вагинальных грибковых инфекций. Ограничьте потребление рафинированного сахара. Включите в свой рацион йогурт, который содержит живые молочнокислые ацидофильные культуры, принимайте ацидофильные таблетки или порошки, пейте ацидофильное молоко. Смывайте все влагалищные выделения при помощи ручной насадки для душа. (Спринцевания во время беременности не рекомендуются из-за опасности попадания воздуха в кровеносную систему и риска повреждений влагалища струей воды под давлением.) Откажитесь от тампонов, заменив их гигиеническими прокладками. Не пользуйтесь гигиеническими спреями, которые могут раздражать слизистую оболочку влагалища. Носите свободные хлопковые панталоны, пока симптомы инфекции не исчезнут. Откажитесь от тесных джинсов, спортивных трико, леотардов и купальников. Вместо пижамы на ночь надевайте ночную рубашку без всякого белья. Брюки замените юбками и по возможности откажитесь от колготок. Самый неприятный симптом вагинальной грибковой инфекции — это сильный зуд, который можно снять холодными компрессами или теплой ванной, в воду которой добавляют крахмал или питьевую соду. (Помогают и продающиеся без рецепта успокаивающие препараты для ванн, однако следует избегать пены для ванн и ароматизированного мыла, которые могут раздражать влагалище.)

Трихомоноз. Трихомоноз — это передающаяся половым путем инфекция, реже встречающаяся во время беременности, чем кандидоз. Подобно кандидозу, это заболевание вызывает неприятные ощущения у матери, но безопасно для ребенка. Трихомоноз характеризуется желтовато-зелеными выделениями из влагалища и резким, неприятным запахом. Врач может диагностировать это заболевание по характеру выделений и подтвердить диагноз результатами анализа. Трихомоноз лечится при помощи принимаемых внутрь таблеток или вагинального геля и свечей. Возможно, одновременно с вами таблетки придется принимать и мужу.

Другие бактериальные инфекции. Менее распространенные инфекции, приводящие к вагинальным выделениям, это гонорея и хламидиоз, которые тоже передаются половым путем. Для обоих инфекций характерны желтовато-зеленые выделения, жжение при мочеиспускании и повышенная чувствительность вагинального канала. При подозрении на эти заболевания врач будет настаивать на взятии анализа, поскольку возбудители инфекции могут заразить ребенка при родах или вызвать воспаление и повреждение репродуктивных органов матери.

Заложенный нос. Держите под рукой носовой платок. Те же самые гормоны беременности и увеличенный объем крови, которые вызывают усиление вагинальных выделений, заставляют клетки слизистой оболочки носа разбухать и выделять жидкость, в результате чего возникает ощущение заложенного носа. Женщины-аллергетики, страдающие астмой или сенной лихорадкой, могут обнаружить, что они хрипят, хлюпают носом и чихают чаще, чем до беременности, но даже те буду-

щие мамы, у которых раньше не наблюдалось аллергии или проблем с носовыми пазухами, во время беременности жалуются на заложенный нос.

Без консультации с врачом не принимайте — независимо от того, продаются ли они по рецепту или без него — лекарства от насморка, антигистаминные препараты или кортизон. Чтобы справиться с проблемой заложенного носа естественными средствами, увлажняйте воздух в спальне, когда у вас включено центральное отопление. (Хорошо помогает увлажнитель с подогревателем.) Предохраняя слизистую оболочку носа от пересыхания, вы уменьшите риск кровотечения из носа, которое может участиться во время беременности. Большая часть кровотечений из носа бывают слабыми и непродолжительными, и с ними можно справиться, просто зажав ноздри на несколько минут. Приспособление для ингаляции является простейшим средством, позволяющим подышать паром, чтобы уменьшить выделения из носа и освободить заложенные носовые пазухи. Продающийся без рецепта соляной аэрозоль — это безопасное и эффективное средство прочистить заложенный нос. Вскоре после родов ваши носовые проходы придут в норму.

Кровоточащие десны (гингивит беременных). Вы уже догадались о причине? Те же самые гормоны беременности, которые воздействуют на клетки слизистой оболочки различных органов вашего тела, вызывают изменения и во рту. Вы должны быть готовы не только к повышенному слюноотделению, но и к тому, что ваши десны станут чувствительными, набухнут и будут легко повреждаться во время чистки зубов зубной щеткой или ниткой. Примерно на четвертом месяце беременности следует нанести визит дантисту. Зубной врач, специалист по гигиене полости рта или парадонтолог помогут вам избежать воспаления десен (гингивита) или различных инфекций, к которым могут привести происходящие у вас во рту изменения. Поскольку у беременных женщин увеличивается риск разрушения зубов и развития гингивита, посещения зубного врача и тщательная гигиена полости рта должны стать неотъемлемой частью медицинских мероприятий во время беременности. Если вам требуется очистка зубов, рентгеновский снимок зуба или местная анестезия, не волнуйтесь. Все это не повредит ребенку. (Если вы беременны или подозреваете, что беременны, обязательно проинформируйте зубного врача, и при рентгене зуба вам обязательно выдадут прикрывающий живот защитный фартук.) Если вам из-за проблем с сердечными клапанами до и после процедуры у дантиста требуется принять антибиотики, проинформируйте дантиста о своей беременности — несмот-

ря на то, что применяемые в таких случаях антибиотики обычно безопасны для беременных.

Вот несколько советов, как домашними средствами не допустить, чтобы происходящие во время беременности изменения десен не стали еще более неприятными и серьезными.

● Ешьте больше овощей и фруктов, богатых витамином С. Для зубов также полезны продукты с большим содержанием кальция.

● Несколько раз в день полощите рот антисептическим средством. После полоскания выплевывайте жидкость, а не глотайте ее.

● Пользуйтесь зубной щеткой с мягкой щетиной, которая не вызывает кровотечения десен.

● Чистите зубы чаще, и обязательно после каждого приема пищи. Носите с собой в сумочке запасную зубную щетку и пасту.

● Регулярно (не менее одного раза в день) чистите зубы ниткой.

● Подумайте об использовании ультразвуковой щетки, которая эффективнее, чем обычная, удаляет налет с зубов. Кроме того, она щадит ставшие чувствительными десны.

● Откажитесь от тягучей карамели и прочих подобных сладостей. Ириски, инжир и другие клейкие продукты собираются в углублениях припухших десен, и поэтому постарайтесь удовлетворить свою тягу к сладкому менее клейкими продуктами.

Примечание: На деснах могут образоваться крошечные узелки, чувствительные к прикосновениям и начинающие кровоточить при чистке зубов. Эти узелки, получившие название «пиогенной гранулемы» (или «опухоли беременности»), не должны вызывать у вас беспокойства; они исчезают вскоре после родов. Если они вызывают у вас дискомфорт, то зубной врач может дренировать или удалить их.

Головные боли. Головные боли, подобно тошноте, являются одной из самых распространенных жалоб во время беременности. Они могут быть частыми или редкими, но вероятность их появления очень велика. Они часто начинаются и прекращаются внезапно. Боль может быть пульсирующей, тупой, создавать ощущение сдавливающего голову обруча или быть похожей на мигрень. Некоторые женщины, страдающие хроническими мигренями, замечают, что во время беременности приступы становятся чаще и тяжелее, а другие говорят, что головные боли появляются реже или ослабевают. Иногда головная боль продолжается лишь несколько минут, а иногда не проходит весь день. Ученые считают, что причиной головных болей являются гормональные изменения, однако в этот процесс свой вклад вносят и серьезные эмоциональные и физические перемены, происходящие в организме беременной женщины.

Как бы то ни было, а головные боли часто сопровождают периоды стрессов и перемен.

Большую часть головных болей, испытываемых в первые два триместра беременности, можно считать еще одним побочным эффектом вашего состояния, и к концу второго триместра они обычно ослабевают или исчезают совсем. Сильные постоянные головные боли (особенно те, что сопровождаются нарушением зрения) в третьем триместре могут быть признаком высокого кровяного давления, и о них нужно обязательно сообщить врачу.

Опасности, связанные с приемом обезболивающих препаратов во время беременности, могут стать еще одним источником головной боли. Тем не менее иногда невозможность принять лекарство от головной боли может пойти вам на пользу, заставляя искать другие средства облегчения своего состояния. Существует множество немедикаментозных способов, позволяющих предотвратить или снять головную боль, связанную с беременностью (см. приведенные ниже примеры).

Выясните, что вызывает у вас головную боль. Почувствовав головную боль, попытайтесь определить наиболее вероятную ее причину. Чем вы занимались, что ели или о чем думали перед тем, как у вас заболела голова? Как часто вы повторяли: «Это настоящая головная боль»

Ассоциация — инициатор	Средство	Результат
Головокружение и головная боль после подъема с постели по утрам.	Вставайте медленно и постепенно.	Головная боль и слабость не возникают.
Головная боль появляется вместе с голодом.	Часто перекусывайте и не позволяйте себе испытывать чувство голода.	«Голодные» головные боли исчезнут.
Нервное состояние и напряжение вызывают головную боль.	Планируйте мероприятие за несколько дней и приглашайте только близких друзей.	Головные боли, связанные с напряжением нервной системы, исчезнут.

или «От этого человека у меня болит голова»? Ради себя самой и ради своего ребенка вы обязаны избегать ситуаций, которые расстраивают или раздражают вас.

Вполне возможно «надумать» себе головную боль. Не позволяйте себе погружаться в бесчисленные тревоги и заботы. Расслабьтесь, займитесь медитацией или поспите.

Медленно меняйте положение тела. Любое движение, которое воздействует на приток крови к мозгу, может стать причиной головной боли. Когда вы садитесь или встаете из положения лежа, пульс и давление обычно изменяются, чтобы компенсировать изменение силы тяжести и обеспечить мозг достаточным количеством крови. Во время беременности приоритет в снабжении кровью принадлежит матке, и потому кровоснабжение мозга может на короткое время ухудшиться. В результате после резкого подъема с постели по утрам или с мягкого кресла вечером у вас могут возникнуть головокружения, обмороки и головная боль. Чтобы помочь сердечно-сосудистой системе, основное внимание которой сосредоточено на ребенке, поставлять достаточное количество крови мозгу, меняйте положение тела постепенно.

Поддерживайте постоянный уровень сахара в крови. Падение уровня сахара в крови может вызвать головную боль. Предотвратить ее появление можно при помощи частого приема пищи, отдавая предпочтение энергетически ценным продуктам, таким, как сложные углеводы. Перекусывайте чаще и плотнее.

Больше свежего воздуха. Душное, плохо проветриваемое, жаркое или пыльное помещение может вызвать конгестию носовых пазух и головную боль. Избегайте сигаретного дыма. Если вы присутствуете в переполненном людьми помещении, выбирайте место поближе к двери, чтобы можно было выйти наружу и глотнуть свежего воздуха. Зимой при включенном центральном отоплении располагайтесь у слегка приоткрытого окна, чтобы ослабить воздействие сухого воздуха. Если вы работаете в герметичном офисном здании, пользуйтесь тем туалетом, который расположен рядом с холлом, и на несколько минут выходите на улицу. Если вы не можете себе позволить частых отлучек, подумайте о покупке ионизатора. Многие женщины считают, что отрицательно заряженные ионы значительно улучшают качество воздуха в рабочем помещении.

Обратитесь к домашним средствам. Лучший способ борьбы с головными болями во время беременности — это профилактика, хотя многие беременные женщины, которые не нервничают, правильно питаются и дышат свежим воздухом, все равно испытывают головные боли. Многие женщины, которые считают свои головные боли не такими уж сильными и обращаются за помощью к болеутоляющим, не требующим рецепта, могут попробовать и немедикаментозный подход. Попытайтесь применить приведенные ниже методы снятия головной боли, безопасные и для вас, и для ребенка.

● **Массаж головы.** Ложитесь поудобнее и попросите супруга помассировать — круговыми движениями и достаточно энергично, чтобы кожа на черепе двигалась, — ту часть головы, где ощущается боль. Попробуйте несколько положений, например лежа или сидя на стуле. Если частые головные боли во время беременности сильно вам досаждают, обратитесь к специалисту, который владеет приемами точечного массажа висков и шеи. Договоритесь, чтобы во время консультации вы и ваш муж обучились этим приемам массажа и смогли пользоваться ими самостоятельно. (Можно попробовать делать массаж головы самостоятельно, но это может оказаться неэффективным: нельзя полностью расслабиться, когда занят каким-то делом.)

● **Очистка носовых пазух.** Гормоны беременности усиливают конгестию носовых пазух, и это состояние может усугубляться пребыванием в плохо проветриваемом, жарком и пыльном помещении, особенно в зимние месяцы. Попробуйте использовать приспособление для распаривания лица, которое продается в магазинах косметических товаров и в универмагах. Для того чтобы получить удовольствие от процедуры, поставьте устройство на стол, наклонитесь вперед, упритесь локтями в крышку стола и на несколько минут приблизьте лицо к раструбу, из которого выходит пар. Любимая музыка или интересная телепередача помогут вам скоротать время и не прерывать процедуру очистки носовых пазух раньше, чем нужно.

● **Спокойное состояние и закрытые глаза.** Люди, страдающие мигренями, расскажут вам, что лучшее средство от головной боли — это лечь в темной и тихой комнате. Попробуйте применить методы релаксации или визуализации, или любые другие приемы, которым вас обучат на курсах для будущих мам.

Если вы испробовали все перечисленные выше профилактические меры и домашние средства, но головные боли по-прежнему беспокоят вас, проконсультируйтесь с врачом относительно обезболивающих средств, которые безопасны для беременных. Например, эпизодическое использование ацетаминофена (тайленола) считается безопасным, но постоянное воздействие больших доз этого лекарства может нанести вред. Распространенные средства лечения мигреней, особенно содержащие спорынью, небезопасны во время беременности. То же самое относится ко многим популярным обезболивающим средствам, таким, как ибупрофен. Прежде чем принимать какие-либо лекарственные препараты во время беременности, обязательно посоветуйтесь с врачом. Он подскажет вам, какие из них безопасны, а какие нет.

Головокружения и обмороки. Во втором триместре, а иногда и раньше у вас время от времени будут появляться головокружения. Эти симптомы — нормальное явление во время беременности, и они не несут в себе никакой опасности для матери или ребенка, если приступы не становятся более частыми и сильными.

Головокружение, которое возникает тогда, когда вы резко встаете, обусловлено нормальными физиологическими изменениями в организме беременной женщины. Как только вы приподнимаетесь, сила тяжести тут же заставляет кровь перемещаться из верхней половины тела в нижнюю. В обычном состоянии сердечно-сосудистая система быстро адаптируется, не допуская снижения давления и поддерживая снабжение мозга кислородом. Во время беременности сердечно-сосудистая система женщины реагирует на изменения не так быстро, в результате чего кровоснабжение мозга временно ухудшается и вы испытываете головокружение — это состояние называется «постуральной гипотензией» (пониженное кровяное давление вследствие изменения положения тела). Вполне возможно, это происходит потому, что матка конкурирует с мозгом за своевременное кровоснабжение и иногда выигрывает в этой борьбе.

Иногда просто длительное пребывание в сидячем или лежачем положении приводит к тому, что кровь скапливается в нижней половине тела, что ухудшает кровоснабжение мозга и способствует появлению головокружения (это состояние называется «ортостатической гипотензией»). Эта тенденция естественным образом усиливается во время беременности, поскольку относительные размеры нижней половины тела значительно увеличиваются. В третьем триместре появляется еще одна причина головокружений — давление матки на кровеносные сосуды брюшной полости. Это означает, что кровь медленнее возвращается в верхнюю половину тела, особенно когда вы лежите на спине или на правом боку.

Причины головокружений и обмороков, которые не относятся к норме во время беременности и должны быть устранены, — это низкий уровень сахара в крови (его можно поднять при помощи правильной диеты и более частого приема пищи) и анемия или низкое количество красных кровяных клеток крови (это состояние корректируется диетой с высоким содержанием железа или приемом пищевых добавок, содержащих железо). В отличие от возникающих время от времени головокружений, постоянные обмороки не являются нормой, и о них нужно сообщить врачу, который выявит их причину и назначит лечение.

Чтобы предотвратить и ослабить головокружения во время беременности, попробуйте предпринять следующие меры.

● Следуйте приведенным выше советам.

● Часто перекусывайте.

● Регулярно посещайте врача, который будет следить за общим состоянием вашего здоровья, каждый раз измерять кровяное давление и периодически проверять уровень железа в крови.

● Постарайтесь не сидеть и не стоять в одном положении в течение длительного времени. Если вы вынуждены долго сидеть, приподнимите ноги и время от времени меняйте позу. Почаще разминайте ноги (см. рекомендации на стр. 181 оригинала).

● Во второй половине беременности желательно лежать или спать на левом боку.

● Медленно и плавно садитесь на постели или вставайте с кресла — особенно по утрам.

● Если вы испытываете головокружение и вам необходимо сесть или лечь — сделайте это.

● Если после того, как вы сели, головокружение не исчезло, опуститесь на одно колено и положите голову на другое колено или на стул. По возможности нужно лечь на удобную поверхность, чтобы голова находилась на уровне тела, а ноги были приподняты на несколько дюймов.

КАК РАЗВИВАЕТСЯ ВАШ РЕБЕНОК (13—16 НЕДЕЛЬ)

К концу шестнадцатой недели между лобковой костью и пупком вы сможете без труда прощупать матку, размерами напоминающую грейп-

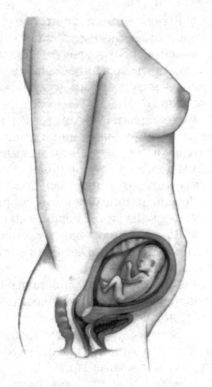

Ребенок в возрасте 13 — 16 недель

фрут. В течение этого месяца длина плода удвоится, а вес увеличится почти в четыре раза. Таким образом, к концу шестнадцатой недели длина ребенка может достигать 5 дюймов, а вес — 4 фунтов[1]. В этом месяце руки ребенка удлиняются, и он уже способен сгибать и разгибать локти, сжимать кулаки, сосать большой палец. Ножки плода также становятся

длиннее, толчки усиливаются, хотя вы, возможно, еще не ощущаете их. Формируются кости рук и ног ребенка, и их уже можно различить на рентгеновском снимке или на ультразвуковом изображении. Ребенок начинает «вдыхать» и «выдыхать» амниотическую жидкость, которая через развивающиеся дыхательные пути попадает в крошечные легочные мешочки. Кроме того, ребенок заглатывает и выделяет амниотическую жидкость, и к концу этого месяца в его желудочно-кишечном тракте уже могут собираться зачатки фекалий, получившие название «меконий». Развиваются внешние ушные раковины, а с ними слух, в результате чего усиливается реакция ребенка на звуки. Формируется индивидуальный узор на подушечках пальцев. С высокой скоростью начинают развиваться кровеносные сосуды, просвечивающие через тонкую и все еще прозрачную кожу плода. Тело ребенка покрывается тонкими шелковистыми волосками, которые называются «лануго»; начинают расти ресницы. В возрасте шестнадцати недель ваш ребенок размерами и внешним видом напоминает персик.

К этому месяцу плацента представляет собой хорошо развитое связующее звено между вашей системой кровообращения и системой кровообращения ребенка. Она передает ребенку кислород, который вы извлекаете из вдыхаемого воздуха, пи-

---

[1] Длина плода измеряется от макушки до ягодиц ребенка без учета длины ног (эта величина носит название «копчиково-теменного» размера).

тательные вещества из вашей пищи, а также защищающие от инфекций вещества, вырабатываемые клетками вашей иммунной системы. Во время каждого прохода вашей крови и крови ребенка через этот важный орган, напоминающий насыщенный кровеносными сосудами блин, питательные вещества, которые необходимы ребенку, поступают из вашей крови в его кровеносную систему, а в обратном направлении проходят ненужные ему отходы жизнедеятельности. Кроме того, в этом месяце плацента становится основным производителем гормонов беременности, которые постоянно нужны вам для того, чтобы питать себя и своего ребенка. Пуповина плода, длина которой теперь сравнима с длиной его тела, напоминает крошечный шланг, пропускающий в одном направлении кислород и питательные вещества, а в другом — отходы жизнедеятельности.

Ребенок теперь свободно плавает в амниотической жидкости, наполняющей плодный пузырь. Более того, в течение этого месяца количество жидкости значительно увеличивается и достигает кварты. К шестнадцатой неделе объема амниотической жидкости бывает достаточно, чтобы врач мог, не причиняя вреда плоду, проникнуть внутрь плодного пузыря во время процедуры амниоцентеза.

ВОЗМОЖНЫЕ ПРОБЛЕМЫ

Изменения кожных покровов

Некоторым беременным женщинам говорят, что румянец выдает их состояние раньше, чем изменившиеся пропорции тела. Большинство будущих матерей замечают происходящие с их кожей изменения во втором триместре. Эти изменения могут предшествовать изменениям фигуры или появляться после них — время их появления сугубо индивидуально.

Вероятно, вы уже догадались, что изменения, происходящие с кожей, обусловлены действием гормонов беременности, а также естественным растяжением кожи из-за увеличившегося объема тела. Кожа беременной женщины выглядит иначе и вызывает другие ощущения из-за того, что происходит под ней. Увеличение объема крови, которое достигает максимума во втором триместре, приводит к приливу крови к коже, вследствие чего богатые кровеносными сосудами участки тела — в основном лицо — розовеют. Многие подкожные железы во время беременности работают сверхурочно: сальные железы вырабатывают больше жира, пигментные железы усиливают выработку пигмента, а потовые железы заставляют вас сильнее потеть. Изменения, происходящие с кожей во время беременности, в значительной степени зависят от типа вашей кожи. Чем смуглее ваша кожа, тем более сильных изменений вам следует ожидать; чем светлее кожа, тем более заметны эти изменения. Повышенный уровень гормонов, особенно эстрогена, стимулирует вырабатывающие пигмент клетки, отчего темные пятна на коже становятся еще темнее.

Эти изменения не являются необратимыми. Вскоре после родов ваша кожа вернется в прежнее состояние — по крайней мере, в основном. Некоторые проступившие вены и темные пятна останутся, но и они со временем исчезнут. Рассматривайте эти изменения кожи как признак приближающегося материнства, как временные проблемы, являющиеся отражением происходящих внутри вас процессов. Они являются такой же неотъемлемой частью беременности, как тошнота и усталость, и носят, как правило, временный характер. Когда вы поразмыслите о том, как сложно вашей коже приспособиться к изменившейся химии тела и его размерам, то, скорее всего, придете к выводу, что нужно смириться с появившимися отметинами или пятнами. Тем не менее вы должны обеспечить должный уход за кожей во время беременности, следуя изложенным основным рекомендациям.

Румянец беременных. Румянец, который заметен для окружающих (хотя вы можете ничего не чувствовать), это не просто сентиментальные бабушкины сказки. Сияние вашего лица имеет биологическую основу. Увеличенный объем крови в организме заставляет ваши щеки заливаться милым румянцем — под поверхностью кожи щек располагаются многочисленные кровеносные сосуды. На этот румянец накладывается блеск, который придает коже усиленная работа сальных желез. Пышущее жаром лицо беременных женщин напоминает лицо человека, который волнуется, плачет или делает то, что повышает частоту его сердечных сокращений (такое при беременности происходит постоянно).

Маска беременных. Иногда во втором триместре, посмотрев в зеркало, вы обнаруживаете там совсем другое лицо. На коже лица в любом месте — чаще всего на лбу, верхней части щек, на носу и на подбородке — могут проступить коричневатые или желтоватые пятна, которые называются «хлоазма» (другое название «маска беременных»). Гормоны беременности эстроген и прогестерон стимулируют усиленную выработку пигмента меланина специальными клетками кожи, однако эти клетки увеличивают выработку пигмента неравномерно, что приводит к появлению пятнистой окраски. (Если вы принимали оральные контрацептивы, то, возможно, уже встречались с этим побочным эффектом действия гормонов.) Брюнетки и женщины со смуглой кожей могут заметить у себя темные круги под глазами, напоминающие тени от усталости. От маски беременных избавиться нельзя, но можно уменьшить интенсивность окраски появившихся пятен, ограничив воздействие на кожу ультрафиолетовых лучей (то есть солнечного света), которые стимулируют выработку меланина.

Прыщи. Наверное, вы думали, что прыщи на лице навсегда остались в прошлом. Несмотря на то, что прыщи во время беременности редко бывают такими сильными, как в подростковом возрасте, вам придется вспомнить прежние методы очистки кожи. К счастью, беременность короче периода полового созревания — вскоре после родов прыщи исчезнут. Откажитесь от абразивных скрабов и отшелушивающих средств, поскольку кожа беременных слишком чувствительна к ним. Мягкие скрабы для лица на основе овсяных хлопьев помогут очистить закупоренные жиром поры, не раздражая чувствительной кожи. *Из-за риска появления на свет ребенка с врожденными дефектами во время беременности нельзя принимать такие препараты против прыщей, как «Аккутан» и «Ретинол-А», отпускаемые в аптеках по рецепту врача.*

Темная линия. У многих женщин на животе есть тонкая белая линия, идущая от пупка к середине лобковой кости. До беременности она едва заметна, и вы можете не подозревать о ее существовании. Иногда во втором триместре «белая» линия превращается в «темную», то есть темнеет и становится более заметной. У некоторых женщин эта темная линия распространяется вверх, продолжаясь выше пупка. Темная линия более заметна у женщин со смуглой кожей и исчезает через несколько месяцев после родов.

Темные зоны становятся темнее. Маленькие родинки и веснушки, существовавшие до беременности, теперь могут увеличиться в размере, а коричневые родимые пятна потемнеть. Не исключено, что на коже появятся новые родинки. (Проконсультируйтесь с наблюдающим вас врачом или с дерматологом, если эти родинки выглядят уж очень выпуклыми или имеют неровные края.) Потемнеют также соски и околососковые кружки. В отличие от других темных зон на коже, которые после родов вернут себе прежний цвет, околососковые кружки, скорее всего, так и останутся более темными, чем до беременности.

Покраснение ладоней и ступней. Даже на втором месяце беременности внутренние поверхности ваших ладоней и ступней могут покраснеть и чесаться — это состояние называется «ладонной эритемой». Покраснение — это всего лишь одна из при-

Полосы растяжения

Через месяц или два после того как беременность станет заметной, почти у всех женщин на участках кожи, которые больше всего растягиваются во время беременности (живот, грудь, бедра и верхняя часть ягодиц), появляются розоватые полосы, получившие название полос растяжения. Эти полосы обозначаются медицинским термином «рубцы беременности» и возникают из-за разрыва эластичных коллагеновых волокон кожи. Одни волокна растягиваются без разрыва, другие рвутся, но затем восстанавливаются, а некоторые так и не заживают полностью. На разрыв волокон и на образование полос растяжения влияют три фактора: гормоны, прибавка веса и наследственность. Гормоны беременности, оказывающие расслабляющее воздействие на связки, понижают содержание коллагена в волокнах кожи, делая их более хрупкими и подверженными разрыву. Естественное увеличение объема груди и живота заставляет кожу растягиваться слишком быстро и слишком сильно, а очень быстрый набор веса еще больше усугубляет этот процесс. И наконец, определяющиеся наследственностью телосложение и тип кожи влияют на образование полос растяжения, а также на то, полно-

стью ли они исчезают после родов. У некоторых людей кожа растягивается легче, и при этом практически не происходит разрыва волокон. Точно так же кожа определенного типа быстрее заживает после разрыва волокон, а на некоторой коже полосы растяжения более заметны. Независимо от генетически обусловленного типа кожи существует несколько приемов, помогающих минимизировать растяжение кожи и количество оставшихся после беременности полос.

● Регулярно занимайтесь физическими упражнениями, чтобы избежать излишней полноты.

● Избегайте слишком быстрого набора веса. Постепенный набор необходимого веса поможет предотвратить лишнее растяжение.

● Правильно питайтесь, получая с пищей все необходимые вещества, особенно витамин С и белки, которые помогают формировать прочные коллагеновые волокна. Кожа и подкожный слой являются одними из тех мест, где организм накапливает запасы питательных веществ, в том числе белка. Если в вашем рационе мало белка, кожа испытывает недостаток в этом веществе, и лишенные белка коллагеновые волокна становятся менее прочными.

● Масла, лосьоны и лекарственные препараты не могут предотвратить образование полос растяжения, а также ускорить их исчезновение. Тем не менее они помогут справиться с двумя распространенными проблемами: сухостью и зудом. Кроме того, существуют свидетельства, что ежедневное применение смягчающих средств, которые увлажняют кожу и помогают восстановить ее эластичность, может уменьшить интенсивность образования полос растяжения, а продолжение массажа в течение трех месяцев после родов уменьшает количество оставшихся рубцов.

Большинство полос растяжения со временем постепенно исчезает. Через несколько месяцев после родов они превращаются в полоски утонченной кожи, которые имеют легкий серебристый или перламутровый оттенок и практически незаметны на фоне окружающей ткани. При слабом освещении они вообще незаметны. Некоторые полосы растяжения до конца так и не исчезают. Считайте эти «метки материнства» небольшой платой за ваши достижения и постарайтесь понять, что другим они видны гораздо меньше, чем вам.

чуд беременности, которая исчезнет через несколько месяцев после родов. (Чтобы уменьшить зуд, обратитесь к разделу «Основные рекомендации по уходу за кожей во время беременности».)

Сеть капилляров. Гормоны беременности, о которых уже так много было сказано, а также увеличившийся объем крови приводят к тому, что крошечные красные или пурпурные капилляры изогнутой формы, располагающиеся непосредственно под поверхностью кожи, выступают наружу и становятся более заметными. Кроме того, густая сеть капилляров, напоминающая паутину, часто проступает на лице или на склере (белок глаз) во время родов; интенсивные

потуги, во время которых краснеет лицо, могут привести к разрыву крошечных кровеносных сосудов. Эти лопнувшие сосудики называются «невусы», и их можно скрыть при помощи макияжа. Невусы исчезают медленнее, чем любые другие проблемы с кожей во время беременности; некоторые проступившие капилляры на ногах и туловище вообще не исчезают сами собой. Дерматолог устранит их при помощи инъекций, если вы считаете это необходимым.

Папилломы. У некоторых беременных женщин образуются крошечные наросты в местах трения кожи об одежду или кожи о кожу. Обычно это происходит под мышками, на шее или под грудью. Папилломы образуются из-за усиленного роста поверхностного слоя кожи. Эти наросты сами исчезают через несколько месяцев после родов, но их можно легко удалить, если они причиняют вам беспокойство.

Потница. Вы, наверное, думаете, что потница бывает только у маленьких детей, но это не так. Потница встречается и у беременных женщин; причиной мелкой сыпи и зуда является сочетание повышенной температуры тела беременной, влажность от усиленного потоотделения и трение кожи о кожу или об одежду. Чаще всего это раздражение кожи появляется в ложбинке между грудей, под грудью, в складке между выступающей нижней частью живота и лобком, а также на внутренней поверхности бедер.

Зуд. Многие беременные женщины любят как следует «поскрестись» в конце дня. Некоторые участки кожи могут чесаться из-за чрезмерной сухости и шелушения, а другие из-за выступившей на них потницы. У многих женщин зуд особенно силен на растянутой коже, в основном на животе, но также и на бедрах. (Чтобы ослабить вызываемый зудом дискомфорт, следуйте рекомендациям раздела «Основы ухода за кожей во время беременности».)

Прыщевая сыпь. Примерно у одного процента женщин на животе, бедрах, ягодицах и конечностях появляются выпуклые красные бляшки, вызывающие зуд. Это состояние называется «генитальными уртикарными папулами и бляшками». Обычно сыпь появляется и исчезает во второй половине беременности и почти всегда окончательно проходит вскоре после родов. Лечение такое же, как и при любом другом раздражении кожи.

Изменения волосяного покрова

Волосы — это часть кожи, и поэтому на их структуру тоже влияет гормональная перестройка организма беременной женщины. У всех женщин это влияние проявляется по-разному, но во втором триместре с вашими волосами, скорее всего, произойдут какие-либо изменения.

Увеличение количества волос. Гормоны беременности уменьшают скорость выпадения волос. Поэтому с увеличением срока беременности вы заметите, что все меньше волос остается на расческе, а все больше на голове. Большинству беременных женщин нравятся такие перемены.

После родов густота волос опять уменьшается. Наиболее интенсивным выпадение волос бывает на втором-четвертом месяце после родов, а если вы кормите грудью, то этот период затягивается. Большое количество волос, оставшихся на подушке или на расческе, может испугать вас, но примерно через год после родов ваши волосы станут такими же, как до беременности.

Основы ухода за кожей во время беременности

Коже беременной женщины требуется дополнительный уход, причем не только с косметическими целями, но и для устранения дискомфорта. Прислушайтесь к приведенным ниже рекомендациям по уходу за кожей.

Избегайте повреждения кожи солнечными лучами. Из-за повышенной активности клеток, вырабатывающих пигмент, кожа беременных женщин становится чрезвычайно чувствительной к ультрафиолетовому излучению солнца. Не допускайте солнечных ожогов своей чувствительной кожи. Избежать ненужного воздействия солнечных лучей можно следующим образом.

• По возможности находитесь в тени.

• Надевайте шляпу с широкими полями, закрывающими от солнца все лицо.

• Не находитесь на солнце между 11 и 15 часами дня, когда излучение наиболее интенсивно.

• Используйте защитный крем с коэффициентом не менее 15. Соблюдайте инструкции, указанные на упаковке. Если там написано, что солнцезащитный крем до выхода на улицу должен активироваться или высохнуть, не пренебрегайте советом фирмы-производителя.

В противном случае защитное действие крема может ослабнуть. Если вы каждое утро наносите на лицо увлажняющий крем или основу под макияж, используйте косметические средства с солнцезащитным эффектом. Из соображений безопасности не применяйте солнцезащитные препараты, содержащие пара-аминобензойную кислоту.

• Откажитесь от средств ухода за кожей, обладающих сильным запахом или содержащим алкоголь. Они могут не только раздражать чувствительную кожу, но и усилить ее чувствительность к солнечным лучам.

• Не посещайте солярии и не используйте лампы для загара.

Продолжайте защищать лицо от ультрафиолетовых лучей на протяжении нескольких месяцев после родов, поскольку кожа может сохранять повышенную чувствительность к солнцу в течение трех месяцев. (Разумеется, защищать свою кожу от солнечного излучения полезно независимо от того, беременны вы или нет.)

Питайте свою кожу. Плохое питание и плохой внешний вид неразрывно связаны друг с другом. Придерживайтесь сбалансированной диеты, рекомендованной в главе 2.

Особенно хорошо влияют на кожу продукты, богатые витаминами C и B_6. Ежедневный прием пищевой добавки, содержащей от 25 до 50 миллиграммов витамина B_6 (проконсультируйтесь с наблюдающим вас врачом) и использование увлажняющих лосьонов поможет сохранить вашей коже блеск, который вам так нравится. Если ваша кожа чересчур суха, вам требуется больше жидкой несатурированной основной жирной кислоты, которая носит название линолевой и содержится в растительных маслах и рыбе.

Увлажняйте свою кожу. Чтобы противостоять сухости кожи во время беременности, пейте больше жидкости и в зимние месяцы увлажняйте воздух в спальне. Если вы работаете в герметичном помещении, установите в комнате увлажнитель и регулярно делайте перерывы в работе, чтобы выходить на свежий воздух.

Обеспечьте комфорт своей коже. Надевайте свободную одежду из хлопка, чтобы кожа могла дышать. Откажитесь от синтетических тканей (таких, как полиэстер), которые не пропускают влагу. Отказ от колготок может предотвратить появление потницы на бедрах, ягодицах и в области лобка. Нанесение нейтральной пудры или смягчающего крема под бретели или нижнюю часть бюстгальтера поможет уменьшить раздражение.

Ухаживайте за своей чувствительной кожей. При нанесении увлажняющих кремов массируйте кожу легкими круговыми движениями. Откажитесь от жирных, закупоривающих поры кожи кремов для лица, жестких абразивных скрабов и отшелушивающих средств. Кроме того, не используйте очищающие средства, которые сушат кожу, — например, содержащие алкоголь или обладающие сильным запахом, — что может повысить ее чувствительность к солнечному излучению. Прежде чем использовать новое средство для ухода за кожей, протестируйте его: нанесите небольшое количество на внутреннюю сторону запястья и подождите не менее двадцати минут, чтобы определить, как вы отреагируете на него.

Если ваша кожа становится сухой и начинает шелушиться, наносите на нее увлажняющие и смягчающие средства чаще и в большем количестве, особенно в тех местах, где кожа трется о кожу или об одежду. Если та или иная одежда вызывает у вас дискомфорт, отложите ее на неделю или две, пока кожа в этих местах не заживет.

Тщательно выбирайте средства для ухода за кожей. Некоторые фирмы специально разработали линии косметики для беременных женщин.

Массируйте кожу. Порадуйте тело и душу частым массажем — либо при помощи профессионального массажиста, либо при помощи преданного супруга. Нежные прикосновения при массаже успокаивающе действуют не только на кожу беременной женщины, но и на ее психику.

Мойтесь осторожно. Обычно вода благотворно воздействует на кожу, но слишком длительное пребывание в ней может вызвать раздражение — вспомните руки посудомойки! Время пребывания в ванне должно быть достаточным, чтобы вымыться и ослабить зуд, однако следует выходить из воды до того, как ваша кожа «сморщится». Если до беременности у вас наблюдалась предрасположенность к экземе, то длительное пребывание в ванне может усугубить эту проблему. Кроме того, мыло сушит кожу, удаляя из нее жир, и поэтому вам следует ограничить использование мыла и отдавать предпочтение тем сортам, в состав которых входит увлажнитель. Некоторые новые очищающие лосьоны щадят кожу и не удаляют из нее естественный жир. Соски и околососковые кружки вообще не следует мыть мылом.

После ванны или душа нужно сохранить влагу на теле, нанеся увлажняющий крем, пока кожа еще окончательно не высохла. Если бритье ног сильно раздражает вашу сухую кожу, вместо пены для бритья используйте увлажняющий лосьон или гель.

Уменьшение зуда. Чтобы успокоить зудящую кожу, добавьте чашку кукурузного крахмала и полчашки питьевой соды в заполненную до половины ванну или используйте имеющиеся в продаже средства. Погрузитесь в ванну и полежите в ней, пока зуд не пройдет. Можно всыпать столовую ложку кукурузного крахмала и столовую ложку питьевой соды в кварту теплой воды и при помощи полотенца поставить компресс на места с наиболее сильным раздражением.

Правильный макияж. Даже те женщины, которые обычно не пользуются косметикой, во время беременности иногда испытывают потребность немного смягчить свой яркий румянец. Используйте щадящую косметику на водорастворимой основе или содержащую увлажняющие препараты. Аналогично кремам для кожи выбирайте косметические средства, которые не закупоривают поры и не сушат кожу. И не забывайте смыть косметику на ночь: тщательно удалите макияж, чтобы кожа могла дышать.

Изменение волос. Несмотря на то, что волосы ваши станут гуще, их внешний вид может измениться. Во время беременности сухие волосы могут стать еще суше, жирные — еще жирнее, курчавые волосы могут выпрямиться, а прямые волосы начать завиваться. Отдельные волоски могут стать тоньше или толще. Кроме того, волосы будут по-другому реагировать на перманент или краску.

Изменение ногтей и уход за ногтями

Ногти на руках и ногах тоже относятся к коже и — подобно самой коже и волосам — изменяются во время беременности. Одни изменения вас порадуют, а другие нет. Гормоны беременности ускорят рост ногтей. С другой стороны, ваши ногти могут ломаться, расслаиваться, станут более мягкими и хрупкими, а у основания ногтя могут появиться крошечные бороздки. Некоторые беременные женщины замечают, что их ногти стали тверже. Вот несколько советов относительно особого ухода за ногтями во время беременности.

● Принимайте капсулы с желатином — они безопасны для беременных женщин.

● Часто подстригайте ногти, не давая им возможности ломаться. Если вы всегда гордились своими длинными ногтями, стоит напомнить себе, что с короткими ногтями легче ухаживать за нежной кожей ребенка, а также ласкать его.

● Перед сном нанесите на ладони и ногти защитный увлажняющий крем.

● Откажитесь от лака, который может повредить ваши ногти, и от содержащих ацетон средств для смывания лака, которые не только повреждают ставшими чувствительными ногти, но и выделяют потенциально опасные пары. Если вам необходимо использовать химикаты для окраски ногтей и ухода за ними, занимайтесь этим на открытом воздухе или, по крайней мере, в хорошо проветриваемом помещении.

● Надевайте защитные перчатки при мытье посуды, использовании бытовых чистящих средств и во время работы в саду.

Ногти, как и волосы, будут оставаться такими все девять месяцев беременности плюс еще несколько месяцев после родов.

ЗАРЯДКА ДЛЯ ДВОИХ

Безопасные физические упражнения во время беременности

В прошлом беременность считалась периодом, когда женщина должна лежать. Это называлось «сохранением». Сегодня ни о каком сохранении не может быть и речи. Частота сердечных сокращений у беременной женщины увеличивается на двадцать процентов уже в первом

Основы ухода за волосами во время беременности

Вот как нужно использовать преимущества обновившихся во время беременности волос.

● Выберите прическу, которая подходит вашим волосам и вашему лицу. Например, если волосы стали гуще, а лицо пополнело, то вам должна пойти обрамляющая лицо прическа. С другой стороны, если ваши длинные волосы стали сухими и ломкими, более короткая прическа может выглядеть лучше — да и ухаживать за ней легче. Простая прическа может скрыть блеск жирных волос, а многослойная — спрятать сухость волос.

● Поэкспериментируйте с различными шампунями. Сухие волосы следует мыть реже, используя мягкий шампунь, не удаляющий естественный жир с кожи головы. Кроме того, пользуйтесь увлажняющим кондиционером. Если ваши волосы слишком жирные, мойте их чаще.

● Вытирайте волосы полотенцем вместо того, чтобы сушить их феном.

● Стоя под душем, осторожно помассируйте кожу головы кончиками пальцев. Это стимулирует кровообращение.

● Электрические депиляторы безопасны, но от обесцвечивающих препаратов и химической эпиляции следует отказаться из-за возможного раздражения кожи.

● Когда вам нужно изменить внешность, попробуйте начать с прически. Однако к окраске волос следует подходить с осторожностью. Современные исследования позволяют сделать вывод, что краски для волос, по всей видимости, безопасны для беременных женщин, но некоторые лабораторные эксперименты показали, что входящие в состав красок производные угольного дегтя могут вызывать рак и повреждение хромосом у животных. Кроме того, необычные свойства волос беременных женщин делают процесс окраски непредсказуемым, а сильнодействующие химикаты, используемые для химической завивки, легче повреждают волосы беременной женщины. Было бы благоразумно отказаться от окраски волос в первом триместре, а впоследствии отдавать предпочтение ополаскивателям, тональным лакам и блеску, которые минимально воздействуют на кожу головы или впитываются в нее.

Если вы не можете прожить девять месяцев с одним цветом волос, используйте хотя бы менее стойкие краски и наносите их на стержень волоса, а не мойте голову раствором. (Возможно, вредные вещества из краски попадают в кровь через кожу головы, а не через волосы.) Самое безопасное во время беременности — это наслаждаться цветом волос, который подарила вам природа, и пообещать себе, что перекраситесь сразу после родов.

триместре, и поэтому само состояние беременности можно приравнять к аэробному упражнению низкой интенсивности. Если беременность развивается нормально, то вы можете планировать или поддерживать активный образ жизни (выделив некоторое количество времени на дополнительный сон днем). Даже в последнем триместре, когда форма вашего тела вроде бы предполагает полную неподвижность, существуют приемлемые способы тренировки, позволяющие поддерживать хорошее самочувствие и не приносящие вреда ни вам, ни вашему ребенку.

Обратите внимание на следующие рекомендации, которые помогут вам обезопасить себя — и своего ребенка — при выполнении физических упражнений.

1. Посоветуйтесь с врачом. Прежде чем отдать предпочтение тому или иному комплексу упражнений, прислушайтесь к себе и вместе с наблюдающим вас врачом определите, подходят ли вам эти упражнения и безопасны ли они для вас и для ребенка. При выборе вы должны учитывать следующие состояния или проблемы:

  ▢ анемия

  ▢ болезни сердца

  ▢ астма или хронические легочные заболевания

  ▢ высокое кровяное давление

  ▢ диабет

  ▢ проблемы со щитовидной железой

  ▢ судороги

  ▢ ярко выраженный избыток или недостаток веса

  ▢ проблемы с мышцами или суставами

  ▢ наличие нескольких самопроизвольных абортов (выкидышей)

  ▢ близнецы

  ▢ недостаточность шейки матки

  ▢ постоянные кровотечения

  ▢ аномалии развития плаценты (например, предлежание плаценты)

  ▢ сидячий образ жизни до беременности.

Определите уровень своей тренированности. Регулярно ли вы занимались спортом до беременности? Входит ли зарядка в ваш распорядок дня? Если вы занимались или продолжаете заниматься в фитнес-клубе, может ли инструктор определить уровень вашей тренированности? Если до беременности ваш организм был достаточно тренирован, то можно не снижать нагрузку во время беременности, хотя в характер выполняемых упражнений потребуется внести изменения (например, меньше резких движений). Не стоит, однако, рассчитывать, что вы сможете долго поддерживать прежнюю интенсивность занятий. Маленькое существо внутри вас требует свою долю энергии. Если, к примеру, вы увлекаетесь бегом трусцой, приготовьтесь, что придется сократить дистанцию. Во время беременности вместо двухмильной пробежки полезнее пройти быстрым шагом четыре мили. И не думайте, что вы способны идти с такой же скоростью и такое же время, как раньше, когда вы не носили на себе дополнительные 5 или 10 килограммов веса. Если вы относитесь к той категории женщин, которые никогда не испытывали желания подвергнуть себя физическим нагрузкам, то беременность может побудить вас изменить свою точку зрения (как и по многим другим вопросам). Независимо от силы охватившего вас энтузиазма вам придется начать с легких и щадящих суставы упражнений, постепенно увеличивая их продолжительность и интенсивность. В конечном итоге физические упражнения должны улучшать ваше самочувствие, но не приводить к потере веса. Специалисты в области фитнеса не советуют беременным женщинам при помощи физических упражнений избавляться от лишнего веса, поскольку при этом в кровь выбрасываются продукты распада жиров и хранившиеся в организме токсины, которые могут представлять собой опасность для плода.

3. Одевайтесь правильно. Надевайте свободные брюки с эластичным поясом. Чтобы избежать перегрева, постарайтесь надевать многослойную одежду и снимать верхние слои по мере того, как тело будет разогреваться. Одежда должна быть достаточно просторной, чтобы не мешать испарению пота и охлаждению кожи. Надевайте удобные туфли, достаточно свободные, чтобы вмещать ваши склонные к отекам ступни. Чтобы избежать повреждения пяточных костей, убедитесь, что у вашей обуви мягкая пятка. Если нет, подложите под пятку поглощающий удары супинатор. Лучше всего не бегать по дорожкам с твердым покрытием. Надевайте поддерживающий грудь бюстгальтер — или даже два, если ваша грудь слишком велика и тяжела. Спортивные бюстгальтеры, не ограничивающие колебаний груди, продаются во всех универмагах и магазинах спортивных товаров. Если одежда трется о соски и раздражает их во время занятий спортом, наденьте более свободную одежду, специальный бюстгальтер для бега или смажьте соски защитным, смягчающим кремом.

4. Занятия должны быть регулярными. Непродолжительные, частые и интенсивные занятия полезнее, чем спорадические вспышки активности. Если до беременности вы регулярно не занимались спортом, начинайте с десяти- или пятнадцатиминутных тренировок дважды в день три раза в неделю, а затем постепенно увеличивайте время занятий до сорока пяти минут средней по интенсивности нагрузки (велосипед, ходьба, плавание) не менее трех раз в неделю. Сделайте физические упражнения своим приоритетом. Дни «наверстывания» не допускаются: если вы пропустили тренировку, так тому и быть. Нельзя в следующий раз удваивать нагрузку.

5. Рассчитывайте свои возможности. Ключ к безопасным физическим упражнениям во время беременности — тренировать свое тело, не напрягая организм ребенка. Общее правило: если упражнения слишком трудны для вас, они слишком трудны и для ребенка. Повышенный пульс — это индикатор того, насколько велика нагрузка и насколько тренирован ваш организм. Чем вы тренированнее, тем большие нагрузки вы способны выдержать без повышения пульса. Исследования показывают, что частота сердечных сокращений ребенка практически не увеличивается, пока пульс матери не достигает 150 ударов в минуту. Чтобы знать, когда следует снизить нагрузку, следите за следующими показателями.

● **Пульс.** Определите свой пульс на запястье или на шее (сосчитайте количество ударов за десять секунд и умножьте на шесть, чтобы получить количество сердечных сокращений в минуту). Чтобы частота сердцебиения ребенка не увеличивалась, ваш пульс не должен превышать 140 ударов в минуту. Для взрослых, выполняющих аэробные упражнения, та-

кие, как бег трусцой или плавание, частота сердечных сокращений должна составлять от 120 до 140 в минуту — в зависимости от возраста. Пульс 140 ударов в минуту — это много не только для ребенка, но и, возможно, для вас самих.

● **Тест на поддержание разговора.** Если вы задыхаетесь и не в состоянии поддерживать разговор, снизьте нагрузку до такого уровня, когда вы без труда можете участвовать в беседе.

● **Прислушайтесь к стоп-сигналам, которые подает вам ваш организм.** Если у вас появились такие симптомы, как головокружения, обмороки, головные боли, одышка, усиленное сердцебиение, сокращения матки, вагинальные выделения или кровотечение, немедленно прекратите занятия. Ключ к разумным физическим нагрузкам совпадает с принципом, который вы будете использовать во время родов: прислушивайтесь к своему телу.

6. Не нагружайте суставы. Благодаря воздействию релаксина и других гормонов беременности ваши связки ослабевают, что делает суставы менее стабильными и склонными к повреждению при чрезмерном растяжении, особенно суставы таза, нижней части позвоночника и колени. Избегайте упражнений, которые требуют чрезмерного растяжения или изгиба, например прогиба позвоночника или глубоких наклонов (см. раздел «Упражнения на растяжки».) Занятия гимнастикой исключаются. Для укрепления мышц рук и плеч без всякого опасения можно использовать 2,5-килограммовые гантели. Откажитесь от упражнений и видов спорта, перегружающих суставы, например тенниса.

7. Не трясите ребенка. Ребенок находится в безопасности в своем собственном «бассейне», и поэтому физические упражнения практически не могут повредить ему. Тем не менее избегайте резких движений и внезапных остановок, таких, как прыжки и резкие повороты. Старайтесь ступать мягко. Не бегайте по твердым поверхностям, таким, как бетон или асфальт. Упражнения, выполняемые в вертикальном положении и связанные с перемещением всей массы тела, например бег, в большей степени влияют на частоту сердечных сокращений ребенка, чем такие упражнения, как плавание. Откажитесь от упражнений, связанных с прыжками и резкими движениями. Плавание и велосипед полезнее и вам, и ребенку, чем бег трусцой или баскетбол.

8. Осознайте, что ваш центр тяжести сместился. Увеличивающиеся грудь и матка изменяют положение вашего центра тяжести, повышая риск падения во время тренировок. Избегайте рискованных упражнений, требующих хорошего чувства равновесия (например, гимнастические упражнения и горные лыжи). Занятия танцами могут доставлять удовольствие только в том случае, если вы продолжаете улыбаться и смирились с тем, что ваши движения утратили былое изящество.

9. Восполняйте потери воды и энергии. Чтобы избежать обезвоживания, выпивайте по два стакана сока или воды до и после тренировки. При обезвоживании мышцы устают гораздо быстрее. Не тренируйтесь на пустой желудок или тогда, когда вы голодны, потому что при физической нагрузке расходуется содержащийся в крови сахар, а беременность и так способствует колебаниям уровня сахара в крови. Если вы перекусите до и после тренировки, это убережет и вас, и ребенка от гипогликемии (пониженного уровня сахара). Попробуйте продукты, которые быстро отдают энергию, такие, как фрукты, сок, хлеб из неочищенной муки с медом или оладьи.

10. Не перегревайтесь. В первом триместре длительное повышение температуры тела может неблагоприятно сказаться на развитии ребенка. Чтобы уберечь себя и своего ребенка от перегрева, откажитесь от интенсивных тренировок в жаркую погоду. Если вы упражняетесь на одном месте (например, на велотренажере), обязательно проветривайте комнату. Одежда должна быть свободной, чтобы выделяемое тепло беспрепятственно отводилось от тела.

Если во время тренировок вы соблюдаете перечисленные выше меры предосторожности, то вам нечего беспокоиться из-за возможного перегрева ребенка. Исследования показывают, что если беременная женщина тренируется в течение двадцати минут с половинной по сравнению с периодом до беременности нагрузкой, то внутренняя температура ее тела вообще не увеличивается, а шестьдесят минут тренировки поднимают температуру тела всего на один градус.

11. Разминка и охлаждение. Во время беременности усиленное кровоснабжение имеет четкие приоритеты: матка и ее обитатель. Вашей сердечно-сосудистой системе требуется время, чтобы адаптироваться к повышенным требованиям работающих мышц. Не беспокойтесь — крови у вас достаточно, но нагрузку следует увеличивать постепенно. В течение пяти минут *постепенно* наращивайте интенсивность выполнения упражнений, а после окончания тренировки так же *постепенно* в течение пяти минут снижайте нагрузку, чтобы у вашей сердечно-сосудистой системы было время на адаптацию. Резкое прекращение интенсивной тренировки может привести к тому, что нагруженные мышцы останутся наполненными кровью. (Разумеется, занятия следует немедленно прекратить, если вы обнаружили один из признаков, перечисленных в пункте 5.)

12. Выбирайте подходящий вид спорта. Для организма беременной женщины и для вынашиваемого ею ребенка самым полезным видом спорта является плавание. Быстрая ходьба гораздо меньше раздражает суставы и матку, чем бег трусцой. Энергичная получасовая прогулка каждый день — это идеальное упражнение для женщин, которые не занимались спортом до беременности. Велосипедные прогулки подходят для первого триместра, но они становятся опасными по мере того, как смещается центр тяжести вашего тела. При езде на велосипеде остерегайтесь растяжения поясницы при вертикальной посадке с высоко поднятым рулем, а также не наклоняйтесь слишком сильно, стараясь дотянуться до слишком низкого руля. Во втором и третьем триместрах безопаснее пользоваться велотренажером. Чтобы избежать перегрева, упражняйтесь в хорошо проветриваемой комнате.

Тщательно выбирайте вид спорта, которым вы будете заниматься. Вы носите с собой дополнительный груз весом от 5 до 15 килограммов и поэтому не можете заниматься привычными видами спорта на том же уровне, что и до беременности. В теннис нужно играть осторожно, поскольку резкие остановки и повороты могут привести к растяжению ваших ослабленных беременностью связок. Из-за риска падения на большой скорости нужно отказаться от водных лыж. Во втором и третьем триместрах не следует заниматься горнолыжным спортом, потому что сместившийся центр тяжести вашего тела ухудшает чувство равновесия. Переключитесь на лыжные прогулки по ровной местности. Во второй половине беременности из-за риска падения следует убрать подальше коньки. Спортивный волейбол и баскетбол чреваты столкновениями и растяжениями и поэтому небезопасны для беременных женщин. Следует также отказаться от верховой езды: во-первых, нужно принимать во внимание риск падения с лошади, а во-вторых, тряска в седле может привести к растяжению ослабленных связок тазобедренного сустава и стать причиной болей. Тяжелая атлетика тоже исключается из-за риска растяжения мышц и связок, а также потенциальной опасности задержки дыхания, которая часто сопровождает этот вид спорта. Из-за возможности ограничения поступления кислорода к плоду абсолютно исключается подводное плавание. Попробуйте переключиться на плавание с маской и трубкой.

13. Ребенок растет — мать снижает нагрузки. В последние месяцы беременности ребенок и матка требуют все большего притока крови, и поэтому сердце вынуждено работать интенсивнее даже во время отдыха. Резерв кровоснабжения, доступный для работающих мышц, уменьшает-

ся, и поэтому вам необходимо снижать интенсивность физических упражнений. С бега нужно переключиться на ходьбу и плавание, а тем, кто занимается ходьбой и плаванием, снизить скорость. В последние месяцы беременности сочетание таких факторов, как увеличивающийся вес, общая неуклюжесть, отек ног и ослабление связок, требует отказа от упражнений, в которых нужно поддерживать вес собственного тела (бег трусцой и танцы) и переключения на такие занятия, как велосипед и плавание.

14. Не ложитесь на спину. После четвертого месяца не выполняйте физические упражнения лежа на спине. На этой стадии беременности матка достигает таких размеров, что может пережимать главные кровеносные сосуды (полую вену и аорту), проходящие вдоль правой стороны позвоночника. После физической нагрузки дайте отдохнуть и себе, и своему ребенку. Ложитесь на левый бок — такая поза предотвращает сдавливание главных кровеносных сосудов и улучшает кровоснабжение матки.

14. Другие неудобства во время тренировок. Если у вас наблюдается недержание мочи во время выполнения физических упражнений, пользуйтесь прокладками. Поскольку во время беременности вы быстрее начинаете задыхаться, то, почувствовав нехватку воздуха, постепенно снижайте темп, пока дыхание не восстановится. Если во второй половине дня у вас отекают ноги, перенесите тренировки на более раннее время, чтобы вечером можно было держать ноги повыше.

У меня есть видеокассета с записью упражнений для беременных, которой я пользовалась во время второй беременности. Если я выполняла комплекс два раза в неделю, то чувствовала себя великолепно. Стоило мне пропустить занятие, как меня тут же начинала беспокоить спина. Это побуждало меня снова включать видеокассету. Упражнения действительно помогали.

Возможные вопросы относительно физических упражнений во время беременности

Зачем мне заниматься зарядкой во время беременности? Будут ли у меня от этого более легкие роды или более здоровый ребенок?

Исследования, в которых делается попытка связать физические упражнения с течением и исходом беременности, дают противоречивые результаты. Некоторые работы не обнаруживают никакой разницы. Другие показывают, что у физически крепких матерей роды проходят быстрее, а вероятность кесарева сечения уменьшается — предположи-

тельно из-за тренированности мышц и меньшей утомляемости во время родов. В одной интересной работе показано, что беременные женщины, регулярно тренировавшиеся во время беременности, обладают большим резервом сердечно-сосудистой системы. Это значит, что их сердце работает более эффективно и отбирает меньше крови у внутренних органов (включая матку), когда в этом возникает потребность. Это может быть полезно при усиленных сокращениях матки во время родов. Все исследователи, изучающие влияние физических упражнений, сходятся во мнении, что отсутствует корреляция между интенсивностью тренировок будущей матери и легкостью родов или здоровьем ребенка. Однако следует понимать, что из-за воздействия большого количества факторов дать удовлетворительный ответ на этот вопрос чрезвычайно сложно. Если вы по натуре склонны к сидячему образу жизни и способны сохранять хорошее самочувствие без ежедневной трехмильной пробежки, то вы вряд ли испытываете потребность в регулярных физических упражнениях. Тем не менее логично предположить, что тренированное тело легче перенесет предстоящие роды, чем нетренированное.

Независимо от того, что говорят вам результаты исследований, здравый смысл подсказывает, что физические упражнения помогают женщине получить больше радости от

Безопасные занятия плаванием во время беременности

Плавание — это превосходный вид физических упражнений для беременных. Нужно только помнить о следующих моментах.

● Для длительных занятий наиболее комфортной можно считать температуру воды 30°C, причем такая вода достаточно прохладная, чтобы предотвратить перегрев.

● Будьте осторожны, когда входите в воду, выходите из нее и передвигаетесь по скользким поверхностям. Обувь на резиновой подошве уменьшит вероятность того, что вы поскользнетесь.

● Старайтесь не растягивать слишком сильно свои суставы. В комфортной воде вы можете не ощутить этого.

● Разумеется, нужно отказаться от ныряния.

● Если позволяет погода, плавайте в открытых водоемах. В этом случае вас не будет раздражать запах хлорки. Воздух в закрытых бассейнах становится душным и влажным, а запах хлорки может вызвать тошноту. Современные системы очистки воды, например озоновая, позволят вам насладиться плаванием в более чистой и лишенной запаха хлорки воде.

● До и после занятий пейте воду и фруктовый сок — так же, как и при других видах физических упражнений. Несмотря на то, что вас со всех сторон окружает вода, обезвоживание организма может произойти и в бассейне.

● Если вы привыкли проплывать определенную дистанцию, не переусердствуйте. Вода успокаивающе действует на психику, но не стоит забывать о мерах предосторожности. Измеряйте свой пульс и проверяйте способность поддерживать беседу. В воде легче переутомиться. Если в последние месяцы беременности обычная дистанция становится слишком утомительной, сократите ее или снизьте скорость.

своей беременности. Беременные женщины говорили нам, что регулярные физические упражнения улучшают их самочувствие и дают то неизмеримое ощущение радостного успокоения — как телесного, так и душевного, — к которому стремится каждый человек. Физические упражнения поднимают уровень эндорфинов в организме — гормонов, которые помогают бороться со стрессом, усиливают ощущение общего благополучия и снижают чувствительность к боли и дискомфорту.

Плавание — идеальное упражнение для беременных

Сделайте решительный шаг к воде. Многие женщины находят, что плавание лучше расслабляет и легче переносится во время беременности, чем любые другие физические упражнения. Особенно полезно плавание в третьем триместре, когда заниматься другими видами спорта становится совсем неудобно. Во время беременности плавучесть вашего тела повышается. Кроме того, физические упражнения в воде не так сильно нагружают суставы. Когда вы стоите по грудь в воде, нагрузка на колени, бедра и нижнюю часть позвоночника уменьшается. Помимо этого сопротивление воды замедляет движения, и поэтому плавание смягчает нагрузку на суставы по сравнению с резкими движениями физических упражнений на суше. Особенно благоприятно воздействует плавание на напряженные мышцы спины. Плавание на определенную дистанцию, водная аэробика или просто танцы в воде — это превосходные упражнения, расслабляющие тело и снимающие стресс. Если не запрещает врач, можно плавать, пока не надоест.

Вода помогала мне радоваться своему новому телу. Я чувствовала себя легкой и свободной, и мне не нужно было беспокоиться из-за правильной позы или возможного паде-

ния, как при занятиях другими видами спорта. Это единственное занятие, в котором беременность давала мне преимущество.

Плавание не только обеспечивает комфорт будущей матери, но и является безопасным для ребенка, поскольку практически исключает перегрев. Кроме того, находясь в воде, вы разделяете ощущения ребенка, который плавает в собственном «бассейне».

Теперь несколько слов о купальных костюмах. Многие женщины чувствуют себя неловко в купальном костюме, даже не будучи беременными. Чтобы облачиться в купальник во время беременности, требуется твердое намерение поддерживать позитивный образ своего тела. Если вы великолепно чувствуете себя в воде, не позволяйте купальному костюму стать для вас неразрешимой проблемой.

Купальник для беременных — это одна из немногих вещей, которые вам не удастся одолжить. Время и растворенные в воде химические вещества разрушают эластик, и поэтому старый купальник может выйти из строя. Если вы планируете заниматься плаванием во время беременности, потратьтесь на новый купальный костюм, который вам нравится и в котором вам будет удобно.

Каковы особенности тренировок во время беременности, за исключением того, что нагрузки должны стать почти незаметными?

До беременности вы могли вскочить с постели, облачиться в тренировочный костюм и бегать сколько захочется или пока не кончатся силы, а затем расслабленно лежать в горячей ванне, хваля себя за то, что избавились от лишних калорий, полученных во время вчерашнего обильного ужина. Немного попотели — и никаких проблем. Теперь ваше тело изменилось, и ему приходится решать задачи, которые ставит перед ним беременность. Ребенок растет, масса вашего тела увеличивается, объем крови возрастает минимум на 40 процентов, а минутный сердечный выброс (объем крови, перекачиваемый сердцем за одну минуту) увеличивается на 30—40 процентов. Независимо от того, занимаетесь ли вы физическими упражнениями или нет, частота сердечных сокращений автоматически повышается. Ваша сердечно-сосудистая система «тренируется» самой беременностью.

До беременности при физической нагрузке кровь автоматически перераспределялась от внутренних органов, которые отдыхали, к работающим мышцам. Во время беременности существует опасность, что кровь, необходимая для питания матки и развивающегося в ней ребенка, может направляться для питания тренируемых мышц. Другая опасность заключается в том, что механизм, который вызывает повышение частоты сердечных сокращений во время физической нагрузки у матери, может повысить частоту сердечных сокращений и у ребенка. Хорошей новостью можно считать то, что при разумной нагрузке (см. приведенные выше рекомендации) ваши мышцы не отбирают кровь у ребенка, а частота сердечных сокращений плода увеличивается незначительно. Тренированная мать может подвергать себя разумной физической нагрузке, не боясь навредить ребенку.

Упражнения для облегчения родов

Помимо общей подготовки организма к беременности и родам, важно тренировать те мышцы, которые непосредственно задействованы при родах. По нашему опыту, женщинам больше нравятся рассмотренные выше аэробные упражнения, чем те, которые помогут во время родов. Аэробные упражнения во время беременности чрезвычайно важны: без них будущие мамы склонны набирать лишний вес, ощущают больший дискомфорт в последнем триместре, а также медленнее восстанавливают форму после родов. Тем не менее мы надеемся, что, осознав важность упражнений, тренирующих определенные группы мышц, вы тоже станете относиться к ним серьезно. Не-

сколько минут ежедневной тренировки «родильных» мышц способны
существенно облегчить роды.

Упражнения Кегеля

Если во время беременности вы
не делаете никаких других подгото-
вительных упражнений, обратитесь
к упражнениям Кегеля, получившим
название по имени разработавшего
их врача. Эти упражнения укрепляют мышцы, которые поддерживают
мочеполовую систему.

Во время беременности мышцы
таза естественным образом немного
расслабляются, подготавливаясь к
родам. Однако если выстилающие
дно тазовой полости мышцы уже ослаблены, то по мере того, как матка
увеличивается в размерах и растягивает мышцы, поддерживающие мочевой пузырь, вы можете столкнуться с проблемой недержания мочи.
Недержание может сохраниться и
после разрешения от бремени, поскольку эти мышцы во время родов
максимально растягиваются.

Упражнения Кегеля не только
предотвращают или лечат недержание мочи у беременных, но и облегчают сам процесс родов. Тренируя
выстилающие дно тазовой полости
мышцы, вы учитесь и расслаблять
их. Расслабление этих мышц не только облегчает роды, но и предотвращает разрыв тканей, когда головка
ребенка проходит через влагалище.
И еще одно достоинство этих уп-

ражнений: многие выполнявшие их
женщины сообщают об обострении
чувствительности во время полового
акта, а их мужья говорят о том, что
получают большее наслаждение.

Чтобы почувствовать мышцы, выстилающие дно тазовой полости, попытайтесь временно остановить мочеиспускание. Если это дается вам
быстро и без труда, значит, тазовое
дно у вас имеет правильную форму.
Если у вас ничего не получилось,
несколько недель занятий упражнениями Кегеля легко исправят положение.

После родов выполнение упражнений Кегеля в течение длительного
времени позволит восстановить и
поддерживать тонус дна тазовой полости и таким образом избежать
весьма распространенной у женщин
проблемы, то есть опущения органов таза. Ваша основная цель во время беременности — тренировать эти
мышцы, чтобы иметь возможность
расслабить их во время родов, когда
у вас возникает желание, наоборот,
напрячь их и задержать прохождение головки ребенка.

Существует множество разновидностей упражнений Кегеля, но у
каждого из них есть фаза *сокращения*
и фаза *расслабления*. Не пропускайте
ни одну из этих фаз. Чрезмерная
концентрация на фазе сокращения
упражнений Кегеля приучает женщину сокращать мышцы, тогда как
при родах необходимо расслабить
напряженные мышцы промежности.

Вот несколько самых эффективных упражнений — в порядке возрастания сложности.

Задержка мочеиспускания. Попробуйте четыре-пять раз остановить мочеиспускание, а затем вновь возобновить его. Это упражнение Кегеля иногда является единственным, доступным для новичков, потому что многие женщины не умеют управлять мышцами, выстилающими дно тазовой полости. Сделать это может быть не так просто, поскольку нужно использовать только мышцы тазового дна, не задействуя мышцы бедер и нижней части живота. Представьте себе это как «подмигивание» влагалищем.

Повторяющиеся сокращения. Сократите, а затем расслабьте мышцы тазового дна. Начните с десяти повторений четыре раза в день и доведите их количество до пятидесяти повторений четыре раза в день.

Задержка. Сократите мышцы тазового дна, досчитайте до пяти, а затем расслабьте мышцы. Повторите десять раз. Постепенно увеличивайте время задержки.

Супер-Кегель. Чем дольше вы удерживаете мышцы тазового дна в сокращенном состоянии, тем они становятся сильнее. В начале занятий это время будет составлять от 5 до 10 секунд. Увеличив время задержки до 15—20 секунд, вы достигнете уровня «супер-Кегель» и добьетесь максимальной тренированности мышц.

Лифт. Это упражнение требует определенной концентрации, но результаты получаются просто фантастическими. Ваше влагалище представляет собой мышечную трубку, в которой мышцы расположены кольцами друг за другом. Представьте себе, что каждая мышечная секция — это отдельный этаж здания, а вы поднимаете и опускаете «лифт», последовательно сокращая мышцы. Начните с передвижения лифта на второй этаж, задержите его там на одну секунду, затем поднимите на третий, и так далее, до пятого этажа. Задержите мышцы в таком положении. Теперь опустите лифт вниз в исходную точку, последовательно проходя все этажи и «отдыхая» на них. Затем совершите путешествие к «фундаменту», где расположено полностью расслабленное тазовое дно. Достигнув фундамента, расслабьте мышцы тазового дна так, чтобы они выпятились вниз, и удерживайте такое положение в течение нескольких секунд. Это упражнение подготовит вас к потугам во время второй фазы родов. (Зафиксируйте эти ощущения, чтобы вспомнить их во время родов.) И последнее — верните лифт на первый этаж, приведя мышцы влагалища в нормальное состояние

Сидение на корточках

Сидение по-турецки

(они всегда немного сокращены, даже если вы не осознаете этого). Постарайтесь выполнять десять подъемов лифта за каждое занятие при четырех занятиях в день.

Волна. Некоторые из выстилающих дно тазовой полости мышц имеют форму восьмерки с тремя кольцами вместо двух. Одно кольцо обхватывает мочеиспускательный канал, другое — влагалище, а третье — анус. Последовательно сожмите эти мышцы, а затем расслабьте их в обратном порядке.

Смена положений. Освоив упражнения Кегеля, попробуйте выполнять их в различных положениях: лежа, сидя, на корточках, по-турецки или стоя на четвереньках.

Упражнения на растяжки

Сейчас вы не можете сказать, какое положение окажется для вас наиболее удобным во время родов, и поэтому было бы разумно подготовить и потренировать все участвующие в процессе родов мышцы. Исторически женщины, рожавшие самостоятельно, выбирали позу, которая позволяла рассчитывать на помощь силы тяжести — на корточках или в приподнятом положении с раздвинутыми ногами. Упражнения на растяжку подготавливают мышцы и связки бедер и таза к оптимальным положениям для родов. Неважно, в каком положении вы будете рожать, — тренировка этих поз до родов поможет подготовить ваше тело, тонизируя мышцы промежности, растягивая

Растяжка сидя по-турецки

корточки, когда моете холодильник. Садитесь на корточки, чтобы переключить телевизионный канал (и оставайтесь в таком положении некоторое время). Садитесь на корточки, чтобы сложить белье для стирки. Не думайте о том, что это выглядит глупо. Думаете о том, как растягиваете ноги и подготавливаете свои мышцы к родам.

Сидение по-турецки. Мы готовы поспорить, что в детстве вы часто сидели на полу, скрестив ноги. Теперь вы обнаружите, что сделать это не так уж легко, потому что придется задействовать нетренированные мышцы живота, чтобы выпрямить спину и поддерживать правильную позу. Тем не менее проводите десять минут в таком положении два или три раза в день, когда читаете, вяжете, обедаете или занимаетесь чем-то еще, что позволяет вам вспомнить эту позу. Постепенно увеличивайте время пребывания в этом положении.

Растяжка сидя по-турецки. Это разновидность предыдущей позы, когда спина прислонена к стене

связки, укрепляя мышцы внутренней части бедер и живота, помогая запомнить правильное положение тела.

Сидение на корточках. Для большинства из нас сидеть на корточках непривычно и неудобно. Проводите в этой позе по одной минуте десять раз в день, стараясь привыкнуть сидеть на корточках в течение продолжительного времени. Садитесь на

Поворот таза в положении лежа

Подъем таза

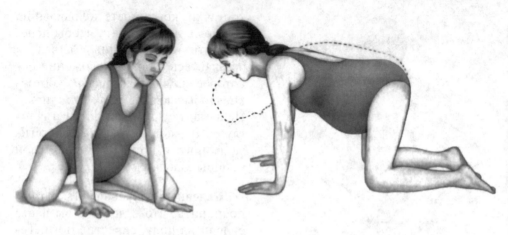

Поза лягушки   *Колени к груди*

(или передней части дивана), ноги
не скрещены, а пятки соединены
вместе. Затем вы пытаетесь раз-
двинуть колени как можно дальше. Не волнуйтесь — только самым гибким женщинам удается
достать коленями до пола. Однако
через несколько недель занятий,
когда вы будете руками осторожно
раздвигать колени, вам удастся
улучшить свою гибкость. Не при-
лагайте чрезмерных усилий, особенно если у вас уже были проблемы с коленями.

Вращение плеч. После растяжки сидя по-турецки потратьте немного времени на круговые движения плечами, поднимая их
вверх и вперед к ушам, а затем
опуская назад и вниз. Руки в это
время должны быть расслаблены.
Мышцы шеи и плеч, которые растягиваются при помощи этого уп-

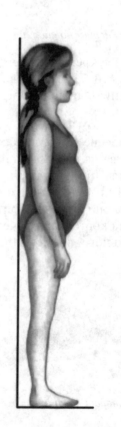

*Вертикальное
положение*

ражнения, чаще всего перенапрягаются во время родов (и при кормлении новорожденного).

Наклон таза. Это упражнение позволяет не только подготовиться к родам, но и ослабить нагрузку на позвоночник во время беременности. Его можно выполнять стоя, сидя, стоя на четвереньках или в позе лягушки. В любом положении следует выпрямлять нижнюю часть позвоночника, одновременно «поджимая» мышцы живота, чтобы подтянуть таз.

При выполнении наклона таза в положении на четвереньках следите за тем, чтобы спина оставалась неподвижной. На вдохе подтяните ягодицы под себя и задержитесь в таком положении на три секунды. На выдохе расслабьте мышцы и вернитесь в исходное положение с плоской спиной. Делайте по пятьдесят повторов — и даже больше, если у вас бывают боли в спине — четыре раза в день. Кроме того, в положении на четвереньках можно выполнять разновидность подъема таза, когда вы вращаете бедрами, как во время танца живота (некоторые женщины говорят, что это движение напоминает им вращение хула-хупа). Это снимает боли в пояснице и способствует развитию гибкости.

В позе лягушки вес вашего тела должен быть перенесен в основном на ноги, а не на упирающиеся в пол руки. Колени следует развести как можно шире (но не до такой степени, чтобы вам стало неудобно). В этом положении выполните наклон таза десять раз.

Выполнение этого упражнения стоя описано в разделе «Беременность и осанка». Станьте прямо и прислонитесь к стене, стараясь, чтобы спина была максимально плоской и плотно прилегала к стене (при этом пятки располагаются примерно в четырех дюймах от стены). Затем «подберите» поясницу, вдавив ее в стену (при этом вам, возможно, понадобится немного приподнять грудную клетку). Задержитесь в таком положении на пять секунд. Повторите упражнение не менее трех раз.

Поворот таза можно выполнять и в положении лежа, но только в первом триместре. После четвертого месяца беременности не рекомендуется выполнять физические упражнения лежа на спине, потому что в этом положении матка может пережимать главные кровеносные сосуды, проходящие вдоль позвоночника. Лягте на спину, согните колени и упритесь ступнями в пол. Голова должна быть немного приподнята (для этого прекрасно подойдет небольшая подушка). Сделайте глубокий вдох, а на выдохе прижмите поясницу к полу. После нескольких повторений попробуйте совместить это упражнение с подъемом таза (оно описано выше), немного приподнимая бедра и вращая ими. Возможно, вам понравится упражне-

Не сидите неподвижно

Для беременной женщины вредно и утомительно долгое время находиться в одном и том же положении. В последнем триместре, когда кровоснабжение нижней половины тела и так затруднено, неподвижное пребывание в сидячем положении даже непродолжительное время может вызывать отеки ног и расширение вен на них. Затрудненное кровообращение в сочетании с опущенными вниз ногами повышает риск развития тромбофлебита (воспаления вен), к которому и так предрасположены беременные женщины.

Чтобы уменьшить отеки и избавиться от дискомфорта, следуйте приведенным ниже несложным рекомендациям. Часто меняйте позу, когда сидите — перемещайте вес тела вперед, назад и из стороны в сторону, как непоседливый ребенок. Попробуйте выполнять следующие упражнения: потяните ступни вверх и вниз, подожмите и распрямите пальцы ног, выполните вращательные движения каждой голенью и ступней, по очереди поднимите и резко распрямите каждую ногу. (Точно такие же упражнения для рук помогут улучшить кровообращение верхних конечностей: распрямите пальцы, а затем сожмите их в кулаки, поднимите руки, пожмите плечами.) Вставайте как минимум каждые два часа и совершайте продолжительные прогулки — в туалет, вокруг квартала или даже по лестнице. Если вы путешествуете поездом или самолетом, каждый час прогуливайтесь по проходу между креслами. Если вы едете в автомобиле, делайте частые остановки, чтобы размяться и пройтись.

ние, когда вы сначала выполняете поворот таза, затем постепенно подтягиваете колени к груди, задерживаетесь в таком положении на три секунды и вновь опускаете ступни на пол.

Растяжка «колени к груди». Эта поза великолепно помогает снять боли в пояснице, а также является одной из любимых поз рожениц. Встаньте на четвереньки, упираясь в пол коленями и ладонями, а затем медленно опуститесь на локти и предплечья, предварительно подложив под них подушки. Теперь опустите голову, спрятав ее между предплечьями. Бедра должны располагаться вертикально прямо над коленями, удерживаясь в таком положении мышцами живота. Учитесь оставаться в этом положении в течение пяти минут.

Беременность и осанка

Если, несмотря на увещевания матери, вы так и не научились стоять прямо или сидеть, не горбясь, теперь самое подходящее время вспомнить о ее советах. Прежде чем вы посчитаете осанку излишеством и решите, что у вас нет на нее ни времени, ни сил, вспомните об ослабленных связках, увеличении веса и изменении пропорций вашего тела. Все эти факторы могут привести к появлению дискомфорта, вредных привычек (например, прогиб поясницы) и даже к травме, если вы не будете укреплять мышечный корсет. Для достижения наилучших результатов нужно начинать занятия в самом начале беременности, чтобы у мышц было время адаптироваться к постоянно изменяющемуся телу. Правильная осанка для беременной женщины не менее важна, чем для любого другого человека.

Стойте прямо. Подбородок должен располагаться параллельно земле (представьте себе, что к вашей макушке прикреплена струна, которая тянет голову вертикально вверх, к потолку). Некоторые женщины в попытках борьбы с двойным подбородком задирают голову вверх, а другие имеют привычку опускать ее вниз. Обе эти крайности нарушают равновесие. Проверьте свои плечи и убедитесь, что они естественным образом опущены. Если вы слишком сильно сводите лопатки, это приводит к повышению нагрузки на поясницу. (Вы можете заметить, что при правильном положении головы плечи автоматически опускаются и приходят в естественное, расслабленное положение.) Теперь сосредоточьтесь на животе, который должен быть немного втянут, а не выпячен с одновременным прогибом поясницы. Ягодицы тоже должны быть слегка подобраны, как будто вы зажимаете между ног воображаемый хвост. Такая поза придает тазу правильный наклон и перемещает центр тяжести таким образом, чтобы он располагался на одной вертикальной линии с бедрами. Потренируйте правильную осанку у стены, располагаясь в 6 дюймах от нее и выравнивая тело так, чтобы изгиб спины прижимался к стене. Теперь переходим к ногам: не сводите колени, поскольку это нагружает поясницу. Вместо этого поставьте ноги на ширину плеч и слегка согните колени, чтобы большая часть веса тела приходилась на бедра. Кроме того, убедитесь, что вес тела равномерно распределяется по всей ступне, а не сосредоточивается на пятках. Поначалу эта поза может показаться вам неудобной, но вы должны заставить себя вспоминать о ней как можно чаще. Через некоторое время она войдет в привычку. (Кстати: большинству женщин трудно добиться правильной осанки в обуви на высоких каблуках. На последних месяцах беременности это практически невозможно.)

Длительное стояние во время беременности может отрицательно повлиять на кровообращение, вызвать отек лодыжек и ступней. Если вам приходится долго стоять, не меняя позы, поставьте одну ногу на низкую скамеечку и время от времени меняйте ноги местами. Стимулируйте кровообращение в ногах, нагружая икроножные мышцы. Время от времени приподнимайтесь на цыпочки или поднимайте одну ногу и выполняйте упражнения для ступни: делайте круговые движения ступней по и против часовой стрелки. Если на службе вам требуется стоять практически весь рабочий день, попросите перевести вас на должность, где нужно меньше времени проводить на ногах. Исследования показывают, что у женщин, вынужденных много стоять во время беременности, увеличиваются шансы произвести на свет ребенка с маленьким весом.

Правильная сидячая поза. Отдавайте предпочтение твердому стулу с прямой спинкой. Если вам необходим дополнительный упор, подложите под поясницу маленькую подушку. Если у вас нет скамеечки для ног, стул должен быть достаточно низким, чтобы ваши ступни стояли на полу. Ни при каких обстоятельствах не скрещивайте ноги: эта распространенная привычка ухудшает кровообращение и способствует варикозному расширению вен. Чтобы улучшить кровообращение, выпол-

няйте описанные выше упражнения для ступней. Если вы работаете в офисе и вынуждены большую часть дня сидеть, обязательно вставайте каждые полчаса и несколько минут походите по комнате. Под рабочий стол поставьте низкую табуретку или стопку книг, чтобы приподнять ноги.

Если вам необходимо некоторое время провести в машине, организуйте максимально возможное пространство для ног, чтобы они были распрямлены и имели упор. Для упора под поясницу подложите небольшую подушку и регулярно разминайте икроножные мышцы. Выходите из машины и разминайтесь, как только почувствуете необходимость.

Правильная поза во время сна. Тело само подскажет вам наиболее удобную позу для сна. Обычно беременным женщинам советуют, чтобы они после четвертого месяца не спали на спине, поскольку в таком положении матка всем своим весом давит на главные кровеносные сосуды, проходящие справа от позвоночника. Многие женщины не могут спать на левом боку, и поэтому рекомендация не спать на спине и на правом боку приводит их в замешательство. Привычка спать на левом боку теоретически имеет еще одно преимущество: такая поза улучшает кровоснабжение плаценты. Для женщин, у которых имеются проблемы с плацентой, этот совет особенно важен.

Однако у некоторых женщин такая поза усиливает отрыжку и приводит к появлению изжоги. Большинство женщин ночью все равно переворачиваются с боку на бок, и поэтому правильным можно считать то положение, в котором вам удобно. На самом деле со временем вы сами перестанете спать на животе, поскольку так вам будет неудобно, а также на спине — эта поза тоже покажется вам некомфортной.

Не забудьте, что вставать с постели нужно осторожно. Перекатитесь на бок и, опираясь на руки, медленно сядьте, а затем спустите ноги на пол. Вставайте, упираясь ступнями в пол и помогая себе руками. Эти предосторожности могут выглядеть глупо, но мышцы спины и живота отдыхают во время сна, и им нужно размяться, прежде чем брать на себя нагрузку грядущего дня.

Медленно меняйте позу. Садиться тоже нужно осторожно. Вытяните руки назад, согните колени и предоставьте бедрам делать всю остальную работу. Не поддавайтесь искушению просто упасть в кресло. Вреда ребенку от этого не будет, но на последних месяцах беременности можно растянуть ослабленные связки. Чтобы встать с кресла, тоже используйте в основном мышцы ног. Упритесь ногами в пол и оттолкнитесь. Старайтесь не наклоняться вперед — так, наверное, будет быстрее, но при этом можно повредить

Не забывайте, что менять позу следует осторожно

поясницу. Во время беременности каждое движение лучше всего тщательно обдумывать, хотя это и непривычно.

Во время ходьбы надевайте удобную обувь, которая помогает равномерно распределять вес тела. Помните об элементах правильной осанки и постоянно контролируйте себя. Ваши лодыжки, колени и бедра стали слабее, чем до беременности, и могут не справиться с нагрузкой, если вы потеряете равновесие. Кроме того, при внезапном падении они могут оказаться недостаточно гибкими.

Те же самые принципы применимы к поднятию тяжестей. Согните колени и опуститесь до уровня поднимаемого предмета, а не наклоняйтесь к нему. Держите поднимаемый предмет ближе к себе, чтобы максимально задействовать мышцы рук. Затем поднимайтесь, используя мышцы ног, а не спины. Один из способов проверить, правильно ли вы поднимаете тяжести, это проследить, прямая ли у вас спина. Если нет, значит, вы используете не те мышцы. Ни при каких обстоятельствах не пытайтесь поднимать слишком тяжелые вещи, поскольку вы можете серьезно повредить мышцы поясницы и живота.

Если во время физических упражнений вы испытываете дискомфорт, сообщите об этом врачу или акушерке, которые вас наблюдают. Специалист посоветует либо отдых, либо физиотерапевтические процедуры, либо лечение у хиропрактика.

Мои эмоции: _____
_____
_____
_____

Мои физические ощущения: _____
_____
_____
_____

Мои мысли о ребенке: _____
_____
_____

Мои сны о ребенке: _____
_____
_____

Как я представляю себе своего ребенка: _____
_____
_____
_____

Мои любимые упражнения: _____
_____
_____
_____

Мои главные тревоги: _____
_____
_____

Мои главные радости: _____

_____

_____

Мои главные проблемы: _____

_____

_____

_____

Вопросы, которые у меня возникли, и ответы на них: _____

_____

_____

_____

_____

Обследования и их результаты; моя реакция: _____

_____

_____

Уточненная предполагаемая дата родов: _____

_____

Мой вес: _____

Мое кровяное давление: _____

Самостоятельное прощупывание матки; моя реакция: _____

_____

_____

Мои ощущения теперь, когда беременность уже стала видна: _____

_____

_____

_____

фотография на четвертом месяце беременности

Комментарии: _____

_____

_____

_____

_____

_____

_____

_____

_____

_____

_____

_____

_____

ВИЗИТ К ВРАЧУ: ПЯТЫЙ МЕСЯЦ (17—20 НЕДЕЛЬ)

Что вас может ждать во время визита к врачу в этом месяце:

- исследование размеров и высоты матки
- обследование живота с целью выявления верхушки матки
- обследование груди и кожи
- выявление отеков рук и ног, а также расширения вен
- проверка веса и давления
- анализ мочи на наличие инфекций, на сахар и белок
- возможность услышать сердцебиение ребенка
- возможность увидеть ультразвуковое изображение ребенка, если вам назначен ультразвук
- оценка активности плода — как часто двигается ваш ребенок и какие у вас при этом возникают ощущения
- возможность обсудить свои чувства и проблемы

Пятый месяц — уже ничего не скроешь

МНОГИЕ ЖЕНЩИНЫ СЧИТАЮТ ЭТОТ МЕСЯЦ — с семнадцатой по двадцатую неделю беременности — самым приятным. Вероятно, вы чувствуете себя довольно хорошо, и все теперь уже видят, что вы носите под сердцем ребенка. Ни у кого уже не возникает сомнений на этот счет. Приготовьтесь стать объектом повышенного внимания, а также выслушивать непрошеные советы. Теперь вы публично признаете свою главную роль в одной из самых захватывающих жизненных драм. Более того, теперь вы, наверное, уже чувствуете движения второго «главного героя». В этом месяце вы проходите важную веху беременности — половину срока.

ВОЗМОЖНЫЕ ЭМОЦИИ

В начале беременности ваша эндокринная система напряженно трудилась, вырабатывая гормоны, необходимые для роста матки и развития ребенка. Примерно в середине срока секрецию большинства гормонов берет на себя плацента. Этим объясняется улучшение вашего самочувствия: выработка гормонов плацентой не дает такого количества побочных эффектов, как выработка гормонов организмом матери. Тем не менее ваши эмоции обострены по сравнению с тем, что было до беременности. Многие будущие мамы удивляются тому, что глаза у них постоянно «на мокром месте», — даже реклама Макдональдса может заставить их расплакаться. К счастью, пятый месяц наполнен в основном приятными ощущениями или, по крайней мере, не такими противоречивыми.

Особое чувство. Теперь, когда всему свету видно, что вы вынашиваете ребенка, у вас появляется возможность наслаждаться привилегиями, которые дает ваш статус. Продавец в супермаркете предложит свою помощь, чтобы переложить покупки в машину. Прохожие будут провожать вас восхищенными взглядами. Посвятить весь мир в свое личное чудо — это действительно может вскружить голову. Похоже, вы значительно поднялись в глазах других людей, чье уважение, восхищение, благоговение и нежность показывают, что они знают, что вы заняты самым важным в мире делом — вынашиванием ребенка.

Мне очень нравится это состояние, и я чувствую себя такой царственной и элегантной со своим новым телом. Наибольшую поддержку я получаю от мужа, который каждый день кладет мне руки на живот и говорит о том, как я ему нравлюсь.

Благоговение. В прошлом месяце вы слышали чмокающий звук сердцебиения ребенка и, возможно, видели его крошечное тельце на экране ультразвукового аппарата, и это служило доказательством того, что у вас в животе действительно развивается новая жизнь. Теперь вы наконец можете чувствовать движение ребенка — неопровержимое свидетельство, что скоро вы станете матерью.

Я помню, как впервые почувствовала движение ребенка. У меня все замерло внутри — там действительно кто-то есть! Умом я, конечно, понимала, что беременна, но такое явное свидетельство присутствия другого живого существа явилось для меня настоящим потрясением.

Желание не покидать свое гнездышко. Инстинкт «обустройства гнезда», такой характерный для второй половины беременности, часто впервые проявляется именно на пятом месяце. Вместе с приливом сил вы можете ощутить внезапное желание убрать в доме, причем так, как вы никогда раньше этого не делали (вам когда-либо приходило в голову мыть стены?). Это стремление подготовить свое «гнездо» будет усиливаться в последующие месяцы.

Кроме того, вы обнаружите, что постепенно меняется ваш круг общения. Теперь, когда вы видите, слышите и ощущаете развивающуюся внутри вас жизнь, инстинкт заставляет вас предпочитать уют собственного дома и общество нескольких самых близких людей. Некоторым женщинам занятость позволяет легче переносить беременность, но даже у самых занятых женщин во время беременности бывают периоды, когда им хочется побыть среди знакомых вещей и людей. Даже очень общительные женщины на пятом месяце беременности предпочитают сидеть в своем «гнезде», как наседка на яйцах.

Люди говорят мне: «Сходи в кино или в ресторан — теперь у тебя на это есть время. После рождения малыша ты будешь буквально привязана к дому». Но мне просто нравится сидеть дома.

Склонность к самоанализу. Точно так же, как ваше тело сосредоточивается на поддержании новой жизни, ваши мысли могут быть заняты тем маленьким человечком, который находится у вас внутри. У вас появится желание побыть в одиночестве, чтобы заняться медитацией или просто подумать о своем ребенке. Вероятно, вы будете наслаждаться долгими периодами ничегонеделания, когда вы просто сидите и прислушиваетесь к толчкам ребенка. Мысли о материнстве и образы будущего ребенка могут захватывать вас в самое неподходящее время, например в разгар беседы или во время рабочего совещания. Подобный уход мыслей в сторону нормален и даже необходим, потому что он позволяет подготовиться к реалиям материнства.

Путаница в мыслях. Марта вместе с другими женщинами смеялась над эффектом «мамочкиных мозгов», когда вы не можете сосредоточиться на том, что хотите сказать, иногда с трудом вспоминаете простое слово, становитесь забывчивыми или «заторможенными». Если вы не знали об этом явлении заранее, то оно может сильно испугать вас, особенно если вы не уверены, что умственные способности со временем вернутся к вам (некоторая путаница в мыслях будет сохраняться и в послеродовом периоде). Знание же позволит вам сделать поправку на свою забывчивость и даже посмеяться над ней. Эти временные провалы памяти редко влияют на способность бе-

ременной женщины делать главное для нее дело. Ответственность, свойственная будущей матери, с лихвой компенсирует это недостаток.

Растерянность от избытка советов. Весь мир хочет помочь вам выносить ребенка. Похоже, что один вид беременной женщины пробуждает в каждом из нас желание помочь. (Подождите — когда родится ребенок, будет еще хуже!) Иногда вам будет приятно повышенное внимание, а иногда оно будет вас раздражать, особенно когда разговор начнет крутиться вокруг различных предположений или «проблем, которые были у моей кузины Фей». Приготовьте несколько спокойных ответов своим советчикам, например: «Спасибо, я уже об этом подумала». Можно «переводить стрелки» на врача: «Мой доктор говорит...» Повышенная эмоциональность, возможно, сделает вас чрезвычайно чувствительной даже к благонамеренным предположениям по поводу того, что еще можно сделать для укрепления вашего здоровья или здоровья ребенка. Как ни раздражают вас эти непрошеные советы, но это лишь цветочки по сравнению с теми критическими замечаниями по поводу воспитания ребенка, которые вам предстоит выслушать впоследствии. Теперь самое время научиться игнорировать эти бесполезные советы, а также понять, чье мнение вы действительно цените.

Паника. По неизвестным причинам многие женщины во время беременности, и особенно во втором триместре, испытывают приступы паники: у них затрудняется дыхание и учащается пульс, возникает ощущение, что грудная клетка сейчас захлопнется. Такой приступ может разбудить вас среди ночи. В этом случае постарайтесь расслабиться и убедить себя, что с вами все в порядке. Эти ощущения быстро проходят, и вы убеждаетесь, что на самом деле беспокоиться не о чем.

ВОЗМОЖНЫЕ ФИЗИЧЕСКИЕ ОЩУЩЕНИЯ

На пятом месяце размеры вашего тела могут быстро увеличиваться — точно так же, как на четвертом. Скорее всего, вы прибавите около 2,5 килограмма, а вес вашего ребенка почти удвоится. Естественно, что вы почувствуете эти изменения. Женщины часто восклицают, имея в виду грудь и живот: «Меня как будто внезапно раздуло».

Беременность становится виднее. На то, как рано и насколько сильно перемены в вашем организме становятся заметны внешне, влияют различные факторы: телосложение, прибавка веса, размеры ребенка и количество вынашиваемых детей, положение матки, а также первая ли у вас эта беременность или повторная. Ваш внешний вид во время беременности зависит в основном от телосложения, которое вы унаследовали от своих родителей. У высоких и стройных женщин беременность становится видна позже и живот обозначается выше, а у женщин с коренастой фигурой живот появляется раньше и расположен ниже. У женщин с длинной талией больше места для роста матки, и поэтому их состояние окружающие замечают позже. Тем не менее, независимо от телосложения, к концу этого месяца вы уже не будете ощущать на себе вопросительных взглядов: «Она беременна или просто полнеет?» Однако и на пятом месяце некоторые будущие матери все еще пытаются втиснуться в платье 46-го размера. Большинство же начинают щеголять своим изменившимся телом, и у них появляется горделивая осанка, характерная для беременных женщин.

Зуд и повышенная чувствительность кожи живота. Растянутая кожа чешется. Это дерматологический факт. Втирайте увлажняющие и успокаивающие средства в участки кожи, которые причиняют вам беспокойство. Во второй половине беременности вам, вероятно, уже не захочется надевать одежду, которая сдавливает живот, или лежать на животе — вы начнете привыкать к своей раздавшейся фигуре и беречь маленького человечка, находящегося у вас внутри.

Первые толчки ребенка

Наконец-то вы почувствовали первые толчки ребенка, которых так давно ждали! Время появления первых толчков, а также испытываемые ощущения у разных женщин разные, и, кроме того, они могут отличаться в разные дни.

Когда. Ваш ребенок начал шевелиться уже в конце второго месяца, но движения ребенка были еще слишком слабыми, а ребенок слишком мал, чтобы вы могли почувствовать их. Однако к восемнадцатой неделе ребенок уже может вытягивать руки и ноги, касаясь ими стенок матки. Большинство будущих матерей впервые чувствуют эти движения — они называются шевелением плода — на пятом месяце беременности (между восемнадцатой и двадцать второй неделей). Некоторые ощущают шевеление плода раньше восемнадцатой недели, а некоторые после двадцать четвертой. Женщина, у которой это уже не первая беременность, скорее всего, почувствует движения ребенка раньше, поскольку ее мышцы матки и память уже подготовлены. Худые замечают движения плода раньше и отчетливее, чем полные. Если шевеление плода появилось раньше или позже, чем вы ожидали, врач, возможно, захочет скорректировать предполагаемую дату родов.

Время появления первых толчков можете определить только вы. Они еще слишком слабы, чтобы их почувствовал кто-то еще, — приятный секрет, которым наслаждаетесь только вы. Обычно к двадцать четвертой неделе вашу радость могут разделить другие. (Некоторые будущие отцы описывают свои первые ощущения как «первый ввод мяча в игру».) С этого момента каждый толчок все больше укрепляет эмоциональную связь между матерью и ребенком.

Что вы можете чувствовать. Не следует ожидать, что вы сразу же почувствуете сильные толчки. Первые толчки вряд ли можно назвать определенными и очевидными. В конце концов, ребенок весом в полфунта с 5-сантиметровыми ручками и ножками не особенно силен. Сначала вы можете принять желаемое за действительное или спутать шевеление плода с перистальтикой кишечника. Затем вибрация появляется все чаще и ваши ощущения становятся непохожими на то, что вы когда-либо испытывали раньше. Эти первые движения еще такие слабые, но такие важные. Ваши ощущения уникальны, и иногда их невозможно выразить словами. Будущие матери описывают их как «вибрацию», «толчки», «удары», «рывки», «бурление» и «легкие подталкивания».

Я впервые ощутила слабое движение внутри, когда лежала на пляже с животом, вжатым в углубление в песке.

В течение двух последующих месяцев толчки ребенка постепенно усиливаются, превращаясь в настоящие удары. По мере того как руки и ноги ребенка увеличиваются и становятся более мускулистыми, а матка становится все более тесной, частота и сила этих толчков увеличиваются. В самом конце беременности они могут даже разбудить вас.

Как часто. Частота толчков неуклонно повышается с каждым месяцем, достигая максимума на седьмом месяце; затем частота снижается, однако в последние два месяца увеличивается сила толчков. На двадцатой неделе частота толчков — это величина непостоянная, от пятидесяти до тысячи движений плода за двадцать четыре часа. В среднем беременная женщина ощущает около двухсот таких толчков за сутки. Легче всего почувствовать движение ребенка во время отдыха. (В последующие месяцы у вас появится возможность даже увидеть их.) Исследования показывают, что ребенок в утробе матери больше всего шевелится с 8 часов вечера до 8 утра; днем его убаюкивают движения матери. Кроме того, в самом начале, когда вы чем-то заняты или по-

глощены своими мыслями, многие толчки ребенка вы можете просто не заметить. Однако уже в следующем месяце маленький непоседа будет заставать вас врасплох даже тогда, когда вы заняты, как бы говоря: «Отвлекись от своих дел и обрати внимание на меня».

Я стала чувствовать, как он движется. Это было похоже на трепет внутри живота. Такое волнующее ощущение. Очень скоро движение ребенка мог чувствовать и мой муж. С этого момента я ощущала движение каждый день. Я любила класть ладони на живот и чувствовать толчки ребенка. Я с нетерпением ждала, когда мой живот увеличится еще больше, потому что знала, что тогда толчки станут сильнее. Это одно из самых приятных ощущений во время беременности.

Шевеление плода не зависит от рациона матери, но некоторые женщины утверждают, что движения ребенка усиливаются в течение получаса после того, как они съели что-нибудь сладкое или выпили стакан апельсинового сока. Другие замечают, что ребенок становится активнее в течение часа после употребления напитков, содержащих кофеин. Возможно, эти напитки будят ребенка.

«Кола каждый раз заставляет его двигаться», — говорит моя подруга.

Где. На пятом и шестом месяцах толчки могут ощущаться в любом месте живота. В матке еще достаточно места, чтобы ребенок мог свободно поворачиваться. В конце беременности если ребенок лежит головой вниз (так в большинстве случаев и бывает), то вы чувствуете толчки ближе к центру живота или в правом подреберье, потому что спина ребенка обычно повернута влево. Некоторые будущие матери лучше всего ощущают ступню ребенка под правым нижним ребром, когда лежат на левом боку. Другие женщины чаще ощущают толчки не в грудную клетку, а ниже и ближе к центру. Кроме того, иногда вы можете чувствовать икоту ребенка, которая бывает заметнее, чем толчки.

Запишите в своем журнале, какие ситуации способствуют шевелению плода, и объясните, что облегчает их распознание в каждом месяце. Эти истории станут одними из самых любимых воспоминаний о беременности (например, как стоящая на вашем животе вазочка с мороженым принялась самопроизвольно подпрыгивать). Впоследствии будет очень забавно сравнить поведение малыша с тем, что он вытворял в утробе матери.

В предыдущие месяцы было много признаков, которые свидетельствовали о вашей беременности — положительный результат теста, гормональные изменения, возможность услышать сердцебиение ребенка и увидеть его изображение на экране ультразвукового сканнера — но ничто так не убеждает вас в реальности материнства, как ощущение, что ваш ребенок двигается.

Дискомфорт в области пупка. Примерно на двадцатой неделе увеличивающаяся матка начинает изнутри давить на пупок. Возможно, при ходьбе вы будете испытывать болезненные ощущения. Вполне вероятно, время от времени вы будете ощущать дискомфорт ниже пупка, а сам пупок неожиданно выпятится наружу и станет «внешним». (Он вернется в нормальное состояние после родов.)

Изменения грудных желез. Соски могут стать еще чувствительнее, особенно когда вы лежите на них во время сна или когда они трутся об одежду. Кроме того, вы можете заметить выделение молозива, золотисто-желтого вещества, которое служит первой пищей новорожденного.

Спазмы. Уже на пятом месяце беременности у некоторых женщин — особенно если у них эта беременность не первая — появляются неприятные ощущения в животе, похожие на менструальные спазмы, но не такие сильные. Эти едва заметные сокращения являются прелюдией к подготовительным сокращениям, которые становятся более частыми и заметными в третьем триместре (см. сокращения Брэкстон — Хикса).

Боль в круглых связках. Теперь, когда матка стала больше и тяжелее, на долю окружающих и поддерживающих ее тканей выпадает большая нагрузка. Это приводит к появлению новых ощущений. Большие связки, расположенные с обеих сторон матки и получившие название «круглые связки», прикрепляют матку к костям таза. По мере увеличения размеров матки круглые связки должны растягиваться. Это медленное и постоянное растяжение само по себе не вызывает дискомфорта, однако сочетание этого растяжения с нормальной активностью может вызвать резкую внезапную боль, которая заставляет вас замереть на месте. Самая распространенная причина возникновения боли — это внезапная смена положения. Когда вы нагибаетесь или, к примеру, резко встаете с постели, растяжение круглых связок может вызвать схваткообразную боль внизу живота с одной или двух сторон, а также боль в спине. Для ребенка это не опасно, но боль может быть мучительной. У некоторых женщин боль в связках возникает во время выполнения физических упражнений или даже во время ходьбы. Наиболее резкой и беспокоящей боль в круглых связках бывает между четырнадцатой и двадцатой неделями беременности, ко-

гда матка уже увеличилась настолько, чтобы растягивать связки, но еще не стала достаточно большой, чтобы часть ее веса приходилась на кости таза. Женщины могут испытывать боли в круглых связках в любое время во время беременности — в зависимости от того, как протекает беременность, — и особенно на последнем месяце, когда головка ребенка давит вниз.

Чтобы предотвратить или уменьшить боль в круговых связках, попробуйте выполнять упражнения для ног. Избегайте внезапных смен положения и особенно старайтесь резко не вставать со стула или с кровати. Попробуйте лечь на бок — на тот бок, в котором ощущается боль, или на противоположный — чтобы облегчить свое состояние. Если это не помогает, приложите к больному месту бутылку с горячей водой. Как правило, боль в круглых связках быстро исчезает во время отдыха; кроме того, с увеличением срока беременности связки адаптируются к увеличению матки.

Изменения зрения и увлажнения глаз. Беременность и сопровождающие ее гормональные изменения воздействуют на все органы вашего тела, в том числе и на глаза. Иногда во втором триместре женщина обнаруживает, что ее зрение изменилось, причем обычно в худшую сторону. Из-за усиленной задержки жидкости в организме форма глазных яблок изменяется, а вместе с этим изменяется и зрение. У одних беременных женщин развивается дальнозоркость, а у других — близорукость. Возможно, вам понадобится выписать новые очки или ваши контактные линзы перестанут подходить и будут причинять вам неудобства. После родов ваше тело обретет прежнюю форму и глазные яблоки тоже. Зрение восстановится. Если вам трудно вынести эти три или четыре месяца плохого зрения, обратитесь к окулисту, который выпишет вам новые очки или контактные линзы, или подумайте над тем, чтобы прибегнуть к помощи очков, если вы их раньше не носили.

Другая причина изменения зрения во время беременности — это снижение уровня эстрогена, в результате чего уменьшается количество жидкости, доступной для глаз (синдром сухих глаз). Это может привести к «туману» в глазах, чувствительности к свету, покраснению и ощущению жжения. В тяжелых случаях возможно повреждение роговой оболочки. Единственное средство борьбы с сухостью глаз — это продающиеся без рецепта «искусственные слезы», помогающие увлажнить глаза. Не путайте их с каплями от кровоизлияния глаз. Вполне вероятно, что вы вообще не сможете носить контактные линзы и вам придется постоянно пользоваться солнцезащитными очками, чтобы защитить чувствительные к свету глаза.

Небольшие и постепенные изменения зрения во время беременности можно считать нормой и досадной мелочью, но внезапные и сильные нарушения могут указывать на серьезные проблемы, такие, как повышенное кровяное давление. Если вдруг у вас перед глазами появляется туман или темные пятна, все вокруг становится тусклым или начинает двоиться, немедленно сообщите об этом своему врачу.

Изменение ног. Если вам кажется, что одновременно с увеличением живота у вас увеличиваются и становятся тяжелее ноги, можете не сомневаться — это так и есть. Происходит это потому, что жидкость собирается в области лодыжек и ступней, особенно после дня, проведенного на ногах. Кроме того, на ступнях проявляется эффект нормального ослабления связок, в результате чего суставы, на которые приходится вес тела, расширяются и растягиваются, а свод стопы уплощается. Если вы попытаетесь ногу со всеми этими изменениями запихнуть в старую обувь, не стоит удивляться, что туфли не лезут. Во второй половине беременности большинству женщин требуется обувь на полразмера больше, а примерно 15 процентам будущих мам нужна обувь на размер больше, чем раньше. Старайтесь щадить свои ноги. Для этого:

● При любой возможности приподнимайте ноги.

● Старайтесь не стоять долгое время без перерыва.

● Выполняйте упражнения для ног: согните пальцы, а затем потяните их на себя, отводя пятку как можно дальше. Вытяните ногу, направив пальцы вверх, и сделайте несколько круговых движений всей ступней. Это упражнение также полезно для икроножных мышц после того, как вы сидели или стояли в течение длительного времени.

● Делайте массаж ног: массажист держит ступню обеими руками, помещает большой палец руки под свод стопы и продвигается вдоль свода, массируя его медленными круговыми движениями.

● В конце дня погружайте уставшие и отекшие ноги в прохладную воду.

● Носите хлопковые носки, чтобы ноги могли дышать.

● Носите удобную обувь. Отдавайте предпочтение туфлям на широком и низком (5 см) каблуке или на танкетке. Нескользкая подошва придаст вам устойчивость. Попробуйте носить туфли из мягкой кожи или ткани и желательно без шнурков, потому что рано или поздно наступит момент, когда вы не сможете нагнуться, чтобы завязать их. Покупайте новые туфли в конце дня, когда ваша нога отекает сильнее всего. Если вы не очень хорошо разбираетесь в обуви, спросите совета у продавца: от тесной обуви будут болеть ноги, а слишком свободная сделает вашу походку неустойчивой. Убедитесь, что у ваших туфель достаточно широкие носы, чтобы пальцы удобно распрямлялись внутри. Помните, что во время беременности ослабляются все связки и лодыжка не является исключением. Туфли должны давать прочную опору ступне — даже если для этого придется пожертвовать красотой. Если из-за ослабленных связок вы все время подворачиваете лодыжку, то вам, возможно, придется пользоваться обувью со шнуровкой, поскольку открытый верх обуви не обеспечивает надежной опоры ноге. Беременность — не самое подходящее время для растяжения лодыжки.

Если в конце дня у вас болит свод стопы, воспринимайте это как сигнал меньше стоять или попробуйте воспользоваться супинаторами — пластиковыми опорами для стопы, которые вставляются в туфли. Их можно приобрести в любом обувном магазине или аптеке, а также заказать по индивидуальной мерке у ортопеда. Если до беременности у вас было плоскостопие, то в ближайшие месяцы ваши стопы станут еще более плоскими; возможно, это самое подходящее время, чтобы полечить свои ноги соответствующими ортопедическими супинаторами.

Беременность стала для моих ног серьезным испытанием. Увеличивающийся вес, а также нагрузка от того, что мне часто приходилось брать на руки маленького ребенка, привели к боли в пятках и к ощущению дискомфорта. Когда я надевала свои устойчивые кроссовки, неприятные ощущения еще можно было перенести, но воскресное утро в туфлях-лодочках гарантировало, что остаток дня придется провести в очень удобной обуви. Этим летом я совсем не ходила босиком. Мои ноги нуждались в постоянной защите.

КАК РАЗВИВАЕТСЯ ВАШ РЕБЕНОК (17—20 НЕДЕЛЬ)

К концу этого месяца ваша матка, напоминающая по форме дыню, прощупывается на уровне пупка. Ребенок весит около 400 граммов, а рост его составляет около 25 сантиметров — примерно половину роста при рождении. Ноги ребенка — размером примерно с ваш мизинец — продолжают расти, становятся мускулистыми и напоминают о себе слабыми, похожими на вибрацию толчками. Ребенок размахивает своими растущими, но все еще крошечными ручками, и на экране ультразвукового аппарата можно увидеть, как он сосет палец или сжимает руку в кулак. На верхней губе, на бровях и голове ребенка появляются первые волосы. Тонкая и прозрачная кожа начинает накапливать жир. Сальные железы ребенка начинают вырабатывать воскообразное вещество, ко-

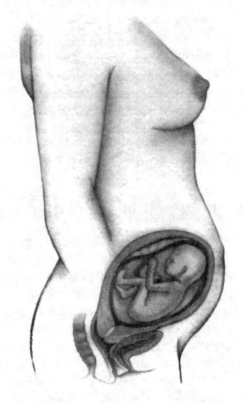

Ребенок в возрасте 17—20 недель

торое смешивается с омертвевшими клетками кожи и образует похожую на сыр оболочку, получившую название «первородная смазка». Эта смазка выполняет роль влажного «костюма», который защищает кожу маленького «пловца», не давая ей потрескаться. Тонкий пушок — он называется «лануго» (дословно «шерсть») — покрывает большую часть тела ребенка, помогая удерживать первородную смазку на коже. Теперь работа пищеварительной системы ребенка улучшается, и он регулярно заглатывает амниотическую жидкость и мочится в нее. К этому месяцу сформировались структуры среднего уха ребенка, и он уже может слышать звуки. Основная причина того, что на этой стадии развития ребенок еще не может выжить вне матки, состоит в недостаточном развитии легких.

ВОЗМОЖНЫЕ ПРОБЛЕМЫ

Теперь, когда ваше тело увеличилось в размерах, у вас могут появиться новые страхи. Будущие матери чувствуют движения ребенка и, возможно, видят явные доказательства его существования, и это заставляет их остро ощущать свою обязанность защитить новую жизнь. С осознанием своей ответственности приходят новые и достаточно серьезные проблемы. Хватит ли у вас физических сил на все — на работу, дом, старших детей? Сможете ли вы выдержать эмоциональное напряжение? Как теперь изменятся ваши взаимоотношения с мужем, когда вы полностью поглощены своей беременностью? Как развивается ребенок? Периодически вас посещает страх, что вы вынашиваете уродца. Ниже рассматриваются наиболее распространенные тревоги, характерные для второго триместра беременности.

Падение

В первом триместре ваш ребенок защищен толстыми мускулистыми стенками матки и еще более прочными костями таза, и поэтому его практически невозможно повредить при падении. Однако к пятому месяцу матка увеличивается настолько, что выходит за границу, защищаемую костями таза. Вероятность серьезных повреждений при обычном падении по-прежнему невелика, но ваше беспокойство естественным образом усиливается. Существуют реальные причины того, что ваши шансы упасть повышаются. Если увеличившаяся грудь еще не заслоняет от вас ноги, то вскоре это сделает живот; таким образом, вы не всегда можете посмотреть, куда вы ступаете. Ваше тело быстро меняется, и поэтому вы уже не в состоянии с привычной легкостью и элегантностью сохранять равновесие. В следующие месяцы вы станете не только менее грациозной, но и менее проворной.

Не стоит волноваться из-за небольших падений. Ваш ребенок хорошо защищен природными амортизаторами — мышцами живота и матки, плодными оболочками, амниотической жидкостью, — которые смягчают любые внешние удары. Будущая мать должна серьезно пострадать при несчастном случае, чтобы появился даже отдаленный шанс нанести вред ребенку. Чтобы убедиться, насколько хорошо ваш ребенок защищен амниотической жидкостью в плодном мешке, наполните банку из-под майонеза водой, поместите туда яйцо и энергично встряхните. Вы увидите, как хорошо защищено яйцо. Амниотическая жидкость плотнее воды и обеспечивает еще лучшую защиту.

Падение вряд ли причинит вред ребенку — чего нельзя сказать о вас самих. Растянутая лодыжка или вывихнутое колено — это совсем не пустяк. В этом случае не избежать болеутоляющих препаратов и, возможно, рентгеновских снимков, а также других медицинских процедур, без которых лучше было бы обойтись. А ходьба на костылях во время беременности — это действительно серьезное испытание. Таким образом, ради собственного же блага вам нужно проявлять особую осторожность, прокладывая путь по незнакомой или опасной местности. Очень внимательными нужно быть, когда вы идете по льду, по незнакомым тропинкам или тротуарам, а также обходите игрушки, разбросанные на полу в детской. Поднимаясь и спускаясь по лестнице, держитесь за перила и ставьте ногу на всю ступню. Осознайте естественные ограничения, которые накладывает на вас изменившееся тело.

Уродства

Страх, что ваш ребенок родится с аномалиями развития, — это неизбежное явление, и именно поэтому молодые родители с таким удовольствием пересчитывают пальчики на руках и ногах новорожденного. Небольшие изъяны, вроде родимых пятен, папиллом или головы неправильной формы (через день или два она станет красивой и круглой) часто вызывают тревогу у родителей. Встречаются и серьезные уродства, такие, как косолапость, волчья пасть, пороки сердца и аномалии пищеварительной системы, но вероятность их появления крайне мала. Твердо прикажите себе не беспокоиться. Нечего напрашиваться на неприятности, как говорили наши бабушки. Медицина теперь в состоянии исправить или облегчить большинство проблем, которые встречаются у новорожденных. Если эта мысль преследует вас и вы не в состоянии выполнять свои семейные обязанности и наслаждаться беременностью, обратитесь за помощью к специалисту.

Вождение автомобиля и дорожные происшествия

Теперь, когда на месте водителя находятся два человека, управление автомобилем тоже может стать поводом для беспокойства. Более того, вы можете волноваться из-за безопасности езды в автомобиле вообще. Как указывалось выше, ребенок хорошо защищен вашим телом, и вам остается лишь позаботиться о том, чтобы обезопасить саму себя. Помните, что во время езды на вас воздействуют гормоны беременности и это может привести к усталости, потере концентрации и засыпанию за рулем. Если у вас проявилась склонность к головокружениям, вам, вероятно, придется усадить за руль кого-то другого. По возможности не садитесь за руль в часы пик и выбирайте для поездок такое время дня, когда вы чувствуете себя бодрее. Старайтесь, чтобы поездки были короткими. *Обязательно пристегивайте ремень безопасности.* Вам ведь не хочется улететь вперед в случае аварии. (См. раздел «Безопасное и удобное путешествие в автомобиле».) Дело не только в том, что между вами и рулем располагается ребенок: дополнительный вес ребенка увеличивает силу, с которой вас толкает вперед. Если вы должным образом не пристегнуты, шансы получить травму при аварии значительно возрастают.

Дети в утробе матери редко получают травмы в автомобильных авариях. Они хорошо защищены мышцами матки и амниотической жидкостью. Основной риск для ребенка при серьезной аварии заключается в отделении плаценты от стенки матки. Признаки возможного повреждения ребенка после автомобильной аварии: вагинальное кровотечение, утечка амниотической жидкости, сильная боль или повышенная чувствительность живота, матки или области таза, сокращения матки или изменение частоты и характера движений плода.

После автомобильной аварии обязательно обратитесь к своему врачу, который проведет обследование, — в основном, чтобы успокоить вас, — состоящее из прослушивания сердцебиения плода, пальпации живота и, возможно, ультразвука.

Большинство женщин, принимая дополнительные меры предосторожности с учетом еще одного «пассажира», могут безопасно управлять автомобилем во время беременности.

Дети: где найти на них силы и как заручиться их поддержкой

Если у вас уже есть маленький ребенок, то беременность может стать непростым периодом в вашей жизни, требующим большого напряжения сил. Тем не менее бывает совсем нетрудно и довольно забавно вовлечь дошкольников и даже детей старшего возраста в свою беременность. Существуют способы вовлечь обе возрастные группы в «семейную беременность» и подготовить их к жизни с новорожденным.

Показывать и рассказывать

Маленькие дети не имеют никакого представления о том, что «в мамином животике растет ребенок». Они не видят ребенка, и поэтому не могут понять большую часть ваших объяснений. Даже на девятом месяце, когда вы чувствуете себя громадной, как дом, ваш старший ребенок может ничего не замечать, за исключением того, что ему стало труднее помещаться у вас на коленях. Постарайтесь сделать так, чтобы больше бывать в окружении маленьких детей, чтобы ваш старший ребенок услышал, как они плачут, увидел, как они выглядят, понаблюдал, как вы берете их на руки, заметил, что они нуждаются в уходе, и узнал о кормлении грудью. Когда ваш живот станет совсем большим (примерно на восьмом месяце), поговорите со своим старшим ребенком о новом братике или сестричке, дайте ему понять, что малыш будет принадлежать и ему. Пусть он почувствует толчки еще не рожденного малыша, поговорит с ним, споет ему песенку, погладит ваш живот. Покажите ему простые детские книжки о младенцах. Покажите ребенку его фотографии в младенческом возрасте и расскажите, как вы ухаживали за ним. Скажите примерно следующее: «Мамы часто держат маленьких детей на руках, потому что малышам это нужно».

Если ребенок старше двух лет, то большинство семей предпочитают поделиться с ним важной новостью раньше. Общее правило: чем старше ребенок, тем раньше ему можно рассказать о своей беременности. Совсем маленькие дети могут быть растеряны или разочарованы, если новый братик или сестричка не появится на следующий день. При разговоре с дошкольником нужно следовать приведенным выше советам, а также рассказывать, как месяц за месяцем растет внутри вас ребенок, используя рисунки из этой книги. Вы удивитесь, какие он вам будет задавать вопросы: «А что у ребенка появилось сегодня, мама?» В зависимости от возраста и уровня понимания ребенка объясните ему, почему вы устаете, бываете недовольны, раздражительны и нетерпеливы: «Для того чтобы расти, малышу нужно очень много энергии, и поэтому мама быстро устает и много спит» или «Гормоны, которые нужны ребенку, заставляют маму плохо себя чувствовать». Показывайте ребенку картинки, на которых изображен плод в утробе матери, особенно на последних месяцах беременности, когда его уже можно себе представить. Рассказывайте, как выглядят и ведут себя новорожденные: «Они плачут (некоторые очень много), и им нравится, когда ты разговариваешь с ними и строишь им смешные рожицы. Они долго не умеют ничего делать сами, и они не могут играть с тобой, пока не вырастут. Им нужно, чтобы я много носила их на руках, как я носила тебя, когда ты был маленьким». Вовлекайте их в уход за младенцем: «Ты будешь помогать мне менять пеленки, купать и одевать малыша».

Однажды четырехлетний Мэтью увидел, что я лежу, и спросил: «Ты даешь ребенку отдохнуть?» Это просто замечательно, что, глядя на меня, он видел и ребенка.

Когда вы ворчливы, вспыльчивы, нетерпеливы или раздражены, постарайтесь держать эти эмоции при себе и не обрушивать их на членов семьи. Займитесь физическими упражнениями, примите теплую ванну, вздремните, почитайте книгу, съешьте что-нибудь вкусненькое, отправьтесь на прогулку или поболтайте с участливой подругой. Займитесь тем, что поможет вам избавиться от отрицательных эмоций. Ваш начинающий ходить ребенок не просил этого малыша, а дошкольник не обязан заботиться о вас. Многие кризисы (денежные проблемы, новая работа, переезд, смерть бабушек и дедушек или осложнения беременности) должны скрываться от маленьких детей. Но для старших детей помощь и сочувствие маме послужат полезным жизненным уроком. Однако и тут следует соблюдать меру. Нельзя, чтобы они чувствовали себя несчастными, потому что им не удается сделать так, чтобы вы все время сохраняли хорошее настроение.

Время дать самостоятельность. Вынашивать ребенка и одновременно воспитывать малыша, только что начавшего ходить, — это двойная нагрузка. Хорошо, если ваш малыш или ребенок дошкольного возраста научатся меньше зависеть от вас. Возможно, они будут разочарованы, что перестали быть центром всеобщего внимания, но такая ситуация поможет им повзрослеть. Этот процесс осознания своей отдельности называется «индивидуализацией» и представляет собой необходимую стадию развития ребенка. Ребенок учится ждать, пока до него дойдет очередь, самостоятельно утешать себя, когда вы заняты, помогать вам ухаживать за новым маленьким человечком, заботиться о вас. По мере того как он достигнет следующей стадии развития, вы пройдете через еще один важный момент воспитания — постепенное отпускание от себя ребенка, к которому вы так сильно привязаны. Эти трансформации могут быть для вас очень болезненными, и поэтому полезно помнить, что вы дали старшему ребенку все необходимое, когда он был маленьким. Не забывайте, что если вы опасаетесь дать ребенку самостоятельность, то ребенок тоже этого боится.

Хватит ли у вас любви на всех? Каждая мать, ожидающая рождения второго ребенка, задает себе вопрос: сможет ли она любить второго ребенка так же сильно, как она любит первого. Она может бояться, что на него у нее не хватит любви. Кроме того, она может бояться, что новорожденный каким-то образом встанет между ней и старшим ребенком. Выбросите из головы и сердца эти страхи. Разумеется, ваших запасов любви хватит для второго ребенка (а также третьего, четвертого и т. д.), но вы не поймете, как это возможно, пока не убедитесь на собственном опыте. Похоже, любовь имеет свойство умножаться — чем больше любви вы отдаете, тем больше остается.

Маленькие дети посещают врача вместе с вами. Трехлетние дети не только способны хорошо себя вести во время ваших визитов врачу, но и узнать много полезного для себя. По возможности всегда берите их с собой. Старших детей, которые уже посещают школу, желательно брать с собой во время особых визитов к врачу, например на третьем месяце, когда можно прослушать сердцебиение плода, когда предполагается ультразвуковое обследование, а также ближе к концу беременности, чтобы дети разделили ваше волнение и приготовились к появлению на свет нового человечка. Для братьев и сестер, достаточно взрослых, чтобы понимать происходящее, такая связь с малышом до его рождения не может быть чрезмерной.

Предложите старшему ребенку «потрогать» малыша руками. Обычно к пятому или шестому месяцу старшие дети уже могут почувствовать, как шевелится их братик или сестричка. Днем или вечером, когда ребенок шевелится чаще всего, прилягте и пригласите старших детей почувствовать его толчки. Пусть отгадают, какую часть тела ребенка они прощупывают.

Поощряйте общение. Предложите своим детям поговорить о ребенке, а также с ребенком. Если вы уже знаете пол будущего ребенка и выбрали ему имя, пусть старшие братья и сестры называют его по имени. Можно попросить старших детей придумать малышу уменьшительные имена. Плод начинает слышать звуки примерно к двадцать третьей неделе, и это самое подходящее время, чтобы старшие дети начали беседовать с малышом, и он начинал узнавать их. Через три месяца их голоса уже будут хорошо знакомы ребенку, еще находящемуся в утробе матери, и между детьми уже начнет устанавливаться связь. Исследования показывают, что новорожденные поворачиваются на знакомый голос.

Каждый вечер Тайлер пел еще не рожденной сестричке три песенки. После рождения она узнавала эти песни. Кроме того, Тайлер помогал нам выбрать имя для малышки — от него поступали предложения, а последнее слово оставалось за мамой и папой. Тайлер хотел назвать свою сестру Хунка Мунка.

Осознайте пределы своих возможностей. Поймите, что во время беременности невозможно уделять остальным членам семьи то внимание, к которому они привыкли. Раньше или позже ваши дети поймут, что им придется «делить» маму с еще одним крошечным членом семьи. К счастью, беременность дает вам массу времени, чтобы подготовить старших детей к жизни, которую им придется вести после рождения младенца. Помощь вам в то время, когда маленький братик или сестричка еще не появились на свет, является еще одним полезным инструментом установления связи между детьми. Старшие дети будут отдавать свои силы и время еще до рождения малыша, и малыш будет больше ценить их.

С увеличением срока беременности, и особенно в третьем триместре, вы естественным образом будете все больше заняты собой и у вас будет меньше желания мириться с капризами детей. Это самое подходящее время, чтобы передать мужу большую часть обязанностей по уходу за детьми. Кроме того, можно пригласить помощника-подростка. Большинство подростков прекрасно справляются с маленькими детьми. Они любят играть и дурачиться, а также работают за минимальную плату.

Чем больше становился срок моей беременности, тем труднее мне было терпеть то, что раньше я считала обычным детским поведением. Я научилась разрешать эту проблему на двух уровнях: во-первых, я отводила себе больше времени, чтобы отдохнуть и расслабиться, ограничивая свои обязанности самым необходимым, а во-вторых, я установила границы, выход за которые я не собиралась терпеть. Четко установив нормы поведения (для меня и для детей), мы почувствовали себя гораздо счастливее.

Мы переживаем это вместе. Если ваш старший ребенок вовлечен в многочисленные практические приготовления к рождению нового члена семьи, это время ожидания родов может стать временем укрепления ваших отношений. Кроме того, вы поможете ему установить связь с еще не родившимся братиком или сестричкой. Если вы вместе выбираете игрушки или покупаете одежду для будущего малыша («это должно ему понравиться»), это заставляет старшего ребенка думать о малыше как о том, кому следует отдавать предпочтение. Выбрасывание старых игрушек может вызвать у вас приятные воспоминания и поддержать старшего ребенка: «О, я помню, ты очень любил эту игрушку». Почаще обнимайте и ласкайте старшего ребенка: это поможет вам избавиться от чувства вины, а ему — от беспокойства. Попробуйте вместе спать днем — ему все равно нужен отдых. Ваши объятия — это прекрасное средство от неуверенности.

Участие отца

Вовлечен ли муж в процесс беременности жены, каким образом и насколько глубоко — все это зависит от конкретного мужчины. Некоторые будущие отцы сосредоточива-

Подавайте положительный пример своим детям

Сохраняйте бодрость духа. У вас есть веские причины находить оправдания своим чувствам и поступкам, однако не стоит злоупотреблять этим. Ваши дети должны воспринимать беременность как радостное семейное событие, а не как жуткое время, когда мама не выходит из спальни и ванной. Даже старших детей может испугать недоступность мамы, а ее плохое самочувствие может усилить их естественные опасения по поводу рождения еще одного ребенка. Ваши дочери должны понять, что беременность и роды — это нормальное состояние, а не болезнь, которая требует лечения.

Я пресекала свои жалобы и иногда притворялась счастливой, хотя чувствовала себя ужасно. Я не хотела, чтобы в сознании моих дочерей с детства поселился страх перед вынашиванием ребенка.

Надеюсь, мне удастся передать своей дочери такое же отношение к родам, какое передала мне моя мать. Я была старшим ребенком в семье и видела, какую радость доставляют ей беременность и роды. Поэтому, когда моя дочь подойдет ко мне и спросит: «На что это похоже?» или «Это страшно?» — я скажу ей, что беременность — это именно то, для чего создано ее тело, и что она должна верить в свое предназначение.

ются на том, что они получают от беременности жены. Они становятся исполненными сочувствия и необыкновенно внимательными с той самой минуты, когда жена делится с ними волнующей новостью. Они желают быть глубоко вовлеченными в процесс беременности и предвкушают радости предстоящего отцовства.

Другие будущие отцы фокусируют свое внимание на том, что они потеряли. В первой половине беременности они лишаются супруги из-за непрекращающихся приступов тошноты, а во второй половине беременности они перемещаются на третье место в списке приоритетов, потому что супруга полностью поглощена развивающейся у нее внутри новой жизнью, а также своим будущим материнством. Добавьте к этому двойственные и обескураживающие чувства по поводу уменьшения доходов (или того, что вы больше никогда не будете вдвоем), и вы получите все признаки растерянного мужа.

Многим мужчинам нравится изменившееся тело жены, и они восхищаются развивающейся внутри его новой жизнью. Другие считают беременность таинственным и сложным процессом, в котором должны участвовать только женщины. У таких мужчин беременность, похоже, вызывает неприязнь, и их смущает то, чего они не понимают. Еще больше они теряются, когда сталкиваются с болью или с проблемой, которую они не в состоянии разрешить. Многие женщины говорят, что их мужья были глубоко вовлечены в первую беременность, но проявляли меньше интереса к последующим.

Я думала, что после того, как у меня начал расти живот, муж проявит больше интереса к ребенку, но он продолжал вести себя так, как будто ничего не изменилось. Это привнесло напряженность в наш брак, потому что я чувствую, что мы дрейфуем в противоположных направлениях. Как мне добиться того, чтобы он был в большей степени вовлечен в беременность?

На самом деле беременность — это нечто, происходящее с вами *обоими*. Вот несколько способов помочь мужу разделить вашу радость.

«Поделитесь» своей беременностью. Отождествляйте себя и своего супруга, когда сообщаете друзьям или членам семьи о беременности. Фраза «У нас будет ребенок» звучит гораздо лучше, чем «Я беременна», если вы собираетесь помочь мужу, который чувствует себя не у дел.

Не торопитесь. Не стоит сразу перегружать своего не испытывающего особой радости супруга всеми решениями, которые вам предстоит принять, и всеми покупками, которые вам потребуется сделать. Вместо этого продвигайтесь небольшими шажками. Обсудите главные решения и будущие изменения в вашем образе жизни по одному, но ни в коем случае не все сразу во время одной беседы. Вспомните, как ваш муж переносил перемены в прошлом. Если он по натуре осторожен, уважайте эту его черту и дайте ему время привыкнуть к этим серьезным изменениям.

Проявляйте оптимизм. Постарайтесь не падать духом даже тогда, когда тошнота и усталость измучили ваше тело. Взгляните на себя со стороны. Что вы видите? Какой тип беременной женщины предстает перед вашим мужем? Дни отвратительного самочувствия — это неизбежная составляющая беременности, но недели непрерывных жалоб могут оттолкнуть даже самого благожелательного супруга. Вы радуетесь своей беременности? Если да, пусть ваш муж почувствует это. Это может показаться несправедливым, но лучше делиться своими страданиями с полными сочувствия подругами, чем перегружать мужа проблемами, которые он не в состоянии решить. Хорошо известно, что большинство мужчин медленнее созревают в смысле межличностных отношений, и поэтому поведение супруга иногда может показаться вам несправедливым: вы беспокоитесь о нем даже тогда, когда плохо себя чувствуете, а его, похоже, совсем не волнует, что вам приходится выносить. Не огорчайтесь! Ничто так не способствует взрослению мужчины, как отцовство.

Принимайте решения вместе. Привлекайте супруга к принятию всех важных решений относительно беременности и родов: к выбору врача или акушерки, курсов для беременных, места родов, а также решений по поводу стандартных (и нестандартных) процедур. Он любит вас и ребенка, желает вам добра и, вероятно, будет радоваться возможности сделать что-то конкретное, чтобы обеспечить вам обоим надлежащий уход. Тем не менее не забывайте, что вовлечение его во все решения относительно тестов и технологий может быть сомнительным удовольствием. С одной стороны, ваш муж, возможно, даст ценные советы по поводу безопасности и необходимости той или иной процедуры. С другой стороны, некоторые мужчины бывают очарованы медицинскими технологиями, используемыми при ведении беременности и родов, поскольку они снимают завесу тайны с процесса развития ребенка и согласуются с их детерминистским мышлением. Поэтому вы можете обнаружить, что муж убеждает вас пройти больше тестов (и других обследований), чем вам хочется или представляется необходимым. Как бы то ни было, чем больше ваш муж вовлечен в принятие этих решений, тем больше он участвует во всем остальном, что происходит с вами во время беременности.

Учитесь вместе. Вместе посещайте курсы для беременных. Ваш муж будет удивлен, сколько можно узнать о чуде, которое происходит у вас в животе. Просмотр картинок и видеофильмов, а также беседы с опытными отцами откроют глаза даже самому упрямому мужчине. Вместе с пониманием процесса беременности и родов приходит уважение к будущей матери и стремление позаботиться о ней.

Дополнительная польза от совместного посещения курсов для беременных состоит в том, что у вашего мужа появится возможность поделиться своими чувствами с другими мужчинами. Общение с другими «беременными парами» может быть очень полезным. Тем не менее нужно с осторожностью подходить к выбору таких знакомых, чтобы мужчина мог служить примером для подражания вашему супругу. Избегайте общения с супружескими парами, которые заваливают вас и вашего мужа страшными историями о беременности и родах.

Вместе выполняйте «домашние задания». Помогите мужу понять, почему вы чувствуете или поступаете так, а не иначе. Читайте эту книгу вместе. Он должен знать, что гормоны, которые портят ваш характер, одновременно способствуют росту и развитию будущего малыша.

Получите удовольствие от фотографии. Это занятие может быть чрезвычайно творческим и забавным. Серия портретов, в которой искусно подчеркивается ваш растущий живот, — это настоящее богатство, достойное того, чтобы его запечатлели на пленке. На каждой стадии беременности покупайте себе специальное белье, которое украшает и подчеркивает ваши прелести. Такую живописную картину просто невозможно пропустить — поэтому не удивляйтесь, если фотограф прикрепит эти снимки к стене, чтобы иметь возможность ежедневно любоваться ими.

Поощряйте ласковые прикосновения. Ежедневно просите мужа сделать вам массаж. Покажите ему, как приятны и нужны вам его прикосновения. Особым образом обставляйте эти сеансы, включая успокаивающую музыку, приглушая свет или создавая уютную обстановку, например в освещенной естественным солнечным светом комнате. Ваш муж придет в восторг от того, к чему могут привести эти прикосновения. Тем не менее убедитесь, что массаж приводит к глубокому расслаблению, а не к возбуждению.

Что вы можете предложить ему? После того как срок беременности перевалит за половину, у вас будут дни, когда вы почувствуете себя полной сил и более сексуальной, чем когда-либо. Возможно, вы даже захотите удивить своего партнера буйными любовными фантазиями. Такие дни будут скорее исключением, чем правилом, и поэтому не стоит проводить их перед зеркалом или в походе по магазинам. Вас ждут романтические приключения.

Пусть он почувствует себя нужным. Многим мужчинам кажется, что для них нет места в душе будущей матери, поскольку они считают, что мужчина может лишь вовремя отвезти женщину в больницу. Мужчине необходимо знать следующее: у женщины, испытывавшей меньше стрессов во время беременности, больше шансов родить здорового ребенка. Кроме того, он должен понимать, что, хотя вы можете выкормить ребенка и без него, ребенок будет расти лучше, если он будет кормить вас.

Установите ритуал отхода ко сну. Примерно на двадцатой неделе беременности большинство будущих отцов получают возможность почувствовать движения ребенка. Звуки сердцебиения ребенка и его ультразвуковое изображение завоевывают сердца не всех мужчин, но движение ребенка способно пронять даже самого холодного отца.

Замечание Марты: *Каждый вечер во время моих беременностей мы наслаждались обычаем, который полу-*

чил у нас название «рукоположения». Начиная с шестого месяца Билл каждый вечер перед сном клал ладони на мой живот, чтобы почувствовать движение ребенка. Кроме того, он разговаривал с нашим ребенком. Это действовало на меня с удвоенной силой: я чувствовала его преданность как мужа и как отца.

Замечание доктора Билла: Для меня это были драгоценные мгновения — я ощущал толчки ребенка в животе Марты. Поначалу мне казалось, что глупо разговаривать с ребенком, которого я не мог видеть и едва чувствовал. Но через некоторое время я стал получать удовольствие от этого ежевечернего ритуала, и я чувствовал, что ребенок тоже. Я никогда не забуду эти минуты нашего общения.

Просите — и получите. Некоторые мужья инстинктивно угадывают желания своей жены еще до того, как она выскажет их вслух, но большинству мужчин нужно подсказывать. Помимо неурочных походов в супермаркет с целью удовлетворить ваше внезапно возникшее желание, муж должен четко представлять, что бы вы хотели от него: помощь по дому, покупки, забота о старших детях в те дни, когда у вас едва хватает сил на себя саму и малыша. Вы не «суперженщина», а беременность — это не «дополнительная нагрузка» сверх ваших обычных обязанностей. Пока вы заняты вынашиванием ребенка,

муж может делать работу по дому. Многие мужчины в этом смысле похожи на детей: они с большей готовностью помогают вам, если получают конкретные задания. Вместо «мне нужна твоя помощь» попробуйте сказать: «Мне нужно, чтобы ты сегодня сходит в бакалейную лавку».

Тренируйтесь втроем. Попробуйте вместе заниматься физическими упражнениями. Получасовые совместные прогулки по утрам или вечерам не только взбодрят ваше тело, но и укрепят взаимоотношения с супругом.

Вместе боритесь с вредными привычками. Если вы оба страдаете от одной из трех самых вредных привычек (курение, неумеренное потребление алкоголя или наркотическая зависимость), то со стороны вашего мужа было бы нечестно сохранять свои привычки в тот момент, когда вы пытаетесь избавиться от них. Вам нужна его поддержка в стремлении заменить нездоровый образ жизни здоровым, и, кроме того, ребенку нужен здоровый отец. То же самое относится к правильному питанию. Не забывайте о том, что одному из вас или обоим может понадобиться помощь специалиста, чтобы избавиться от наркотической зависимости (см. раздел «Отказ от курения».).

Спланируйте совместный визит к наблюдающему вас врачу. Когда наступает пора посетить врача, и особенно если предполагаются процедуры, во время которых можно услышать сердцебиение плода (обычно на третьем или четвертом месяце) или увидеть изображение ребенка на экране ультразвукового аппарата (обычно на пятом или шестом месяце), возьмите с собой мужа, чтобы он разделил с вами ваши чувства. Попросите распечатать ультразвуковое изображение ребенка, чтобы муж мог поместить его на рабочий стол.

Делитесь своими чувствами. Вы не должны разыгрывать из себя психолога-любителя, однако очень важно делиться своими мыслями и чувствами. Если вы будете непредубежденным, понимающим и внимательным слушателем, это поможет вашему супругу разобраться в ощущениях, которые могут вставать между ним и ребенком, или между им и вами. Кроме того, не позволяйте, чтобы властный муж препятствовал вам выражать свои чувства. Откровенный, доверительный и доброжелательный диалог во время беременности — хорошая подготовка для тех бесед, которые понадобятся вам, когда вас станет трое. Если вам трудно рассказывать о своих чувствах, попробуйте обратиться за помощью к психологу, который научит вас этому. Время и силы, потраченные на консультацию у специалиста (достаточно нескольких занятий), могут оказать огромное влияние на то, как

вы вместе перейдете к следующему этапу, обретя статус родителя.

Когда все необходимое сказано и сделано, ребенок нуждается только в одном — в счастливых родителях, которые хранят верность друг другу и своему малышу. Это с лихвой окупит усилия, которые могут потребоваться, чтобы вызвать вашего супруга на откровенность и подвести его к вовлеченности в беременность, которой он не сможет достичь самостоятельно. После этого приготовьтесь наблюдать, как засияет лицо мужа, когда новорожденный узнает его голос и повернется к нему — муж станет **папой**.

ТЕСТЫ И ТЕХНОЛОГИЯ

Ультразвук

Ультразвуковая технология революционизировала акушерскую практику. Открывая «окно» в матку, ультразвук позволяет врачу выявить существующие и потенциальные проблемы, избавиться от подозрений, а также дает будущим родителям возможность увидеть их ребенка. Ультразвуковая диагностика позволяет беременной женщине и врачу подойти к родам с меньшим количеством неопределенностей. Очень часто этот метод вселяет уверенность, а иногда даже спасает жизнь, однако, как и любую другую технологию, его нужно использовать разумно.

Зачем его делают? Ультразвуковое обследование дает информацию, которая может повлиять на ведение беременности и улучшить ее исход. Помимо предоставления необходимой врачу медицинской информации ультразвук позволяет родителям увидеть своего ребенка на экране монитора и сделать распечатки изображения (часто нечеткие и странные, когда невозможно разобрать части тела плода), которые можно поместить на видное место. Первые изображения ребенка могут привести вас в ужас, но вера должна помочь вам представить, что крошечное белое пятнышко, на которое указывает врач, это и есть голова ребенка. На восьмой неделе изображение плода напоминает пульсирующую фасоль. Наблюдение за этой пульсацией убедит вас, что это действительно живой ребенок. К пятнадцатой неделе на ультразвуковом изображении можно различить все основные органы плода. Для многих женщин ультразвуковое обследование — это толчок к внезапному осознанию, что они действительно беременны, и к установлению своего рода «космической» связи с еще не рожденным ребенком. Еще одно преимущество ультразвука состоит в том, что распечатку изображения можно показать бабушкам и дедушкам. Чем больше срок беременности, тем более подробным становится изображение. К двадцатой неделе картинка уже подтверждает наличие или отсутствие пениса, и тогда можно назвать пол вашего будущего ребенка (здесь еще возможны ошибки, и поэтому врач обычно не хочет делать никаких записей). Если вы не хотите заранее знать пол ребенка, сообщите об этом врачу или медицинской сестре — на тот случай, если на изображении это будет отчетливо видно. Возможно, на экране монитора вы увидите, как ребенок сосет большой палец. Кроме того, вы вместе с врачом можете увидеть не одного ребенка, а двух или трех.

Ультразвук нужен для того, чтобы:

● удостовериться в наличии беременности в тех случаях, когда результаты тестов или обычные признаки заставляют сомневаться в этом;

● определить возможную внематочную беременность;

● более точно определить срок беременности при наличии несоответствия между размерами матки и предполагаемым сроком родов. Точное определение срока беременности необходимо в случае преждевременных родов или тогда, когда для благополучия матери и ребенка необходима стимуляция родов при переношенной беременности. Ультразвуковое обследование также полезно, но необязательно для определения срока беременности в тех случаях, когда женщина не может точно указать дату последней менструации. В первой половине беременности погрешность вычислений составляет от семи до десяти дней. На последних месяцах беременности точность вычислений понижается, и ультразвук уже бесполезен для вычисления срока беременности. Этот факт свидетельствует в пользу ультразвукового обследования на ранней стадии;

• исследовать развитие ребенка или другие признаки, к примеру размер матки, которые могут указывать на наличие проблем. Выводы будут более точными, если есть возможность сравнить полученное изображение с тем, что было сделано раньше;

• определить причину непонятного кровотечения;

• определить положение ребенка в матке (ягодичное, поперечное, головное), если клинические признаки на последних стадиях беременности не дают четкой картины;

• выявить наличие многоплодной беременности, если матка женщины увеличивается быстрее, чем предполагалось;

• выявить проблемы с плацентой, такие, как предлежание (плацента расположена слишком низко или над шейкой матки) или отслойка (преждевременное отделение плаценты, вызывающее кровотечение);

• измерить объем амниотической жидкости, если женщина теряет жидкость и не восстанавливает ее с нормальной скоростью;

• выявить аномалии строения матки, особенно у женщин, у которых уже были выкидыши или осложнения беременности;

• выявить аномалии у ребенка, такие, как расщелина позвоночника;

• выявить аномалии развития ребенка, которые могут повлиять на выбор места проведения родов, и указать на необходимость специальной подготовки к родам. Если аномалии развития сердца, легких и пищеварительного тракта выявлены заранее, то родители и врачи предусмотрят такие условия родов, чтобы ребенку можно было оказать медицинскую помощь сразу после появления на свет. Часто ранняя диагностика и раннее лечение могут спасти ребенку жизнь;

• помочь при проведении диагностических или хирургических манипуляций, таких, как амниоцентез, биопсия хориона, поворот ребенка при ягодичном предлежании, эндоскопия плода (осмотр плода в матке) и внутриутробное переливание крови.

Ультразвук позволяет родителям и врачам входить в родильную палату с меньшим количеством «сюрпризов», и это повышает шансы женщины на безопасные и приносящие удовлетворение роды.

Когда его делают? Ультразвуковое обследование можно проводить в любое время на протяжении всей беременности, а также во время родов. На разных стадиях беременности цели обследования различны (см. раздел «Зачем его делают»).

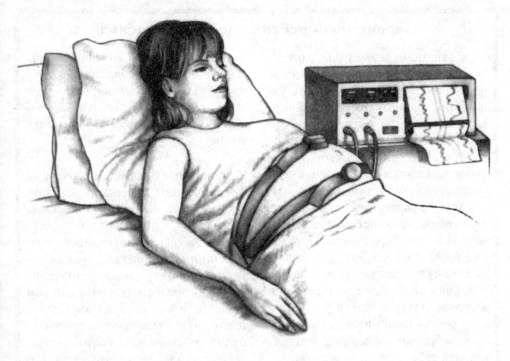

Электронный мониторинг плода

Как его делают? Судя по названию, эта технология использует звуковые волны с частотами, лежащими выше порога человеческого слуха. Ультразвуковое обследование бывает трансабдоминальным или трансвагинальным. При *трансабдоминальном обследовании* врач ведет ультразвуковым датчиком по вашему животу. Нанесенный на кожу специальный гель улучшает ультразвуковую проводимость. Ульразвуковые волны отражаются от ребенка, как сигнал эхолота от подводной лодки. Отраженные волны принимаются датчиком, и компьютер преобразовывает полученный сигнал в изображение на экране. В приборе для прослушивания сердцебиения ребенка тоже используются ультразвуковые волны, но в этом случае они преобразуются в «чмокающие» звуки, которые вы можете слышать во время ежемесячного осмотра. Другие термины, относящиеся к ультразвуковому обследованию: сканирование, сонограмма, Допплер (связан с известным из физики эффектом Допплера, устанавливающим связь между частотой колебаний и скоростью), эхо и электронный мониторинг плода.

При *трансвагинальном ультра-*

Знание пола ребенка до его рождения

Современные методы ультразвукового обследования и амнеоцентез дают вам возможность узнать пол вашего ребенка еще до его рождения. Но хотите ли вы это знать? Именно вам решать — желаете ли вы знать пол ребенка заранее или хотите приготовить себе сюрприз в момент родов.

Знать заранее. Знание пола своего ребенка на 50 процентов облегчает задачу выбора имени. Некоторые пары считают, что знание пола ребенка помогает установить с ним связь, когда он еще находится в утробе матери. Когда у ребенка есть собственное имя, родителям легче обращаться к нему и представить себе, как он может выглядеть. Если вы знаете пол будущего ребенка, то ваши мечты становятся более конкретными. Кроме того, эта информация помогает при украшении детской спальни и выборе одежды для малыша.

Мой муж очень хотел мальчика. Мне нужно было заранее знать пол ребенка, потому что я не вынесла бы его разочарованного взгляда, если бы в момент родов выяснилось, что у нас девочка. Ультразвук показал, что у нас будет девочка, и это дало папе несколько дополнительных месяцев, чтобы привыкнуть к мысли о дочери.

Ожидание сюрприза. Другие пары предпочитают подождать и узнать пол ребенка после его появления на свет. Они получают удовольствие от завесы таинственности и от ожидания сюрприза, а также считают, что это придает дополнительную прелесть родам. Если вам назначили ультразвук или амниоцентез, обязательно заранее предупредите врача или медицинскую сестру, что вы не хотите знать, кто у вас родится — сын или дочь. Иногда врачи невольно выдают тайну, называя ребенка «он» или «она». Однако и эти оговорки можно скрыть.

Я знаю, что у меня будет ребенок, но я не имею понятия, кто это будет, мальчик или девочка. Мне нравится радостное ожидание сюрприза.

звуковом обследовании трубчатый датчик безболезненно вводится во влагалище под самую шейку матки. Поскольку в этом случае датчик располагается ближе к матке, изображение получается более детализированным, чем при трансабдоминальном исследовании. При этом различные структуры плода можно обнаружить на неделю или полторы недели раньше, чем при трансабдоминальном методе. Трансвагинальный метод позволяет получить изображение плодной оболочки развивающегося эмбриона через две с половиной недели после зачатия и зафиксировать сердцебиение плода через четыре недели после зачатия — примерно на полторы недели раньше, чем при трансабдоминальном обследовании.

Безопасен ли ультразвук? Любое обследование, как и любое лекарство, помимо пользы несет в себе определенную степень риска. Обследование следует проводить тогда, когда польза перевешивает риск. В случае ультразвука дело обстоит именно так. Двадцатилетние наблюдения за матерями и младенцами, прошедшими ультразвуковое обследование, подтвердили безопасность этого метода. В зависимости от того, какую информацию необходимо получить врачу, ультразвуковое обследование выполняется на любой стадии беременности, а многократные обследования, похоже, не оказывают неблагоприятного воздействия на мать или ребенка. Не подлежит сомнению, что ультразвук гораздо безопаснее рентгеновских лучей.

Другая сторона проблемы безопасности — это теоретический интерес к тому, что происходит, когда ультразвуковые волны ударяют в растущие ткани плода. Когда в лабораторных исследованиях ультразвуковые волны высокой частоты бомбардировали ткани, то при этом наблюдалась вибрация и нагрев молекул, а также образование микроскопических газовых пузырьков в клетках (этот процесс называется «кавитация»). Неизвестно, повреждаются ли клетки от дополнительного нагрева или газовых пузырьков, но исследования дают основания предположить, что изменения, наблюдавшиеся в лабораторных колбах, несущественны для ребенка. Тем не менее этой неопределенности достаточно, чтобы ученые института, занимающегося исследованием воздействия ультразвукового излучения, пришли к следующему заключению: «Мы не можем привести доказательств, подтверждающих рекомендацию проводить ультразвуковое обследование при каждой беременности. Перед лицом даже теоретического риска отсутствие пользы не дает возможности оправдать даже теоретический риск».

Врачи используют термин «диагностический ультразвук», подразумевая, что должна существовать причина назначения ультразвукового обследования. Очень важно, чтобы все родители рассматривали каждый тест с двух точек зрения: теоретической, которая предполагает, что вы узнаете о всех преимуществах и опасностях теста и пытаетесь определить их соотношение, а также родительской, когда вы оцениваете свое отношение к тесту, к той информации, которую он позволит получить, и к тому, как этот тест повлияет на течение беременности.

Родители и врач совместно принимают окончательное решение. Желание знать пол вашего ребенка или иметь его изображение, которое можно показывать членам семьи, а также стремление почувствовать свою связь с ребенком — это недостаточные причины для проведения ультразвукового обследования. Кроме того, держитесь подальше от коммерческих «фотографов», которые предлагают цветные ультразвуковые снимки ребенка в утробе матери. При цветном снимке значительно увеличивается мощность ультразвукового излучения, и это как раз тот случай, когда ради ребенка вы обязаны подавить свое любопытство.

Если вы захотите вечером еще раз взглянуть на изображение будущего ребенка, принесите с собой чистую видеокассету. Когда вы впервые видите ультразвуковое изображение, то вам трудно соотнести черно-белые пятна с частями тела ребенка. Во время проведения исследования попросите медсестру показать вам части тела плода: руки и ноги, камеры сердца, голову и позвоночник. Понаблюдайте, как бьется сердце ребенка. Покажите видеозапись или снимки супругу, чтобы он мог видеть, как растет его ребенок. Ультразвук очень помогает будущим отцам почувствовать свою связь с ребенком.

Я испытала огромное облегчение и радость. Ты выглядел так прелестно. Ты все время двигался, молотил ножками и размахивал ручками, шевелил пальчиками и кувыркался. Ты выглядел довольным и активным. Теперь я по-настоящему осознала, что беременна.

На экране ультразвукового аппарата я увидела, как растет наш ребенок, и это было той поддержкой, которая была мне нужна, чтобы выдержать эту сопряженную с большим риском беременность и оставаться в постели. Я обрела уверенность, убедившись, что ребенок развивается превосходно. Это ослабило мою тревогу.

Я понятия не имела, что при помощи ультразвука можно увидеть так много. Мы увидели твой позвоночник, маленькое сердце с уже сформировавшимися камерами, понаблюдали, как проходит через сердце кровь. Мы увидели все твои органы. Я поместила твои ультразвуковые изображения в свой дневник.

Проба на переносимость глюкозы

У многих женщин во время беременности время от времени появляется сахар в моче. Этот биохимический сброс происходит потому, что гормоны беременности обычно подавляют выработку инсулина, повышая уровень сахара в крови будущей матери, чтобы обеспечить дополнительное количество глюкозы для питания ребенка. Развитие плода зависит от постоянного поступления глюкозы — поэтому так важно есть часто и понемногу, не пропуская приемов пищи. У небольшого числа беременных женщин (от 2 до 10 процентов) уровень сахара в крови выше, чем считается нормой для беременности. Это временное состояние называется «непереносимостью глюкозы беременных» (менее пугающий и более точный термин, чем старое название «диабет беременных»). Непереносимость глюкозы определяется во время беременности при помощи пробы на непереносимость глюкозы.

Зачем его делают? Теоретический страх, который подпитывает тревогу врача, основан на убеждении, что долговременное воздействие высокого уровня сахара в крови приводит к чрезмерному увеличению размеров плода, а также вызывает различные осложнения беременности, такие, как недоношенность, респираторные проблемы и тяжелые роды. В основе этого беспокойства лежит наблюдение, что страдающие диабетом женщины, и особенно те, которые не следят за уровнем сахара во время беременности, обычно рожают чрезмерно больших младенцев, и у них наблюдаются перечисленные выше осложнения. Другой повод для беспокойства заключается в том, что длительное воздействие высокого уровня сахара в крови может заставить организм ребенка вырабатывать слишком много собственного инсулина, что приведет к резкому и опасному падению уровня сахара в

крови новорожденного сразу же после его появления на свет. Если во время беременности у будущей матери обнаружена непереносимость глюкозы, женщина может подкорректировать свою диету, чтобы не позволить уровню сахара в крови подняться слишком высоко. Непереносимость глюкозы беременных чаще встречается у женщин с избыточным весом, у женщин старшего возраста, у тех, у кого в семье есть диабетики, а также у женщин, которые уже рожали детей весом более 4,5 килограммов.

Как его делают? В кабинете врача беременная женщина на пустой желудок выпивает стакан сладкой жидкости под названием «глюкоза» (на вкус она похожа на очень сладкую кока-колу или пепси-колу). Через час у нее берут анализ крови на сахар. (Альтернатива стакану сладкой жидкости — измерить уровень сахара в крови через час или два после плотной еды.) Результат теста на непереносимость глюкозы бывает готов через несколько часов. После «еды» важно сохранять активность (например, ходить) — при этом у организма появляется больше возможностей для расщепления глюкозы, чем если бы вы просто сидели и ждали, пока у вас возьмут кровь на анализ. Если этот скрининг-тест выявит повышенное содержание сахара в крови, врач может назначить более точный трехчасовой тест на непереносимость глюкозы. Если и через три часа у вас в крови обнаружится избыток сахара, врач, скорее всего, порекомендует вам все оставшиеся месяцы беременности придерживаться диабетической диеты.

Когда проводится тест? Проба на непереносимость глюкозы обычно рекомендуется между двадцать четвертой и двадцать восьмой неделями и для матерей, относящихся к повышенной группе риска, может быть повторена между тридцать второй и тридцать шестой неделями.

Безопасен ли тест? Не все акушеры-гинекологи считают пробу на непереносимость глюкозы необходимой или безопасной, и новейшие исследования ставят под вопрос ценность обычного анализа для определения непереносимости глюкозы беременных. Проведенное в 1990 году исследование 1307 женщин (533 из них не проходили пробу на непереносимость глюкозы, а 774 проходили) показало, что проба на непереносимость глюкозы привела к повышению количества обследований и уровня тревоги во время беременности, а также к увеличению числа кесаревых сечений среди прошедших тест матерей. Однако процент слишком крупных младенцев нисколько не уменьшился. Исследователи сделали вывод, что стандартная проба на непереносимость глюкозы приносит больше волнений, чем пользы.

Сомнения вызывает также физиологическая разумность (и, возможно, безопасность) пробы на непереносимость глюкозы. Беременная женщина обычно выпивает 50-граммовый стаканчик раствора глюкозы на голодный желудок. Это нельзя назвать обычной пищей, и поэтому тест дает необычные результаты. Кроме того, 50-граммовая доза глюкозы для женщины весом 50 килограммов является большей нагрузкой, чем для женщины весом в 120 килограммов. У некоторых женщин, не привыкших потреблять сахар в таких количествах, глюкоза вызывает побочные эффекты — головные боли, тошноту и вздутие живота. Эти сомнения привели к тому, что многие врачи не признают пробу на непереносимость глюкозы стандартной процедурой. Обсудите со своим врачом необходимость проведения теста на непереносимость глюкозы именно для вашей беременности.

Обследования, которые во время беременности проводятся в редких и серьезных случаях, приведены в словаре в конце книги. Если вам необходимо одно из таких обследований, врач заговорит с вами об этом первым. Независимо от характера обследования вы должны понимать, зачем оно нужно, как его проводят, когда его проводят, какова степень риска и как результаты обследования повлияют на ведение беременности.

Мои эмоции: _____

_____

_____

_____

Мои физические ощущения: _____

_____

_____

_____

Мои мысли о ребенке: _____

_____

_____

_____

Мои сны о ребенке: _____

_____

_____

_____

Как я представляю себе своего ребенка: _____

_____

_____

_____

Мои главные тревоги: _____

_____

_____

_____

Мои главные радости: _____

_____

_____

Мои главные проблемы:_____
_____
_____

Вопросы, которые у меня возникли, и ответы на них: _____
_____
_____

Обследования и их результаты; моя реакция: _____
_____
_____

Уточненная предполагаемая дата родов: _____
_____

Мой вес:_____

Мое кровяное давление:_____

Прощупывание матки; моя реакция: _____
_____

Мои ощущения теперь, когда все вокруг видят, что я беременна:_____
_____
_____

Мои ощущения, когда я впервые почувствовала, как шевелится ребенок:___
_____

Как я себя чувствую в одежде для будущих матерей:_____
_____

Что я купила во время похода по магазинам:_____
_____

Фотография на пятом месяце беременности

Комментарии: _____
_____
_____
_____
_____
_____
_____
_____
_____
_____
_____
_____
_____
_____
_____
_____
_____

Визит к врачу: шестой месяц (21—25 недель)

Что вас может ждать во время визита к врачу в этом месяце:

- исследование размеров и высоты матки;
- проверка веса и давления;
- анализ мочи на наличие инфекций, на сахар и белок;
- оральный тест на непереносимость глюкозы, а при необходимости скрининг-тест на непереносимость глюкозы;
- при необходимости скрининг-тест на вагинальную стрептококковую инфекцию группы В (см. раздел «Стрептококки группы В);
- возможность услышать сердцебиение ребенка;
- возможность увидеть ультразвуковое изображение ребенка, если вам назначен ультразвук;
- возможность обсудить свои чувства и проблемы.

Шестой месяц —
ребенок шевелится

НА ШЕСТОМ МЕСЯЦЕ (с двадцать первой по двадцать пятую неделю) вы получаете наибольшее удовольствие от беременности. Ваш вес продолжает увеличиваться примерно на 0,5 килограмма в неделю. Такая прибавка обеспокоила бы вас, если бы вы не вынашивали ребенка. Следует ожидать, что за этот месяц ваш вес увеличится на 2—2,5 килограмма из которых 0,5 кг придется непосредственно на ребенка. Матка увеличится, поднявшись выше уровня пупка, а живот проявится во всей своей красе. Взглянув на себя в зеркало, вы удивитесь, насколько увеличилось ваше тело за этот месяц. Толчки ребенка участятся и станут более сильными, и теперь их могут почувствовать ваш супруг и старшие дети.

ВОЗМОЖНЫЕ ЭМОЦИИ

По мере того как будет расти ваш живот, а толчки и движения ребенка станут вашими постоянными спутниками, вы проникнетесь сознанием ответственности за жизнь другого человеческого существа. Это осознание может разбудить глубокие чувства и размышления о самой себе и о будущей жизни.

Желание изменить прошлое. Естественное для беременности обращение мыслей на себя часто приводит к возвращению в прошлое. Вы можете вспоминать случаи из детства, приятные и неприятные, и размышлять, какое влияние на вас оказало воспитание матери. Возможно, вы даже станете вспоминать о неприятных происшествиях прошлого — нерешенных проблемах или другом «багаже», который так и не был должным образом разгружен. Беременность помогает многим женщинам глубже заглянуть в себя, и многие женщины рассматривают беременность как возможность привести в порядок свою психику. Беременность — самое подходящее время обдумать радости и проблемы своей жизни, а также их влияние на будущее материнство. Тем не менее не стоит полностью погружаться в проблемы прошлого. Постарайтесь не задерживаться на неприятных психологических проблемах до такой степени, чтобы они начали вытеснять радость беременности.

Не всем женщинам во время беременности следует погружаться в глубины собственной психики. Многие будущие матери способны воспользоваться преимуществами повышенной эмоциональности (например, для перемен в карьере или смены приоритетов), но некоторые женщины обнаруживают, что обостренная чувствительность обманывает их, и они начинают выдумывать проблемы на пустом месте. Если вы чувствуете, что забрались слишком глубоко, обсудите свои сомнения с врачом и при необходимости обратитесь к психологу. Тем не менее есть одна область, для которой усердное копание в своей душе может стать началом позитивных перемен. Это семейные отношения. К примеру, принятие на себя «взрослой» роли матери открывает возможность для новых отношений с собственными родителями. Если у вас прохладные отношения с родителями, это самое подходящее время, чтобы исправить положение. Если отношения со своими родителями и родителями мужа хорошие, то у вас есть шанс углубить их, делясь своими чувствами относительно вашей беременности. Кроме того, если раньше вы были подчиненной стороной в отношениях с родственниками, пришла пора научиться твердости; властная мать или охваченная духом соперничества сестра захотят повлиять на ваш выбор, однако решения, касающиеся будущего материнства, должны принимать вы сами, а не ваша семья. Здесь затрагивается еще одна важная область, которой следует уделить определенное внимание: каковы ваши взгляды на материнство? Если вы подумаете об этой проблеме теперь, это поможет вам заранее определить, какой матерью вы хотите быть и какое детство вы хотели бы обеспечить своему ребенку. Вы удивитесь, какое сильное влияние этот выбор может оказать на грядущие месяцы и даже годы.

Нетерпение. Больше половины беременности уже позади, но вам предстоит прожить еще почти сто дли-и-нных дней. Среди них будут такие, когда вы будете искренне радоваться своей беременности, а также такие, когда вам будет хотеться, чтобы все это побыстрее закончилось. Вместе с нетерпением придет и скука. Любое сокращение количества привычных занятий — от работы до развлечений и спорта — может привести к тому, что у вас появится свободное время. Используйте освободившиеся часы для чтения, для прогулок или просто для отдыха.

Беременность — это такой период, когда занятая женщина получает возможность наслаждаться созерцательным образом жизни. Можно придумывать себе занятия, составляя фотоальбомы или изучая иностранный язык, но не следует забывать, что вы вступаете в новую, достаточно далекую от интеллектуальности жизненную фазу. Тренируйтесь слушать — ветер или собственное сердце. Попробуйте научиться медитации. Гораздо раньше, чем вам кажется, у вас появится грудной младенец, которого нужно кормить, а затем ползающий малыш, за которым нужно приглядывать, и вставший на ноги ребенок, с которым нужно играть. Если у вас есть возможность обеспечить себе спокойную беременность, это благотворно скажется на вашем здоровье и здоровье ребенка, потому что вы уже научились удовлетворяться менее напряженным ритмом жизни.

Недовольство от необходимости делить свое тело с кем-то еще. Во время беременности вам приходится быть бдительной, следить за своим питанием, не принимать привычных таблеток от головной боли и лекарств от простуды. Список подобных ограничений достаточно велик. Вашим телом завладевает другой. Возможно, вы получаете удовольствие от привилегии вынашивать этого человека, но почему при этом нужно испытывать столько неудобств? Вам надоело засыпать по вечерам, что лишает вас драгоценных минут, которые вы могли бы посвятить себе, не говоря уже о муже. Вероятно, вы устали от того, что все обращают на вас внимание и стараются угодить. Вас раздражает, что о вас все время говорят так, как будто ваша единственная функция в этой жизни заключается в том, чтобы родить ребенка. Кроме того, вы потрясены теми огромными физическими и психологическими изменениями, которые происходят с вами. Возможно, вас даже немного пугает, что способна природа сделать с вашим телом.

Замечание Марты: Я восхищалась теми огромными изменениями, которые происходили с моим телом, позволяя ему приспособиться к беременности. Создавалось впечатление, что неумолимые внутренние перемены изменяют само строение моего живота. Теперь мое тело принадлежит не только мне — им завладели «процесс» и «присутствие», которые берут все, что им нужно, не обращая внимания на то, как это отразится на мне. Мне остается только со стороны наблюдать за происходящим и осознавать последствия того, что я делю свое тело с кем-то еще. Временами этот захват власти неприятен. Однако подобный дискомфорт — небольшая цена за награду, которая ждет меня впереди.

ВОЗМОЖНЫЕ ФИЗИЧЕСКИЕ ОЩУЩЕНИЯ

К концу второго триместра большинство женщин радуются тому, что их фигура уже недвусмысленно выдает беременность, но что они еще не располнели настолько, чтобы стать неуклюжими. Обычно они довольно сносно себя чувствуют. Тем не менее с приближением последнего триместра вы можете ощущать признаки будущего дискомфорта.

Необходимость «притормозить». К концу второго триместра о необходимости снизить темп жизни напомнит вам не только мозг: тело само заставит вас сделать это. Вы сами почувствуете, когда переусердствовали с нагрузкой. После напряженного дня вам потребуется дополнительный отдых вечером или на следующий день. Усталость — это напоминание организма о том, что у вас уже недостаточно физических и душевных сил, чтобы сохранять напряженный стиль жизни и одновременно вынашивать ребенка. Если вам кажется, что нужно быть все время чем-то занятой, чтобы пережить беременность, постарайтесь соблюсти баланс между физической нагрузкой и отдыхом, между умственным напряжением и бездумным расслаблением, между работой, которая заставляет время бежать быстрее, и досугом, позволяющим мозгу и телу обрести равновесие.

Усиление толчков. Если происхождение слабой вибрации у вас в животе раньше вызывало сомнения, то теперь на этот счет не осталось никаких вопросов. Вы чувствуете новую *жизнь*. Легкие, как взмахи крыльев бабочки, колебания последнего месяца теперь превращаются в чувствительные толчки. Если вы ощущаете толчки ребенка сразу в нескольких местах, вспомните, что у маленького непоседы есть плечи, локти, колени и ладони, которые он может вытягивать одновременно, поскольку в матке еще достаточно место для маневра.

Если старшие дети до сих пор не видели, как шевелится ребенок, приготовьтесь почувствовать любопытные ладошки на своем животе. Когда дети ощутят толчки, они придут в сильное возбуждение и начнут с нетерпением ожидать времени, когда малыш проявляет наибольшую активность — обычно перед тем, как вы ляжете спать, или после того, как вы проснетесь утром. Чтобы помочь старшему ребенку почувствовать движение малыша, прижмите его ладошку к тому месту, где вы последний раз ощущали толчок, и задержите на некоторое время. Если старший ребенок не проявляет никакого интереса к толчкам еще не родившегося малыша, не волнуйтесь. Это не значит, что он не будет любить братика или сестричку. Возможно, пока эти движения для него слишком абстрактны.

Каждый вечер мы с Джорджем с нетерпением ожидали того момента, когда можно будет лечь рядом, чтобы наблюдать за движениями нашего ребенка и чувствовать их. Толчки начинались вскоре после того, как мы укладывались в постель. Иногда при каждом толчке мой пупок выпячивался наружу.

Мы с Томом любили засыпать в таком положении, чтобы я оказывалась тесно прижатой к нему. Он чувствовал, как ребенок легонько толкает его в спину. Всем троим было приятно лежать, обнявшись.

Мой ребенок шевелился сильнее всего, когда я лежала неподвижно. Поэтому у нас перед сном установился ритуал, который мы называли «ночным шоу». Мы с мужем лежали рядом, смотрели и чувствовали, как наш ребенок дает о себе знать.

Я люблю наблюдать за твоими осторожными толчками. Я беру ладонь твоего папы и прижимаю к тому месту, в которое ты толкаешь. На его лице появляется улыбка, и он говорит: «Мой малыш».

Когда мой муж впервые почувствовал, как шевелится наш ребенок (на двадцать третьей неделе), он наконец ощутил свою связь с ним — я так долго этого ждала. Теперь присутствие ребенка в нашей жизни ощущается буквально, и то, что мы можем чувствовать его движения, удивительным образом подчеркивает реальность существования малыша. Когда ребенок начал шевелиться, я вдруг осознала, что он обладает определенным уровнем восприятия и сознания, который мы только начинаем постигать. Если он чувствует, значит, он должен знать о нашем присутствии — о наших голосах, наших движениях, наших ладонях, прижатых к тому месту, которое он толкает? Может быть, он получает от нас ответный сигнал?

Теперь вы не только ощущаете движения ребенка, но видите их. Вы можете сидеть за рабочим столом и периодически бросать взгляды вниз, чтобы видеть, как что-то подпрыгивает у вас под одеждой. Если вы ляжете на спину, то увидите, как на животе в разных местах появляются вздутия. Вполне естественно отвечать на толчки, прижимая ладонь к этому месту и подтверждая свои ощущения. В следующие месяцы эта замечательная картина станет еще более отчетливой.

Судороги мышц ног. К концу второго и весь третий триместр многие женщины просыпаются от судорог икроножных мышц и мышц стопы. Эти судороги иногда приписывают электролитному дисбалансу кальция, фосфора, магния и калия. Дополнительный фактор — это ухудшение притока крови к наиболее активным мышцам ног. Давление матки на главные кровеносные сосуды, а также долгое стояние, сидение или лежание в одной позе может ухудшить кровоснабжение этих мышц, вызывая их спазм.

Предотвращение судорог мышц ног. Вы можете ослабить судороги, улучшив кровообращение ног. Для этого:

● Носите поддерживающие чулки в на протяжении всего дня. Старайтесь не стоять и не сидеть в течение длительного времени.

● Перед сном делайте упражнения для икроножных мышц: попробуйте выполнять упражнения, описанные ранее. Поднимание пальцев вверх с одновременным отставлением пятки растягивает икроножные мышцы, которые в наибольшей степени подвержены судорогам. Хорошей превентивной мерой могут служить и упражнения для ног, описанные ниже. Выполняйте их по десять раз каждой ногой.

● Пусть муж перед сном помассирует вам икроножные мышцы.

● Ночью во время сна приподнимайте ноги, подкладывая под них подушку.

● Во время сна лежите на левом боку.

Снятие судорог. Судороги мышц ног могут быть крайне неприятными, и боль от них часто будит беременных женщин ночью. При судорогах можно самостоятельно помассировать сократившуюся мышцу или попросить мужа растереть ее, чтобы усилить кровообращение, но лучше всего встать и немного походить. Пройдитесь, если сможете, или выполните описанные ниже упражнения на растяжку в положении стоя или у стены. Если судороги сильные, ложитесь на кровать, ухватитесь за пальцы больной ноги и потяните их к себе, стараясь не сгибать колено и не приподнимать ногу с матраса. Помните, что растягиваться нужно *постепенно*, избегая быстрых и резких движений, которые только усиливают судороги и могут даже повредить мышцы. Если большой живот не позволяет вам наклониться вперед, чтобы ухватиться за пальцы ног, просто выпрямите ноги, прижмите их к матрасу по всей длине и вытяните пальцы ног по направлению к голове.

Следующие упражнения помогут снять судороги, а при регулярных занятиях и предотвратить их.

РАСТЯЖКА ИКРОНОЖНОЙ МЫШЦЫ В ПОЛОЖЕНИИ СТОЯ. Отставьте ногу со сведенными судорогой мышцами немного назад. Сохраняя спину прямой, осторожно согните колено здоровой ноги и слегка наклонитесь вперед, чтобы сведенная судорогой нога оставалась прямой, а ее пятка прижималась к полу. (Пятка ноги, расположенной спереди, тоже упирается в пол.) Избегая рывков, осторожно растяните мышцу. Возможно, вам будет легче сохранить равновесие, если, выполняя это упражнение, вы упретесь ладонями или предплечьями в стену.

ОТЖИМАНИЕ ОТ СТЕНЫ. Прижмите ладони к стене и отступите назад, пока ваши руки полностью не выпрямятся. Не отрывая пяток от пола и держа спину прямо, согните руки в локтях и наклонитесь к стене. Вы почувствуете, как приятно растягиваются ваши икроножные мышцы. Если растяжка чрезмерна, станьте ближе к стене.

РАСТЯЖКА МЫШЦ НОГ В ПОЛОЖЕНИИ СИДЯ. Сидя на полу, вытяните одну ногу, а другую ногу согните, чтобы ее ступня была направлена к паху. Не сгибая вытянутой ноги, наклонитесь вперед и постарайтесь достать руками пальцы этой ноги. Задержитесь в таком положении на несколько секунд. Поменяйте ноги и повторите упражнение. Не старайтесь тянуть носок прямой ноги и не подтягивайте пятку к себе, потому что при этом еще больше сокращаются сведенные судорогой мышцы.

Маловероятно, чтобы причиной судорог был дисбаланс электролитов, однако, если упражнения не помогают, можно попробовать принимать пищевые добавки, содержащие кальций. Проконсультируйтесь с наблюдающим вас врачом относительно приема таблеток калия или кальция (карбонат кальция), не содержащих фосфора. Новейшие исследования показали, что у женщин, ежедневно принимавших препараты магния, судороги ног наблюдались реже. В отсутствие рекомендаций врача бедная фосфором диета во время беременности может быть небезопасной.

Онемение и покалывание рук. Еще один характерный побочный эффект беременности — это онемение и покалывание рук. Чувство покалывания или жжения обычно охватывает большой, указательный и средний пальцы, а также половину безымянного и может сопровождаться болью в запястье, отдающей в плечо. Иногда боль чувствуется при нажатии на внутреннюю сторону запястья. Это состояние известно как «синдром канала запястья». Излишек жидкости, накапливающийся в организме беременной женщины, попадает и в пространство под связкой, проходящей вдоль запястья. Эта лишняя жидкость вызывает отек, в результате чего сдавливается нерв, располагающийся под связкой и идущий к ладони. При этом в руке возникает ощущение онемения или покалывания.

Синдром канала запястья — это болезнь, вызванная повторяющимся растяжением и распространенная у людей (не обязательно беременных), которые работают руками. У тех, кто сильно нагружает кисти и запястья (машинистки, сортировщики бакалейных товаров в супермаркете, пианисты), эти симптомы появляются чаще. Женщины, работающие за клавиатурой компьютера, в большей степени подвержены таким заболеваниям. Тем не менее вы можете страдать от этого синдрома даже в том случае, если не входите в группу риска: во второй половине беременности более 25 женщин ощущают покалывание в руках. Беременных женщин такое состояние раздражает особенно сильно, а иногда оно даже может вывести их из строя. Синдром канала запястья чаще всего проявляется ночью, после того, как в течение дня в запястьях скопится достаточно жидкости, или по утрам, особенно когда вы спали, положив руку под голову.

Чтобы ослабить неприятные ощущения, вызываемые синдромом канала запястья, постарайтесь дать своим рукам отдых в течение дня. Избегайте движений, которые усиливают покалывание, например поворота запястья при скапливании жидкости, а также всего, что предполагает повторяющиеся движения запястья. Если вы работаете за компьютером, при наборе текста сохраняйте нейтральное положение запястий: они должны быть слегка опущены, а не приподняты вверх. Пользуйтесь упором для запястий, чтобы поддерживать нужное положение рук. Ночью во время сна приподнимите проблемную руку, подложив под нее подушку. Поможет снять боль пластиковая шина, которую надевают на ночь, чтобы зафиксировать запястье в нейтральном положении. (Эти шины продаются в аптеках. При необходимости врач может прописать вам изготовленную на заказ шину, которая подходит для вашего запястья.) Если боль сильная или постоянная, специалист снимет ее при помощи периодических инъекций кортизона, который безопасен во время беременности.

Подобно почти всем мышечным болям во время беременности, синдром канала запястья проходит после родов. Однако некоторым кормящим матерям необходимо продолжать пользоваться шинами (или подумать о том, чтобы приобрести их), пока баланс жидкости в организме не адаптируется к лактации, что может занять от четырех до шести недель. Запястья очень важны для правильного прикладывание ребенка к груди, и продолжительное удерживание ребенка в одном положении может обострить синдром канала запястья. Специалист по грудному вскармливанию даст вам рекомендации, как добиться правильного положения ребенка, не нагружая запястий — например, при помощи подушки.

Разъединение мышц живота. Не волнуйтесь, у вас нет никакой грыжи. В центральной части живота от ребер к костям таза у вас проходит два пучка мышц. По мере увеличения матки эти мышцы растягиваются и раздвигаются, и вследствие этого вы можете заметить, что ваша кожа «выпирает» в местах разъединения мышц. Если вы проведете пальцами по центру живота, то ощутите небольшую впадину в месте разъединения мышц, которая станет более выраженной в следующем триместре. Не забывайте, что во время беременности, даже на первых месяцах, не рекомендуется выполнять такие упражнения, как седы. После того как мышцы живота начнут разъединяться, они значительно ослабнут, хотя вы можете не замечать этого, пока ваша матка не увеличится настолько, что разъединение мышц станет заметным. Через несколько месяцев после родов прямые мышцы живота вновь сомкнутся, заполняя расщелину, однако у большинства женщин тонус мышц живота понижается с каждой последующей беременностью.

Недержание мочи. Возможно, вы обратите внимание на то, что каждый раз, когда вы чихаете, вам приходится сжимать ноги вместе — в противном случае ваши трусики немного намокают. Не волнуйтесь — после родов эта проблема исчезнет сама собой. Когда вы чихаете, кашляете или вами овладевает неудержимый приступ смеха, ваша диафрагма сокращается, толкая содержимое брюшной полости и матку вниз, что вызывает просачивание мочи, если мочевой пузырь полон или мышцы тазового дна ослаблены. Во избежание подобных неприятностей старайтесь, чтобы ваш мочевой пузырь все время был пустым. Часто опорожняйте мочевой пузырь и выработайте у себя привычку тройного опорожнения: при каждом мочеиспускании дополнительно тужьтесь три раза, чтобы по возможности полностью опорожнить мочевой пузырь. Кроме того, чтобы уменьшить нагрузку на диафрагму, при кашле или чихании открывайте рот; если рот закрыт, то давление в грудной клетке повышается, усугубляя проблему. После того как вы родите маленького человечка, который занимает место у вас в животе, у мочевого пузыря появится больше места для увеличения объема. До той поры вам, возможно, придется пользоваться салфетками или прокладками.

Для укрепления мышц, которые управляют мочеиспусканием, выполняйте упражнения Кегеля. Напрягайте и расслабляйте эти мышцы, как будто вы пытаетесь остановить мочеиспускание. Если вы выполняете упражнения Кегеля во время мочеиспускания, обязательно полностью опорожняйте мочевой пузырь; в противном случае вы можете усилить недержание мочи во время беременности.

Мама посоветовала мне сгибать колени и немного наклоняться вперед, если приходится чихать или кашлять стоя. Это здорово помогает.

Ректальные боли и кровотечения. Геморрой, представляющий собой варикозное расширение вен прямой кишки, может стать причиной ректальных болей и кровотечений. Увеличенный объем крови во время беременности и давление матки на органы таза могут привести к тому, что вены в стенке прямой кишки или вокруг анального отверстия расширятся, образуя похожие на бобы или виноград гроздья, которые выступают наружу, кровоточат, зудят и саднят, особенно во время прохождения твердых каловых масс. Вздувшиеся кровеносные сосуды внутри прямой кишки — внутренний геморрой — могут кровоточить, но обычно бывают безболезненными. Помимо неприятных ощущений в области прямой кишки, первым признаком геморроя являются яркокрасные пятна крови на туалетной бумаге. Несмотря на то что кровь почти всегда является лишь признаком неприятного, но безобидного геморроя, вам следует сообщить об этом симптоме своему врачу, который в процессе осмотра подтвердит или опровергнет диагноз. Геморрой может появиться в любое время, но обычно это заболевание обнаруживается в конце второго триместра и обостряется в третьем триместре. Неприятные ощущения сильнее всего в послеродовом периоде, после того как вы тужились в процессе родов. Затем симптомы геморроя постепенно исчезают.

Профилактика геморроя. Несмотря на то что эти «боли в заднице» для многих женщин являются

неотъемлемой частью беременности, можно предпринять определенные меры, чтобы минимизировать неприятные ощущения.

● Старайтесь не сидеть в течение длительного времени, особенно на твердых поверхностях, и не спите на спине, поскольку в этих положениях матка своим весом давит на проходящие позади нее главные кровеносные сосуды, что еще больше затрудняет отток крови от вен прямой кишки.

● Выполняйте упражнения Кегеля не менее пятидесяти раз в день. Сокращение мышц тазового дна, и особенно тех, которые обхватывают прямую кишку, укрепляет анус и ткани вокруг него, а также предотвращает застой крови в этой области.

● Старайтесь, чтобы ваш стул был частым и жидким. Включите в свой рацион богатые клетчаткой продукты, пейте много жидкости и при необходимости попросите врача прописать вам слабительное. Рекомендации по профилактике запоров приведены в начале книги.

● Откажитесь от окрашенной и ароматизированной туалетной бумаги. При необходимости используйте специальные детские салфетки. (Они дешевле, чем туалетная бумага для взрослых.)

● Старайтесь не перегружать мускулатуру прямой кишки, тужась во время дефекации. Подтирайтесь осторожно и не трите туалетной бумагой, а, скорее, промокайте. При купании мойте область анального отверстия при помощи ручного душа, и ни в коем случае не трите мочалкой.

Лечение геморроя. Если расширенные кровеносные сосуды все же появились, от них можно избавиться следующими способами.

● Сделайте прохладный или холодный компресс: колотый лед, помещенный в чистый носок, поможет сосудам сжаться и снимет боль. Подстелите под себя толстое полотенце, чтобы вода не намочила простыни.

● Чтобы уменьшить зуд, погрузитесь на короткое время в теплую ванну, в воду которой добавлено полчашки питьевой соды. (Теплая вода способна успокоить зуд, но она же расширяет кровеносные сосуды и еще больше усиливает кровотечение. Поэтому не следует оставаться в воде больше нескольких минут.)

● Приложите ватный тампон, смоченный холодным настоем гаммамелиса (или прописанную врачом медикаментозную прокладку) к геморроидальному узлу, чтобы помочь сосудам сжаться и снять неприятные ощущения.

● Если геморроидальные образования вызывают сильное раздражение или боль, при прикладывании гаммамелиса или другого лекарственного препарата примите позу «колени к груди», которая быстро уменьшает давление в расширенных кровеносных сосудах.

● Если вы вынуждены сидеть, преодолевая неприятные ощущения, купите резиновую подушку в форме кольца и положите ее на стул. Однако некоторые женщины считают, что давление резиновой подушки на ягодицы усиливает боль. Можно подкладывать под себя обычную подушку или переносить тяжесть тела на одну сторону.

● Прежде чем использовать продающиеся без рецепта медикаментозные средства, посоветуйтесь со своим врачом. Мы не можем привести доказательства того, что эти кремы способны повредить ребенку, но некоторые из них могут всасываться тканями прямой кишки и попадать в кровь.

Резкая боль в пояснице и ногах. Иногда вы можете ощущать резкую боль, покалывание или онемение в области поясницы, в ягодицах, на внешней стороне бедер или в ногах. Это происходит потому, что тазобедренный сустав ослабляется, а головка ребенка или увеличившаяся матка сдавливают нервные волокна, которые проходят от позвоночника через таз к каждой ноге. Внезапная острая боль, начинающаяся в глубине ягодицы и спускающаяся вниз по ноге, объясняется сдавливанием седалищного нерва в области поясницы и называется ишиасом. Ишиас может обостриться, когда вы нагибаетесь, поднимаете тяжести или просто ходите. Покалывание, онемение и боль на внешней стороне бедра вызываются растяжением бедренного нерва. Отдых или смена позы (попробуйте позу «колени к груди»), помогающие снять давление с этих нервных волокон, уменьшают боль. Попробуйте применить такие средства, как теплая ванна, компресс из льда, или ложитесь на больную сторону. Многие женщины сильно страдают от этих болей. Характер и интенсивность боли у разных женщин может значительно отличаться — в зависимости от индивидуальных особенностей строения и формы таза.

Расширение вен. Варикозное расширение вен — это еще один распространенный побочный эффект беременности. Гормоны беременности ослабляют мышечные стенки кровеносных сосудов, что приводит к их расширению. Эти сосуды должны расширяться, чтобы приспособиться к увеличившемуся во время беременности объему крови в организме. Чаще всего варикозные вены появляются на ногах, поскольку увеличившаяся матка сдавливает проходящие под ней главные кровеносные сосуды, что повышает нагрузку на вены таза и иногда приводит к застою крови в ногах. Тем не менее вены расширяются по всему телу: вы можете заметить маленькие узелки на вздувшихся венах по бокам шеи или даже на вульве. Это происходит из-за естественного увеличения объема крови в организме. Геморрой тоже является разновидностью расширения вен. Появление варикозного расширения вен во время беременности определяется в основном наследственным фактором.

Нельзя разминать или энергично массировать расширенные вены — это может привести к еще большему повреждению сосудов и даже образованию тромба. Если вы заметили, что область вокруг выступающих на ноге вен становится болезненной, красной, опухшей, горячей или чувствительной, то это может указывать на воспаление сосудов. Это серьезное заболевание, которое называется «тромбофлебит» и может привести к образованию тромбов. В этом случае нужно держать ногу приподнятой и проинформировать наблюдающего вас врача.

Большинство нежелательных, но неизбежных изменений сосудов, сопровождающих беременность, исчезают через несколько месяцев после родов. Способы уменьшить внешние проявления и дискомфорт от варикозного расширения вен:

● Старайтесь не сидеть и не стоять в течение длительного времени. Если вам приходится долгое время сохранять неподвижность, восстанавливайте кровообращение в ногах

Сокращения Брэкстон-Хикса

Не стоит пугаться, если вы внезапно почувствуете, как сократилась ваша матка. Сокращения мышц матки начинаются на третьем месяце беременности, но вы просто не чувствуете их. Даже в те периоды, когда, по вашему мнению, матка расслаблена, она сокращается несколько раз в час.

Момент, когда будущие матери начинают чувствовать эти сокращения, в значительной степени варьируется — некоторые женщины утверждают, что замечают их уже на четвертом месяце. Большинство женщин начинают обращать на них внимание на шестом или седьмом месяце беременности.

Эти сокращения получили название сокращений Брэкстон-Хикса (по имени врача, который в 1872 году описал их) и обычно ощущаются как кратковременное (как правило, меньше сорока пяти секунд) напряжение мышц матки.

Сокращения Брэкстон-Хикса обычно безболезненны и похожи на не очень сильные менструальные спазмы. Они нерегулярны и могут учащаться, когда вы устали, а также в конце дня. Некоторые женщины говорят, что начинают задыхаться во время этих сокращений. При первой беременности сокращения Брэкстон-Хикса слабее, чем при последующих. Возможно, правда, что опытные матери просто лучше распознают их.

Считается, что эти «тренировочные сокращения» подготавливают матку к той работе, которую ей вскоре предстоит выполнить. Это своего рода предродовая зарядка для матки. По мере того как матка увеличивается в размерах, частота и интенсивность сокращений постепенно усиливаются, пока они не станут достаточно сильными, чтобы вытолкнуть ребенка.

На восьмом или девятом месяце они могут стать настолько сильными, что у вас появятся сомнения, не начались ли роды. Используйте сокращения Брэкстон-Хикса для того, чтобы потренировать свою способность расслабляться.

Почувствовав их приближение, приведите себя в расслабленное состояние, как вас учили на курсах по подготовке к родам. Помните, однако, что эти сокращения представляют собой всего лишь репетицию, и они мало похожи на то, с чем вам придется столкнуться в процессе родов.

при помощи упражнений, а также совершайте периодические прогулки, чтобы не дать крови застаиваться.

● Когда вы сидите, старайтесь приподнимать ноги как можно выше. Лежать или спать нужно на левом боку.

● Носите свободную одежду. Откажитесь от обтягивающих трусиков, тесных корсажей, подвязок и носков, а также от любых вещей, которые могут затруднить кровообращение.

● Пользуйтесь резиновыми чулками. Надевайте их перед тем, как встать утром с постели, прежде чем сила тяжести расширит ваши вены. Откажитесь от доходящих до колена поддерживающих чулок, потому что кайма в верхней части может затруднять отток крови.

КАК РАЗВИВАЕТСЯ ВАШ РЕБЕНОК (21—25 НЕДЕЛЬ)

К концу этого месяца ребенок весит от 700 до 750 граммов, а рост его достигает 30 сантиметров. Постепенное накопление подкожного жира делает ребенка более пухлым, но он остается покрытым морщинами. Формируются ногти на руках и веки, волосы на голове становятся гуще, оформляется лицо. Первородная смазка теперь покрывает уже всю кожу, похожая на тонкий слой белой пасты. К двадцать четвертой неделе раскрываются ноздри ребенка, а в легких начинают формироваться альвеолярные мешочки, или альвеолы, однако их количества еще недостаточно, чтобы ребенок мог дышать вне матки. Если ребенок родится теперь, то ему потребуется искусственное дыхание.

ВОЗМОЖНЫЕ ПРОБЛЕМЫ

Общение с ребенком, находящимся в утробе матери

Как вы, вероятно, и предполагали, для того чтобы начать общаться с сыном или дочерью, не нужно ждать того момента, когда вы возьмете младенца на руки. Новейшие исследования подтверждают то, во что всегда верили женщины: ребенок в утробе матери слышит, что происходит снаружи. Более того, существуют свидетельства того, что он разделяет эмоции матери. Влияние, которое оказывает мать на развитие тела находящегося в ее утробе ребенка, очевидно, однако не менее важно и то влияние, которое оказывает мать на развитие мозга ребенка. Беременные женщины часто задаются вопросом, воспринимает ли ребенок их слова, мысли и действия. Новейшие исследования дают основания считать, что ребенок в утробе матери слышит и чувствует гораздо больше, чем мы предполагали раньше.

На протяжении веков люди многих культур верили, что между матерью и ребенком существует особая эмоциональная связь, и по этой причине женщины во время беременности обязаны блюсти чистоту души и тела. Вокруг возможной связи между состоянием души матери и тем, что происходит с ее ребенком, существовало много преданий и поверий. Очевидно, что сторонники древней мудрости были на правильном пути — они просто не знали, каким образом осуществляется эта связь. В последние двадцать пять лет получила развитие новая отрасль медицинской науки — перинатальная психология. Используя новые технологии, позволяющие заглянуть внутрь матки, специалисты по перинатальной психологии обнаружили многочисленные подтверждения веками существовавших поверий. Если мать счастлива, счастлив и ребенок; если мать волнуется, то волнение передается ребенку.

Истории, популярные среди беременных женщин. Существуют многочисленные истории о том, как дети впоследствии вспоминали звуки, услышанные еще тогда, когда они находились в утробе матери. Дирижеры утверждали, что музыка, которую их матери играли во время беременности, необъяснимым образом казалась им знакомой. Многие слышали, как маленькие дети повторяют фразы, которые их мать часто про-

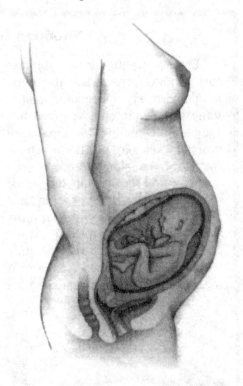

Ребенок в возрасте 21—25 недель

износила во время беременности. Один двухлетний малыш любил повторять слова «вдох-выдох», которые его мать произносила во время занятий по методу Ламаза. Под влиянием лекарств взрослые люди извлекают из глубин памяти воспоминания о голосах и звуках, которые они слышали в последние месяцы пребывания в утробе матери. Один мужчина подробно описывал звуки карнавала, на котором присутствовала его мать, находясь на девятом месяце беременности. Вы можете не верить этим рассказам, но послед-

Удобная поза для сна

Если растущий живот не дает вам удобно устроиться на ночь, попробуйте эту проверенную временем позу для сна, которая позволяет обеспечить наибольший комфорт как матери, так и ребенку. Ложитесь на левый бок и подложите под себя как минимум пять подушек: две под голову, две под лежащую сверху ногу и одну между спиной и матрасом. (Иногда удобно просунуть подушку меньшего размера между животом и матрасом.) Если поза лежа на боку кажется вам неустойчивой, чуть-чуть повернитесь на живот и передвиньте верхнюю ногу вперед, чтобы она полностью освободила нижнюю ногу; живот при этом должен лежать на матрасе.

Замечание доктора Линды: заснуть мне помогали статьи по анатомии и серьезные научные журналы. Чем сильнее я уставала от попыток сосредоточиться на каком-либо особенно скучном или неясном моменте, тем крепче я засыпала.

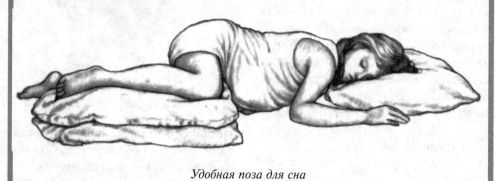

Удобная поза для сна

ние исследования дают основания предположить, что под этими наблюдениями может лежать физиологическая основа.

Что может слышать ребенок. Беременные любительницы музыки говорят, что во время концерта при неожиданном вступлении барабанов ребенок вздрагивает. И действительно, к двадцать третьей неделе слуховой аппарат ребенка уже достаточно развит и позволяет ребенку реагировать на внешние звуки. Исследователи убеждены, что, начиная уже с шестого месяца беременности, ребенок воспринимает все происходящее снаружи события и реагирует на них. (К двадцать четвертой неделе кора головного мозга уже сформировалась настолько, чтобы обеспечивать возможность мышления; это одна из причин, что недоношенный ребенок в возрасте двадцати четырех недель способен выжить.) Похоже, что младенцы в утробе матери возбуждаются от музыки в стиле рок и, услышав ее, начинают энергично толкаться. Определенная классическая музыка, наоборот, обладает успокаивающим эффектом. Ученые обнаружили, что даже пятимесячный плод способен различать музыку разных стилей. В одном из исследований младенцы в утробе матери успокаивались под музыку Вивальди, но приходили в возбужденное состояние от Бетховена.

Исследования также показали, что шестимесячный плод может двигаться в такт речи матери. И, возможно, самое удивительное — ребенка в утробе матери можно научить толкаться. Ученые стимулировали движения ребенка при помощи громких звуков. После того как эти дети привыкали реагировать на шум, исследователи стали прикладывать вибратор к животу беременной женщины сразу же вслед за громкими звуками. Вскоре эти сообразительные малыши научились реагировать только на слабые колебания. Другими словами, они научились ассоциировать ощущения со звуком.

В одной из работ было показано, что новорожденные младенцы успокаиваются, если им дать прослушать запись ударов человеческого сердца.

Можно привести бесчисленное множество историй о том, что дети и взрослые непроизвольно успокаивались от звуков, напоминающих удары сердца с частотой от шестидесяти до девяноста ударов в минуту. Это дает основания предположить, что услышанные в утробе матери звуки запоминаются ребенком.

Что еще может чувствовать ребенок. Младенец в утробе матери способен не только реагировать на звук, но он также воспринимает изображение и вкус. Добавьте подсластитель к амниотической жидкости, и маленький гурман удвоит частоту ее заглатывания. Добавление кислого вещества снижает частоту глотательных движений. Даже в возрасте четырех месяцев плод хмурится, скашивает глаза и гримасничает в ответ на сильное внешнее воздействие. В пять месяцев плод может испугаться яркой вспышки света рядом с животом матери.

Что думает ребенок. Может ли у плода еще до рождения формироваться отношение к жизни? Специалисты в области перинатальной психологии утверждают, что может. В таком случае, влияют ли мысли беременной женщины на эмоциональное развитие еще не родившегося ребенка? Исследователи убеждены, что существует определенная связь между мыслями матери и ощущениями ребенка и что, начиная с шестимесячного возраста, плод разделяет эмоции матери, чему способствуют ассоциированные с этими эмоциями гормоны.

Дети в утробе матери не могут понимать значения слов — они, скорее всего, реагируют на интонацию. Ласковые слова успокаивают ребенка, а сердитые или тревожные звуки речи вызывают у него тревогу. В одном из исследований было показано, что у ребенка каждый раз учащался пульс, когда мать только думала о том, чтобы закурить сигарету — независимо от того, делала она это, или нет.

Долговременные эффекты. Одна из самых противоречивых областей перинатальных исследований — это изучение корреляции между эмоциональной жизнью беременной женщины и личностью родившегося ребенка. Действительно ли у беспокойной матери повышаются шансы родить беспокойного ребенка? Исследования, связанные с изучением отношения матери к эмоциональному развитию потомства, действительно выявили подобную тенденцию. Кроме того, эти работы показали, что у матерей, которые были угнетены во время беременности или не чувствовали привязанности к своему будущему ребенку, выше вероятность появления детей с эмоциональными проблемами. Матери, сохранявшие душевное равновесие во время беременности, а также те,

для кого ребенок был желанным и любимым, чаше рожали эмоционально здоровых детей.

Прежде чем волноваться, что беспокойство или негативные мысли, время от времени появляющиеся у вас в голове, могут оставить незаживающий эмоциональный шрам в душе вашего ребенка, вспомните, что ни здравый смысл, ни научные исследования не подтверждают этого пугающего предположения. На самом деле результаты исследований указывают на то, что кратковременные эмоциональные спады и быстро проходящая тревога, случающиеся во время любой беременности, никак не могут повредить ребенку. Тем не менее серьезные эмоциональные проблемы и присутствующие на протяжении всей беременности стрессы действительно способны привести к нарушениям психики ребенка. (Сильные стрессы, переживаемые матерью, даже несут в себе риск физического вреда ребенку, поскольку связаны с повышенной вероятностью преждевременных родов и рождения детей с недостаточным весом.) Статистические исследования показывают, что младенцы, у которых повышен риск последующего развития эмоциональных нарушений, рождаются у матерей, являющихся жертвами неблагоприятных семейных отношений, а также у тех, кто на протяжении всей беременности считал ребенка нежеланным. Хорошей новостью можно считать то, что даже матери, на протяжении нескольких месяцев имевшие проблемы личного или медицинского характера, но поддерживавшие позитивное отношение к беременности и с любовью думавшие о будущем ребенке, рожали абсолютно нормальных в эмоциональном отношении детей.

Эмоциональная связь формируется при помощи гормонов. Что может составлять основу этой удивительной корреляции между мыслями матери и развитием личности плода? Разумеется, эмоции не передаются от матери к ребенку через плаценту — передаются только гормоны. Исследователи считают, что мать в состоянии стресса вырабатывает избыточное количество гормонов стресса, называющихся «катехоламинами», которые, в свою очередь, воздействуют на эмоции плода. В опытах на животных, когда катехоламины брали у испуганного животного и вводили другим, реципиенты тоже испытывали страх. Ученые предполагают, что эти химические стрессоры передаются через плаценту и «пугают» развивающуюся нервную систему плода. Если это происходит достаточно часто, плод привыкает к состоянию хронического стресса. Его организм привыкает бурно реагировать на стимулирующие воздействия. У детей, которые родились с уже перегруженной и, возможно, расстроенной нервной системой, чаще обнаруживаются эмоциональные расстройства и нарушения работы пищеварительной системы, и это закрепило за ними репутацию «склонных к коликам».

Ответственность за физическое и психическое здоровье ребенка — это тяжелый груз для беременной женщины, которая и без того волнуется, как ей обезопасить своего ребенка в этом неспокойном мире. Она должна не только воздерживаться от употребления загрязненных продуктов и стараться не дышать загрязненным воздухом, но еще и следить за чистотой мыслей! Расслабьтесь. Не позволяете беспокойству по поводу своего эмоционального состояния превратиться в еще один стрессовый фактор своей и без того напряженной жизни. Принимайте разумные меры, чтобы сделать жизнь более спокойной, выделяйте время на отдых и развлечения, вызывающие положительные эмоции, а также помните о том, что беспокоиться стоит только из-за серьезных эмоциональных проблем, которые присутствуют на протяжении всей беременности. Природа естественным образом компенсирует эмоциональные подъемы и спады. Кроме того, вопросы перинатальной психологии и перинатального общения находятся еще на ранней стадии развития, и поэтому используемые при таких исследованиях методы не отличаются особой точностью. К примеру, ученые делают выводы о мыслях ребенка по изменению его движений. Они предполагают, что спокойный ребенок, начинающий энергично шевелиться в ответ на стимулирующее воздействие, вероятно, реагирует на это воздействие. Но, может быть, ребенок просто проснулся, и его движения не имеют никакого отношения к эмоциональному дискомфорту? Кроме того, очень трудно оценить множество разнообразных факторов, которые влияют на развитие личности, таких, как наследственность или воспитание. Вырабатывая свое отношение к исследованиям по перинатальной психологии, не забывайте о здравом смысле.

Тем не менее вы можете делать все от вас зависящее, чтобы обеспечить своему ребенку наилучший эмоциональный старт. Помните, что во время беременности все эмоции — положительные и отрицательные — проявляются наиболее сильно. Старайтесь быстро и позитивно справляться со стрессами, а при необходимости обращайтесь за помощью к специалисту. Разговаривайте с будущим ребенком, пойте ему песенки, рассказывайте, как вы его любите. В результате вы как минимум получите больше удовольствия от беременности. В лучшем случае ваши действия благоприятно отразятся на развитии ребенка.

Новый и по большей части теоретический раздел перинатальной психологии возлагает часть ответственности за развитие личности ребенка и на отца. Хотя эмоциональное состояние отца не может непосредственно влиять на ребенка, оно косвенным образом воздействует на его эмоциональную устойчивость через отношения с матерью. И действительно, мы уже упоминали о выводах исследователей, что несчастливые браки несут в себе опасность для эмоционального развития еще не родившегося ребенка. Чувства мужчины к жене и находящемуся в ее утробе ребенку оказывают сильнейшее влияние на чувство безопасности женщины и на ее уверенность в себе. Отец имеет возможность воспитывать ребенка еще до его появления на свет, воздействуя на эмоции матери.

Путешествия во время беременности

Если ваша работа связана с разъездами или вы просто любите путешествовать, у вас могут возникнуть сомнения относительно допустимости путешествий во время беременности. Большинство обычных путешествий, например воздушные перелеты, не должны вызвать никаких проблем, однако в каждом конкретном случае все же стоит посоветоваться с наблюдающим вас врачом.

Возможные вопросы относительно путешествий во время беременности

Вот некоторые из наиболее распространенных вопросов относительно путешествий, которые волнуют беременных женщин.

До рождения ребенка мы с мужем хотели бы отправиться в романтическое путешествие вдвоем. На какую стадию беременности лучше всего планировать свой отпуск?

Обязательно доставьте себе удовольствие до того, как ребенок появится на свет; после его рождения накрытый на двоих ужин при свечах и даже постель придется приспосабливать для еще одного гостя. Наилучшее время для безопасного и приятного отпуска — это период с четвертого по шестой месяц беременности. В первом триместре вы, скорее всего, будете слишком утомлены и измученны приступами тошноты, чтобы наслаждаться отдыхом; в последнем триместре вы, наверное, будете испытывать дополнительные неудобства.

По работе мне приходится ежемесячно отправляться на другой конец страны, и поэтому я вынуждена летать самолетом. Что я могу сделать, чтобы минимизировать неудобства? Какие меры предосторожности следует принимать, чтобы не повредить ребенку?

Поскольку теперь вы путешествуете вдвоем, делайте все возможное, чтобы обеспечить себе комфорт, а ребенку безопасность.

На последнем месяце беременности не стоит отрываться от земли. В США правила воздушных перевозок запрещают брать на борт беременных женщин в последние четыре недели беременности (начиная с тридцати шести недель). Нормы, принятые в других странах, запрещают воздушные путешествия, начиная с тридцати пяти недель. Не рассчитывайте на то, что стюардессы окажутся опытными акушерками. Если вашу беременность нельзя не заметить, авиакомпания может потребовать справку от врача, в которой будет указана предполагаемая дата родов. Если после двадцать пятой недели у вас существует риск преждевременных родов, безопаснее не ездить в такие места, где нет оборудования для ухода за недоношенными детьми.

Обеспечьте себе комфорт. Попросите себе место, расположенное как можно ближе к носу самолета. Впереди не только лучше работает вентиляция, но и облегчен вход и выход из самолета. Одни женщины считают, что место у иллюминатора помогает преодолеть тошноту, характерную для первых месяцев беременности; другие предпочитают сидеть у прохода, что облегчает посещение туалета. Некоторые будущие матери просят дать им место у переборки, где можно вытянуть ноги. (Тем не менее подлокотники кресла остаются неподвижными, что ограничивает возможность сместиться в сторону и не позволяет вытянуться во всю длину, если соседние места заняты.) Беременных женщин не сажают у выходов, поскольку обладатели этих мест в случае опасности должны помочь экипажу открыть тяжелый люк. Если вы хотите расположиться неподалеку от аварийного выхода, выбирайте следующий ряд, поскольку спинки сидений, расположенных непосредственно перед аварийным выходом, не откидываются назад. Если вы путешествуете вдвоем, попросите дать вам места у окна и у прохода и оставить среднее место свободным, если рейс не переполнен; это обеспечит вам дополнительное пространство для маневра. Если вы можете себе позволить летать первым классом, то беременность — самое подходящее время, чтобы побаловать себя. Кроме того, в салоне первого класса вентиляция обычно тоже лучше. Во время полета по возможности приподнимите ноги и несколько раз совершайте прогулки по проходу, чтобы уменьшить отек ног. Сняв туфли, вы можете и не надеть их в конце пути, поэтому возьмите с собой пару просторной обуви или даже комнатные тапочки.

Позаботьтесь о чистом воздухе. Ни в коем случае не летайте рейсами, на которых разрешено курить. (В США курение на борту запрещено, но некоторые зарубежные авиаперевозчики разрешают курить в самолете.) Даже если воздушный лайнер разделен на салоны для курящих и для некурящих, поддерживать чистоту воздуха в салоне для некурящих — это все равно что пытаться хлорировать половину плавательного бассейна.

Пейте, чтобы утолить жажду — и даже больше. Воздух в салоне самолета сушит слизистые оболочки рта и носа, а также может способствовать обезвоживанию. Во время и после полета пейте больше жидкости, не содержащей кофеина и алкоголя.

Увлажняйте воздух. Влажность воздуха в салоне самолета составляет около 7 процентов. Помимо неприятных ощущений в носу сухой воздух может способствовать обезвоживанию организма. Кроме дополнительного количества выпитой жидкости предотвратить сухость в носу поможет вдыхание пара из чашки с горячей водой. Кроме того, можно взять с собой бутылочку с солевым спреем для носа (продается в любой аптеке без рецепта) и каждый час распылять в нос небольшое количество соленой воды.

Обеспечьте себе питание. Если вы планируете путешествие на первый триместр или по-прежнему испытываете недомогание по утрам, предварительный заказ вегетарианских блюд повысит ваши шансы получить в самолете пищу, которая не будет раздражать ваш чувствительный желудок. Еще лучше взять с собой собственную, уже проверенную еду. Обращайте особое внимание на необходимость избегать продуктов, вызывающих образование газов; низкое давление в кабине приведет к расширению скопившихся в кишечнике газов и вызовет неприятное ощущение вспучивания. В полете следует перекусывать как можно чаще, чтобы успокоить свой желудок. Со всеми необычными просьбами обращайтесь к бортпроводникам.

Перед путешествием посоветуйтесь с наблюдающим вас врачом. Пусть врач проверит, нет ли у вас каких-либо осложнений беременности, которые могут повысить вероятность преждевременных родов, а также других угроз: позднего токсикоза, высокого кровяного давления, плохо компенсируемого диабета, многоплодной беременности, недостаточности шейки матки, многократных выкидышей, предыдущих преждевременных родов или ребенка, развитие которого отклоняется от оптимального графика. Многие акушеры-гинекологи убеждают женщин с подобными осложнениями воздержаться от воздушных путешествий или любых долгих поездок в последние три месяца беременности.

Я беспокоюсь, что прохождение системы безопасности в аэропорту, в которой используются рентгеновские лучи, может повредить ребенку. Безопасны ли такие системы?

Ручные сканеры и рамки для прохода в большинстве аэропортов используют ультразвук или неионизирующее излучение малой мощности, а не потенциально опасное ионизирующее излучение, применяемое в медицинских рентгеновских аппаратах. Излучение и ультразвук, применяемые в таких сканерах, скорее всего не представляют опасности, хотя абсолютной уверенности в этом нет. В качестве меры предосторожности можно попросить произвести личный досмотр, вместо того чтобы подвергаться воздействию этих устройств.

До рождения ребенка мы хотели бы отправиться в морской круиз, но я боюсь, что буду мучиться от морской болезни.

Круиз — это наиболее приятный (и романтичный) вид отдыха для супружеской пары, ожидающей ребенка. Рестораны и развлечения находятся рядом, и не нужно все время паковать и распаковывать чемоданы при переезде из отеля в отель, как при путешествии по суше. Чтобы сделать свои дни и ночи на море более комфортными, постарайтесь следовать приведенным ниже рекомендациям.

● Тщательно выбирайте маршрут. Если это у вас первая беременность и первый круиз, длительное океанское путешествие может оказаться не столь приятным. Попробуйте остановиться на более коротком маршруте в спокойных водах.

● Отдайте предпочтение большому и новому кораблю. Более крупные и новые суда снабжены стабилизаторами, которые уменьшают бортовую качку. И действительно, чем крупнее судно, тем меньше вы ощущаете бортовую и килевую качку. На многих современных лайнерах вы даже забываете, что плывете по морю.

● В центре судна качка ощущается меньше, и по этой причине старайтесь выбрать каюту, расположенную ближе к центру.

● Выбирайте каюту с балконом. Большинство современных лайнеров имеют каюты с раздвигающимися стеклянными дверьми, которые выходят на балкон. Открытое пространство и свежий воздух помогут вам избавиться от ощущения тесноты и ограниченности.

● Попросите, чтобы в столовой вам выделили столик как можно дальше от курительной комнаты. Как можно чаще обедайте на свежем воздухе.

● Возьмите с собой пару ремешков для акупрессуры на тот случай, если у вас случится приступ морской болезни.

Во время путешествий у меня обычно расстраивается желудок, но во время беременности я боюсь принимать какие-либо лекарства.

Диарея во время путешествий не только неприятна, но и потенциально опасна для ребенка. При диарее ваш организм лишается необходимых питательных веществ, солей и жидкости — а все это во время беременности требуется вам в больших количествах. Тяжелое и длительное расстройство желудка может привести к обезвоживанию матери и сокращению кровоснабжения ребенка. Чтобы во время путешествия обезопасить себя от продуктов и микроорганизмов, вызывающих диарею, соблюдайте следующие меры безопасности:

● Пейте только кипяченую или бутилированную воду. Вода в бутылках безопаснее, потому что высокие концентрации йода, используемые в некоторых методах очистки воды, могут неблагоприятно сказаться на ребенке. Используйте кубики льда, приготовленные только из бутилированной воды.

● Употребляйте в пищу только пастеризованные молочные продукты.

● В странах, где широко распространены желудочно-кишечные заболевания, откажитесь от овощей и фруктов, не прошедших кулинарную обработку. Свежие фрукты и овощи можно есть только после того, как вы сами вымыли их и очистили от кожуры.

● Избегайте недоваренного или недожаренного мяса и рыбы.

● Обедайте только в тех ресторанах, в которых — на ваш взгляд — выдерживаются высокие стандарты санитарии.

Если, несмотря на все принятые меры, вам все же не удалось во время путешествия избежать диареи, помните, что ваша главная цель — не допустить обезвоживания. Вот несколько способов лечения диареи:

● Если расстройство желудка тяжелое (водянистый стул более шести раз в день), выпивайте в день до двух кварт водного раствора электролита — часто и небольшими порциями. (Это сладкий раствор, который восполняет сопровождающую диарею потерю солей и микроэлементов. Он продается в аптеках без рецепта.) Обратитесь к врачу.

● Одни продающиеся без рецепта препараты против диареи безопасны для беременных, а другие нет. Средства, содержащие соли салициловой кислоты и висмут, нельзя принимать во время беременности, поскольку проведенные на животных исследования выявили их вредное воздействие на плод. Небезопасны и продающиеся по рецепту препараты, в состав которых входит атропин или наркотические вещества. Узнайте у своего врача, какие лекарства против диареи безопасны во время беременности.

● Подготовьтесь заранее. Проконсультируйтесь у врача, какие препараты против диареи вы можете без опаски принимать во время беременности, какие лекарства следует взять с собой и что нужно делать для профилактики обезвоживания.

Я на четвертом месяце беременности, и мне нужно поехать за границу. Я боюсь, что обязательная вакцинация может повредить ребенку.

К счастью, для путешествия в большинство стран никакой вакцинации больше не требуется. В действительности положение дел таково: вакцинация в редких случаях предписывается законом. Она просто рекомендуется. Однако, поскольку требования к вакцинации часто меняются в зависимости от преобладающих в том или ином регионе болезней, за свежей информацией вам нужно обратиться в местные органы здравоохранения. Сообщите, что вы беременны, и спросите, какие вакцины абсолютно необходимы, а какие рекомендуются при поездке в конкретную страну в данное время.

Возможно, вам придется соотнести риск от возможного заболевания с риском неблагоприятных последствий вакцинации во время беременности. По возможности избегайте иммунизации в течение первых трех месяцев беременности. Откажитесь от введения живой вакцины и по возможности не делайте вакцинации против тифа, холеры, кори, желтой лихорадки и краснухи. Если это абсолютно необходимо, беременной женщине можно вводить вакцины против столбняка, дифтерии, бешенства и полиомиелита. Вакцины гаммаглобулина и гепатита можно вводить беременным женщинам в случае крайней необходимости. Осо-

Безопасное и комфортное путешествие в автомобиле

Для обеспечения безопасного и комфортного автомобильного путешествия постарайтесь следовать приведенным ниже рекомендациям.

● Пристегивайте ремень безопасности. Не беспокойтесь, что при аварии ремень сдавит матку и повредит ребенка. Амниотическая жидкость поможет защитить ребенка. Исследования показали, что правильно пристегнутый ремень в случае автокатастрофы увеличивает вероятность выживания и матери, и ребенка. Правильно застегивайте замок ремня.

● Поднимите подголовник заднего сиденья на уровень головы. Это не только позволит вам удобно откинуться назад, но и предотвратит травму головы и шеи в случае аварии.

● Во время продолжительных путешествий останавливайтесь как минимум каждые два часа, чтобы размяться, потянуться или пройтись. Часто останавливайтесь, чтобы сходить в туалет.

● Отодвиньте сиденье назад и вытяните ноги.

● Выполняйте упражнения для тех, кто много сидит.

● Используйте подушки.

● Берите с собой пакет с едой.

Расположите ремень безопасности как можно ниже, под маткой и ребенком, чтобы он обхватывал верхнюю часть бедер и тазовые кости. Если ремень причиняет неудобства вашему выступающему животу, подложите под него подушку или другую прокладку. Плечевой ремень должен располагаться выше матки и между грудей, но не настолько высоко, чтобы натирать шею.

бенно опасна для беременной женщины и плода малярия, и поэтому во время беременности лучше не путешествовать по тем регионам, где распространена эта болезнь.

Я на шестом месяце беременности, и мне хотелось бы отправиться в двухнедельную поездку по Европе. Но я боюсь не получить необходимой медицинской помощи, если вдруг возникнут какие-нибудь проблемы. Какие меры предосторожности мне нужно принять?

Во-первых, посоветуйтесь со своим врачом относительно необходимых мер предосторожности. Лучше выяснить все до начала путешествия. Затем узнайте в посольстве, какие медицинские учреждения доступны вам в той стране, которую вы планируете посетить. Кроме того, вы можете узнать в своей страховой компании, действует ли ваша страховка во время путешествия. Многие страховые компании берут дополнительные взносы при поездке в другое государство. И последнее — если у вас наблюдаются те или иные осложнения беременности, возьмите с собой медицинскую карту.

При путешествии во время беременности вам, вероятно, захочется сохранить тот здоровый образ жизни, которого вы придерживались дома. Питайтесь здоровой, вызывающей аппетит и безопасной пищей (см. предосторожности в отношении продуктов). Прислушивайтесь к сигналам, которые подает вам ваше тело: опорожняйте мочевой пузырь, когда чувствуете позыв к мочеиспусканию (не во всех странах можно легко найти туалет) и избегайте запоров. Не поддавайтесь желанию ослабить бдительность подобно тому, как вы расслабляете свое тело. Не рискуйте без необходимости: в незнакомой обстановке несчастные случаи случаются чаще. Теперь, когда вы несете ответственность еще за одну жизнь, путешествуйте с умом. Ведь вы путешествуете вдвоем.

ШИРОКИЙ ВЫБОР ВАРИАНТОВ РОДОВ

Выбираем курсы по подготовке к родам

Причина для посещения занятий для будущих мам та же, что для прочтения этой книги: чем больше вы информированы, тем больше радости и удовольствия вы получите от беременности и родов. Удачные роды — это хорошее начало родительской карьеры. Кроме того, курсы позволят вам присоединиться к социальной группе, в которой вам будет комфортно обсуждать свою беременность.

Когда приступать к занятиям. Большинство специалистов по родовспоможению обычно предназначают свои курсы для женщин, приближающихся к концу второго триместра. Занятия рассчитаны на период от шести до двенадцати недель и в идеальном случае заканчиваются примерно за неделю до предполагаемой даты родов, чтобы полученные знания во время родов были еще свежи в вашей памяти. Ранее мы уже советовали вам записаться на «ранние» курсы на первом или втором месяце беременности.

Что вы узнаете. Полноценные курсы для беременных женщин не только помогут вам выбрать один из многочисленных вариантов родов, доступных для ожидающих ребенка супружеских пар, и выработать собственную философию родов, но и позволят получить следующую информацию:

● *Что происходит в вашем организме в течение каждого месяца беременности.* При помощи рисунков и плакатов вы познакомитесь с анатомией и физиологией того чуда, которое происходит внутри вас, а также будущих чудесных превращений. (Когда в первые месяцы беременности Марта один раз в неделю посещала курсы для будущих матерей, наша гостиная регулярно заполнялась рисунками с изображением различных стадий беременности и родов. Можете себе представить, сколько вопросов задавали нам любопытные дети!)

● *Правильное питание во время беременности.* Многие супружеские пары впервые в жизни задумываются о своем питании и, возможно, впервые в жизни получают мотивацию питаться правильно.

● *Разумное отношение к тестам и технологиям.* Хорошие курсы научат ожидающую ребенка супружескую чету быть разумными потребителями предлагаемых услуг. Вы узнаете, какие бывают тесты, когда и почему они используются, и как принять решение относительно их необходимости. На курсах вам подскажут, какие вопросы следует задавать своему врачу и как получить на них удовлетворительные ответы.

● *Физические упражнения во время беременности.* Вам расскажут, когда, как и сколько должна заниматься физическими упражнениями беременная женщина.

● *Стадии родов.* Вас научат, как распознавать сигналы, которые подает вам ваше тело на каждой стадии родов.

● *Методы релаксации и обезболивания.* Ни на одних курсах для будущих матерей вам не пообещают безболезненных родов. Вы узнаете, что боль при родах выполняет определенную функцию: это сигнал к действию. На хороших курсах вас познакомят не только с техникой релаксации и методами самопомощи, но и с медикаментозными средствами обезболивания. Таким образом, вы будете вооружены знанием о полном наборе стратегий обезболивания, что позволит вам выбрать и использовать те, которые подходят именно вам. Опытный специалист по родовспоможению не преподносит роды в качестве теста на способность женщины переносить боль. Наоборот, он советует разумно сочетать естественные и медикаментозные средства обезболивания. У родителей не должно складываться ощущение, что выбор медикаментозных методов означает неудачу. Одни женщины полагают, что на курсах для беременных слишком терпимо относятся к медикаментозным средствам, а другие считают курсы чрезмерно догматичными в отношении риска использования медикаментозных средств. Лучшим можно считать сбалансированный подход.

● *Роль помощника — обычно супруга.* Когда на первом занятии многих будущих отцов спрашивают, почему они находятся здесь, многие честно отвечают: «Чтобы доставить удовольствие жене». Не волнуйтесь, если на первых порах ваш муж будет с неохотой посещать занятия. Наша практика позволяет сделать вывод, что после того как будущий отец осознает, что происходит в организме его беременной жены, он становится более внимательным и больше старается помочь ей. Кроме того, будущий отец многому учится у других ожидающих ребенка пар, которые присутствуют на занятиях.

● *Практические советы по грудному вскармливанию.* Успешное грудное вскармливание зависит от хорошего старта. Чем больше вы знаете до начала кормления грудью — особенно о важности правильной позы и приемах поддерживания младенца, — тем легче вам будет кормить ребенка.

● *Вопросы послеродового периода.* Вы узнаете, как знакомить новорожденного с остальными членами семьи, что ожидать от своего организма в послеродовом периоде, а также познакомитесь с основами ухода за новорожденными. Хорошие курсы не только помогут вам обеспечить более безопасные и приятные роды, но и подготовиться к многочисленным переменам в жизни, которые неизбежны после рождения ребенка.

Возможно, самый ценный урок, который вы усвоите на курсах для будущих мам, — это умение разорвать замкнутый круг страха, напряжения и боли. Доктор Грантли Дик-Рид, пионер в области немедикаментозных родов, считал этот цикл основной причиной того, что многим женщинам во время родов требуются лекарственные препараты. Устранив страх из процесса родов (особенно страх перед неизвестным) — объясняя женщинам, как их организм работает во время родов и почему они испытывают те или иные ощущения, обучая технике релаксации, предназначенной для снятия психологического и физического напряжения, вызванного страхом, и показывая женщинам, как помогать своему телу во время родов, а не сопротивляться ему, — доктор Дик-Рид показал, что большинству рожениц не нужно выбирать между сильными страданиями и наркотическим дурманом.

Курсы для беременных способны также обеспечить вас уже готовой группой поддержки, которая поможет найти ответ на волнующие вас вопросы, и дадут возможность приобрести новых друзей, которым можно позвонить после того, как вы произвели ребенка на свет. Вы можете получить много полезной информации от опытных матерей об их предыдущих беременностях, а также о том, что на этот раз они сделали бы иначе. Самым интересным занятием на курсах был так называемый вечер «показа и рассказа». Примерно через месяц после рождения последнего ребенка в группе все собирались на вечеринку, чтобы продемонстрировать своих малышей и рассказать о том, как проходили их роды.

Как выбирать курсы по подготовке к родам. Основания для выбора курсов должны быть более весомыми, чем близость к дому или удобство расписания занятий. Стоит изменить распорядок дня, чтобы записаться на те курсы, которые соответствуют вашим взглядам на роды. Перед тем как записаться на те или иные курсы, полезно, по крайней мере, предварительно определиться со своей философией родов. Почитайте книги и поговорите с уже рожавшими женщинами. Посещение «ранних» курсов для беременных — это еще один способ выработки философии родов перед выбором курсов, которые вы будете посещать на последних месяцах беременности. «Домашняя работа», которую вы проведете перед выбором курсов, позволит вам определить те, которые отвечают вашим потребностям.

Одна будущая мать выберет врача, а другая предпочтет акушерку. У разных женщин разные взгляды на подготовку к родам. Существуют три основные концепции подготовки к родам и множество вариантов, представляющих собой их комбинацию. Ни одну из этих концепций нельзя назвать идеальной — каждая из них предлагает разный подход, удовлетворяя различные потребности и поддерживая разные философии родов. Специалисты в области философии родов расходятся по двум главным пунктам: подход к обезболиванию, а также вопрос о необходимости готовить женщину в рамках существующей системы здравоохранения или искать альтернативные варианты за рамками этой системы.

ASPO/Ламаз

Наиболее популярный в настоящее время у североамериканских супружеских пар метод ASPO/Ламаза уходит корнями в учение русского физиолога И. П. Павлова, который заставлял собак выделять слюну в ответ на звонок. Французский акушер Фернан Ламаз воспользовался принципом условного рефлекса, добавил дыхательную технику и *monitrice* (высококвалифицированного помощника, присутствующего во время родов) и разработал методику, которая стала известна как «метод Ламаза». Сначала этот метод получил название «психопрофилактики», поскольку в нем все внимание было сосредоточено на том, чтобы научить женщину использовать свой мозг для управления реакцией организма на боль. Последователи этой философии в Соединенных Штатах основали Американское общество психопрофилактики в акушерстве (ASPO). Эта организация сейчас известна как ASPO/Ламаз, и ее члены называются сертифицированными специалистами ASPO по подготовке родов. В США курсов для будущих матерей, исповедывающих принципы ASPO/Ламазе, больше, чем каких-либо других.

Основное отличие метода Ламаза от других методов подготовки к родам заключается в подходе к обезболиванию. Метод Ламаза при помощи дыхательной техники, которая называется «ритмичным дыханием», и фокусировки на действительных или воображаемых отвлекающих факторах учит женщину отвлекаться от боли, чтобы убедить свой мозг в том, что на самом деле никакой боли нет. Сначала эти дыхательные приемы были очень сложными и разнообразными, и на каждой из четырех стадий родов предлагался свой темп. Если женщина добросовестно не тренировалась и не научилась концентрироваться и дышать, как робот, эти дыхательные приемы часто становились контрпродуктивными, вызывая вместо расслабления еще большее напряжение. В последнее десятилетие ASPO обучает большему разнообразию методов обезболивания и подчеркивает важность навыков релаксации. На курсах по методу Ламаза знакомят с преимуществами и недостатками всех медикаментозных средств обезболивания. Прослушавшие курс женщины без всякой предвзятости могут выбирать между немедикаментозным обезболиванием, внутривенным введением обезболивающего препарата или эпидуральной анестезией. Некоторые женщины останавливают свой выбор на методике Ламаза не потому, что хотят «полностью ощущать» процесс родов, а для того, чтобы получить исчерпывающую информацию, чувствовать себя относительно спокойно и принести домой здорового ребенка.

Метод Брэдли

Этот метод, называемый также «родами с мужем-инструктором», был разработан в 1940 году акушером из Денвера Робертом Брэдли. Основа метода Брэди — упор на физиологический, а не на психологический подход к боли. Доктор Брэдли считает, что для женщины полезнее пережить все естественные ощущения во время родов, а не пытаться избежать их, и что боль — это не проблема, от которой нужно избавиться, а сигнал, к которому нужно прислушаться. Философия Брэдли и люди, которые ее преподают, убеждают женщин доверять своему телу. Они убеждены, что почти все женщины при условии должного обучения и поддержки могут обеспечить себе безопасные и приносящие удовлетворение роды безо всяких лекарств. И у 90 процентов тех, кто готовился к родам по методу Брэдли, это получается. Вместо того чтобы при помощи отвлекающих факторов попытаться управлять своими ощущениями или скрыть их, метод Брэдли убеждает роженицу расслабиться, прислушаться к своим основным инстинктам и работать со своим телом (преимущественно путем смены положений во время родов), чтобы найти собственный способ более эффективных и комфортных родов. Брэдли рекомендует более естественные и требующие меньшей подготовки дыхательные приемы, чем Ламаз. Курсы подготовки к родам по методу Брэдли более подробные и длительные (обычно их продолжительность составляет двенадцать недель), чем те, где предлагаются другие методы. Занятия не только помогают женщинам стать информированным участником принятия решений во время родов, но и снабжают их сведениями, способствующими разумной политике потребления.

Метод Брэдли учит женщин ставить под сомнение концепцию родовспоможения, и поэтому его часто противопоставляют существующей системе медицинского обслуживания беременных. Многие врачи и больницы не склонны встречать его с распростертыми объятиями. Оппоненты заявляют, что метод Брэдли готовит супружеские пары скорее к «альтернативным» родам вне стен больницы, чем к традиционным. Однако наша практика позволяет сделать вывод, что если женщина действительно предпочитает естественные роды в условиях больницы, то метод Брэдли предоставляет ей все шансы сделать это.

Международная ассоциация подготовки к родам (ICEA)

Эта организация обучает и проводит сертификацию инструкторов по подготовке к родам, которые берут лучшее из различных методов в соответствии с девизом организации: «Свобода выбора через знание альтернатив». ICEA — ценный источник информации для пар, ожидающих рождения ребенка, и специалистов по подготовке к родам. Члены ассоциации учитывают национальные традиции, высылают по почте литературу, касающуюся беременности и родов, и внедряют в практику наилучшие и наиболее исследованные методы подготовки к родам. Дополнительную информацию о доступных ресурсах ICEA и о том, как найти ближайшего инструктора ICEA, можно получить, связавшись с ассоциацией.

Резюме

Многие инструкторы по подготовке к родам используют все лучшее из методов Ламаза, ICEA и Брэдли, добавляя к ним крупицы собственного опыта, в результате чего формируется уникальная методика подготовки к родам. Эти «независимые» специалисты не ограничены рамками одного метода и поэтому могут обеспечить гибкость, приспосабливая программу занятий к индивидуальным потребностям клиентов. Проводя занятия по подготовке к родам, Марта выработала наиболее приемлемый для себя интегрированный подход: взять лучшее из каждого метода и предложить максимально сбалансированный учебный план.

Прежде чем сделать окончательный выбор, поговорите с различными инструкторами или посетите занятия, которые они проводят. Задайте следующие вопросы:

Муж-инструктор

И метод Ламаза, и метод Брэдли в прошлом всегда подчеркивали роль отца как инструктора во время родов. Немногим мужчинам нравится эта роль, и немногие женщины считают полезным непосредственное руководство со стороны мужа. В настоящее время большинство методов, подчеркивая важную роль отца в процессе родов, пересмотрели функцию мужа, делая упор на психологической поддержке и отдавая задачу непосредственного ведения родов профессиональному ассистенту.

Замечание доктора Билла: Я хороший наставник для Малой бейсбольной лиги, но я не чувствую себя уверенно в качестве руководителя рожающей женщины. Мой первый опыт в качестве инструктора во время родов имел место двадцать девять лет назад, когда после тренировки с секундомером всех этих дыхательных движений я запаниковал при первых же схватках у Марты. В самый разгар родов я полностью забыл все, чему меня учили на курсах, и был способен делать лишь то, что естественным образом мог делать лучше всего — проявлять любовь к своей жене. После того как я отказался от обязанностей инструктора и принял на себя роль любящего супруга, процесс родов пошел более естественно для меня и легче для Марты.

● Рожала ли сама женщина, которая проводит занятия? Стал ли ее собственный опыт ценным вкладом в программу обучения? Есть ли у нее какие-либо предубеждения или недостатки, которые могут привести к формированию у вас негативного отношения к наблюдающему вас врачу?

● Знаком ли преподаватель с порядками в ближайшей больнице, особенно если это та больница, на которой вы остановили свой выбор?

● Достаточно ли малы группы обучающихся (желательно не более восьми супружеских пар в группе), чтобы обеспечить индивидуальный подход? Используются ли в процессе обучения наглядные пособия: куклы, плакаты и таблицы, фильмы, видеоматериалы, отпечатанный текст?

● Излагает ли инструктор свое мнение, рассказывает о собственном опыте и дает рекомендации, оставаясь достаточно открытым, чтобы помочь вам обеспечить такие роды, которые соответствуют вашему желанию?

● Подчеркивается ли важность расслабления и методов самопомощи? Много ли времени уделяется практическим занятиям? Расслабление является основой немедикаментозных родов (их еще называют «чистыми»), но оно не менее важно при родах с использованием медикаментозных средств. Один из самых полезных разделов программы любых курсов для беременных — это обучение различным позициям во время родов, и особенно упор на различные вертикальные позиции в противовес традиционным горизонтальным.

● Отводится ли достаточно времени на обсуждение и на ответы на вопросы группы?

Самое полезное, чему я научилась на курсах для будущих матерей, это принимать решения.

Выбор места родов

После того как вы определили команду, которая будет помогать вам произвести ребенка на свет, необходимо выбрать место, где произойдет это важное событие. Очень часто выбор помощника означает и выбор места родов. Врач, на котором вы остановили свой выбор, может практиковать только в одной больнице. Однако во многих случаях вы имеете возможность выбирать больницу, и поэтому вам необходимо «приготовить домашнее задание» — в данном случае поработать ногами.

Наша подруга Лиз осталась очень довольна родами, которые проводила акушерка:

Мой муж ужасно нервничал и был против родов на дому при первой беременности, но я очень хотела видеть возле себя акушерку. К счастью, мы живем в большом городе, где есть несколько организаций акушерок, работающих совместно с больницами. Моя акушерка приехала в больницу сразу же после меня. У меня отошли воды, а схватки становились слишком частыми. Шейка матки не раскрывалась, и меня сильно рвало. Когда акушерка предложила использовать лекарство, чтобы замедлить родовую деятельность, я сначала почувствовала себя неудачницей. Я не хотела никакого вмешательства — ведь именно поэтому я остановила свой выбор на акушерке, а не на враче! Однако тот факт, что использовать лекарственные препараты предложила акушерка, а не врач, облегчил мне принятие решения. Она оказалась права. Схватки стали более продуктивными, и вскоре я уже приподнялась, упираясь одной ногой в бедро акушерки, а другой в бедро медицинской сестры, и начала тужиться. Через пять минут появился на свет мой сын, которого тут же передали мне. Акушерка и медицинские сестры помогли мне покормить его грудью. Я держала ребенка на руках, пока не отошла плацента, а затем мы больше часа лежали рядом, пока я отдыхала.

Роды в больнице

В 80-х и 90-х годах прошлого века женщины оказывали влияние на ведение бизнеса во многих областях — в том числе и на бизнес, связанный с родами. За последнее десятилетие больницы стали обращать больше внимания на потребности семьи. И действительно, родильные отделения во многих больницах сменили название: теперь это «семейные родильные центры» или «служба материнства и семьи» — в зависимости от того, какой из этих терминов способен убедить современного разборчивого потребителя услуг по родовспоможению, что именно эта больница и есть самое подходящее место для появления ребенка на свет. Ушли в прошлое и те времена, когда родильные палаты напоминали хирургические отделения, где женщина до родов лежала в одной палате, рожала в другой, а затем ее перемещали в третью, где она восстанавливала силы, в то время как ребенок находился отдельно от нее в палате для новорожденных, а муж томился в приемной.

Теперь любая больница, рассчитывающая остаться в этом бизнесе, предлагает концепцию LDRP, когда предродовой период, роды, восстановление и послеродовой период женщины проходят в одном помещении, а мать и дитя находятся вместе, если только по медицинским показаниям не требуется их временно разлучить. (В некоторых больницах после родов мать с ребенком переводят в другую палату.) Во внутренней отделке больницы превзошли сами себя, создавая в палатах домашнюю атмосферу. И действительно, большинство палат для рожениц больше похожи на комфортабельные гостиничные номера. У них очень уютный и приятный вид, с креслом-качалкой, занавесками на окнах, красивым постельным покрывалом, а иногда с соответствующими обоями и колыбелькой для младенца. Бывают палаты даже с ванной и кроватью для мужа. На первый взгляд акушерская кровать похожа на обычную, но она является регулируемой и обеспечивает удобство роженицы в любых требуемых для родов положениях. В палате незаметно размещено все необходимое акушерское оборудование. Нажатием кнопки включается яркий верхний свет, а в выдвижных ящичках шкафов размещено все оборудование для первой помощи при родах. Во время родов и после них в комнате может присутствовать муж роженицы, а при желании и дети. (В других больницах они вместе с роженицей после родов перемещаются в другую палату.) Разумеется, ребенок находится вместе с матерью. Присутствие отца во время родов больше не считается необязательным; предполагается, что он будет находиться рядом и участвовать в процессе.

Выбирая больницу, не стоит ориентироваться исключительно на внешний вид палаты для рожениц. Для здоровья и благополучия вас самих и вашего ребенка гораздо большее значение имеют квалификация и отношение персонала, а не тот факт, сочетаются ли друг с другом занавески и постельное покрывало. При выборе больницы учитывайте следующую рейтинговую систему:

5-звездочная больница. Несмотря на то что в настоящее время такие 5-звездочные родильные дома могут существовать только в нашем воображении, история показывает, что в конечном итоге больницы удовлетворяют все потребности матерей. Вот идеал, к которому — мы надеемся — будут стремиться многие больницы:

☐ Ориентированное на семью учреждение, в котором женщина до и во время родов лежит в одной палате, а затем переводится в другую. Превосходное место, чтобы родить ребенка и насладиться первым днем его присутствия в вашей жизни.

☐ Ванны увеличенного размера для проведения родов. Новейшее изобретение среди многочисленных естественных методов обезболивания при родах.

☐ Акушерская кровать, удобная как для родов, так и для сна, с регулировками, обеспечивающими любое положение роженицы для разных стадий и стилей родов.

☐ Новейшая неинвазивная технология, особенно современная телеметрическая система электронного мониторинга плода, в которой изменения частоты сердцебиения плода могут отслеживаться без необходимости для матери лежать в кровати или быть соединенной проводами со стоящей рядом с кроватью аппаратурой.

☐ При медицинских показаниях должна использоваться современная технология внутривенных вливаний, которая позволяет роженице ходить (вместо старого оборудования, при котором женщина все время была подключена к катетеру, что вынуждало ее не покидать кровати).

☐ «3-й уровень» оборудования для реанимации и интенсивной терапии новорожденных. Медицинское учреждение «3-го уровня» имеет необходимое оборудование и персонал для обеспечения высококачественной медицинской помощи новорожденным, включая принудительную вентиляцию в случае проблем с легкими и круглосуточные консультации неонатологов. Круглосуточное дежурство специалиста неонатолога особенно важно в тех случаях, когда специализированная помощь ребенку требуется сразу же после рождения, а наличие необходимого оборудования позволяет избежать перевозки больного младенца в другую больницу, разлучая мать и ребенка.

☐ Присутствие специалистов анестезиологов. В больнице круглосуточно дежурит врач анестезиолог или техник на случай необходимости срочного кесарева сечения или возникновения других осложнений при родах.

☐ Сестры-акушерки. Акушерки являются неотъемлемой частью процесса родов — в качестве старшей медицинской сестры, либо помощника, либо в качестве основного медицинского персонала при естественных неосложненных родах.

☐ Сертифицированный консультант по грудному вскармливанию (или медицинские сестры, имеющие соответствующую квалификацию) в штате больницы, чтобы помочь молодой матери правильно начать кормление грудью.

☐ Гибкая философия родов. Для большинства лечебных учреждений очень трудно, а часто и невозможно сочетать «естественный» и «медицинский» подходы к родам. Тем не менее 5-звездочная больница учитывает информацию, что 90 процентов родов проходят без осложнений. Помощники помогают матери ходить в процессе родов, поощряют принимать такую позу, которая является наиболее удобной для матери и безопасной для ребенка, а также прислушиваются к пожеланиям роженицы, если с медицинской точки зрения они не противоречат интересам матери и ребенка. С другой стороны, персонал всегда способен переключиться на медицинский подход в случае возникновения непредвиденных осложнений или родов у женщины, относящейся к группе повышенного риска.

Больница может сочетать оба подхода только при условии принятия акушерок в штат или разрешения сертифицированным акушеркам принимать роды в больнице. Очень немногие врачи — а скорее всего никто — мыслят так же, как акушерки, а акушерки не обладают квалификацией врачей. Люди этих двух профессий прошли различное обучение. При создании надлежащей обстановки они прекрасно дополняют друг друга.

4-звездочная больница. Такая больница предлагает те же условия, что и идеальная 5-звездочная, за исключением услуг акушерки. В настоящее время в любом крупном городе имеются 4-звездочные больницы, обеспечивающие высокие стандарты медицинского обслуживания рожениц.

3-звездочная больница. Родильные отделения в 3-звездочных больницах, многие из которых уже есть в небольших населенных пунктах, не имеют оборудования 3-го уровня для реанимации и интенсивной терапии или круглосуточного анестезиологического обеспечения. Анестезиологи вызываются в случае необходимости, но это предполагает как минимум двадцатиминутную задержку. Для многих родов без осложнений и с низким уровнем риска прекрасно подойдет и 3-звездочная больница. Кроме того, это, возможно, единственная больница, которую в состоянии позволить себе городские власти. Многие из таких лечебных учреждений имеют аппаратуру 2-го уровня, которая позволяет выхаживать новорожденных с различными заболеваниями, а в некоторых работают по вызову специалисты неонатологи.

2-звездочная больница. В 2-звездочной больнице имеется превосходная отдельная палата для роженицы, но отсутствует оборудование для реанимации и интенсивной терапии новорожденных или врачи-анестезиологи. В такой больнице может не быть телеметрической системы электронного мониторинга плода, которая позволяет матери свободно передвигаться и одновременно следит за состоянием ребенка.

1-звездочная больница. Здесь нет отдельных палат для рожениц, отсутствует современная технология и новая философия родов, и родильное отделение похоже на операционную. Подыщите себе что-нибудь другое.

Родильный центр

Основная разница между родильным центром и больницей заключается не в том, как выглядит палата для рожениц (они все больше становятся похожими друг на друга), а в философии родов. В родильном центре процессом родов обычно управляет сама роженица, акушерки оказывают помощь при нормально протекающих родах, а врач присутствует в качестве консультанта (и дублера на случай необходимости перевести роженицу в больницу). В родильном центре доверяют природе, с осторожностью относятся к высоким технологиям и предполагают, что в большинстве случаев все пройдет нормально (тогда как «больничная» философия предполагает возможность каких-либо осложнений). Противники родильного центра боятся, что беременная женщина подвергает себя и своего ребенка ненужному риску, поскольку неотложная помощь, которая может быть немедленно оказана в больнице, недоступна в родильном центре. Защитники концепции родильного центра возражают, что, поскольку матери позволено рожать естественным образом, вероятность того, что ей может потребоваться неотложная помощь, уменьшается.

Сертифицированный родильный центр с квалифицированным персоналом — это безопасная альтернатива родам в больнице.

Роды в домашних условиях

В 1900 году не менее 95 процентов женщин рожали дома, а в 1990 году более 95 процентов женщин

Оценка больницы

В редкой больнице найдется все, что хотела бы иметь будущая мать. Кроме того, ваш выбор больниц, к сожалению, может быть ограничен местом проживания, размером страховки или вашими собственными нуждами (особенно если вы относитесь к группе повышенного риска). Если у вас есть возможность выбирать больницу, используйте для сравнения лечебных учреждений приведенный ниже перечень вопросов, а если такой возможности у вас нет, оцените, что вы можете ожидать во время родов и о каких важных моментах вам следует договариваться. Чем больше вы будете знать заранее, тем выше вероятность, что вы останетесь довольны родами.

● Что вам предлагают: акушерскую кровать или старомодный стол для рожениц?

● Есть ли в больнице отдельные палаты для рожениц, где вам будет удобно рожать и где вы сможете остаться на день или два?

● Кто может пользоваться такими палатами? Несколько лет назад они предназначались только для женщин из группы пониженного риска. Исследования показали, что у беременных женщин из группы повышенного риска вероятность осложнений при родах уменьшается, если они имеют возможность рожать в домашней и не внушающей страха обстановке отдельной палаты. (Исследования также показали, что беременные женщины с повышенным риском кесарева сечения чаще нуждаются в операции, если их поместить в родильную палату, которая напоминает операционную.)

● Достаточно ли в больнице отдельных палат, или вас поместят в общую, если вы окажетесь последней пациенткой в особенно напряженную ночь?

● Соответствует ли философия родов, исповедуемая персоналом, привлекательности отдельной палаты? Поддерживает ли администрация индивидуальное ведение родов? Дружелюбны ли медицинские сестры, и не запугивают ли они пациенток? Хотят ли они знать желания роженицы, и готовы ли они помочь в их исполнении?

● Дежурит ли анестезиолог в больнице круглосуточно, или его вызывают в случае необходимости?

● Каковы возможности ухода за новорожденным? Уровень 3 предполагает постоянное наличие полноценного оборудования для интенсивной терапии и штатного неонатолога, и необходимость в транспортировке больного ребенка в другую больницу возникает крайне редко. Уровень 2 означает, что больница обладает персоналом и оборудованием для лечения менее серьезных заболеваний, но в тяжелых случаях требуется транспортировка в другое лечебное учреждение. Неонатолог может быть в штате, а может работать по вызову. Уровень 1 означает, что в штате нет неонатолога (хотя он может приглашаться для консультации), а также отсутствует оборудование для ухода за новорожденными с респираторными нарушениями. Большинство больных детей перевозятся в больницы уровня 2 и 3.

● Есть ли в штате акушерки?

● Какую помощь оказывают медсестры роженице в процессе родов? Каковы их обязанности? Не возражают ли они, если вы наймете собственного профессионального ассистента? Есть ли у них список таких лиц?

● Поддерживается ли ваше желание двигаться в процессе родов и рожать в таком положении, которое представляется вам наиболее удобным? Разрешает ли персонал роды в вертикальном положении?

● Какова политика больницы в отношении применения внутривенных препаратов? Если вам необходимы внутривенные вливания, будет ли применяться гепари-

новый замок, чтобы вы могли свободно передвигаться?

● Какова политика больницы в отношении электронного мониторинга плода? Является ли мониторинг обычной практикой? Использует ли персонал современную технологию с применением телеметрии, или в процессе мониторинга вам придется оставаться в кровати?

● Снабжены ли отдельные палаты удобными ваннами для родов, чтобы вы могли использовать воду для уменьшения дискомфорта во время родов?

● Позволено ли вам будет перекусить или выпить воды во время родов?

● Положат ли ребенка вам на живот сразу после появления на свет?

● Должен ли ребенок провести некоторое время в палате для новорожденных с целью наблюдения? Предусмотрены ли дополнительные кормления грудных детей, или предлагается кормить их, когда они проголодаются? Поощряется ли желание матери оставлять ребенка с собой и кормить его ночью?

● Какое обучение вам предлагается, чтобы помочь правильно начать грудное вскармливание новорожденного? Проводятся ли занятия по уходу за младенцами? Доступны ли консультации специалиста по грудному вскармливанию или дипломированного консультанта?

● Установлены ли ограничения на фото- и видеосъемку?

● Каковы стандартные процедуры, касающиеся общения матери и ребенка? Возможно ли размещение матери и новорожденного в одной палате? Если ребенка придется поместить в палату интенсивной терапии, разрешено ли будет посещать его в любое время?

● Каковы расценки на медицинские услуги? За что требуется дополнительная плата (например, телефон или телевизор)? Обязательно выясните, что покроется вашей страховкой, а что нет.

● Как здесь относятся к посетителям? Кто сможет прийти к вам после родов? Когда к вам могут прийти старшие дети? Установлены ли для них возрастные ограничения?

● Предоставляет ли больница приходящую медсестру или консультанта по грудному вскармливанию, чтобы проверить ваше состояние и состояние ребенка, когда вы вернетесь домой?

производили на свет детей в больницах. Считать ли это прогрессом, зависит от того, к кому вы обратитесь с этим вопросом — к врачу, акушерке или к различным организациям, занимающимся реформой концепции родов. Для большинства женщин, особенно в современной системе акушерского патронажа, роды в домашних условиях не являются ни желанной, ни реальной альтернативой, однако некоторые будущие матери желают изучить и эту возможность. Нам хотелось бы, чтобы эти женщины были в достаточной степени информированы о родах в домашних условиях и взвешивали свое решение с не меньшей, а то и с большей осторожностью, чем при выборе других мест проведения родов.

Возможные вопросы относительно родов в домашних условиях

Ниже приведены самые распространенные вопросы, которые задают женщины по поводу родов в домашних условиях.

Я собираюсь рожать дома, но волнуюсь, что произойдет, если возникнут какие-нибудь осложнения. Безопасны ли роды в домашних условиях?

Более важным является вопрос, нужны ли *вам* роды дома и безопасны или они *для вас*. Исследования, проведенные в европейских странах, где роды в домашних условиях считаются скорее правилом, чем исключением, показали, что роды в домашних условиях безопасны в том случае, если будущая мать должным образом отобрана (то есть отнесена к группе низкого риска квалифицированным врачом или акушеркой), а при родах ей помогает опытный ассистент. В Северной Америке безопасность родов в домашних условиях — это совсем другой вопрос. Дело не в том, что роды дома опасны сами по себе, а в том, что система медицинского обеспечения родов в Северной Америке может сделать их небезопасными для большинства женщин. В европейских странах, где роды в домашних условиях являются обычным делом, врачи и акушерки работают вместе. Акушеры-гинекологи и больницы подстраховывают акушерок, принимающих роды на дому, а в экстренных случаях включается эффективная система транспортировки рожениц. В большинстве районов Северной Америки в настоящее время отсутствует надежная система подстраховки родов в домашних условиях. Пока европейская модель еще не внедрена в Северной Америке, для большинства женщин в большинстве населенных пунктов роды на дому — это неразумный и рискованный выбор.

Многие врачи в теории доброжелательно относятся к родам в домашних условиях, но не желают принимать роды на дому или обеспечивать их медицинскую подстраховку. Проблема врачебного обеспечения родов в домашних условиях, с

точки зрения врача, заключается в том, что ему достаются осложнения от предыдущего ассистента, а ответственность за конечный результат ложится на него. Акушеры-гинекологи убеждены, что обеспечение безопасности родов в домашних условиях требует развертывания целой системы с установленными нормами и стандартами. В Соединенных Штатах существующая система не приспособлена для родов на дому.

Работая над книгой, мы имели возможность побеседовать со многими врачами и акушерками из разных уголков страны и даже из Европы. В результате мы пришли к заключению, что безопасность матери и ребенка не всегда определяется местом проведения родов; в большей степени на нее влияет общая система акушерского патронажа. Организации, выступающие против родов в домашних условиях, утверждают, что в случае непредвиденных осложнений роды в больнице безопаснее даже для женщин, не входящих в группу повышенного риска. Реформаторы возражают, что роды на дому безопаснее, потому что при минимальном вмешательстве в процесс родов вероятность осложнений уменьшается. Для родов в больнице и в домашних условиях характерны различные факторы риска, о которых должны помнить и будущие родители, и врачи.

Статистика заболеваемости и смертности новорожденных свидетельствует в пользу родов на дому, однако эти данные могут быть неверны лично для вас или для вашего населенного пункта. Если вы осмелитесь в разговоре поднять вопрос о родах в домашних условиях, тщательно выбирайте собеседников. Одни могут посчитать, что вы глупы, за одни только мысли о том, что — по их мнению — может нанести вред вашему здоровью и здоровью вашего ребенка. Другие проявят большую чуткость и подумают, что вы грамотный потребитель, желающий выяснить, что будет лучше для вас и вашего ребенка.

Во время занятий по подготовке к родам я слышала, как две женщины обсуждали возможные варианты родов. «Ты смелый человек, если собираешься рожать дома», — сказала одна. «Это ты смелый человек, если собираешься рожать в больнице», — возразила другая. Почему одни женщины восторгаются домашними родами, а другие считают их рискованными?

Женщины, которые боятся домашних родов из-за возможного риска, ни в коем случае не должны рожать дома. Будущие матери, восхищающиеся домашними родами, подойдут к ним совсем в другом настроении. Вот некоторые преимущества домашних родов, о которых сообщают нам женщины:

● Они чувствуют, что дома в большей степени контролируют ситуацию, чем в незнакомом и новом для них месте, таком, как родильный центр или больница.

● Дома они меньше волнуются. Для большинства женщин домашние роды позволяют почти полностью избавиться от фактора страха. В больнице окружающая их аппаратура и персонал служат постоянным и внушающим страх напоминанием о том, что может случиться нечто ужасное.

● У себя дома они сами устанавливают порядки. Правила выработаны заранее вместе с семьей и ассистентами. Можно пригласить лишь тех, кого хочется; присутствие чужих людей исключается.

● В некоторых случаях роженица, которая дома чувствует себя более расслабленной, чем в больнице, эффективнее управляет своим телом во время родов и испытывает не такую сильную боль даже без медикаментозного обезболивания.

● Роды проходят в удобном для женщины темпе, и ее никто не торопит.

● Если женщина хочет, чтобы при родах ей ассистировала акушерка, то в этом смысле домашние роды обычно предоставляют ей больше возможностей. В настоящее время большинство больниц не приспособлены к тому, чтобы позволить выбранной матерью акушерке помогать при родах.

● Дома легче общаться с членами семьи, а ребенок естественным образом остается в одной комнате с матерью. Здесь нет никаких процедур и занятий по уходу за новорожденным, которые нарушают покой матери и ребенка, а также врачебных осмотров и переезда домой. Многим женщинам нравится, что роды становятся семейным приключением. Достаточно взрослые дети (обычно в возрасте трех лет и старше) быстрее чувствуют свою связь с новорожденным, а также узнают много нового о своей маме и о родах. Допускается присутствие избранных родственников и знакомых в установленные для посещений часы.

Я очень хочу рожать дома, но боюсь совершить какую-нибудь глупость, подвергнув опасности свое здоровье и здоровье ребенка. Что мне следует делать, чтобы повысить шансы на безопасные домашние роды?

Во-первых, внимательно прислушайтесь к себе, чтобы убедиться, что вы действительно являетесь кандидатом на домашние роды. Вы сами хотите рожать дома или это лишь давление со стороны подруг? Действительно ли вы хотите рожать дома, или просто боитесь больниц? Рожать дома нужно в том случае, если вы на самом деле думаете, что это самое подходящее место, а не потому, что вам не нравятся больницы. Ответьте на следующие вопросы:

▢ Доверяете ли вы своему телу?

Все женщины немного боятся родов независимо от места, где они проходят, и присутствующего при родах ассистента, но для безопасных домашних родов особенно важен позитивный настрой. Если вы боитесь рожать дома, откажитесь от этого.

▢ Вы действительно убеждены, что ваше тело лучше справится со своей задачей, если вы будете рожать дома?

▢ У вас «проверенный таз»? Были ли у вас раньше нормальные роды дома, в больнице или родильном центре? Знание, что в прошлый раз ваш организм справился с задачей, поможет обрести уверенность, что и теперь все пройдет без осложнений. Эта уверенность избавляет вас от страха и значительно снижает риск домашних родов. (Тем не менее нельзя забывать о том, что не бывает двух одинаковых родов и что при любой беременности могут возникнуть непредвиденные осложнения, даже если к ним не было никаких предпосылок.)

▢ Ваш супруг согласен, чтобы вы рожали ребенка дома? Многие мужчины гораздо сильнее боятся домашних родов, чем женщины. Возможно, это обусловлено характерным для мужчин стремлением держать под контролем все, что может пойти не так. Большинство мужчин чувствуют себя увереннее в условиях больницы, когда за состоянием их жены и ребенка наблюдают различные приборы, а в случае возникновения осложнений медицинский персонал мгновенно придет на помощь. Если вы серьезно подумываете о домашних родах, то вам придется провести большую работу, а возможно, и поторговаться со своим мужем.

▢ Как вы переносили стресс и боль в прошлом? Вспомните об эпидуральной анестезии, которой так восхищалась подруга и которая обеспечивает практически безболезненные роды. Эта процедура недоступна при родах в домашних условиях. В большинстве случаев дома невозможно применить и другие медикаментозные средства обезболивания. Для женщин, твердо решивших рожать дома, это обстоятельство может сыграть благоприятную роль: поскольку медикаментозные средства оказываются недоступными, усиливается мотивация роженицы творчески использовать естественные средства устранения дискомфорта при родах. С другой стороны, многих женщин — даже наиболее стойких приверженцев естественных родов — успокаивает сознание того, что при желании медикаментозное обезболивание доступно им в любое время. Это сложно обеспечить для большинства домашних родов под руководством акушерки (хотя акушерки хорошо информированы о немедикаментозном обезболивании, например при помощи изменения положения роженицы или расслабления, а также могут использовать воду для снятия боли при домашних родах).

▢ Кто будет принимать у вас роды? Есть ли у вас на примете обладающая лицензией дипломированная акушерка, которой вы полностью доверяете? Обеспечивает ли она врачебную подстраховку? Сделайте все возможное, чтобы минимизировать вероятность сюрпризов во время родов. Даже если вы уже решили, что помогать вам во время беременности и родов будет конкретная акушерка, разумно было бы пару раз встретиться с врачом, который будет подстраховывать ее. Чтобы исключить неожиданности во время родов, этот врач не только осмотрит вас, но и порекомендует ультразвук или другие исследования, нормальные результаты которых помогут вам избавиться от страха и укрепят ваше желание рожать дома.

Прежде всего сделайте все от вас зависящее, чтобы уменьшить шансы возникновения следующей ситуации.

Я доверяла своему телу, своей акушерке и своему дому. Я тщательно следила за собой во время беременности и прочла все книги о родах, которые только могла найти. В этом нет ничьей вины, но во время домашних родов сердцебиение ребенка начало замедляться, и меня срочно доставили в больницу. Как только я оказалась в кабинете неотложной помощи, меня тут же окрестили «одной из тех безответственных фанатичек домашних родов». Меня поручили заботам неизвестного мне врача, а отношение больничного персонала нельзя было назвать благожелательным — в некоторых случаях дело доходило до враждебности. Как я жалела, что заранее не нашла врача, который принял бы меня в больнице и проявил бы ко мне участие.

В некоторых отношениях рожать дома проще, чем в больнице, и если все проходит без осложнений, то это чудесное семейное событие. С другой стороны, выбор домашних родов сопряжен с большими сложностями: в этом случае требуется более основательная подготовка, чтобы определиться, подходят ли вам домашние роды, а также получить информацию о том, кто может вам ассистировать при родах и какие медицинские учреждения будут подстраховывать вас, если роды пойдут не так, как планировалось. Будущие родители, желающие получить дополнительную информацию о возможности родов вне больницы, и особенно домашних родов, должны обратиться в местные органы здравоохранения и соответствующие общественные организации.

Дома я чувствовала себя не пациенткой, а участницей процесса. Если акушерка давала какие-либо рекомендации, я могла принимать участие в выработке решения, потому что была главным действующим лицом; все остальные играли роли второго плана.

Мне нравилось вить свое гнездышко, чтобы затем укрыться в нем. Когда начались роды, я могла сосредоточиться на своем теле и не беспокоиться о том, что нужно собирать вещи, поручать детей друзьям, ехать в больницу и заставлять мужа заполнять все необходимые бумаги.

Мне нравилась идея остаться в своем доме. Разумеется, в больнице никто не спросит: «Что делать с той одеждой, которая находится в сушильной машине?» или «Какие взять простыни?», — в тот самый момент, когда начнутся схватки. Но я получила удобство собственной кровати, собственной ванной, а также необходимое уединение. Акушерка и ее помощница были гостями в моем доме и делали все так, как хотелось мне, а я могла сосредоточиться на самой себе, на своем муже, на старшем сыне и на новорожденном.

Я могла настроиться на свое тело, следовать своим инстинктам, двигаться, когда мне этого хотелось, и принимать то положение, в котором мне было удобнее. Я могла присесть на корточки, стать на колени, стонать, ворчать — делать все, что мне хочется, не беспокоясь о том, что я делаю что-то неправильное, необычное или нарушающее больничные правила.

Проявите гибкость

Возможно, вы выработали свою философию родов, договорились об отпуске, определились, кто будет ассистировать вам при родах, и составили представление обо всем процессе, вплоть до самого последнего усилия, а потом — по какой-то странной прихоти природы — случается нечто непредвиденное, и беременность или роды осложняются. Если беременность протекает не так, как вы предполагали, то в ваших интересах и интересах ребенка внести коррективы в разработанные планы. Возможно, вы расстроитесь, что придется оставить работу раньше, чем вы думали, или что вместо естественных родов, на которые вы рассчитывали, придется довольствоваться высокотехнологичными родами. Тем не менее в долговременном плане самое главное для вас — родить здорового ребенка. И помните о том, что гибкость совсем не означает отказа от планирования. Чем лучше вы подготовитесь к родам, чем глубже вы разберетесь в своих желаниях, тем выше вероятность позитивных и приносящих удовлетворение ощущений — даже если роды будут не такими, как вы себе их представляли.

У меня были продолжительные, но постоянно прогрессирующие роды. Мне нравилось рожать в удобном для меня темпе — и я чувствовала, что то, что хорошо для меня, хорошо и для моего ребенка — и не слышать, как меня сравнивают с «нормальной роженицей». Из-за того что мои роды не укладывались в принятую в больницах «норму», мне, вероятно, предложили бы множество вариантов вмешательства, чтобы ускорить роды, а также настаивали бы, что, не соглашаясь, я подвергаю опасности и себя, и ребенка.

Я сделала вид, что приняла решение рожать дома. Я прожила с этим решением пару месяцев, заключив с собой соглашение, что действительно буду рожать в домашних условиях, если мое желание не уменьшится. За это время я обрела душевное равновесие, которого мне так не хватало, и убедилась, что это правильный выбор и для меня, и для моего ребенка.

В отличие от выбора человека, который будет принимать у вас роды (его необходимо сделать в самом начале беременности), выбор места для родов может, а иногда и должен делаться на последних месяцах, после того, как у вас была возможность изучить все доступные варианты, сформулировать свою философию родов и свое представление о процессе родов. Лучше всего принимать решение раньше и не отступать от него, однако некоторые женщины меняют ассистентов и место родов на последних месяцах беременности, после того как изучили все возможные варианты. Не торопитесь. Ради себя и своего ребенка вы обязаны обеспечить себе максимально комфортные роды. Поскольку на первых двух месяцах беременности вам придется принимать большое количество разнообразных решений, то немудрено растеряться от огромного числа вариантов родов. Для большинства женщин лучше всего в начале беременности определиться с ассистентом, а все остальные решения принимать по мере того, как будет накапливаться нужная информация.

Мои эмоции: _____

_____

Мои физические ощущения: _____

_____

Мои мысли о ребенке: _____

_____

Мои сны о ребенке: _____

_____

Как я представляю себе своего ребенка: _____

_____

Мои главные тревоги: _____

_____

Мои главные радости: _____

_____

Мои главные проблемы: _____

_____

Вопросы, которые у меня возникли, и ответы на них: _____

_____

Обследования и их результаты; моя реакция: _____

_____

Уточненная предполагаемая дата родов: _____

Мой вес: _____

Мое кровяное давление:_____

Прощупывание матки; моя реакция: _____

_____

Мои ощущения, когда чувствую, как шевелится ребенок: _____

_____

Ощущения отца, когда он чувствует, как шевелится ребенок: _____

_____

Что я купила во время похода по магазинам:_____

_____

Мы начали посещать занятия по подготовке к родам: _____

_____

Наши преподаватели: _____

Выбранный нами метод: _____

_____

Причины: _____

_____

Мы решили, что ребенок родится в: _____

Причины: _____

_____

Главным ассистентом во время родов будет: _____

_____

Другие помощники, которых я хотела бы видеть рядом: _____

_____

Фотография на шестом месяце беременности

Комментарии: _____

_____

_____

_____

_____

_____

_____

_____

_____

_____

_____

_____

_____

Визит к врачу: седьмой месяц
(26—29 недель)

Что вас может ждать во время визита к врачу в этом месяце:

- исследование размеров и высоты матки;
- осмотр кожных покровов на предмет сыпи, расширенных вен и отеков;
- проверка веса и давления;
- анализ мочи на наличие инфекций, на сахар и белок;
- при необходимости проверка на гемоглобин и гематокрит;
- рассмотрение вашей диеты и возможность обсудить ваш вес, если это необходимо;
- возможность услышать сердцебиение ребенка;
- возможность увидеть ультразвуковое изображение ребенка, если вам назначен ультразвук;
- возможность обсудить свои чувства и проблемы.

Если у врача возникли дополнительные сомнения, то на седьмом и восьмом месяцах беременности осмотр может проводиться два раза в месяц.

7

Седьмой месяц — вы стали большой, и вам это нравится

ВТОРОЙ ТРИМЕСТР закончился, начался третий, и все ваши мысли теперь обращены к предстоящим родам. В течение этого времени ребенок прибавит в весе не менее 0,5 килограмма. Ваш вес может увеличиться на 1,5—2,5 килограмма, а матка будет прощупываться примерно посередине между пупком и грудной клеткой. Ночью вас может разбудить толчок в ребра, и вы с трепетом начнете рассматривать выпуклость размером с баскетбольный мяч в том месте, где у вас был живот. К седьмому месяцу тело потребует от вас изменить образ жизни — хотите вы этого, или нет. Просто при таком сроке беременности вы уже не сможете заниматься делами в привычном темпе. У вас формируется походка вразвалку, характерная для беременных женщин. Вам становится трудно нагнуться, чтобы завязать шнурки, а надевание колготок превращается в настоящее гимнастическое упражнение.

ВОЗМОЖНЫЕ ЭМОЦИИ

Вероятно, к этому времени вы уже поняли, что не существует такого понятия, как «типичное» эмоциональное состояние во время беременности. Каждая беременная женщина в течение двух первых триместров переживает особые перемены в эмоциональной жизни, когда ее чувства становятся более сильными, интересными, яркими и непостоянными, чем они были до беременности. Третий триместр не является исключением, хотя во многих отношениях это эмоционально более спокойный период. Теперь вы уже знаете, что беременность может быть невыразимо прекрасной и одновременно ужасно трудной, и вы привыкли справляться с этими противоречивыми чувствами. Таким образом, в последнем триместре многие эмоциональные и физические «болезни роста» беременности остались позади, а ожидающие вас эмоции связаны в основном с рождением ребенка. Вот что вы можете чувствовать в течение этого месяца.

Эйфория. Во время прогулок по городу, переваливаясь с боку на бок во время ходьбы и наслаждаясь своим состоянием, вы можете переживать душевный подъем, какого никогда раньше не испытывали — сочетание чувства своей особенности, гордости и желания, чтобы весь мир признал вашу значимость. Ведь именно благодаря таким женщинам, как вы, продолжается человеческий род. Вероятно, у вас будут минуты и даже дни, когда вы забудете о многих неприятных ощущениях, которые вам пришлось пережить, а также о тяжелой работе предстоящих родов.

Эмоционально я чувствовала себя лучше, чем когда-либо. Я любила мужа, была довольна жизнью и обожала свою беременность. Я любила весь мир. Моя мама предупреждала меня, чтобы я не поддавалась этой эйфории и что воспитание ребенка связано с заботами и тревогами. Но в тот момент мне нравилось приближаться к материнству, надев розовые очки.

Наслаждайтесь каждым мгновением этого беззаботного времени. Вы заслужили эмоциональный отдых. Рано или поздно толчок в ребра, резь в боку, зуд на коже или приступ изжоги спустят вас с небес на матушку-землю.

Забывчивость. Поглощенность беременностью и приближающимися родами приводит к тому, что многие женщины становятся немного рассеянными и мечтательными. Вы можете забывать о важных событиях, таких, как дни рождения и назначенные встречи. Вы можете замолкать на середине фразы, силясь вспомнить, о чем хотели сказать. И что самое удивительное, вас это не беспокоит, потому что не кажется таким уж важным. Все вокруг бледнеет по сравнению с вашей беременностью. Несмотря на то что теперь у вас появилось естественное оправдание вашей рассеянности, жизнь должна продолжаться. Нужно отводить детей в школу, соответствовать требованиям начальника и выполнять все другие обязанности, которые хоть и кажутся менее важными по сравнению с рождением ребенка, но все равно требуют вашего внимания. Возможно, вам придется чуть ли не каждый час сверяться с пометками в календаре или оставлять памятки в таких местах, где их просто невозможно не заметить, например, на рулевом колесе автомобиля, на дверце холодильника или на зеркале в ванной. Обычная для беременных забывчивость является сигналом сосредоточиться на ребенке и осознать, что о многих других вещах не стоит вспоминать вовсе.

Мой муж называл меня «чокнутой Грейси». Я помнила о предстоящем визите к врачу, но забывала оплатить счет за свет, забывала молоко на столе, в результате чего оно скисало, заставляла подругу дожидаться у телефона, когда я срочно бежала в ванную и потом забывала о звонке. Моя чековая книжка находилась в еще большем беспорядке, чем я сама. Все это казалось забавным, но только до того дня, когда я проехала на красный свет и поняла, что есть моменты, когда мне просто необходимо образумиться.

Желание убежать. Стремление убежать от всего этого никак нельзя назвать странной фантазией, особенно если беременность принесла с собой все те неприятности, о которых мы рассказывали в этой книге. Вы многое испытали, а впереди у вас еще много работы. Подобные мысли не означают, что вы «плохая» мать. Воспринимайте их как репетицию худших моментов материнства, тех дней, когда вы будете чувствовать, что готовы «уволиться», хотя у вас и нет выбора (и вы не приняли бы такого предложения, даже если бы это было возможно).

Жажда деятельности. Возможно, вы думаете: «Лучше я сделаю это сейчас, пока у меня еще есть силы». В этом месяце у многих женщин с новой силой вспыхивает желание закончить все дела на работе, составить альбом фотографий, вымыть туалет или заняться общественной работой. Часто в это время просыпается инстинкт «обустройства гнезда», заставляющий переклеивать обои в детской или дочиста выскребать весь дом, готовя его к появлению ребенка, хотя у многих женщин такое нетерпение появляется только на восьмом или девятом месяце. У вас действительно больше энергии, чем в прошлые два месяца, но здесь важно не переусердствовать. Помните, что важнее всего вам сохранить силы для того, чтобы заботиться о себе и вынашивать ребенка. Для этого вам нужно научиться искусству делегирования обязанностей. Возможно, именно сейчас вам следует начать перекладывать свои заботы на плечи мужа; в первые несколько недель после рождения ребенка эта помощь может оказаться жизненно важной.

С каждым днем желание чем-то заняться становилось все сильнее. Я составляла списки, пытаясь внести в них все, что мне хотелось успеть до появления ребенка на свет: купить всю одежду для малыша и выстирать ее, приготовить колыбель. Кроме того, я хотела переделать много домашних дел, а также заняться шитьем. Я знала, что роды уже совсем скоро, и мне нужно было многое подготовить к ним — не только для малыша, но и для того, чтобы я могла все свое время посвятить ему. Мне очень хотелось привести все в порядок. Кроме того, меня посещали и такие мысли: «Смогу ли я с этим справиться? Смогу ли я позаботиться о ребенке?» Временами эти мысли бывали слишком назойливыми.

Растерянность от количества возможных вариантов родов. Вероятно, вы уже прослушаете половину курса по подготовке к родам, прежде чем серьезно задумаетесь о своей философии родов и начнете рассматривать доступные вам варианты родов. От такого количества возможностей легко растеряться, а необходимость выбора может лечь на вас тяжелым грузом. Возможно, вы обнаружите, что ваши планы вдруг изменились. Пересмотр своих представлений по мере приближения родов — это нормальное явление

ВОЗМОЖНЫЕ ФИЗИЧЕСКИЕ ОЩУЩЕНИЯ

Размеры. Маленький человечек, оккупирующий большую часть вашего живота, теперь занимает место размером с баскетбольный мяч, и вы ощущаете последствия его постоянного присутствия. Вы начинаете понимать, что большой и тяжелый живот может быть реальным препятствием для привычного образа жизни.

Учащенное сердцебиение. Вы уже знаете, что во время беременности объем крови постоянно увеличивается, чтобы адаптироваться к повышенным потребностям организма в кислороде и питательных веществах. К третьему триместру в вашем организме на 45 процентов больше крови, чем перед началом беременности. Чтобы перекачивать эту дополнительную жидкость, сердце должно работать интенсивнее: частота сердцебиений увеличивается примерно на десять ударов в минуту, а при каждом сокращении объем крови, проходящий через сердце, увеличивается на 30 процентов. Эти изменения достигают максимума в середине беременности, и вы можете почувствовать, что ваше сердце работает с повышенной нагрузкой. Многие женщины во второй половине беременности испытывают учащенное сердцебиение, особенно при внезапной смене положения или при выполнении физических упражнений.

Приступы учащенного сердцебиения — это нормальная реакция на серьезные изменения в системе кровообращения, которые происходят во время беременности. Однако это еще и сигнал, что в этот момент ваше сердце перегружено. Чем лучше вы тренированы, тем легче вашему сердцу приспособиться к повышенным требованиям, предъявляемым к нему во время беременности. Если во время физических упражнений пульс заметно учащается, снизьте темп. Медленнее переходите из лежачего в сидячее положение (или вставайте). Учащенное сердцебиение исчезнет через несколько недель после родов. Пульс замедлится, а система кровообращения вернется в то состояние, в котором она пребывала до беременности.

Одышка. Во время беременности в вашей респираторной системе происходят серьезные изменения, позволяя ей получать столько кислорода, сколько требуется для двоих. Объем легких повышается, и окружность вашей грудной клетки может увеличиться на несколько дюймов. Вы можете обратить внимание, что стали дышать чаще, чем до беременности, но вам, скорее всего, неизвестно, что эффективность вашего дыхания повысилась и при каждом вдохе и выдохе через легкие проходит больше воздуха. Время от времени у вас могут случаться приступы одышки. Иногда вам будет казаться, что вам не хватает воздуха. Эти ощущения не означают, что вам или ребенку поступает недостаточно кислорода. Это означает лишь то, что в грудной клетке не хватает места для расширения легких, и организм протестует. Во время беременности система кровообращения, как и респираторная система, работают необыкновенно эффективно, обеспечивая поступление дополнительного количества насыщенной кислородом крови и вам, и вашему ребенку. Большую часть времени вы не осознаете, что ваше дыхание стало более глубоким, но иногда ловите себя на том, что вздыхаете — еще один способ, при помощи которого организм помогает сделать вам дополнительный глубокий вдох.

В третьем триместре частота и интенсивность одышки увеличиваются, потому что растущая матка ограничивает возможность расширения легких при каждом вдохе. Чтобы скомпенсировать недостаток пространства для дыхания в грудной клетке, гормоны беременности заставляют вас дышать чаще и эффективнее, чтобы обеспечить и вас, и ребенка необходимым количеством кислорода.

Ниже приведены несколько способов для повышения эффективности дыхания, а также для устранения одышки в третьем триместре.

• Почувствовав одышку, измените положение тела.

• «Притормозите» при появлении одышки. Прислушайтесь к сигналам своего тела, говорящим о том, что вы перешли границу дозволенного.

• Попробуйте заняться дыхательной гимнастикой, чтобы расширить грудную клетку и облегчить «грудное» дыхание (очевидно, что по мере увеличение размеров матки абдоминальное дыхание становится все более затруднительным). Встаньте (это несколько уменьшит давление на диафрагму), а затем сделайте глубокий вдох, одновременно поднимая руки через стороны вверх. Медленно выдохните, опуская руки. Во время вдоха и выдоха соответственно поднимайте и опускайте голову. Чтобы убедиться, что вы дышите грудью, а не животом, проследите за расширением грудной клетки, об-

Выработка собственной философии родов

Ваше отношение к родам неразрывно связано с отношением к жизни. Выработка философии родов и изменение своих взглядов во время этого процесса могут оказать благоприятное воздействие не только на роды, но и на жизнь в целом. Возможно, вы еще не выработали собственную философию родов или даже не понимаете, что это такое и зачем она нужна. Подобно жизненной философии, философия родов предполагает ответ на вопрос, какими вы представляете у себя роды. Что для вас важно? Каковы ваши приоритеты? Сколько сил вы готовы отдать для достижения своих желаний? Что вам необходимо сделать, чтобы получить желаемое? С кем следует проконсультироваться? Важен не только конечный результат родов, но и сам процесс.

Наличие философии родов означает участие в появлении на свет вашего ребенка, а также в принятии требующихся для этого решений. Это значит, что вы должны осознать ценность процесса беременности и родов, а не только конечного результата. Роды — это квинтэссенция вашей женской сути, и воспоминания о них сохраняются на всю жизнь. Вы хотите не только родить ребенка, но и получить удовлетворение от этого процесса (для разных женщин это могут быть разные вещи).

Беременность и роды — это физиологические, а не патологические процессы. Это естественные жизненные процессы, через которые проходили миллионы женщин, причем многие согласились проделать это не один раз. Выработка собственной философии родов частично снимает страх перед родами. Чем больше вы узнаете о родах, тем яснее понимаете, что от вас зависит гораздо больше, чем вы полагали прежде.

Если к этому моменту вы еще не выработали собственной философии родов, то, возможно, вам помогут в этом следующие рекомендации.

Расширьте свои возможности. С приближением родов не только растет ваш ребенок и увеличивается ваше тело; мозг получает все больше и больше информации, а также учится разбираться в этой информации и использовать ее для того, чтобы обеспечить вам такие роды, которые вы хотите.

Доверяйте своему телу. Миллионы женщин на своем опыте доказали, что женское тело приспособлено для родов. Если вы понимаете, как работает ваш организм в процессе родов и как вы можете помогать, а не мешать ему, то вероятность безопасных и приносящих удовлетворение родов значительно увеличивается.

Поддерживайте оптимизм. Окружите себя оптимистично настроенными консультантами. В зависимости от того, какую литературу вы прочитали и к чьему мнению прислушиваетесь, легко запутаться во всех возможных вариантах и пуститься в рассуждения о неприятностях, которые могут произойти во время родов, забывая о том, что в большинстве случаев роды проходят без осложнений. Чем сильнее вы убеждены, что все пройдет нормально, тем выше вероятность, что так и будет.

Выработка философии родов дает толчок к формулированию философии материнства. Многие из задач, которые вам предстоит решать для обеспечения нормального течения беременности и приносящих удовлетворение родов, похожи на те, что возникнут перед вами после того, как вы станете матерью. Вы научитесь доверять себе и не обращать внимания на различные советы. Кроме того, вы обнаружите, что ваше тело чудесно приспособлено не только для того, чтобы давать жизнь, но и для материнства.

Роды — это драгоценный период, о котором вы будете с благоговением — мы надеемся — вспоминать всю свою жизнь. В вашей власти повлиять на характер своих воспоминаний.

хватив ее ладонями. Ребра при глубоком вдохе должны расталкивать ваши ладони. Прочувствуйте грудное дыхание, чтобы вы могли с легкостью переключиться на него, когда давление матки на легкие приведет к еще большему затруднению абдоминального дыхания.

• Потренируйтесь, как вы будете дышать во время родов: медленно, глубоко и расслабленно, а не быстро и поверхностно. (Именно такое дыхание рекомендуется при родах при подготовке по методу Брэдли. Если вы отдаете предпочтение методу Ламаза, такое дыхание применяется на протяжении почти всей активной стадии родов.)

• Регулярно занимайтесь гимнастикой. Аэробные упражнения на первых стадиях беременности повышают эффективность как респираторной системы, так и системы кровообращения.

• Эксперименты с различными позами во время сидения и сна помогут вам дышать более свободно. При правильной позе на прямом стуле — грудь приподнята, плечи развернуты — легким легче справляться со своей задачей, чем тогда, когда вы откидываетесь в кресле. Спите полусидя, опираясь на подушки. Можно попробовать следующий прием: во время сна ложитесь на бок, подложив под голову дополнительную подушку.

Если эти обычные приступы одышки достаточно немногочисленны и редки, беспокоиться нет причин. На девятом месяце, когда ребенок опустится в область таза и давление на диафрагму ослабнет, дышать станет значительно легче.

Если же внезапные и сильные приступы одышки сопровождаются болью в груди и учащенным дыханием или если во время глубокого вдоха у вас повышается пульс или возникает боль в груди, немедленно обратитесь за медицинской помощью. Это могут быть признаки того, что у вас в легких образовался тромб — редкое, но очень серьезное осложнение.

Отечность лица. Не стоит волноваться, если утром вы встаете с постели с отекшим лицом, и особенно веками. Это обычное явление во время беременности, причиной которого служит скопление жидкости под кожей. В течение дня сила тяжести обычно избавляет лицо от этой лишней жидкости. Если набрякшие веки сопровождаются быстрой прибавкой веса и отеками по всему телу, обратитесь к врачу. В противном случае воспринимайте отекшее лицо как еще одно безвредное изменение, которое происходит с вашим телом во время беременности.

Отеки рук и ног. Ваш организм нуждается в дополнительном количестве жидкости, чтобы обеспечить

нормальное течение беременности. Гормоны беременности естественным образом вызывают жажду, заставляя вас пить больше воды. Эти же гормоны следят за тем, чтобы организм использовал дополнительную воду для пополнения окружающей ребенка амниотической жидкости, для повышения содержания воды в крови (так вашим почкам легче избавляться от шлаков), а также для удовлетворения потребностей самого растущего ребенка. Потребность в жидкости настолько велика, что при необходимости организм берет ее из кишечника, а это приводит к запорам. К концу беременности в вашем организме содержится до 10 кварт дополнительной жидкости.

Большинство женщин с нормально развивающейся беременностью замечают некоторое накопление жидкости в различных частях тела — особенно в третьем триместре. Начиная с пятого или шестого месяца можно ожидать появление припухлостей в районе отяжелевших рук, ног и ступней — именно там сила тяжести заставляет скапливаться жидкость к концу дня. Добавьте к действию силы тяжести тот факт, что увеличивающаяся матка замедляет кровообращение в ногах, и вас перестанет удивлять, что к концу беременности многие женщины начинают носить обувь на размер больше.

Какие отеки считать нормой. У одних женщин задержка жидкости в организме во время беременности оказывается больше, чем у других. Вот признаки того, что отеки не превысили норму:

● На отеки воздействует сила тяжести, и в разное время дня у вас отекают разные части тела. (Это называется «гравитационным отеком».) Отек ног уменьшается, если приподнять ноги и оставаться в таком положении в течение часа.

● Ваша прибавка веса соответствует норме. Внезапное и необъяснимое увеличение веса может указывать на наличие проблем.

● Вы правильно питаетесь, придерживаясь сбалансированной диеты.

● Ваше кровяное давление не выходит за границы нормы.

● Анализ мочи, который выполняется по назначению врача, не выявил белка в моче.

В целом, если вы чувствуете себя хорошо, а прибавка веса — как вашего, так и ребенка — соответствует норме, это значит, что в вашем организме достаточно жидкости и для вас, и для ребенка.

Какие отеки считать отклонением от нормы. Во время каждого визита к врачу в период беременности врач будет проверять, насколько сильно отекает ваше тело. Поговорите с ним, если вас беспокоит излишек скопившейся в вашем организме жидкости. Чрезмерная и быстро нарастающая задержка жидкости может указывать на такие осложнения, как преэклампсия или токсемия, особенно если эта задержка сопровождается следующими симптомами:

● Ноги отекают очень сильно — при нажатии пальцем на этом месте образуется заметная вмятина. Такие отеки не уменьшаются, если в течение часа держать ноги в приподнятом состоянии.

● Прибавка веса слишком велика и происходит слишком быстро.

● У вас высокое кровяное давление.

● Вы неправильно питаетесь.

● Анализ мочи выявил присутствие белка в моче.

● Вы обычно плохо себя чувствуете и/или развитие ребенка отклоняется от нормы.

Уменьшение дискомфорта от отеков. Обычные отеки могут раздражать и усиливать ощущение усталости в конце дня, особенно в ногах. Для уменьшения дискомфорта попробуйте следовать приведенным ниже рекомендациям.

● Старайтесь не стоять и не сидеть в течение продолжительного времени. Если вы вынуждены сидеть больше часа подряд, делайте упражнения для ног. Не кладите ногу на ногу, когда сидите, поскольку такая поза может затруднить кровообращение в ногах.

● Приподнимите отекшие ноги и останьтесь в таком положении в течение часа — особенно в конце дня. Отек немного уменьшится.

● Расслабьтесь в кресле-качалке, положив ступни на скамеечку для ног. Это улучшает кровообращение в ногах. Кресло-качалка должна входить в список того, что вам потребуется после рождения малыша, и поэтому можно приобрести его сейчас и уже начать наслаждаться им.

● Ходите, плавайте или занимайтесь на велотренажере. Все эти занятия улучшают кровообращение рук и ног.

● Старайтесь не спать на спине. Спите на боку, что позволяет уменьшить давление увеличившейся матки на главные кровеносные сосуды и улучшить отток крови от ног.

● Носите свободную одежду. Откажитесь от тесных резинок на трусиках, носках и другой одежде, потому что они ухудшают кровообращение.

● Приподнимайте ноги, ставя их на скамеечку днем и подкладывая под них подушку ночью.

● В сидячем положении приподнимайте руки.

● Правильно питайтесь. Выпивайте ежедневно не менее восьми стаканов жидкости, особенно в жаркую и влажную погоду. Убедитесь, что в вашем рационе содержится достаточное количество белка (100 граммов в день) и используйте соль для придания вкуса пище. Диеты с пониженным содержанием жидкости или соли можно придерживаться только по рекомендации врача, если к этому есть соответствующие медицинские показания. Ограниченное потребление жидкости не избавит вас от отеков, а соль вам необходима для нормального развития беременности. Единственные меры самопомощи, к которым вы можете прибегнуть, — это физические упражнения, смена позы и другие приведенные выше рекомендации. Не вносите никаких изменений в свое питание, предварительно не посоветовавшись с врачом. Чтобы проверить, достаточно ли вы пьете жидкости, обратите внимание на цвет своей мочи. Если моча почти бесцветная или слегка желтоватая, скорее всего, у вас в организме достаточно жидкости. Если цвет мочи более насыщенный, как у яблочного сока, это может указывать на обезвоживание организма.

Боли в спине. «Ой, моя больная спина!» — во второй половине беременности эту жалобу можно услышать практически ежедневно от более половины будущих мам. Во время беременности мышцы спины несут тройную нагрузку. Связки, которые расслабляются, чтобы обеспечить свободный проход ребенка через таз, становятся слабее везде, увеличивая нагрузку на мышцы, и особенно на те, которые поддерживают позвоночник. Растянутые мышцы живота заставляют переносить нагрузку по поддержанию веса на спину. Изменение осанки и прогиба спины для компенсации появившейся впереди тяжести дают еще больше работы мышцам спины. В третьем триместре эти перегруженные мышцы и связки напоминают о себе болью особенно сильно.

У меня появилось характерная для беременных походка вразвалку. При ходьбе я отвожу руки в стороны, а живот двигается как бы отдельно от моего тела. Если я не слежу за своей осанкой, то моя спина чрезмерно прогибается, а плечи сутулятся. Такая поза приводит к тому, что у меня болят спина и бедра, и поэтому я стараюсь подобрать таз и расправить плечи.

Предотвращение болей в спине. Лучшее средство против болей в спине — это профилактика. Придерживайтесь рекомендаций, касающихся осанки беременной, и выполняйте упражнения, которые помогают укрепить мышцы поясницы, например поворот таза и живота.

Простые аэробные упражнения, например, плавание и езда на велосипеде, тоже укрепляют мышцы живота и поясницы. Кроме того, соблюдайте следующие меры профилактики:

● Носите удобную обувь. И высокие каблуки, и туфли без каблука могут стать причиной растяжения мышц спины. Попробуйте надевать туфли на широком и среднем по высоте (не более 5 сантиметров) каблуке под платье и обувь для ходьбы под обычную одежду.

● Откажитесь от бега трусцой по твердому покрытию, такому, как бетон или асфальт, поскольку это отрицательно сказывается на спине. Попробуйте переключиться на быструю ходьбу по естественным поверхностям — траве, земле, песку. Это уменьшит нагрузку на суставы и мышцы.

● Когда вы стоите или сидите, откинувшись назад, следите за тем, чтобы плечи и бедра располагались параллельно. Избегайте неудобных движений: не доставайте тяжелые коробки из верхнего отделения шкафа и не поднимайте спящего ребенка с сиденья автомашины. Если вам нужно сделать что-либо, связанное с поднятием тяжести в неудобном положении, придумайте новый подход к выполнению этой задачи. К примеру, подумайте об отстегивающемся автомобильном сиденье для маленького ребенка или поверните сиденье к себе, прежде чем вытаскивать малыша из машины.

● Старайтесь не сидеть и не стоять в течение продолжительного времени. Когда вы сидите, используйте скамеечку для ног, чтобы колени оказались чуть выше бедер и уменьшилась нагрузка на поясницу. Если вам приходится стоять в одном положении достаточно долгое время, выставьте одну ногу вперед и на несколько минут перенесите на нее вес тела. Затем поменяйте ноги. Лучше всего поставить переднюю ногу на скамеечку, телефонную книгу, ящик стола или на любое другое возвышение.

● Спите на боку и, просыпаясь, меняйте положение.

Лечение болей в спине. Как правило, обычный отдых помогает ослабить боль. Кроме того, попробуйте принять теплую ванну или постоять под душем, направив струю теплой воды на больное место. Многим женщинам помогает горячий или холодный компресс (а иногда смена тепла и холода), приложенный к больному месту. Если причиной болей является давление ребенка на позвоночник, что нередко встречается на последнем месяце беременности, попробуйте принять позу «колени к груди» и остаться в таком положении некоторое время.

Попросите супруга помассировать вам спину. Пусть потренируется делать массаж сейчас, чтобы при родах он мог помочь вам снять боли в спине. Попробуйте следующие приемы массажа:

● Помассируйте каждую сторону спины, надавливая большими пальцами рук.

● Затем перейдите к массажу поясницы вдоль верхней границы таза.

● Переходите к плечам. Разомните плечевые и шейные мышцы. Затем пройдитесь вдоль позвоночника и поясницы.

Неуклюжесть. Сочетание ставшего неповоротливым тела, расслабленных связок и забывчивости может привести к тому, что вы будете спотыкаться о бордюр тротуара, наступать на детские игрушки или ронять вилку за обедом. Ваша грациозная походка не сможет полностью адаптироваться к дополнительным 10 килограммам веса. Раскачивание при ходьбе и неуклюжесть являются результатом ослабления связок и скопления жидкости в суставах конечностей и таза. Вы должны осознать, что временно утратили проворство рук и ног, и поэтому вам следует проявлять особую осторожность. Особенно внимательными вам нужно быть, например, при передвижении по незнакомой местности, при пользовании ножницами, при необходимости поднять горячую кастрюлю или вместе с маленьким ребенком спуститься по лестнице.

Мне нравилось ходить за покупками, но на последних месяцах я стала натыкаться на углы и все ронять. Муж подтрунивал надо мной и предупреждал, чтобы я не входила в посудную лавку. Хорошо еще, что он не называл меня слоном.

Боль в бедрах. На последних месяцах беременности во время ходьбы у вас могут появиться неприятные ощущения в области бедер и лобковой кости. Связки бедер и таза растягиваются, а хрящи размягчаются, готовясь к прохождению ребенка. Эти процессы не только вызывают дискомфорт при ходьбе, но и приводят к «болтающимся бедрам», что способствует формированию походки вразвалку.

Усиливаются движения ребенка и появляются новые. Ночные «представления» в виде толчков продолжаются. Репертуар малыша становится богаче и одновременно причиняет больше неудобств. Исследования показывают, что чаще всего толчки ребенка ощущаются на седьмом месяце беременности, достигая пика ночью и ранним утром (с полуночи до шести утра). Теперь руки и ноги ребенка стали больше и сильнее, и поэтому толчки получаются более чувствительными. Не беспокойтесь, если в следующем месяце эти неприятные толчки и удары под ребра усилятся. Усиливающаяся теснота в матке скоро ограничит подвижность ребенка. Исследования показали, что в последние два месяца ребенок шевелится меньше, чем на седьмом месяце беременности.

Мы наслаждались ночной «гимнастикой» нашего ребенка и тем, как он привлекает наше внимание. Но я начинаю чувствовать, что его движения становятся ограниченными, как будто он перешел из олимпийского бассейна в ванну для малышей.

На рабочих совещаниях я буквально подпрыгиваю, когда Стефани начинает поворачиваться и толкаться. Это своего рода шутка, понятная только нам двоим.

Икота плода. Помимо толчков и движений, которые вам так нравится ощущать (хотя и необязательно в три часа ночи), в начале третьего триместра вы можете обратить внимание на икоту плода — короткие спазматические движения внизу живота. Обычно икота быстро проходит, но иногда она может продолжаться двадцать минут. Пока вы позовете мужа, чтобы он «подошел и посмотрел на это», все уже заканчивается. Икота часто возникает в одно и то же время дня, и поэтому вы можете в следующий раз поймать это «представление». Эти внезапные и новые движения могут застать вас врасплох, но они не беспокоят ребенка, и большинство будущих мам считают их забавными.

Некоторые беременные женщины обратили внимание, что их дети, чувствительные к определенной пище, много икали в утробе матери. Одна мама заявляла, что плод начинал икать примерно через час после того, как она пила молоко. Это помогло ей выяснить, что следует исключить молоко из рациона ребенка, когда в возрасте двух недель у него появились колики.

Наиболее распространенные неприятные ощущения. Многие из этих ощущений, присутствовавших в первом триместре, вернулись к вам в третьем триместре, принеся с собой новые.

● *Более частое мочеиспускание.* По мере того как увеличивающаяся матка все сильнее давит на мочевой пузырь, вы чаще испытываете позыв к мочеиспусканию. Обязательно мочитесь сразу же, как почувствуете позыв, и полностью опорожняйте мочевой пузырь. Нельзя, чтобы моча застаивалась в мочевом пузыре, поскольку это повышает риск воспаления мочевых путей и даже может стать причиной преждевременных схваток.

● *Дальнейшее изменение грудных желез.* Ваша грудь продолжает увеличиваться, и из сосков может выделяться немного желтоватого вещества, которое называется «молозиво».

● *Вагинальные боли.* Редкая острая боль в области влагалища — это нормальное явление, обусловленное давлением на шейку матки.

● *Боли в области таза.* Вы можете почувствовать острую боль или давящую тяжесть в области таза, особенно когда поднимаете ногу, чтобы встать с постели или надеть бельё. Скорее всего, эти ощущения вызваны смещением тазовых костей и ослаблением прикрепленных к этим костям связок, которые готовятся к скорому выходу маленького «пассажира». Чем больше у вас было беременностей в прошлом, тем сильнее эти ощущения.

● *Боль в паху.* Вы можете обратить внимание на резкую боль в паху, когда вы смеетесь, кашляете, чихаете, нагибаетесь, меняете позу или тянетесь к чему-нибудь. Эта боль может быть вызвана растяжением связок, при помощи которых матка прикреплена к костям таза. Снять боль поможет смена положения.

● *Усиление жажды.* Вам все время хочется пить. Это сигнал, который вам подает организм, требуя, чтобы вы пили много воды, чтобы обеспечить возросшие в третьем триместре потребности. Пейте, пока не утолите жажду, — а затем еще немного.

● *Слабость.* После того как вы долго стояли или когда вы быстро поднимаетесь, у вас может возникнуть слабость и головокружение, похожее на то, что вы испытывали во втором триместре. Немедленно садитесь или ложитесь. Это состояние может быть вызвано низким уровнем сахара в крови, и поэтому вам нужно часто есть. Отдых, полноценное питание и стремление избегать резких смен положения — все это позволит избавиться от приступов слабости и головокружения.

● *Усиление выделений из влагалища*. Ожидайте усиление количества выделений белого цвета и будьте готовы к необходимости пользоваться прокладками.

● *Изжога*. Вполне возможно, что во втором триместре изжога, характерная для первых месяцев беременности, даст вам передышку, но теперь это неприятное ощущение появится вновь. В третьем триместре изжога обусловлена давлением увеличившейся матки, а не действием гормонов беременности. Справиться с изжогой помогут следующие меры: спите полусидя, ешьте часто и понемногу и после каждого приема пищи некоторое время сохраняйте вертикальное положение.

● *Запоры*. Увеличившаяся матка сдавливает кишечник, что способствует запорам. Повышенная потребность организма в воде приводит к тому, что необходимая жидкость может извлекаться из кишечника, что тоже ведет к запорам. Обязательно выпивайте не меньше 8 стаканов жидкости в день и следуйте рекомендациям по устранению запоров.

КАК РАЗВИВАЕТСЯ ВАШ РЕБЕНОК (26—28 НЕДЕЛЬ)

К концу седьмого месяца ребенок весит 1000—1200 г, а рост его достигает 33 сантиметров. В течение этого месяца ребенок резко набирает вес, прибавляя около 0,5 кг. Жировые отложения разглаживают часть морщин, придавая ребенку более упитанный вид, хотя он еще гораздо худее, чем будет при родах. Руки и ноги ребенка становятся длиннее и сильнее, и его легкие толчки делаются все более ощутимыми. В этом месяце раскрываются глаза ребенка. Теперь он способен видеть, слышать, различать запах и вкус. Костный мозг становится основным местом выработки красных кровяных клеток, забирая эту функцию у селезенки. На этой стадии развития плод энергично двигается и реагирует на прикосновения и звук. В течение этого месяца ребенок становится умнее, и в его нервной системе происходят серьезные изменения. Нервные волокна покрываются жировой оболочкой, получившей название «миелин», что обеспечивает более быстрое прохождение нервных импульсов. Головной мозг растет так быстро, что на нем образуются многочисленные складки, которые называются «извилинами» и являются отличительной особенностью человеческого мозга. В самом начале седьмого месяца начинается подготовка ребенка к самостоятельному дыханию. Клетки, выстилающие быстро разрастающиеся альвеолы (воздушные мешочки в легких ребенка), начинают выделять напоминающее мыло вещество, которое называется «поверхностно активным». Это вещество предохраняет воздушные пу-

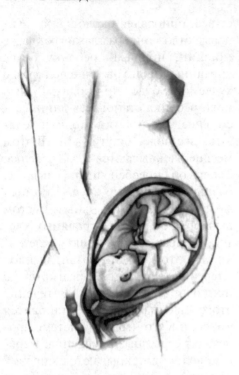

Ребенок в возрасте 26—28 недель

зырьки от схлопывания — похожее вещество не дает лопаться пузырькам мыльной пены. В зависимости от степени зрелости альвеол и выработки поверхностно активного вещества ребенок, рожденный на седьмом месяце, способен дышать воздухом и выжить вне матки. До седьмого месяца большинство детей находится в ягодичном положении, поскольку так им удобнее располагаться в имеющей форму груши матке, но к тридцать четвертой неделе почти все они переворачиваются головой вниз.

ВОЗМОЖНЫЕ ПРОБЛЕМЫ

Сокращения Брэкстон-Хикса или преждевременные роды?

В течение третьего триместра усиливается частота и интенсивность нормальных сокращений Брэкстон-Хикса. Возможно, они даже станут причинять вам неудобства и заставить вас волноваться, не начались ли преждевременные роды. Настоящие родовые схватки имеют определенную последовательность. Чтобы с уверенностью диагностировать преждевременные роды, используйте формулу 1—5—1: если схватки продолжаются не меньше минуты с интервалом 5 минут (или меньше) в течение, как минимум, часа, то у вас, скорее всего, начались роды. (Это значит, что вы должны немедленно сообщить об этом своему врачу.) Сокращения Брэкстон-Хикса появляются, а затем исчезают, не становясь регулярными. Не забывайте тренировать свое умение расслабляться и правильно дышать во время этих пробных схваток.

У меня часто бывают слабые схватки, и я начинаю ждать их наступления каждый день. Я понимаю, что роды уже близко и что эти схватки подготавливают меня к главному событию. Они бывают не слишком продолжительными. Если сокращения начинаются во время ходьбы, я про-

сто сажусь и жду, когда они пройдут. Если я сижу, то они проходят после того, как я встаю и начинаю ходить. Это еще один способ убедиться, что схватки не настоящие, что время родов еще не подошло, но уже приближается.

Страх родить недоношенного ребенка

Около 90 процентов беременных женщин донашивают ребенка до положенного срока (то, есть как минимум, до тридцати семи недель), и поэтому ваши шансы родить доношенного ребенка достаточно высоки. Большинство причин преждевременных родов находятся вне вашей власти. Это такие причуды природы, как недостаточность шейки матки, аномалии плаценты или повышенная чувствительность матки. Ваш врач уже обсуждал с вами более очевидные факторы риска — аномалии строения матки, многоплодная беременность и хронические заболевание матери, такие, как диабет или высокое кровяное давление.

Тем не менее у не входящих в группу риска женщин могут случаться преждевременные роды без какой-либо видимой причины. Во многих случаях преждевременные роды могут быть остановлены при помощи лекарств. Даже если ваш ребенок родился раньше срока, современные достижения в области интенсивной терапии новорожденных позволяют надеяться, что ребенок старше двадцати восьми недель выживет и впоследствии будет развиваться нормально.

Вот что можно сделать, чтобы снизить риск рождения недоношенного ребенка:

● Обеспечьте себе хорошее медицинское обслуживание во время беременности.

● Не курите. По возможности откажитесь от этой вредной привычки еще до зачатия.

● Избегайте употребления алкоголя.

● Правильно питайтесь и следите за тем, чтобы прибавка в весе не выходила за пределы нормы.

● Не употребляйте наркотиков, а также продающихся без рецепта лекарств, не прописанных вам врачом.

● Избегайте хронического стресса во время беременности

Ниже приведены некоторые признаки преждевременных родов — *при их обнаружении немедленно вызывайте врача.*

● Плодные оболочки разрываются, и амниотическая жидкость тоненькой струйкой или сильным потоком вытекает из влагалища.

● Схватки, которые вы раньше считали сокращениями Брэкстон-Хикса, становятся более интенсивными и регулярными.

Подсчет толчков

Когда вы ощущаете толчки своего ребенка, то вас буквально переполняет радость; долгое отсутствие толчков может вызвать у вас беспокойство. Частота и интенсивность движений ребенка, возможно, является отражением его темперамента, а не состоянием здоровья. Количество движений ребенка, которое можно считать нормой, было предметом многочисленных исследований и ненужного беспокойства матерей. Однако из-за того, что движения плода представляют собой простейший способ, при помощи которого будущая мать может оценить его благополучие, врач может попросить вас ежедневно подсчитывать количество движений ребенка, и особенно при наличии у вас факторов риска (например, диабета или высокого кровяного давления), которые могут угрожать здоровью малыша.

Теория подсчета количества движений плода базируется на простом умозаключении: активный ребенок — здоровый ребенок. Однако это вовсе не означает, что спокойный малыш менее здоров, чем активный. Тем не менее внезапное и существенное изменение обычного уровня активности ребенка может быть первым признаком, указывающим врачу на возможную проблему. В этом случае врач назначит дополнительные обследования, чтобы выяснить, является ли изменение активности плода важным или нет. Количество движений ребенка подсчитывается следующим образом.

● Выберите наиболее удобное для вас время, когда толчки ребенка ощущаются сильнее всего. Для большинства женщин это ранний вечер, сразу после еды или перед сном. Ложитесь на левый бок и расслабьтесь.

● Воспользуйтесь приемом «счета до десяти». Запишите, сколько времени потребуется на десять движений ребенка. (Подсчитывайте только настоящие толчки, пропуская слабые движения.) Через неделю вы сможете подсчитать среднюю величину для своего ребенка. Исследования показывают, что среднее время десяти толчков составляет около двадцати минут.

● Поскольку количество толчков может отличаться при разных беременностях, а ваш врач может отдавать предпочтение другой методике подсчета, спросите у него, как вам следует вести наблюдения. Кроме того, обязательно узнайте у врача, какие изменения должны вызвать у вас беспокойство и когда следует ставить его в известность.

Обычно рекомендуют обращаться к врачу в том случае если в обычное для толчков время вы в течение часа или двух не чувствовали никакого движения.

Пример таблицы с записью количества толчков

Следуйте рекомендациям своего врача относительно метода и частоты подсчета движений ребенка. Ваши записи будут иметь примерно следующий вид.

Дата/время	Количество движений/время
21 мая, 20:00	10 толчков / 20 мин.
22 мая, 20:15	10 толчков / 22 мин.
23 мая, 19:45	10 толчков / 28 мин.
24 мая, 20:00	10 толчков / 18 мин.

● Вы испытываете внезапный приступ боли в пояснице или схваткообразное давление в области таза — таких симптомов раньше не наблюдалось.

Если появился один из этих возможных признаков преждевременных родов, немедленно прервите любое свое занятие и позвоните врачу. Сидя или лежа выслушайте его советы.

Беременности, сопряженные с повышенным риском

Женщины неоправданно боятся термина «повышенный риск». Услышав его, вы сразу же задумываетесь. Риск чего? Повышенный риск — это всего лишь медицинский термин, используемый акушерами-гинекологами для обозначения женщин, у которых выше среднего вероятность возникновения проблем со здоровьем во время беременности и родов, а также рождения неполноценного ребенка. К наиболее распространенным факторам риска относятся: инсулинозависимый диабет, высокое кровяное давление и признаки преждевременных родов. Помните, что этот термин отражает лишь статистическую вероятность осложнения беременности или отклонений у ребенка, а не является абсолютно точным прогнозом. У вас вообще может не быть никаких проблем.

Мой врач направил меня к специалисту, который сказал, что моя беременность сопряжена с высокой степенью риска. Не думаю, что мне нравится этот термин, но во время беременности я хочу сделать все возможное, чтобы самой оставаться здоровой и родить здорового ребенка.

Мы предпочитаем термин «повышенная ответственность». Этот термин предполагает не только более тщательное медицинское обслуживание и оснащенную новейшим оборудованием больницу; он предполагает, что *вы сами* должны чувствовать большую ответственность за свое здоровье и за принятые решения. Вместо того чтобы поставить на себя клеймо повышенного риска и превратиться в пассивного пациента, перекладывая все решения на плечи врачей, вы становитесь ответственной матерью. Принимайте еще более активное участие в принятии решений. В случае «повышенного риска» сотрудничество между вами и медицинским персоналом становится особенно важным. Вы должны быть более информированной, более ответственной и в большей степени вовлеченной в процесс принятия решений, чем обычная беременная женщина, и вы обязаны лучше заботиться о себе.

Первый вопрос, который вы должны задать врачу после того, как вашу беременность признали связанной с повышенным риском, касается того, что вы должны делать, чтобы снизить этот риск.

Прикованные к постели

На любой стадии беременности возникшие осложнения могут приковать вас к постели на несколько дней, недель и даже месяцев. Редкая будущая мать обрадуется этому периоду вынужденного пребывания в постели, на котором настаивает врач, потому что для большинства женщин полный покой без какой-либо работы и развлечений — это совсем не отдых.

Я так ждала, что смогу продемонстрировать всем свою беременность. А теперь врач сказал мне, что я должна лежать в течение шести недель.

К осложнениям, которые приковывают будущую мать к постели в первую половину беременности, относятся кровотечения с неизвестной причиной и угроза выкидыша. Во второй половине беременности наиболее распространенная причина постельного режима — это угроза преждевременных родов. Другие причины, заставляющие врача прописывать постельный режим, — это повышенное кровяное давление, преэклампсия, недостаточность шейки матки, преждевременный разрыв плодных оболочек и хронические болезни сердца.

Врачи прописывают постельный режим (медицинский термин — «сохранение») для проблемных беременностей по ряду причин. Чем меньше активность матери, тем менее активна матка. Пребывание в постели уменьшает давление ребенка на шейку матки, тем самым снижая вероятность преждевременного раскрытия шейки матки и начала преждевременных схваток. Отдых увеличивает приток крови к плаценте, что улучшает поступление кислорода и питательных веществ к ребенку. Кроме того, отдых снижает высокое кровяное давление матери.

Около 20 процентов женщин вынуждены во время беременности провести в постели неделю и больше. В некоторых случаях необходимость лежать является настоящим шоком для женщины и для ее начальника. После визита или звонка к врачу все ваши планы откладываются на несколько дней, недель или месяцев. Даже если у вас самый разгар переезда на новую квартиру или крупного проекта на работе, вам нужно немедленно лечь — ставки слишком высоки.

Я легко согласилась с предписанием врача, который настаивал на постельном режиме, потому что мне не нужно было принимать решение. Взвесив, что поставлено на карту, я постаралась сделать все от меня зависящее, чтобы родить здорового ребенка.

Меня уложили в постель на двенадцатой неделе из-за осложнений после амниоцентеза. В этот момент никто, кроме родной сестры, которой я доверяла, не знал о моей беременности. Внезапно я безо всяких объяснений перестала появляться на общественных мероприятиях и в церкви. Муж не мог бросить работу, а сестре самой приходилось воспитывать троих детей. Поэтому я была вынуждена рассказать о беременности своей матери и второй сестре, чтобы они помогли мне с детьми. Из самостоятельного и здорового человека я вдруг превратилась в зависимое от всех существо. Это было необходимо, но очень тяжело, и я чувствовала себя

одинокой. Через неделю ультразвук показал, что все в порядке, и мое пребывание в постели закончилось. Через две недели результаты амниоцентеза подтвердили, что у меня здоровый мальчик, и я наконец с радостью сообщила всем о своей беременности.

Как примириться с неизбежным

Большинство женщин покорно принимают предписание врача укладываться в постель, но это же большинство воспринимает необходимость лежать как еще одно неудобство. Помимо вынашивания ребенка существует еще масса дел. Однако, если вы подумаете, что у вас будет еще много возможностей переделать все дела, но есть только один шанс благополучно выносить этого ребенка, перспектива не вставать с постели 24 часа в сутки станет более приемлемой. Вот несколько способов, позволяющих справиться с этим ограничением и даже получить от него удовольствие.

Точно знать, что можно, а чего нельзя делать. Убедитесь, что вы понимаете, что именно подразумевает ваш врач под постельным режимом. Возможно, вам кажется, что постельный режим предполагает отказ от более «активных» занятий в постели, то есть секса и оргазма. Обязательно проверьте, имеет ли в виду врач абсолютную неподвижность с обтиранием губкой и подкладным судном или вам разрешается роскошь посещения ванной и редких прогулок на кухню. Спросите, можете ли вы медленно подниматься и спускаться по лестнице, или ваши передвижения ограничены одним этажом. Не забывайте о том, что большинство врачей перестраховываются и прописывают более строгий постельный режим, понимая, что подавляющая часть человеческих существ с неохотой привыкает к таким серьезным изменениям образа жизни и время от времени плутует. Выясните, не считает ли ваш врач основной причиной психологический стресс. Некоторым женщинам необходимо дать отдых не только телу, но и душе. Сможете ли вы выполнять свою работу по телефону? Вы не хотите, чтобы старшие дети использовали вашу кровать в качестве трамплина, но могут ли они тогда большую часть дня проводить в вашей комнате?

Устройте себе удобное «гнездышко». Если вы вынуждены оставаться в постели, создайте себе такую обстановку, в которой вам было бы приятно находиться. Пусть вашу кровать передвинут к окну, чтобы вы могли дышать свежим воздухом и любоваться открывающимся из окна видом. Возьмите беспроводной телефон или аппарат с длинным шнуром, если телефонная розетка расположена далеко от кровати. На прикроватный столик положите записную и телефонную книжки, журналы и книги для чтения. Переместите телевизор и музыкальный центр в спальню. Купите или одолжите небольшой холодильник и поставьте его рядом с кроватью, чтобы всегда иметь возможность перекусить. Позаботьтесь о своем теле, вынужденном оставаться в горизонтальном положении, и положите поверх матраса прокладку из пенорезины на деревянной раме.

Сохраняйте оптимизм. Вместо того чтобы все время думать о том, чего вы лишились, направляйте свои мысли на приятные моменты вашего положения. Вы лишились удовольствия от работы, от школьного спектакля, в котором принимает участие ваш ребенок, от простой прогулки по парку. Однако вам предоставляется неограниченная возможность отдыхать, смотреть телевизор, читать книги и размышлять о будущем ребенке. Даже если вы чувствуете подавленность и скуку, эти ощущения со временем пройдут, и ваши дни снова наполнятся радостью. Сосредоточьтесь на том, что вы делаете ради своего ребенка, а также на преимуществах отдыха и расслабления. Отличительная черта эмоционального состояния во время беременности заключается в том, что за спадом обязательно следует подъем.

Я лежала и представляла, какой была бы моя жизнь, если бы мне не нужно было оставаться в постели.

Потом я перестала думать об этом, потому что это бессмысленно и только усиливает депрессию.

Ваши чувства естественны. Когда у вас появляется столько времени для размышлений, вас начинают переполнять бурные чувства. Вы можете беспокоиться из-за здоровья и жизни ребенка, переживать, как муж и старшие дети справляются без вас, испытывать скуку, потому что вам нечего делать, волноваться, что столько дел осталось незаконченными, и испытывать недовольство своей зависимостью. Возможно, вы будете сердиться и расстраиваться из-за того, как протекает ваша беременность. С течением времени ваше нетерпение может усилиться. Вероятно, вы почувствуете искушение нарушить режим. Каждый новый день, проведенный в постели, принесет с собой новые эмоции, но, если вы все время будете помнить о своей главной цели, это поможет вам справиться со своими чувствами и оставаться в постели столько, сколько нужно.

Опирайтесь на помощь мужа. Возможно, это первый случай в вашей совместной жизни, когда супруг заботится о вас, практически ничего не получая взамен — за исключением, разумеется, того, что вы вынашиваете его ребенка. Длительный постельный режим во время беременности может сблизить супругов или, наоборот, привести к охлаждению их отношений. Воздержание от секса и сокращение совместных занятий не помогают укрепить брак, который и так может переживать трудные времена. Напряженность между вами может возникнуть также из-за того, что мужу теперь приходится нести двойную нагрузку: заботиться о вас и зарабатывать на жизнь. Но если вы проявите творческий подход, большая часть ваших романтических привычек может сохраниться: ужин при свечах с последующим просмотром видеофильма, завтрак в постель, ежедневный массаж, такой приятный и улучшающий кровообращение. Забота любящего мужа может добавить глубины и новизны вашим отношениям. А супруг, который превратился в официанта, массажиста, массовика-затейника и повара, возможно, впервые в жизни ставит интересы другого человека выше своих собственных — прекрасная подготовка к отцовству.

Теперь, когда мой муж выполняет обязанности матери, доставщика продуктов и домашней хозяйки, он понял, как тяжела моя ежедневная работа, и перестал отпускать саркастические замечания по поводу того, насколько моя жизнь легче, чем его. Пока я прикована к постели, ему приходится успевать все.

Прямое руководство. Если у вас есть старшие дети, приучите себя раздавать им указания со своей кровати или дивана. В тот день, когда вам прописали постельный режим, соберите семейный совет и вместе с мужем выработайте домашние правила, объяснив детям, как важно, чтобы о вас заботились, чтобы вас обслуживали и любили. Муж должен взять на себя руководство и показать детям, как они должны относиться к вам и как они должны себя вести, чтобы не беспокоить вас. Обязательно убедитесь, что они поняли, что не могут бегать и прыгать по вашей кровати, когда им вздумается.

Если детям меньше четырех или пяти лет, то вам, вероятно, понадобится нянька. Когда рядом с вами нет других взрослых, можно разрешить детям забираться в вашу кровать, но при этом они обязаны вести себя смирно. Возможно, вам доставит удовольствие ежедневная чайная церемония с вашим трехлетним ребенком. Кровать или диван нужно расположить так, чтобы видеомагнитофон, еда и детские книжки были легкодоступны. Убедитесь, что вокруг вас много игрушек. Не забывайте, что даже полуторагодовалый ребенок может выполнять простейшие инструкции — подать вам салфетку или выключить телевизор. Стремитесь к сотрудничеству, и вы его добьетесь.

Работа в постели. Физическая активность вам запрещена, но лежа в постели можно заниматься умственным трудом — подбивать баланс чековой книжки, работать на перенос-

ном компьютере, вести переговоры по телефону, составлять списки необходимых покупок или помогать детям в выполнении домашних заданий. Если врач разрешит, вы можете даже не бросать работу, участвуя в телеконференциях или занимаясь документацией. Если же вам нужен «отпуск по нетрудоспособности», обязательно возьмите его.

Поддерживайте физическую форму, не покидая постели. С разрешения врача занимайтесь гимнастикой, выполняя такие упражнения, как подъем ног, растяжка икроножных мышц, а также упражнения для рук с легкими гантелями. Физические упражнения усиливают кровообращение и поддерживают тонус мышц (включая сердце).

Балуйте себя. Постельный режим не означает, что вы должны лишить себя всех удовольствий. Наймите массажиста (или попросите подругу), который раз в неделю сделает вам массаж всего тела. Пригласите к себе домой парикмахера.

Общайтесь со своим ребенком. Многие женщины во время длительного вынужденно отдыха сталкиваются со следующей дилеммой: несмотря на то что этот период может стать идеальным временем для осмысления чуда беременности и осознания своей связи с ребенком, причиной постельного режима все же является реальная возможность потерять этого ребенка. Поэтому некоторые женщины обнаруживают, что, несмотря на то что у них есть масса времени, чтобы думать о ребенке и строить планы на будущее, они боятся поддаваться чувствам, так как могут потерять ребенка. Без обычных отвлекающих моментов и обязанностей повседневной жизни легко прийти в ужас от любой капельки крови, которая может стать началом гибели вашего ребенка, или от каждого сокращения матки, которое может указывать на начало родов. Вам нужно помнить о том, что подавляющее большинство женщин, которым был прописан постельный режим, рожают здоровых детей. А те, у кого это не получилось, никогда не жалеют о той любви, которую они отдали маленькому существу, некоторое время присутствовавшему в их жизни.

Используйте свое вынужденное безделье. Возможно, это единственный период в вашей взрослой жизни, когда у вас есть сколько угодно времени, чтобы заняться тем, чем вам хочется — с учетом того, что нужно оставаться в постели. Существует множество занятий, которыми может наслаждаться человек, соблюдающий постельный режим. Читайте классиков, на которых раньше у вас не хватало времени. Смотрите мыльные оперы. Напишите статью, которую вы давно собирались написать, или побродите по всемирной паутине. Пишите письма. Составляйте планы. При помощи аудиокассет изучайте иностранный язык. Займитесь вопросами недвижимости, воспитания или какой-либо другой области деятельности, изучить которую вам не позволяла ваша занятость. Сшейте лоскутное одеяло. Почитайте детям. Смех помогает переносить долгое лежание в постели. Приглашайте остроумных подруг и смотрите телевизионные комедии. Вам понравится.

Мне потребовалось приложить немало усилий, чтобы привыкнуть, но примерно через неделю я стала получать удовольствие от того, что меня обслуживают. Впервые за много лет я стала объектом внимания и заботы.

В один из дней я вдруг поняла, что гораздо лучше, чем большинство людей, стала понимать, что такое терпение и признательность. Это значительно облегчило мне последующее материнство!

Тщательно отбирайте посетителей. Длительное пребывание в постели может привести к тому, что вы будете жаждать общения со взрослыми. Приглашайте друзей, которые умеют слушать. Вполне вероятно, многие друзья не поймут, что вы чувствуете из-за необходимости соблюдать постельный режим. Приготовьтесь услышать примерно следующее: «Тебе здорово повезло. Я не отказалась бы пару месяцев поваляться в кровати». Другие проявят больше сочувствия и поймут, что длительное пребывание в постели нельзя назвать ни естественным, ни приносящим удовольствие. Остановите свой выбор на друзьях, которые способны развеселить вас, и приглашайте их как можно чаще. Убедитесь, что эти люди приносят с собой угощение и не ждут от вас, что вы будете исполнять роль гостеприимной хозяйки.

Некоторые люди думают, что мне повезло — я могу просто сидеть, смотреть телевизор и отдыхать весь день. Но это не так просто. Я не могу встать, чтобы не испытывать чувства вины и не думать, что эта прогулка до туалета может стать причиной выкидыша или преждевременных родов.

Мне очень помогали визиты подруги, когда она делала мне прическу, а потом просто сидела рядом и слушала.

Поддержка. Попросите своего врача дать вам телефоны других беременных женщин, которым тоже прописан постельный режим. Иногда вы можете побеседовать друг с другом, чтобы помочь пережить один из особенно печальных дней. Можно связаться с общественной организацией «Сайдлайнз», в которой работают добровольцы, обеспечивающие психологическую поддержку и имеющие возможность связать вас с другими прикованными к постели будущими матерями. Эта организация была создана од-

ной женщиной из Калифорнии, которая была вынуждена соблюдать постельный режим во время своих сопряженных с риском беременностей и которая решила использовать свободное время для помощи другим женщинам, оказавшимся в таких же обстоятельствах. Попросите у таких «опытных» женщин практического совета и поинтересуйтесь, что помогло им выдержать. Женщины, которым пришлось пролежать в постели шесть и более месяцев, подскажут вам, как лучше использовать это время.

Одна из добровольных помощниц из «Сайдлайнз» предположила, что поскольку у меня теперь есть много времени для общения с ребенком, то мне полезно было бы узнать пол ребенка, чтобы наша связь укрепилась еще больше. Раньше я не собиралась заранее узнавать пол ребенка — мне хотелось сюрприза, — но я последовала ее совету. Теперь я не просто сидела и плевала в потолок, а использовала свободное время для более близкого общения с сыном. Было что-то особенное в том, что мы называли ребенка по имени. Этот совет мне очень помог.

Не перегружайте себя после того, как вы встанете с постели. Когда вам наконец разрешат вставать, муж, дети и остальные домашние могут посчитать, что вы вновь все свое время будете посвящать им. Объясните им, что вы не собираетесь полностью возвращаться к своим ежедневным обязанностям по дому и что вам по-прежнему требуется много внимания и отдыха. Встав после длительного пребывания в постели, вы можете обнаружить, что тело не в полной мере подчиняется вам. Различные болезненные ощущения, вызванные длительной неподвижностью, ослабнут через несколько дней, и ваше тело вновь привыкнет к активному образу жизни.

Когда мне разрешили изредка вставать с постели, я не стала форсировать события. Мне не хотелось, чтобы из-за одного дня три месяца постельного режима пошли прахом. Я все время помнила о своей цели: доносить своего ребенка до положенного срока.

Присутствие детей при родах

Мы хотим, чтобы наши дети, четырех и семи лет, присутствовали при родах, и им самим этого хочется. Мы убеждены, что это будет для них полезно. Может ли это намерение вызвать какие-нибудь проблемы?

Разрешить детям присутствовать при родах — это превосходный способ укрепления семьи. Все наши старшие дети присутствовали при трех последних родах, и мы очень рады, что они были с нами. Следует задать себе два главных вопроса. Выдержат ли ваши дети? Выдержите ли вы их присутствие? При ответе на эти вопросы следует учитывать следующие факторы:

• *Возраст ребенка.* Из собственного опыта мы можем сделать вывод, что дети старше трех лет способны понять эмоции, присутствующие во время родов, и понять величие родов. Для некоторых детей, которым не исполнилось трех лет, психологическое напряжение оказывается слишком сильным, чтобы они могли понять его или справиться с ним. Обычно домашние роды воспринимаются детьми лучше, чем роды в условиях больницы, потому что дети находятся в знакомой обстановке и имеют возможность приходить и уходить, когда им захочется.

• *Темперамент ребенка.* Только вы можете знать, какой силы эмоции способен выдержать ваш ребенок. Испугается ли он нормального процесса родов — ваших стонов, покрасневшего лица, крови и того факта, что мама выглядит страдающей и несчастной? Как ребенок справится с ограничениями, которые накладывает больница или любое другое место, где происходят роды?

• *Ваша способность отвлечься от старшего ребенка и сосредоточиться на родах.* Вам нужно сконцентрироваться на процессе родов и не позволить себе отвлекаться на требования других детей. Сможете ли вы проигнорировать отвлекающие моменты, связанные с присутствием ребенка, и сфокусировать внимание на родах? (Если присутствующий при родах старший ребенок отвлекает на себя часть ваших сил, попросите удалить его из родильной палаты.)

● *Присутствие членов семьи, которые могут уделить внимание ребенку.* Убедитесь, что рядом с детьми находится достаточное количество знакомых им взрослых (не считая мужа), чтобы каждый ребенок находился под присмотром отдельного человека.

Заранее расскажите детям, какие правила нужно соблюдать во время родов и как они должны себя вести. Подчеркните, что вы хотели бы их присутствия, но только при условии, что они будут вести себя так, чтобы «не мешать маме стараться изо всех сил, чтобы вытолкнуть ребенка наружу».

Подготовьте детей к тому, что они будут скучать во время тех периодов, когда на первый взгляд ничего не происходит. Возможно, вы захотите, чтобы детей привели только в самом конце. Если вы планируете, что их пустят к вам только перед самым появлением ребенка на свет, вам нужно предусмотреть, где они будут находиться с самого начала родов — достаточно длительное время по меркам трехлетнего ребенка. Один из способов разрешения этой дилеммы — оставаться дома большую часть процесса родов. Когда начнутся роды, вы отправляетесь в больницу. Через некоторое время к вам присоединятся дети вместе с присматривающими за ними взрослыми.

Расскажите детям о том, что они могут увидеть, понятными для них словами: «Мама может кричать или плакать, и ты можешь услышать сто-ны, которые никогда раньше не слышал (продемонстрируйте эти звуки). Не волнуйся — это значит, что мама изо всех сил старается вытолкнуть ребенка наружу».

Радость секса на последних стадиях беременности

На последних стадиях беременности в вашей сексуальной жизни вновь происходят изменения. В третьем триместре женщина очень часто поглощена уже близкими родами и предстоящим материнством. Муж тоже может обнаружить, что метаморфозы происходят и с его чувствами: тело жены уже не кажется таким новым и привлекательным. Это предвестник неизбежных перемен. После того как живот женщины становится большим, супружеские пары осознают, что они больше не беззаботная влюбленная парочка, и начинают более реалистично смотреть в будущее. Женщина сосредоточивается на родах и выкармливании ребенка, а мужчина фокусируется на новых для себя ролях отца и единственного (по крайней мере, временно) кормильца. Возможно, муж беспокоится, что он отходит у вас на второй план, вытесняемый материнством. Возможно, вы оба испытываете противоречивые чувства по отношению к предстоящим переменам. Все эти заботы могут временно отвлечь вас от секса.

Тем не менее большинство супружеских пар занимаются сексом и на последних месяцах беременности. По мере того как увеличивается ваш живот, физическая необходимость приносит в сексуальные отношения большее разнообразие. Желание может стать матерью (в данном случае скорее отцом) изобретательности. Вам придется поэкспериментировать в поисках подходящих и удобных поз для соития. Поза «мужчина сверху» обычно становится наиболее неудобной. Кроме того, в этом положении проникновение бывает максимально глубоким, а давление мужчины на живот и грудь женщины хотя и безопасно для ребенка, но может вызвать у женщины дискомфорт. Вдобавок, на последних месяцах беременности женщине бывает неудобно лежать на спине. Поэкспериментируйте с приведенными ниже альтернативными позами, которые позволяют женщине контролировать глубину проникновения и давящий на нее вес:

● женщина сверху,
● мужчина сверху, но он опирается на руки,
● мужчина и женщина лежат на боку лицом друг к другу, или женщина спиной к мужчине (женщина приподнимает одну ногу и подкладывает под нее подушку),
● женщина стоит на четвереньках, а партнер располагается сзади.

Используйте ту позицию, которая доставляет вам наибольшее наслаждение. На последних месяцах беременности секс бывает менее страстным, регулярным и атлетическим, но более изобретательным. Если желание окажется сильнее физического дискомфорта и отвлекающих мыслей, вы найдете новые способы доставить друг другу наслаждение.

Кто окажет вам поддержку во время родов

Вскоре после того, как отцы были допущены в родильную палату, женщины стали шепотом открывать друг другу маленький секрет, которым никогда не поделятся с мужьями или врачами (которые могут снова отправить мужчин в приемную): многие отцы не созданы для того, чтобы быть инструкторами при родах. Кто же тогда станет этим недостающим звеном?

Выберите человека, который окажет вам поддержку во время родов. Эта женщина — возможно, ваша мать — привнесет в традиционные роды в больнице спокойный и естественный подход акушерки. Ее присутствие означает, что роженице не придется опираться исключительно на помощь мужа в ее попытках справиться с болью. Вместо этого роженица может наслаждаться эмоциональной поддержкой и любовью мужа в этой особенной, но непростой для них обоих ситуации.

Поддержку во время родов вам может оказать и подруга, но лучше всего нанять ассистента-профессионала, который не только успокоит роженицу и проявит к ней дружеское участие, но и имеет медицин-

«Естественные» роды

Я не мученица, и я не думаю, что перестану быть женщиной, если во время родов попрошу сделать мне обезболивающий укол или применить эпидуральную анестезию. Я просто плохо переношу боль. Для меня «естественные роды» означают, что я поеду в больницу, не накрасившись. Неужели роды с применением медикаментозных средств неестественны?

Под «естественными родами» разные женщины подразумевают разное. Однако для специалистов в области родовспоможения этот термин означает то, что женщина рожает ребенка без применения лекарств. Сторонники реформ в области родовспоможения недавно добавили новый термин — «чистые роды», что означает роды без использования лекарств и современных технологий вмешательства. Неважно, как вы назовете свои роды; главное — ваши ощущения. Роды с использованием современных достижений медицины могут быть для вас совершенно ес-

тественными, а если медикаментозные средства позволяют избежать кесарева сечения, то вы получили возможность ощутить естественный процесс вагинальных родов.

Мы предпочитаем термин «ответственные роды». Такие роды может обеспечить себе каждая женщина. Ответственные роды означают, что вы выполнили «домашнее задание» — изучили возможные варианты, выработали подходящую для вас философию родов, подобрали соответствующую команду, выбрали устраивающее вас место родов, загрузили мозг нужной информацией и натренировали свое тело, чтобы обеспечить безопасные и удовлетворяющие вас роды. Если вы войдете в палату для родов, вооруженные всеми этими знаниями и навыками, то независимо от того, протекают ли роды в соответствии с заранее выработанным планом или вашим желанием, вы можете назвать их как угодно — и останетесь довольны.

скую подготовку в качестве акушерки или медицинской сестры. Ее знания и опыт, а также фокусировка исключительно на потребностях роженицы делают ее уникальным и, на наш взгляд, незаменимым участником родов в больнице. Она инструктирует, консультирует и поддержи-

вает роженицу, ускоряя процесс родов и делая его более комфортным. Вместе с персоналом больницы она стоит на страже интересов родителей, передавая их пожелания и давая возможность отцу и матери сосредоточиться на самих родах.

Мои эмоции: _____
_____
_____

Мои физические ощущения: _____
_____
_____

Мои мысли о ребенке: _____
_____
_____

Мои сны о ребенке: _____
_____
_____

Как я представляю себе своего ребенка: _____
_____
_____

Мои главные тревоги: _____
_____
_____

Мои главные радости: _____
_____
_____

Мои главные проблемы: _____
_____
_____

Вопросы, которые у меня возникли, и ответы на них: _____

_____

_____

_____

Обследования и их результаты; моя реакция: _____

_____

_____

_____

Уточненная предполагаемая дата родов: _____

Мой вес:_____

Мое кровяное давление:_____

Прощупывание матки; моя реакция: _____

_____

Мои ощущения, когда чувствую, как шевелится ребенок: _____

_____

_____

Ощущения отца, когда он чувствует, как шевелится ребенок: _____

_____

Реакция братьев или сестер на движения ребенка: _____

_____

_____

Что я купила во время похода по магазинам:_____

_____

_____

Фотография на седьмом месяце беременности

Комментарии: _____

_____

_____

_____

_____

_____

_____

_____

_____

_____

_____

_____

_____

_____

Визит к врачу: восьмой месяц (30—33 недели)

Что вас может ждать во время визита к врачу в этом месяце:

- исследование размеров и высоты матки;

- осмотр кожных покровов на предмет сыпи, расширенных вен и отеков;

- проверка веса и давления;

- анализ мочи на наличие инфекций, на сахар и белок;

- при необходимости проверка на гемоглобин и гематокрит;

- рассмотрение вашей диеты и возможность обсудить ваш вес, если это необходимо;

- возможность услышать сердцебиение ребенка;

- возможность увидеть ультразвуковое изображение ребенка, если вам назначен ультразвук;

- возможность обсудить свои чувства и проблемы.

Если у врача возникли дополнительные сомнения, то на седьмом и восьмом месяцах беременности осмотр может проводиться два раза в месяц.

Восьмой месяц — осталось совсем немного

В НАЧАЛЕ ВОСЬМОГО МЕСЯ-ЦА ваши душа и тело, скорее всего, сосредотачиваются на предстоящих родах. Матка увеличивается настолько, что достигает грудной клетки. Ваш живот так велик, что вы не можете себе представить, что он станет еще больше, однако и вам, и ребенку предстоит немного прибавить в весе. Ребенок, рост которого в начале месяца составляет около 40 сантиметров, а вес 1700 граммов, с этого момента и до дня родов будет еженедельно прибавлять по 1 сантиметру роста и 250 граммов веса.

ВОЗМОЖНЫЕ ЭМОЦИИ

Ожидание появления ребенка на свет обычно стимулирует работу воображения. Иногда мечты будут посещать вас так часто, что у вас сложится ощущение, что мозг уже не совсем ваш: мысли о ребенке полно-стью оккупировали его. Вот типичные эмоции восьмого месяца беременности.

Желание, чтобы беременность скорее закончилась. Несмотря на то что вы уже проделали долгий путь, еще два месяца ожидания родов кажутся вам вечностью. Если вы похожи на большинство женщин, то вы начинаете уставать от беременности и вам не терпится взять на руки своего ребенка. Это естественное нетерпение, скорее всего, будет усиливаться, и особенно потому, что на многие вопросы можно получить ответ только в день родов. Действительно ли это мальчик или девочка? Как он выглядит? Какого цвета его глаза и волосы? Как он будет себя вести? Что я почувствую, когда увижу его? Как отреагирует его отец? Ожидание рождения ребенка может принести такое же разочарование, как и наблюдение за ростом цветка — вам кажется, что время остановилось. Как бы вам ни хотелось увидеть своего малыша, как бы вам ни хотелось, чтобы ваше тело стало прежним, вам еще предстоит проделать большую работу по вынашиванию ребенка. Два последних месяца добавляют заключительные штрихи в развитие маленького человечка. Напомните себе, что это последняя возможность выспаться, сходить в кино, не нанимая няньку, и без помех заниматься любовью. Постарайтесь наилучшим образом использовать это особенное время.

Вы представляете себе своего ребенка. По мере увеличения срока беременности то, что вы себе все время представляли, обретает реальные черты. Фантазии стали почти реальностью. Вы можете представлять себе своего ребенка или рисовать в своем воображении, как он играет с другими детьми. Вероятно, вы задумываетесь о его характере и его внешности.

Движения ребенка обычно подстегивают ваше воображение. Иногда оно действительно разыгрывается, запуская «ускоренную перемотку пленки»: вы представляете себе, каким будет ваш ребенок в школе, в подростковом возрасте или тогда, когда превратится во взрослого человека. Скорее всего, вы начнете формулировать, какие черты характера вы хотели бы видеть в своем малыше. Фантазии относительно его будущей жизни вызовут у вас воспоминания о собственном детстве. Вспоминая детские годы, многие женщины начинают осознавать свою тесную связь с матерью, заново ощущают материнскую любовь, стоящую за обычными эпизодами из детства, такими, как ежедневные совместные завтраки или советы надеть пальто.

В этом месяце вы, вероятно, начнете серьезно задумываться, как другие члены семьи воспримут новорожденного. Большинство будущих матерей пытаются представлять, какой отец для малыша получится из ее мужа. Если супруг не проявлял к вам особого внимания и его не вдохновляла — как вы надеялись — перспектива стать отцом, то вы будете бояться, что он проявит безразличие по отношению к ребенку. Не волнуйтесь. Во многих случаях мужчины, которые казались невнимательными и безразличными к беременности жены, превращаются в любящих и заботливых отцов, как только берут ребенка на руки и осознают реальность своего отцовства. Возможно, вы начнете представлять, как будут общаться с ребенком ваши родители и родители мужа. Если кто-то из ваших родителей уже умер, то вы будете думать, как вам его не хватает, и грустить по поводу того, что он не испытал радости общения с внуком или внучкой. Это вполне естественно. Возможно, вы даже представите себе, как он держит вашего ребенка на руках. Многим матерям нравится размышлять о том, как будут любить малыша старшие дети, рисуя в своем воображении трогательные сцены, как сестричка целует ребенка или старший брат помогает сменить ему пеленку.

Желание вспомнить предыдущие роды. Если это у вас уже не первый ребенок, вы можете много думать о своих предыдущих родах, вспоминая как приятные, так и неприятные моменты. Насколько сильно будут отличаться от них предстоящие роды? Боль будет сильнее или слабее? Будут ли они короче или длиннее? Это подходящее время подумать над тем, чему вы научились во время предыдущих родов. Что вы хотели бы оставить без изменений? Что бы вы хотели изменить? Воспользуетесь ли вы теми же методами обезболивания? Устраивает ли вас положение, в котором вы рожали? В этот раз у вас прибавилось опыта. Пусть опыт и приобретенные знания поработают на вас в этом месяце. Мысли о предыдущих родах посещали вас в течение всей беременности, но именно теперь воспоминания о них приходят к вам чаще. Это нормально. Направьте ваше беспокойство в конструктивное русло: практикуйтесь в умении расслабляться и побеседуйте с друзьями, которые способны укрепить ваш дух. Если вам не удается преодолеть тревогу, обратитесь к психологу, который поможет избавиться от ненужных опасений.

Суеверия. Даже если вы никогда не были суеверными, вы можете начать во всем искать предзнаменования. Вам перебежит дорогу черная кошка, и вы начинаете волноваться, что это может значить. Затем начинают прибывать по почте все эти каталоги с детскими вещами — ваше имя уже включено в многочисленные списки рассылок, а ребенок еще не родился. Вы не в состоянии заставить себя купить приданое для новорожденного, потому что с ребенком может произойти какое-нибудь несчастье. Постарайтесь, чтобы эта разновидность волнений не нарушала вашего покоя.

Беспокойство по поводу прибавки веса. Если вы обеспокоены своим весом и расстраиваетесь при виде ежемесячной прибавки, просто перестаньте смотреть на шкалу весов. Попросите врача и медсестер без необходимости не сообщать вам, сколько вы весите. Если вы чувствуете себя хорошо, а ребенок развивается нормально, нет никаких оснований переживать из-за своего веса. И выбросьте из головы любые мысли о диете. Если врач ничего не говорит, можно предположить, что ваш вес не выходит за пределы нормы. Сосредоточьтесь на здоровом питании, а не на показаниях весов. Цифры на весах все равно относительны, поскольку количество жидкости в вашем организме может быстро меняться. В день (или час) взвешивания задержка жидкости может оказаться несколько большей, чем обычно.

Я так сильно волновалась по поводу прибавки веса, что расстраивалась при каждом взвешивании. Потом я договорилась с врачом, что он не будет мне сообщать мой вес, если не возникнет никаких проблем. Если он молчит, значит, мой вес в норме и мне нечего беспокоиться.

Облегчение. Если вам не дают покоя мысли о преждевременных родах, то теперь вы можете расслабиться. Даже если ваш ребенок родится теперь, то современная медицина обеспечит его выживание. И действительно, к концу восьмого месяца у большинства детей легкие уже достаточно развиты для самостоятельного дыхания. У многих недоношенных младенцев, родившихся на восьмом месяце, практически не бывает осложнений. (Если ребенок родился раньше тридцать шестой недели, то ему часто требуется от нескольких дней до недели искусственного дыхания, пока окончательно не сформируются его легкие.)

Беспокойство, сможете ли вы стать хорошей матерью. Многие женщины говорят, что на восьмом месяце перспектива материнства вызывает у них противоречивые чувства. Иногда они с радостью ждут важного события, которое должно вот-вот произойти. В другие дни они ощущают

сильнейшее беспокойство, размышляя о тех переменах, которые принесет в их семью рождение ребенка. Все эти чувства нормальны и похожи на эмоциональные подъемы и спады материнства: иногда вы будете получать удовольствие от того, что вы стали матерью, а иногда вы начнете спрашивать себя, во что это вы ввязались. Одна из наиболее распространенных, но совершенно беспочвенных тревог, которая посещает практически всех женщин во время беременности, но особенно усиливается в конце, это беспокойство о том, смогут ли они стать хорошей матерью. Женщины слышат о загадочной «материнской интуиции», которая как будто прилагается к набору для новорожденного вместе с детской присыпкой и пеленками. Не волнуйтесь — у вас обязательно появится эта материнская интуиция. Гормоны помогли вам выносить этого ребенка, и они же подготовили ваш мозг к пониманию потребностей новорожденного.

Беременность подталкивает женщину к переоценке ценностей. Вы хотели бы стать более терпеливой, менее эгоистичной, более щедрой, меньше озабоченной своим весом или уборкой дома. Стремление к самосовершенствованию — это побочный продукт желания стать хорошей матерью. Этого не требует от вас ребенок, и поэтому нет никакого смысла предъявлять к себе подобные повышенные требования.

ВОЗМОЖНЫЕ ФИЗИЧЕСКИЕ ОЩУЩЕНИЯ

На восьмом месяце, ваше самочувствие будет в основном хорошим. Вы будете ощущать себя БОЛЬШОЙ. Большим становится ваш живот. Ребенок тоже растет. У вас появляются проблемы с передвижением. Скорее всего, вы относитесь к ним легко, поскольку понимаете, что через месяц-другой они исчезнут. В этом месяце интенсивность сокращений Брэкстон-Хикса тоже усиливается. Во время этих ложных схваток у вас может появиться ощущение, как будто матку стягивают ремнями. Возможно, вы почувствуете, как напрягается матка. Может быть, в этом месяце сокращения Брэкстон-Хикса будут ощущаться каждый час, заставляя вас задаваться вопросом: «Неужели началось?» Скорее всего, нет. Матка все еще разминается перед настоящими схватками в конце следующего месяца. Используйте эти схватки-предвестники, чтобы потренироваться в использовании техники релаксации и естественного обезболивания. Приучите себя не напрягаться, а расслабляться во время каждой схватки.

Усиление толчков ребенка. В последние два месяца толчки ребенка ощущаются реже, но становятся более сильными. Исследования показывают, что на восьмом месяце количество толчков сокращается примерно вдвое по сравнению с седьмым месяцем. Можно ожидать, что изменится и ваша реакция на эти движения. Раньше вы радовались каждому слабому толчку как напоминанию о происходящем внутри вас чуде. В последние два месяца каждый толчок может отозваться болью в ребрах, кишечнике, мочевом пузыре, в паху или спине — в зависимости от того, на какое место давит, вытягиваясь, ваш растущий ребенок. Вы начинаете ощущать движение и сверху, и снизу — например, толчки ног в грудную клетку и давление головы ребенка в области таза. Кроме того, вы можете ощущать, что ребенок толкается намеренно, как бы прося вас сменить позу, потому что в таком положении ему тесно. Некоторые женщины замечают, что ребенок начинает шевелиться, когда они разговаривают с ним, и уверены, что таким образом он реагирует на их голос. На восьмом месяце очень интересно наблюдать, как ребенок сбивает помещенный на живот лист бумаги. (Намеренно?) Нам нравилось играть в игру «Отгадай части тела». («Это пятка его крохотной ноги или локоть?») Еще одно увлекательное занятие — попытаться определить контуры тела находящегося в вашем животе малыша. Спросите врача, правильно ли вы вычислили их.

Ночью меня будят толчки ребенка, и я даже получаю от этого удовольствие. Я могу определить, что ре-

бенок вырос, и часто его движения причиняют мне неудобства. Иногда я могу проследить за движением его локтя, а иногда чувствую, как маленькая попка ребенка выпячивает мой живот. Вероятно, малышу не хватает места, потому что он пытается растянуть свой маленький дом как можно больше. Мне это доставляет определенные неудобства, но в целом я испытываю радостные чувства. Эти толчки будят меня ночью, но я переворачиваюсь на другой бок или встаю, чтобы немного пройтись. После этого чувство дискомфорта исчезает, и я вновь засыпаю.

Сильнее всего ребенок начинает двигаться после того, как я поем. Как будто он говорит мне: «Ага, еда — как вкусно».

Почувствовав толчки, я начинаю разговаривать с ребенком или похлопывать себя по животу, поощряя его. Я убеждена, что, когда он слышит, как я спрашиваю: «Привет, что ты там делаешь?», он отвечает мне следующим толчком.

Большой живот. Вы ощущаете свой большой живот, потому что он действительно увеличился. Хорошая новость заключается в том, что живот практически достиг своей максимальной величины, а ребенок уже расположился у вас под ребрами — там, где он и должен находиться. В течение следующего месяца ребенок начнет опускаться, и хотя живот ваш не станет меньше, при взгляде в зеркало вы заметите, что его форма изменилась.

Большой живот дает поводы для многочисленных жалоб. Вам труднее передвигаться, у вас болят суставы и отекают ноги. Ходьба и необходимость наклониться, чтобы приласкать старшего ребенка, превратятся для вас в тяжелые испытания.

Мне нравится, как реагирует трехлетняя дочь на мой большой живот. Она протягивает ручки, хлопает меня по животу и повторяет: «Малыш, малыш». Она волнуется, она хочет знать, где будет спать новый ребенок, и спрашивает: «А во время еды он будет сидеть на высоком стуле?» Помогая мне выбирать одежду и обувь для малыша, дочь заявила: «Эти туфельки такие милые!»

Потребность в отдыхе. Даже если ваше тело не чувствует усталости, мозг может подать вам сигнал не перегружать себя. Тот факт, что мозг предвосхищает потребности тела, может застать вас врасплох. У вас не болят ноги, и вы еще не начали задыхаться, но внутренний голос может сказать вам: «Сядь». Прислушайтесь к этому голосу, даже если тело убеждает вас не останавливаться. Ваши энергетические резервы близки к истощению, и в данном случае вашему телу будет полезно прислушаться к проницательному голосу разума.

Бессонница. Угадайте, почему? Младенцы не спят ночью, и поэтому не спят беременные женщины. Добро пожаловать в мир ночных бдений у кроватки малыша. Бессонница в последние месяцы беременности обусловлена несколькими причинами. Одна из них заключается в том, что изменяется цикл вашего сна, в котором увеличивается доля быстрого сна — состояния, когда вы видите сновидения и легче просыпаетесь. Кроме того, вам мешает спать увеличившаяся матка. Она давит на желудок, вызывая изжогу, и на мочевой пузырь, заставляя часто бегать в туалет по ночам. Если вас не будит увеличившаяся матка, то это делает ее обитатель. Похоже, что дети, находящиеся в утробе матери, путают день с ночью. Движения матери в течение дня убаюкивают ребенка. Когда же вы ложитесь отдыхать, ребенок просыпается, потягивается и будит вас своими толчками. Кроме того, вы можете проснуться просто из-за того, что ворочаетесь в постели, пытаясь найти более удобное положение. Если вас мучает изжога, попробуйте спать полусидя, подложив под себя несколько подушек. Обязательно несколько раз прилягте в течение дня, чтобы восполнить недостаток ночного сна. Ночью ставьте рядом с собой бутылочку с водой или соком, чтобы справиться с приступом жажды.

Разумеется, вам хочется встретить приближающийся день родов хорошо отдохнувшей. Вот несколько советов, которые помогут вам выспаться.

- Попробуйте подремать в течение дня.

- Ложитесь в постель как можно раньше. После суматошного дня вам, наверное, хочется выделить немного времени для себя, но вы должны заставить себя укладываться спать как минимум на час раньше, чем обычно. Восстановление сил будет компенсацией за то, что вы лишили себя удовольствия от чтения или телевизора.

- Если у вас бывают судороги ног, перед сном делайте массаж и упражнения для ног.

- Если вы просыпаетесь от расстройства пищеварения или одышки, попробуйте спать полусидя, опираясь на несколько подушек.

- Попробуйте спать в позе, предложенной в книге ранее.

- Меняйте положение тела всякий раз, когда вы просыпаетесь от ощущения дискомфорта, особенно если вы чувствуете боли в области таза из-за давления матки на нервные окончания.

- Если вас будит кожный зуд, перед сном протрите чувствительные места увлажняющим лосьоном.

- Чтобы ускорить процесс засыпания, попробуйте применить технику релаксации, с которой вас познакомили на курсах по подготовке к родам. Воспользуйтесь мысленными образами. Представьте, что вы плаваете в воде или раскачиваетесь на качелях. Практика приемов релаксации с целью скорейшего засы-

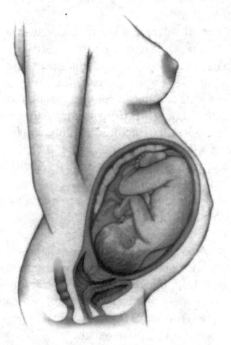

Ребенок в возрасте 30—33 недель

лыш приобретает еще более упитанный вид. Шелковистый пушок, или лануго, покрывавший кожу ребенка, начинает исчезать, а волоски бровей и ресниц становятся длиннее; у некоторых детей вырастают волосы на голове. Ребенок теперь может моргать глазами, реагируя на внешний свет. В течение этого месяца быстрыми темпами развивается мозг, и сон ребенка разделяется на две стадии, быстрый и медленный. Икота, которую будущая мать может воспринимать как неожиданные толчки, становится обычным явлением. Ребенок сильнее реагирует на события окружающего мира и может откликаться на внешнее воздействие. Если он родится теперь, то сможет самостоятельно дышать без какой-либо медицинской помощи.

пания позволит вам легче расслабиться, когда начнутся роды. Способность мгновенно расслабляться или даже засыпать между схватками сэкономит ваши силы во время родов.

КАК РАЗВИВАЕТСЯ ВАШ РЕБЕНОК (30—33 НЕДЕЛИ)

К концу этого месяца ребенок весит от 1,5 до 2 килограммов, а его рост составляет от 40 до 45 сантиметров. В течение восьмого месяца его запасы жира удваиваются, и ма-

ВОЗМОЖНЫЕ ПРОБЛЕМЫ

Беспокойство по поводу кесарева сечения — что вы можете сделать

Процент кесаревых сечений в американских больницах, который в последние десятилетия неуклонно возрастал, наконец-то начал снижаться. Тем не менее этот процент еще очень велик. С 1970 по 1990 год процент женщин, которым потребовалось хирургическое вмешательство, вырос с 5 до 25. Почему в Соединенных Штатах каждой четвертой роженице делали кесарево сечение?

В Европе таких женщин от 5 до 10 процентов. Неужели у американских женщин у́же таз и больше ребенок, чем у европейских? Маловероятно. Что же в таком случае происходит?

С сотворения мира вагинальные роды прекрасно подходили большинству матерей и младенцев. Так кого же винить за современную тенденцию рожать детей при помощи разрезания живота? Врачей? Больницы? Матерей? Никого. Вопреки заявлениям сторонников естественных родов врачи не делают кесарево сечение ради заработка. Небольшое повышение стоимости кесарева сечения по сравнению с вагинальными родами нисколько не компенсирует огромных затрат сил и времени, которые требуются для проведения серьезной хирургической операции, а также для послеоперационного ухода за пациенткой. Кроме того, больницы не дают никаких объяснений по поводу того, какие роды безопаснее для ребенка. И конечно, в этом нельзя обвинять матерей.

Истинная причина заключается в том, что повышение доли кесаревых сечений — это побочный эффект изменений в системе акушерской помощи и, собственно, в самой Америке. Гинекология усложнилась и стала использовать больше передовых технологий; в результате побочные эффекты тоже усилились. Рассмотрим факторы, влияющие на повышение доли родов, потребовавших хирургического вмешательства. В настоящее время все большее число женщин с хроническими заболеваниями (такими, как диабет и болезни сердца) получают возможность родить здорового ребенка, и именно эти сопряженные с повышенным риском беременности часто требуют хирургического вмешательства, чтобы сохранить здоровье и матери, и ребенку. Современные средства лечения бесплодия повышают количество многоплодных родов, многие из которых тоже требуют кесарева сечения. В некоторых случаях хирургическая операция безопаснее, чем потенциально проблематичные вагинальные роды. К примеру, многие крошечные недоношенные младенцы, которые раньше не выживали при вагинальных родах, теперь могут без проблем появиться на свет при помощи кесарева сечения и имеют неплохие шансы выжить. Несколько десятилетий назад вскрытие брюшной полости и матки, а также сопутствующая анестезия несли с собой повышенный риск, и поэтому у врачей не было выбора — все младенцы, за исключением тех, кто подвергался наибольшей опасности, рождались естественным путем. Если, к примеру, ребенок не проходил через родовые пути, применялись акушерские щипцы, чтобы протащить застрявшего ребенка через влагалище — не без риска для малыша. Теперь, когда хирургическое вмешательство стало гораздо безопаснее, анализ соотношения между степенью риска и выигрышем говорит в пользу кесарева сечения, а не щипцов. Еще одно доказательство изменения соотношения между риском и пользой — это современная рекомендация, чтобы все роды при ягодичном предлежании плода проводились при помощи кесарева сечения. Исследования показывают, что риск повреждения такого ребенка при вагинальных родах гораздо выше, чем при кесаревом сечении.

Некоторые особенности современной технологии родов тоже помогли повысить процент родов, требующих хирургического вмешательства. Лекарства, улучшающие самочувствие женщин во время родов, часто повышают вероятность, что им потребуется кесарево сечение. Эпидуральная анестезия — эта находка, о которой многим женщинам говорят как о величайшем достижении гинекологии за прошедшие сто лет, — в определенных ситуациях тоже может повысить вероятность хирургического вмешательства. Электронный мониторинг плода, который помогает врачу выявить проблемы у ребенка и заставить врача вмешаться, прежде чем возникнет угроза плоду, не всегда дает однозначные результаты, а ложная тревога может заставить медицинский персонал без необходимости спешить к операционному столу.

Несмотря на то что роды еще никогда не были такими безопасными даже для женщин с проблемными беременностями, и врачи, и беременные женщины считают, что настало время сокращать процент кесаревых сечений — не нанося вреда здоровью матери или ребенка. Существуют объективные медицинские ситуации, требующие хирургического вмешательства, но хорошей новостью можно назвать тот факт, что во время беременности и самих родов женщина в существенной степени может повлиять на то, возникнет ли необходимость в кесаревом сечении, или нет.

Современные достижения в области хирургии и анестезии сделали кесарево сечение гораздо менее опасной операцией, чем она была в предыдущие десятилетия. Эта процедура часто сохраняет жизнь и матери, и ребенку. Тем не менее это обширное операционное вмешательство, после которого необходим восстановительный период. Кесарево сечение должно делаться только в случае крайней необходимости.

Вот пять наиболее распространенных показаний для кесарева сечения: приостановка родовой деятельности, повторное кесарево сечение, патологическое состояние плода, клинически узкий таз и активная стадия герпеса у матери. Вы можете оказать влияние на все пять перечисленных ситуаций.

Приостановка родовой деятельности. Роды, течение которых не укладывается в обычную временную схему, являются причиной около 30 процентов кесаревых сечений. По различным причинам шейка матки не раскрывается и/или ребенок не опускается. В некоторых случаях такое состояние неизбежно — например, при короткой пуповине. В большинстве случаев приостановка родовой деятельности обусловлена неправильной помощью роженице или пренебрежением основами физиологии родов. Из всех причин кесарева сечения приостановка родовой деятельности в большей степени подлежит вашему контролю. Подумайте об этом. Ни одна из систем вашего организма не отказывает в 10 процентах случаев. Почему же механизм родов должен составлять исключение? Разумеется, этот механизм нужно использовать так, как было предназначено природой. Эмоциональная и физическая поддержка роженицы, возможность ходить во время родов, вертикальное положение тела, а также разумное применение лекарств и современной технологии помогут прогрессу родов, повысив эффективность сокращений матки, вместо того чтобы мешать им.

Повторное кесарево сечение. Это наиболее распространенная причина хирургического вмешательства, но вы можете оказать определенное воздействие и на этот фактор. (См. раздел «Возможные вопросы относительно кесарева сечения».)

Патологическое состояние плода. Третья из наиболее часто встречающихся причин необходимости кесарева сечения — это патологическое состояние плода. Параметры сердечных сокращений плода на экране фетального монитора могут указывать на то, что здоровье ребенка окажется под угрозой, если его быстро не извлечь из утробы матери. Повышенная или пониженная частота сердечных сокращений плода может указывать на недостаточное снабжение ребенка кислородом или на то, что он восстанавливается после снижения частоты сердечных сокращений, естественного во время схваток. Некоторые из причин недостатка кислорода находятся вне пределов вашего контроля, но решения, которые вы принимаете в процессе родов, помогут оценить здоровье вашего ребенка.

Клинически узкий таз. Еще одна причина кесарева сечения — слишком большой ребенок, который не может пройти через нижнюю апертуру таза. Роды в вертикальном положении, например на корточках, способны увеличить нижнюю апертуру таза, и таким образом даже самая миниатюрная женщина может родить большого ребенка.

Активная стадия герпеса половых органов. Если в момент родов у вас наблюдается активная стадия герпеса половых органов, врач может порекомендовать кесарево сечение, чтобы во время прохождения по родовым путям инфекция не передалась ребенку. Если раньше у вас был герпес половых органов, но во время беременности не наблюдалось обострений, Американский институт гинекологии и акушерства рекомендует не делать еженедельных вагинальных анализов на наличие вируса герпеса и рожать ребенка естественным путем. Если вы заболели герпесом или почувствовали обострение во время беременности, врач будет следить за вашим состоянием и при необходимости прописывать антивирусные препараты.

К другим возможным причинам кесарева сечения относятся многоплодная беременность, ягодичное предлежание и другие необычные положения плода, а также аномалии строения матки и таза. Теперь, когда вы понимаете, почему делают кесарево сечение, рассмотрим меры, которые вы можете предпринять, чтобы повысить свои шансы родить ребенка естественным путем.

- *Получите всю необходимую информацию.* Читайте, читайте и читайте. Изучите все доступные источники. Существуют общественные группы поддержки для тех женщин, которые сожалеют о предыдущем кесаревом сечении и твердо решили сделать все возможное, чтобы избежать еще одной операции. Посещайте собрания таких групп и побеседуйте с женщинами, у которых были естественные роды после кесарева сечения. Вы получите не только практические рекомендации, как вам нужно себя вести во время беременности и родов, чтобы повысить свои шансы родить ребенка естественным путем, но и информацию, которая окажет вам психологическую поддержку и облегчит роды, сделав их более эффективными.

- *Правильно питайтесь.* Переедание может привести к чрезмерной прибавке веса и повышенному уровню сахара в крови. Оба этих фактора повышают вероятность того, что ребенок будет слишком большим, чтобы родиться естественным путем.

- *Регулярно занимайтесь гимнастикой.* У женщин, которые поддерживают физическую форму, роды обычно проходят легче, чем у тех, кто ведет неподвижный образ жизни. Прибавка веса у таких женщин также не превышает норму.

- *Пригласите профессионального ассистента.* Исследования показывают, что у женщин, которым во время родов помогает профессионал, снижается вероятность хирургического вмешательства.

- *Сохраняйте вертикальное положение тела.* Поза лежа на спине — это предвестник кесарева сечения. Чем больше вы лежите на спине, тем выше вероятность хирургического вмешательства.

● *Двигайтесь.* Старайтесь не проводить большую часть времени лежа в кровати, подключенной к мониторам, как пациент после операции. Двигаясь, вы ускоряете роды.

● *Доверяйте своему телу.* Верьте в то, что ваш механизм родов не даст сбоя. Верьте, что ваши родовые пути предназначены для прохождения ребенка. Страх, что вы не сумеете родить, может превратиться в самореализующееся пророчество, поскольку он мешает матке эффективно сокращаться. Окружите себя оптимистично настроенными помощниками. Даже если у вас в семье или среди подруг преобладает тенденция делать кесарево сечение, убедите себя, что вы в состоянии опровергнуть эту статистику.

● *«То, что хорошо для матери, хорошо и для ребенка».* Не забывайте об этом во время беременности и родов. Выбор, который вы делаете во время родов, чтобы ускорить их течение и сделать их более эффективными, также способствует благополучию плода и снижает вероятность его патологического состояния.

Возможные вопросы относительно кесарева сечения

Во время родов моего последнего ребенка мне сделали кесарево сечение, и теперь я волнуюсь, что мне придется прибегнуть к операции еще раз. Действительно ли у меня высока вероятность еще одного кесарева сечения?

Ваши шансы родить ребенка естественным путем довольно велики. Подобно многим медицинским мифам правило: «Если вас разрезали один раз, то будут резать и дальше», — потеряло свою силу. Основная причина того, что перенесшая кесарево сечение женщина всю жизнь вынуждена рожать в операционной, это страх разрыва матки. Много лет назад разрез при кесаревом сечении делался вертикально в верхней части матки, а эта область в наибольшей степени подвержена разрывам. В настоящее время разрез делается горизонтально в нижней части матки (даже в экстренных случаях). Такой низкий разрез редко становится причиной разрыва. В этом случае риск разрыва матки по официальным данным составляет всего 0,2 процента, а это означает, что вероятность благополучного завершения родов равняется 99,8 процента. Исследование тридцати тысяч женщин, которые пытались родить ребенка естественным путем после предыдущего кесарева сечения, выявило, что ни одна женщина не умерла от разрыва матки, независимо от характера разреза. Исследование семнадцати тысяч таких женщин показало, что ни один ребенок не умер в результате разрыва матки. (Не пугайтесь термина «разрыв» — это не значит, что ваша матка внезапно порвется на части. Просто рубец, оставшийся после предыдущего кесарева сечения, может постепенно разойтись. К счастью, угроза разрыва матки может быть выявлена при помощи электронного мониторинга плода.) Таким образом, цифры говорят в вашу пользу. Естественные роды после предыдущего кесарева сечения несут лишь небольшой риск для большинства женщин и менее опасны, чем хирургическое вмешательство.

Показаны ли вам естественные роды после кесарева сечения, зависит от причины предыдущего хирургического вмешательства. Если причиной кесарева сечения было ягодичное положение ребенка, активная стадия герпеса, токсикоз или патологическое состояние плода, то у вас нет оснований предполагать необходимость повторной операции. Эти факторы относились к конкретной беременности, и вероятность их повторения мала. Если причиной предыдущей операции был клинически узкий таз — голова ребенка оказалась слишком велика и не проходила в отверстие таза, — причин для волнения по-прежнему нет. Новейшие исследования показали, что этот диагноз не уменьшает ваши шансы родить следующего ребенка естественным путем. Настоящий клинически узкий таз встречается крайне редко, и в большинстве случаев такие ситуации с такой же легкостью можно определить как «приостановку родовой деятельности». Исследования показали, что вероятность успешных естественных родов после пре-

дыдущего кесарева сечения составляет от 60 до 70 процентов, несмотря на поставленный диагноз «клинически узкий таз». Нижняя апертура таза женщины с каждыми новыми родами становится более гибкой, и смена положения во время родов может облегчить ребенку нахождение пути наружу.

Тем не менее не стоит полагаться только на статистику. Вы должны сами потрудиться.

Может ли мой ребенок быть не совсем здоровым из-за того, что он появился на свет не естественным путем, а в результате кесарева сечения?

Здоровье вашего ребенка никак не может пострадать из-за кесарева сечения. На самом деле он может оказаться даже здоровее — в зависимости от того, по каким показаниям делалось кесарево сечение. Если в процессе родов выявлено патологическое состояние ребенка, то ожидание вагинальных родов может негативно сказаться на его здоровье. Как акушер-гинеколог и педиатр, мы ответственно заявляем, что здоровье ребенка никак не связано с тем, каким образом он появился на свет. У детей, родившихся в результате кесарева сечения, чаще бывает идеально круглая голова, в отличие от типичной «конической головы» детей, которые проходили по узким родовым путям. После кесарева сечения новорожденным чаще требуется аспирация. У них в легких остается больше слизи, поскольку она не выдавливается во время естественных родов. Иногда такие дети медленнее берут грудь, но это может быть результатом того, что мать разлучают с ребенком, а также применения лекарственных препаратов во время родов.

Осложнения при кесаревом сечении могут возникнуть лишь тогда, когда ребенок появляется на свет слишком рано. Это происходит в тех случаях, когда кесарево сечение делается до начала родов — например, из-за диабета или болезней сердца. Предполагаемая дата родов может указывать на то, что ребенок уже в достаточной степени сформировался и способен существовать самостоятельно, тогда как на самом деле он к этому еще не готов. Если вы не уверены в правильности определения даты родов или в степени доношенности ребенка, а вам необходимо делать плановое кесарево сечение, врач может назначить ультразвук и тест на зрелость легких ребенка, чтобы быть уверенным, что ребенок готов к жизни вне матки. Если сомнения не исчезли и нет оснований предполагать, что ребенок подвергнется опасности, оставаясь в матке еще неделю-другую, в этом случае лучше подождать.

Откладывание кесарева сечения до того момента, как начнутся роды, несет с собой как риск, так и определенные преимущества. У вас может возникнуть вопрос: зачем терпеть родовые схватки, если мне все равно сделают кесарево сечение? Схватки не только указывают на то, что ребенок готов к появлению на свет, но и снабжают мать и ребенка необходимыми во время родов гормонами, эндорфинами. Исследования показывают, что у детей, появившихся на свет в результате кесарева сечения, сделанного после появления схваток у матери, в первые дни после родов бывает меньше проблем с дыханием, чем у тех младенцев, матери которых еще не начинали рожать. С другой стороны, частота осложнений после хирургического вмешательства при плановом кесаревом сечении бывает немного меньше, чем в тех случаях, когда операция проводится вследствие осложнений при родах. При наличии сомнений лучше не торопиться с появлением ребенка на свет.

В прошлый раз я пыталась родить естественным путем после предыдущего кесарева сечения, но все закончилось еще одной операцией. У меня осталось ощущение, что я зря мучалась. Не уверена, что мне захочется попробовать еще раз.

Нельзя сказать, что все ваши страдания пропали впустую. Если бы ваш новорожденный младенец мог говорить, он поблагодарил бы вас за то, что вы вытерпели ради любви к нему. Естественные гормоны, которые вырабатываются во время родов, помогают ребенку быстрее приспособиться к жизни вне матки. Исследования показывают, что у детей, появившихся на свет в результате кесарева сечения, сделанного после появления схваток у матери, в первые дни после родов бывает меньше проблем с дыханием, чем у тех младенцев, матери которых еще не начинали рожать.

Предполагаемая дата родов приближается, а ребенок все еще находится в ягодичном положении. Врач говорит, что для ребенка самым безопасным будет кесарево сечение. Действительно ли оно необходимо, или существуют такие же безопасные альтернативы?

Исследования показывают, что при ягодичном предлежании кесарево сечение дает меньший процент родовых травм и осложнений, чем вагинальные роды. Таким образом, при ягодичном предлежании наблюдается тенденция делать кесарево сечение. Некоторые специалисты сомневаются, связано ли статистическое увеличение осложнений с ягодичным предлежанием или с неправильным положением роженицы, однако в настоящее время в большинстве больниц от 80 до 90 процентов таких детей появляются на свет в результате кесарева сечения.

Основная опасность вагинальных родов при ягодичном предлежании заключается в том, что после

прохождения ног и ягодиц ребенка по родовым путям у головы не остается на это времени, и она может застрять. Кроме того, при ягодичных родах могут повредиться нервные волокна, идущие к рукам и ногам новорожденного. Оба этих осложнения менее вероятны, когда первыми появляются ягодицы ребенка («чистое ягодичное предлежание»), а не ноги. Выпадение пуповины (пуповина проскальзывает в шейку матки раньше, чем тельце ребенка, и защемляется), которое является чрезвычайным обстоятельством и требует немедленного кесарева сечения, также встречается чаще при ягодичных родах.

Ягодичное предлежание плода не означает, что вам обязательно будут делать кесарево сечение. Американский институт акушерства и гинекологии официально определяет вагинальные роды при ягодичном предлежании безопасными в *отдельных* случаях. Ваш врач должен взвесить соотношение риска при кесаревом сечении и вагинальных родах и порекомендовать наилучший для вашего случая вариант действий. Существуют и альтернативы, дающие возможность родить ребенка естественным путем, и вы должны обсудить их с врачом.

Помните о том, что ребенок еще может перевернуться. Примерно половина детей в начале беременности располагаются ягодицами вниз. Большинство переворачиваются к тридцать второй — тридцать четвертой неделе. Если до тридцать шестой недели ребенок не перевернулся головой вниз, то он, скорее всего, останется в ягодичном положении. По неизвестной причине от 3 до 4 процентов детей так и не переворачиваются головой вниз.

Если ваш ребенок самостоятельно не перевернулся к тридцать шестой или тридцать седьмой неделе, то наблюдающий вас врач (или специалист, к которому он вас направил) может попытаться выполнить прием, носящий название «наружного акушерского поворота», при котором он производит манипуляции с вашим животом, чтобы перевернуть ребенка головой вниз. Наружный акушерский поворот оказывается успешным в 60—70 процентах случаев (40—50 процентов для первой беременности), однако некоторые дети переворачиваются обратно, и в этом случае требуется вторая попытка. Немногие упрямцы продолжают возвращаться в ягодичное положение и остаются в нем до начала родов. Акушерский поворот — это безопасная и практически не вызывающая неприятных ощущений процедура, но иногда она может быть болезненной для матери и вызвать дистресс у ребенка.

Еще один альтернативный вариант — найти врача, который имеет опыт ведения вагинальных родов при ягодичном предлежании. Скорее всего, он имеет связь с больницей, оснащенной необходимым оборудованием и персоналом, чтобы при возникновении осложнений оказать ребенку требуемую помощь. Мы обнаружили, что в большинстве случаев врачи, имеющие опыт вагинальных ягодичных родов, работают в университетских акушерских центрах или находятся уже в преклонном возрасте и начали принимать роды не менее 20 лет назад, когда более 90 процентов таких детей появлялись на свет естественным путем. Возможно, взглянув на такого врача, вы будете разочарованы, поскольку многие специалисты, обладающие подобным опытом, уже ушли на пенсию. В последние десять лет большая часть родов при ягодичном предлежании проводилась посредством кесарева сечения, и поэтому современные акушеры-гинекологи принимали лишь небольшое количество ягодичных родов. Кроме того, если акушерские правила в вашем регионе требуют, чтобы при ягодичном предлежании ребенок появлялся на свет в результате операции, не удивляйтесь, что ваш врач будет вынужден придерживаться этих правил.

Врачи и больницы, имеющие богатый опыт вагинальных ягодичных родов, обычно следуют рекомендациям Американского института акушерства и гинекологии. Критерии безопасных вагинальных родов при ягодичном предлежании плода следующие:

• Ребенок находится в чистом ягодичном положении — ягодицами вниз, а ноги не скрещены.

• Вес ребенка составляет от около 4 килограммов (чаще всего голова застревает у маленьких или недоношенных детей — вероятно, потому, что она непропорционально велика по отношению к остальному телу).

• Ребенок доношен или, по крайней мере, его возраст превышает 36 недель.

• Перед родами голова ребенка опущена, подбородок прижат к груди.

• Размеры таза матери соответствуют размерам ребенка, что определяется при помощи «соотношения размеров плода и таза».

• Роды матери проходят нормально.

• Оборудование и персонал больницы готовы выполнить экстренное кесарево сечение в течение 30 минут.

• Если предыдущего ребенка женщина родила естественным путем — это еще один плюс в списке благоприятных факторов.

Если ваш ребенок находится в ножном или полном ягодичном положении, весит более 4,5 килограмма или недоношен, врач, скорее всего, предпочтет кесарево сечение. Не забывайте о том, что у каждого специалиста есть свои варианты приведенных выше критериев. Кроме того, поставленный при помощи рентгеновского снимка диагноз «не-адекватного таза» может быть неточным, поскольку нижняя апертура таза расширяется во время родов, особенно в положении на корточках.

Если вы хотите родить ребенка естественным путем, а врач считает, что ваше состояние отвечает приведенным выше критериям, приготовьтесь к тому, что за вами будут наблюдать внимательнее, чем обычно. Несмотря на усиленное наблюдение, позаботьтесь, чтобы страх не мешал вам во время родов. Именно в таких случаях может помочь профессиональный ассистент, позаботившись о том, чтобы персонал не толпился вокруг вас «в ожидании, когда что-нибудь случится».

Получив полную информацию о вариантах родов при ягодичном предлежании плода и проконсультировавшись со специалистами, имеющими опыт ягодичных родов, вы вместе со своим врачом сделаете разумный выбор.

В самом начале беременности у меня было обострение вагинального герпеса, но теперь все прошло. Понадобится ли мне кесарево сечение?

Новорожденный может заразиться герпесом во время прохождения по инфицированным родовым путям, и поэтому в акушерстве считается разумным, чтобы все дети, у чьих матерей к моменту родов наблюдается активная стадия герпеса, появлялись на свет при помощи кесарева сечения. Герпес представляет собой угрозу для жизни новорожденного. Если у вас герпес, врач может в течение всей беременности ежемесячно или еженедельно брать анализ вагинальной культуры, чтобы следить за реакцией вашего организма на вызванный беременностью стресс (стресс может привести к обострению герпеса половых органов). Женщины, у которых раньше были вспышки герпеса, частично передают свой иммунитет новорожденному. Женщины, которые заболели герпесом во время беременности и у которых к моменту родов наблюдается активная стадия инфекции, подвергают своих детей серьезной опасности заражения. Если после начала родов врач не обнаружит нового обострения болезни, он может прийти к выводу, что безопаснее рожать естественным путем. В том случае если на протяжении всей беременности в вагинальной культуре присутствует вирус герпеса или если к началу родов у вас наблюдается обострение, кесарево сечение может стать неизбежным.

Мне предстоит плановое кесарево сечение. Я знаю, что в моем случае так будет лучше для ребенка, но меня все равно не покидает чувство разочарования. Я так хотела естественных родов. Кроме того, я боюсь операции.

Разочарование вполне естественно, когда вы понимаете, что роды будут не такими, о которых вы мечтали. Но ведь конечный результат не изменится — вы станете матерью! Ваша главная цель — это здоровый ребенок, даже если при этом вам понадобится медицинская помощь. Вы сами выносили этого ребенка. Сын или дочь — это ваше самое главное достижение в жизни, независимо от того, каким путем ребенок появился на свет.

Хорошо, что теперь женщинам доступна обширная информация о естественных родах, но это не значит, что роженица должна чувствовать себя неудачницей, если ей сделали кесарево сечение. Не забывайте, что еще сто лет назад кесарево сечение считалось очень опасным, и радуйтесь, что операция помогла сохранить здоровье ребенка. Очень хорошо, что вы знаете о предстоящей операции заранее и у вас есть время, чтобы привыкнуть к изменившимся планам и не испытывать разочарования, когда придет время рожать. Кроме того, у вас появляется время подумать, как сделать роды позитивным событием и для себя, и для ребенка. Чтобы извлечь максимум пользы из сложившейся ситуации, от вас потребуется зрелость и готовность отбросить собственные желания. Рождение ребенка в результате кесарева сечения — это не меньшее достижение, чем естественные роды.

В настоящее время кесарево сечение получило широкое распространение, и поэтому одно из занятий на курсах по подготовке к родам может быть полностью посвящено этой операции. По крайней мере, вы не попадете в операционную неподготовленной. Помните, что кесарево сечение — это в первую очередь роды и что вы в состоянии многое сделать, чтобы эта хирургическая операция стала радостным событием и для вас, и для вашего ребенка.

● Попросите врача сделать вам эпидуральную анестезию, чтобы вы оставались в полном сознании.

● Пусть муж сидит рядом с вами у изголовья операционного стола. Если он колеблется, напомните ему, что все манипуляции будут выполняться за стерильным экраном. Он не увидит ничего неприятного.

● Попросите врача высоко поднять ребенка сразу же после появления на свет, чтобы вы могли увидеть его. Это потрясающее зрелище — вашего новорожденного ребенка извлекают на свет после кесарева сечения.

● Попросите, чтобы ребенка — после того, как его извлекут и быстро осмотрят (проверят его температуру, дыхание и пульс) — тотчас передали вам, чтобы вы смогли обнять малыша. Вероятно, вам потребуется помощь, потому что вы, скорее всего, будете ощущать легкую слабость, а к одной руке у вас будет подключена капельница. Эти короткие минуты общения матери и отца с ребенком — идеальное время для фотографирования, и во многих случаях

анестезиолог или присутствующий при родах педиатр согласятся сделать для вас снимки на память.

● Пока хирурги зашивают вам матку, завершая операцию (это занимает около тридцати минут), ваш муж может сопровождать ребенка в детскую палату, чтобы тот не оставался среди чужих людей. Это дополнительное время общения отца и ребенка окажет огромное влияние на обоих.

● Чтобы ослабить боль после операции, попросите анестезиолога вводить вам анальгетик пролонгированного действия внутривенно. Такая самостоятельная анальгезия, получившая название «анальгезия под контролем пациента», позволит вам управлять внутривенным введением лекарства. При необходимости просто включите и выключите насос. Этот препарат безопасен для вашего грудного младенца.

● В большинстве случаев вам принесут ребенка через час или два после операции. Если в комнате присутствует ваш муж или медсестра, а ребенок здоров, то после кесарева сечения можно поместить ребенка в одну комнату с матерью. Самое лучшее обезболивающее средство после операции — это подержать на руках своего ребенка.

● Планируйте заранее, что вам в течение длительного времени понадобится помощь других людей, поскольку вам придется восстанавливаться после большой операции.

Восстановление после вскрытия брюшной полости и анестезии редко сопряжено с осложнениями. Не забывайте, что это роды. Вы испытаете такую же радость, когда впервые увидите своего ребенка и вам захочется приложить его к груди. Точно так же вам захочется часами не отрывать глаз от малыша, и вы будете радоваться, наблюдая, как он зевает, срыгивает и дрыгает ножками. Вы будете гордиться тем, что дали жизнь новому человеческому существу.

Когда я вошла в операционную, у меня возникло ощущение, что хирург уже точит свой нож. Не успела я снять туфли, как меня подключили к фетальному монитору и к капельнице, а присутствующий персонал начал смотреть на меня — или, по крайней мере, на мою матку — как на источник катастрофы, которая должна вот-вот разразиться. Последним ударом по моему самообладанию явилось появление лаборанта, который намеревался определить мою группу крови «на тот случай, если понадобится переливание» при экстренной операции. У меня появилось чувство, что, согласившись на естественные роды после предыдущего кесарева сечения, я делаю что-то неестественное и угрожающее здоровью ребенка. Это ощущение нисколько не помогало мне во время родов. Тем не менее я родила здорового малыша весом 5 килограммов. Он весил на один фунт больше, чем мой предыдущий ребенок, который появился на свет в результате кесарева сечения из-за «клинически узкого таза».

Большинству женщин в моей семье «пришлось» делать кесарево сечение, поскольку им сказали, что у них слишком узкий таз. Когда я была беременна первым ребенком, то в соответствии с семейной традицией мне сделали кесарево сечение. Теперь я основательно подготовилась. Я выбрала подходящего ассистента и подходящее место родов, и я была не пациенткой, а полноценным участником родов. Я родила здорового ребенка весом 4,5 килограмма. Я позволила своему телу рожать так, как было предусмотрено природой.

Кесарево сечение и естественные роды вызвали у меня абсолютно непохожие ощущения. После кесарева сечения я чувствовала себя побежденной. Мне казалось, что все меня предали. Меня сфотографировали сразу же после операции, и на снимках я выглядела как неживая. Кто-то даже сложил мне руки на груди! После естественных родов я ликовала. Я была в состоянии сказать лишь одно: «Я сделала это! Я сделала это!» Единственное полезное приобретение в результате кесарева сечения состоит в том, что я научилась брать на себя ответственность за свои роды. Это помогло мне повзрослеть.

Замечание доктора Линды: *В настоящее время на врачей и пациенток оказывается огромное давление, что-*

бы склонить их к естественным родам после предыдущего кесарева сечения. В целом это неплохо, и — на мой взгляд — такая ситуация способствует улучшению здоровья женщин. Тем не менее вы должны убедиться, что вы выбрали естественные роды после предыдущего кесарева сечения потому, что и вы, и врач уверены в их приемлемости, а не потому, что это обойдется дешевле. Я видела женщин с настоящим посттравматическим стресс-синдромом после тяжелых родов, закончившихся хирургическим вмешательством. Неправильно склонять таких женщин к естественным родам, не информируя их о возможных последствиях. Несмотря на то что у нас 80 процентов естественных родов после предыдущего кесарева сечения заканчивались успешно, остальные 20 процентов — это очень важная категория женщин. Из них 10 процентов после тщательных размышлений вместе со своими врачами пришли к выводу, что в данном случае лучше сделать повторное кесарево сечение. Остальные 10 процентов — это женщины, которым пришлось делать операцию несмотря на то, что они все делали правильно. Смертность (и вероятность осложнений) у пациенток, которым кесарево сечение делалось после начала родов, выше, чем при плановом кесаревом сечении. Этот факт игнорируется в литературе, посвященной естественным родам после предыдущего кесарева сечения, но я считаю, что он очень важен для тех

женщин, которые желают получить полную информацию. Поэтому основные вопросы, которые следует задать своему врачу, можно сформулировать следующим образом. Какой процент ваших пациенток сделали попытку рожать естественным образом после предыдущего кесарева сечения? Каков процент успеха таких родов? Если число таких попыток меньше 80 процентов, а вероятность успеха меньше 50 процентов и этому нет убедительного объяснения, в этом случае у вас может возникнуть желание найти более опытных и квалифицированных специалистов.

Главное для меня — родить здорового ребенка, и неважно, как он появится на свет. Я знаю, что кесарево сечение необходимо, и я не испытываю чувства вины и не считаю себя в меньшей степени женщиной. Восстановление после операции — это совсем не увеселительная прогулка, но зато я смогу получать большее удовольствие от секса, чем мои подруги, рожавшие естественным путем.

ОБЕЗБОЛИВАНИЕ ПРИ РОДАХ

Современные женщины имеют больший выбор средств обезболивания во время родов, чем когда-либо раньше. Роженица не только может использовать различные естественные методы снятия боли. Медикаментозные средства тоже стали более эффективными и безопасными. При таком разнообразии анальгетиков, как сегодня, будущая мать должна быть хорошо информированной. Лучше всего изучить вопросы естественного и медикаментозного обезболивания месяца за два до родов. Совсем неинтересно проходить ускоренный курс знакомства со средствами обезболивания после появления первых схваток. Разумеется, безопасное и эффективное обезболивание во время родов зависит от вашего сотрудничества с врачом. Однако умение использовать свой мозг и тело для того, чтобы повысить эффективность родовых схваток и снять боль, гораздо важнее знания, какой именно анальгетик или какой газ предложит вам врач. Ниже рассказывается о том, что вам необходимо знать и что вы должны делать, чтобы уменьшить дискомфорт во время родов.

Почему вы испытываете боль при родах

Чтобы протолкнуть ребенка размером с дыню через шейку матки, отверстие которой в начале родов не превышает зернышка фасоли, требуются серьезные усилия, а также хорошая эластичность. Мышцы не могут сокращаться, а ткани растягиваться без того, чтобы организм не знал об этом. Ваша матка должна хорошо потрудиться, чтобы справиться со своей работой во время родов.

В противовес широко распространенному мнению источником боли обычно является вовсе не сокращение мускулатуры матки. Болевые ощущения во время родов обусловлены в основном расширением шейки матки, влагалища и окружающих тканей во время прохождения ребенка по родовым путям. В процессе родов матка не выталкивает ребенка наружу. На самом деле происходит следующее: сокращения матки раздвигают и приподнимают мышцы шейки матки, открывая путь для головки ребенка. (Представьте себе, как растягивается свитер с воротником «хомут», когда вы просовываете через него голову.) Мышцы и связки в области таза снабжены прессорецепторами, а также нервными окончаниями, реагирующими на боль, и поэтому растяжение этих тканей вызывает острые ощущения, которые могут восприниматься как боль, особенно если окружающие их мышцы напряжены.

Подобно всем мышцам мышцы матки не болят, если их не заставляют выполнять работу, для которой они не предназначены. Болят уставшие, напряженные и растянутые мышцы, и поэтому вам нужно научиться помогать своей участвующей в родовой деятельности мускулатуре работать эффективнее. Когда мышца слишком устала, нарушаются ее внутренние химические и электрические процессы. Эти физиологические изменения становятся причиной боли.

Назначение боли

Почему роды бывают такими болезненными? Концепция «проклятия Евы» — болезненные роды являются наказанием для каждой женщины за то, что Ева съела яблоко с древа познания добра и зла — уже больше не воспринимается ни как библейская теология, ни как приемлемая постфеминистская философия. Теория о том, что боль во время родов — это обряд посвящения, который готовит женщину к нелегким обязанностям материнства, тоже не пользуется популярностью. Даже самые уважаемые специалисты в области акушерства и гинекологии не могут дать удовлетворительного научного объяснения, зачем нужна боль во время родов. Поэтому нам вновь приходится рассчитывать только на здравый смысл.

Неудивительно, что многие женщины во время предварительной записи в больнице просят сделать им эпидуральную анестезию. Кино и телевидение часто рисуют беременность как болезнь, которую нужно перетерпеть, а роды как кризисный момент в этой болезни, когда лежащую в постели женщину следует лечить при помощи лекарств. Специалисты в области родовспоможения, наоборот, стараются даже не произносить слова «боль», используя вместо него такой специальный термин, как «родовые схватки».

Может быть, боль выполняет полезную роль во время родов? Родив нескольких детей и понаблюдав за тысячами женщин, которые терпели (или не терпели) родовые схватки, мы сделали два вывода относительно роли болезненных ощущений в процессе родов.

1. Боль выполняет полезную функцию.

2. Непереносимую боль во время родов нельзя считать нормальной, необходимой или полезной.

Слишком сильная боль — это сигнал организма, что данная группа мышц работает не так, как предназначено природой, или что-то идет не так и требует повышенного внимания. Если вы совершаете марафонский пробег и чувствуете болезненную усталость, то воспринимаете это как сигнал, что вам нужно подкрепиться или выпить воды, что вам требуется сменить ритм дыхания или темп бега. Вы принимаете необходимые меры, чтобы восстановить силы и снять боль, продолжая двигаться к своей цели.

То же самое происходит при родах. Если роженица чувствует невыносимую боль в спине, она воспринимает это как сигнал менять положение тела, пока не наступит облегчение. То, что хорошо для матери, хорошо и для ребенка: изменяя позу, она позволяет ребенку перемещаться и находить более легкий — и менее болезненный — путь наружу. Правильно интерпретированная и разумно использованная боль — это ценный помощник во время родов. Прислушайтесь к ее сигналам. Вот почему в некоторых культурах боль во время родов считается «хорошей болью».

«Предназначенная для определенной цели боль» — это не судьбоносная теория «Нового века», придуманная мужчинами, несколькими мужественными женщинами или оторванным от реальной жизни ученым, который сам никогда не испытывал подобной боли. Ничего общего не имеет она с концепциями, призывающими к терпению; принцип «без боли не будет результата» ни к чему не ведет. (В него теперь не верят даже специалисты в области спортивной медицины.) Воспринимайте боль как средство связи в процессе родов: терпимая боль означает, что шейка матки справляется со своей работой, раскрываясь до такой степени, чтобы вы могли вытолкнуть через нее ребенка, а непереносимая боль указывает на то, что вам нужно внести изменения в свои действия.

Как вы чувствуете боль

Чтобы хорошо перенести боль при родах, вы должны понимать, как в организме вырабатывается ощущение боли и как воспринимает его мозг. Если вы проследите процесс обычной родовой схватки от растянутых тканей таза до вскрика «Ой!», вы поймете, что имеете возможность воздействовать на соотношение между тем, какой силы боль вырабатывают растянутые ткани и как она воспринимается мозгом.

С началом схватки ткани растягиваются, и происходит раздражение крошечных прессорецепторов в нервных волокнах, которые посылают короткие импульсы спинному мозгу. Если окружающие ткани напряжены, раздражаются также и болевые рецепторы. В спинном мозгу эти импульсы проходят через своего рода шлюз, который задерживает одни импульсы и пропускает другие, поступающие затем в головной мозг и воспринимаемые как боль. Таким образом, вы можете воздействовать на боль в трех зонах: там, где она возникает, в «шлюзе» спинного мозга и в головном мозге, где воспринимается боль. При выработке собственной методики обезболивания вам нужно задействовать разнообразные методы, которые позволяют управлять болью во всех этих трех зонах.

Другой способ понять путь передачи болевых ощущений — представить болевые импульсы в виде миниатюрных гоночных машин. Они стартуют с места раздражения в области таза и стремятся попасть на стоянку, то есть к микроскопическим болевым рецепторам, расположенным на нервных клетках спинного и головного мозга. Чем больше машин находится на стоянке, тем сильнее ваши ощущения. Вы имеете возможность воздействовать на активность этих автомобилей. Во-первых, вы можете ограничить количество стартующих машин. Для этого вам нужно упражняться в технике релаксации, чтобы уберечь свои мышцы от усталости и напряжения. Кроме того, вы можете использовать эффективные положения тела во время родов, при которых ваши мышцы выполняют ту работу, для которой они предназначены. Во-вторых, вы можете закрыть «шлюз» спинного мозга, не пропуская через него автомобили. Приятные осязательные ощущения, например при массаже, посылают положительные импульсы, которые способны блокировать передачу болевых ощущений по спинному мозгу. Кроме того, вы можете создать затор в «шлюзе», направляя в него слишком много конкурирующих друг с другом машин, например импульсы от музыки, от определенных мысленных образов или от противодавления. И последнее — вы можете так заполнить места парковки в головном мозге, что там просто не останется места для переносящих боль «авто-

мобилей». Именно такое воздействие оказывают медикаментозные средства обезболивания, блокируя зону восприятия боли. Того же эффекта вы можете добиться естественным путем, задействуя присутствующие в вашем организме собственные болеутоляющие вещества, называемые «эндорфинами».

Кроме того, для заполнения рецепторов головного мозга и блокировки восприятия боли может быть использована техника отвлечения. В этом случае вы стремитесь заполнить свой мозг посторонними образами, и сосредоточение на них ослабляет восприятие боли. Эти приемы хорошо выглядят на занятиях по подготовке к родам и даже работают, когда вы упражняетесь в их применении в собственной гостиной, но часто оказываются бесполезными, когда начинаются настоящие роды. Концентрация внимания на каком-либо образе требует огромной мыслительной дисциплины, достижение которой занимает не один год. Для большинства рожениц попытка отвлечься перерастает в психологическое напряжение, которое ставит ее на грань срыва. Наш опыт подсказывает, что ни мозг, ни тело роженицы не расслабляются, когда она пытается сконцентрироваться на чем-то постороннем, чтобы отвлечься от родов. Управление болью во время родов требует внимания как к мозгу, так и к мышцам.

Замечание Марты: Во время своих первых родов я пыталась применить технику отвлечения: фокусировала взгляд на одной точке, дышала в определенном темпе и отбивала ритм пальцами. Но когда боль стала такой сильной, что этот метод уже не помогал, я интуитивно начала делать то, что приносило мне облегчение: позволила своему телу взять руководство на себя и делать ту работу, для которой оно создано. Научившись подчиняться своему телу во время родов, вместо того чтобы управлять им, я расслабилась — как психологически, так и физически.

Разработка собственной системы обезболивания

Все люди по-разному воспринимают боль: для одного это «чувствительно», а для другого «больно». По этой причине каждая женщина, входящая в родильную палату, должна иметь на вооружении собственную систему обезболивания, а также запасной вариант действий. Ответственность за обезболивание при родах лежит, в первую очередь, на самой роженице. Помогающие при родах ассистенты выполняют лишь функции консультантов. Несмотря на то что никакие прочитанные книги и никакая предварительная тренировка не могут полностью подготовить вас к тому, что вы будете ощущать в процессе родов, мы готовы поспорить, что, чем лучше вы информированы и подготовлены, тем меньше вы будете бояться и тем менее болезненными будут роды. Показывая, как разработать подходящую именно вам систему обезболивания, мы сосредоточимся на способах снижения как выработки болевых ощущений, так и их восприятия.

Забудьте о своих страхах. Боль и страх связаны между собой. Эффективность мощной мускулатуры матки зависит от согласованной работы вашей гормональной системы, нервной системы и системы кровообращения. Страх нарушает работу всех этих трех систем. Страх и беспокойство заставляют ваш организм вырабатывать гормоны стресса, которые противодействуют полезным гормонам, предназначенным для того, чтобы ускорить родовую деятельность и ослабить дискомфорт. Это приводит к усилению боли и затягиванию родов. Страх также вызывает физиологические реакции, которые сокращают приток крови и поступление кислорода к матке. Лишенные достаточного количества кислорода мышцы быстро устают, а в уставших, мышцах возникает боль. Напряженные мышцы не только болят — им труднее действовать согласованно, чтобы в достаточной степени раскрыть шейку матки и протолкнуть через нее ребенка. В норме мускулатура верхнего сегмента матки сокращается, выталкивая ребенка, а мышцы нижнего сегмента расслабляются и раздвигаются. Такие согласованные движения позволяют шейке матки раскрыться, в результате чего головка ребенка получает возможность пройти через нее. Страх воздействует непосредственно на мышцы нижнего сегмента, заставляя их сокращаться, вместо того чтобы расслабиться. В результате сильные мышцы верхнего сегмента матки сдавливают напряженные мышцы нижнего сегмента и шейки матки, усиливая боль и замедляя родовую деятельность.

Избавьтесь от своих страхов до начала родов. Определенные страхи во время родов являются абсолютно нормальными, и в их основе лежит тревога перед встречей с болью. Тем не менее неразвеянные страхи могут оказать негативное воздействие на процесс родов. Несмотря на то что роды без страха встречаются так же редко, как и безболезненные, вы должны предпринять попытку избавиться от своих страхов до начала родов. Вот как это можно сделать.

● *Конкретизируйте свои страхи.* Чего вы особенно боитесь во время родов? Боитесь ли вы, к примеру, боли, имея негативный опыт прошлого? Или вы боитесь кесарева сечения и эпизиотомии? Может быть, вы боитесь утратить контроль в самый разгар родов? Возможно, вы боитесь возникновения проблем у ребенка? Составьте список всех своих страхов и напротив каждого

пункта напишите, что вы можете предпринять, чтобы эти опасения не сбылись. Кроме того, вы должны понять, что не все находится в вашей власти, и принять решение не волноваться по поводу того, что вы не можете изменить.

● *Обеспечьте свою информированность.* Чем больше вы знаете, тем меньше будете бояться. Не бывает одинаковых родов, и даже у одной женщины все роды проходят по-разному, однако все они протекают по определенной схеме. Между первыми сокращениями матки и выталкиванием плода всегда присутствуют определенные ощущения («схватки»). Если вы понимаете, что происходит, и почему, и что вы можете при этом чувствовать, никакая боль не застанет вас врасплох. Понимание, чего им следует ждать — и когда это закончится, — помогает большинству рожениц почувствовать уверенность, что они способны выдержать роды. Хорошие курсы по подготовке к родам помогут вам понять, что происходит и почему. Но ни на каких курсах вам не расскажут, что будете чувствовать именно вы, потому что это зависит от вашего конкретного состояния и вашей способности помогать родовой деятельности. Интенсивность испытываемых ощущений часто застает женщину врасплох. Некоторым это не нравится, и они начинают сопротивляться схваткам, позволяя страху взять над ними верх.

● *Пригласите профессионального ассистента.* Опытная женщина, которая рожала сама и которая сделала своей профессией изучение нормальных ощущений при родах и способов управлять ими, окажет вам неоценимую помощь во время родов. Этот профессиональный ассистент поможет вам интерпретировать свои ощущения, даст рекомендации по ослаблению боли, а также поможет понять принимаемые медицинским персоналом решения и принять участие в их выработке.

● *Окружите себя бесстрашными помощниками.* Постарайтесь уменьшить количество ненужного страха в родильной палате. Вероятно, к этому времени вы уже знаете, кто из членов семьи и подруг воспринимает роды как «ужастик», а кто нет. Страх заразен. Ни в коем случае не позволяйте никому из этих пугливых помощников присутствовать при родах. Не стоит думать, что это самое подходящее время, чтобы что-то доказать своей матери. Если она боится родов, лучше пусть посмотрит видеозапись после того, как все закончится, вместо того, чтобы присутствовать в родильной палате и заражать вас своими страхами.

● *Избегайте вызывающих страх воспоминаний.* Не приносите в родильную палату багаж из прошлых страхов. Роды обычно будят неприятные воспоминания о предыдущих тяжелых родах или даже об изнаси-

ловании. В разгар самых сильных схваток вы можете автоматически напрягаться, реагируя на воспоминания о событиях далекого прошлого. Избавьтесь от эмоциональных последствий травматических событий прошлого до наступления родов. При необходимости обратитесь за помощью к психологу.

Замечание доктора Билла: Многие мужчины, включая будущих отцов, испытывают страх перед родами. Они не понимают, что такое родовые схватки, им очень трудно видеть, как жена страдает, а они не в состоянии ей помочь. Даже самый чуткий и бесстрашный мужчина может испугаться в разгар самых сильных схваток или при внезапном изменении ситуации. Полезно сделать мужу «прививку» против страха, чтобы он не мог заразить вас. Подготовьте супруга к тому, что он увидит и услышит во время родов. Расскажите ему, что может произойти, если процесс пойдет не так, как планировалось. И постарайтесь не показать собственного страха. Если он почувствует, что вы не боитесь, то вряд ли испугается сам. Спокойный и уверенный в себе ассистент предоставит мужу необходимый отдых, а также поможет ему сосредоточиться на своих обязанностях, которые заключаются в том, чтобы поддерживать вас и переживать вместе с вами, а не защищать вас от этого совершенно естественного процесса.

Возьмите на себя ответственность за принимаемые решения

Хотя безболезненные роды встречаются реже, чем спящий всю ночь новорожденный, вы в значительной степени способны контролировать боль — в том случае, если вы готовы к этому. Проверьте присутствие перечисленных ниже факторов, которые влияют на то, насколько болезненными будут роды.

▢ Не ошиблись ли вы в выборе врача или акушерки? Принимает ли он активное участие в процессе вашего обучения и помогает ли он вам довериться своему телу во время родов? Оставляет ли у вас каждая беседа с ним ощущение, что ваши роды пройдут нормально? Или этот человек создает атмосферу страха вокруг родов, забивая вам голову возможными неприятностями и осложнениями?

▢ Понимаете ли вы сам процесс родов? Знаете ли вы, что происходит во время сокращений матки и для чего предназначены эти «схватки»? Понимаете ли вы, каким образом вертикальное положение тела во время родов или смена положения может повлиять на ваши ощущения?

▢ Вооружены ли вы различными приемами релаксации?

▢ Пригласили ли вы профессионального ассистента, особенно в том случае, когда существует вероятность, что после начала родов вам не удастся связаться с врачом или акушеркой, на которых вы рассчитываете?

▢ Уверены ли вы, что все приглашенные присутствовать при родах (подруги, родственники и муж) собираются поддерживать вас и не будут своим страхом подрывать вашу веру в себя?

▢ Понимаете ли вы, какие технологии (например, электронный мониторинг плода) будут использоваться во время родов? Уверены ли вы, что у вас достаточно знаний, чтобы принимать участие в выработке решений относительно использования этих технологий во время родов?

▢ Знаете ли вы о различных методах медикаментозного обезболивания, таких, как наркотики и эпидуральная анестезия? Понимаете ли вы их достоинства и недостатки?

▢ Осознаете ли вы, насколько важно расслабиться и позволить своему телу играть ведущую роль во время родов? Твердо ли вы решили принимать то положение, которое больше всего вам подходит, вместо того чтобы напрягаться, противодействуя родовой деятельности, или становиться пассивным пациентом, проводя большую часть времени в горизонтальном положении?

Вы должны входить в родильную палату после того, как получили исчерпывающие ответы на все эти вопросы. Если у женщины есть собственные ответы на эти вопросы, то она, скорее всего, будет удовлетворена своими родами.

Учитесь расслаблять участвующие в родовой деятельности мышцы

«Расслаблять? Вы шутите? Во время схваток у меня такое ощущение, что по моему животу проезжает огромный грузовик!» Так заявила акушерке во время родов одна наша знакомая. «Расслабиться» — это не бессмысленное слово, которое беспомощные наблюдатели бросают женщине, выполняющей самую трудную работу в своей жизни. Именно это она должна сделать, чтобы помочь родовой деятельности. Расслабившись, она поможет матке делать свое дело, вместо того чтобы противодействовать ей. Именно способность расслабиться определяет грань, отделяющую приятные воспоминания о родах, которые вы будете бережно хранить всю оставшуюся жизнь, от «ужасной истории», которую вы постараетесь побыстрее забыть.

Зачем нужно расслабляться? Если вы расслабите все ваши мышцы, а сокращаться будет только матка, этим вы уменьшите дискомфорт и ускорите процесс родов. Если у вас напряжены мышцы какой-либо части тела, особенно лица или шеи, это напряжение передается мышцам таза, которые должны быть расслаблены во время схваток. Боль в напряженных мышцах ощущается сильнее, чем в расслабленных, и они быстрее устают. Химические изменения в усталых и напряженных мышцах понижают болевой порог, и вы испытываете более сильную боль, чем при работе не испытывающей сопротивления мышцы. Когда напряженные мышцы оказывают сопротивление непрерывным непроизвольным сокращениям матки, результатом этого сопротивления становится боль. Усталость мышц быстро приводит к психологической усталости, понижая вашу способность преодолевать боль. Вы теряете способность оценивать возможные варианты и вносить изменения в свои действия, которые уменьшили бы ваши страдания.

Марафонский пробег — это тяжелая и продолжительная работа. Роды занимают еще больше времени, но тяжелая работа здесь выполняется кратковременными вспышками, чередуясь с периодами отдыха — как заряд и разряд. Как только схватка закончится, вы должны полностью отвлечься от нее, чтобы получить возможность хорошо отдохнуть. Если вы не расслабляетесь между схватками, вы теряете способность восстанавливать силы и эффективно действовать во время следующей схватки. С течением времени схватки становятся более интенсивными и отнимают все больше сил. Поэтому так важно расслабляться, чтобы сохранить силы для того, что ждет вас впереди — для активной фазы родов и стадии выталкивания, когда потребуется огромное напряжение сил, чтобы справиться с самой тяжелой работой, которую вам когда-либо приходилось делать.

Релаксация также позволяет поддерживать необходимый баланс гормонов. Как мы уже отмечали выше, эффективности родов способствуют два вида гормонов. Гормоны адреналиновой группы (их также называют «гормонами стресса») придают вашему телу дополнительную энергию, которая нужна в ситуациях, требующих огромных усилий, например, при родах. Действие этих гормонов часто описывают как «сражайся или беги», и они служат для защиты организма. Гормон эпинефрин представляет собой естественный наркотик, вырабатываемый самим организмом, и он действует как обезболивающее средство. Во время родов вашему организму требуется достаточное количество этих гормонов, чтобы справиться с тяжелой работой — но не слишком много, чтобы вы сохраняли спокойствие, а ваши мышцы и мозг могли действовать эффективно. Гормоны стресса могут даже стать причиной оттока крови от выполняющей тяжелую работу матки к таким жизненно важным органам, как мозг, сердце и почки.

Другая группа гормонов, которая помогает вам во время родов, это естественные обезболивающие, известные под названием «эндорфины». (Это слово образовано из двух частей: *эндо*генный, что значит «производимый внутри организма», и *мор*фин, химическое соединение, снимающее боль.) Это вырабатываемые вашим организмом наркотики, которые помогают расслабиться во время стресса или снять боль. Эти физиологические помощники при родах вырабатываются в нервных клетках. Они прикрепляются к местам расположения болевых рецепторов в нервных клетках, приглушая восприятие боли. Энергичные физические упражнения повышают уровень выработки эндорфинов, и во время такой интенсивной нагрузки, как роды, они автоматически выбрасываются в кровь — если вы не делаете ничего, чтобы заблокировать их. Скованность мышц блокирует выработку эндорфинов. Уровень этих гормонов максимален во время второй стадии родов, когда схватки наиболее интенсивны. Подобно искусственным наркотикам, эндорфины по-разному действуют на разных женщин, и это может служить объяснением тому факту, что одни роженицы испытывают более сильную боль, чем другие. Эндорфины лучше искусственных наркотиков. Вместо периодических вспышек и последующих периодов неприятных ощущений, которые дают наркотики, эндорфины обеспечивают постоянное обезболивание во время родов и чувство эйфории, которое роженицы называют «естественным опьянением». Расслабление позволит этим природным болеутоляющим оказать свое действие. Страх и тревога могут повысить уровень гормонов стресса и противодействовать обезболивающему действию эндорфинов. Если ваша душа спокойна, тело испытывает не такую сильную боль.

Эндорфины также помогают вам перейти от родов к материнству. Их уровень достигает максимума сразу после родов и возвращается к предродовому состоянию только через две недели. Эндорфины стимулируют секрецию пролактина, успокаивающего «материнского» гормона, который регулирует выработку молока и психологически настраивает вас на радость материнства. Кроме того, эндорфины помогают вам сохранять спокойствие во время беременности. Исследования показали, что уровень эндорфинов повышается, когда вы смеетесь. Возможно, права пословица: «Веселый нрав — залог здорового тела и сильного духа».

Если во время родов ваш разум и тело работают так, как предназначено природой, то в вашем организме поддерживается баланс гормонов стресса и снимающих боль эндорфинов. Страх и усталость нарушают равновесие в пользу гормонов стресса, в результате чего боль усиливается, а роды замедляются. Расслабившись во время родов, вы удивитесь, насколько силен контроль мозга над телом. Вы почувствуете облегчение, и ребенок родится быстрее.

Как расслабляться. Одним из критериев при выборе курсов по подготовке к родам должно быть время, отводимое на то, чтобы научить вас понимать, какая степень расслабления необходима при родах. На самом деле ваша способность расслабляться управляется подсознанием. Чтение книг и прослушивание лекций не поможет вам расслабиться. Как можно больше времени вы должны посвятить практическим занятиям по релаксации. При необходимости обратитесь за дополнительной помощью. Возможно, индивидуальные консультации и занятия помогут вам преодолеть «барьер релаксации». Ниже приведены некоторые методы релаксации, которые и Марта, и консультируемые нами женщины считают наиболее действенными при родах.

 • *Расслабиться и не сопротивляться.* Принцип «расслабиться и не сопротивляться» служит основой всех рассмотренных далее упражнений: расслабиться *между* схватками и не сопротивляться *во время* схваток. Эти два слова нужно помнить на протяжении всех родов.

Подготовьте себя к расслабляющим мыслям, которые помогут вам следовать за естественными действиями своего тела. Почувствовав начало схватки, нужно не напрягать мышцы, готовясь к тому, что должно произойти, а сделать глубокий вдох, расслабиться и не сопротивляться. Упражнения, использующие этот принцип, подготовят вас к тому, что вы будете говорить себе:

«Начинается схватка — не нужно сопротивляться», вместо «О, боже, еще одна схватка!».

Потренируйтесь расслабляться вместе с партнером. Устройтесь поудобнее. Принесите кучу подушек и научите главного специалиста по их размещению (вашего партнера), куда их нужно класть. Выполняйте эти упражнения в различных положениях: стоя, опираясь на партнера, стенку или мебель, а также сидя, лежа на боку и даже стоя на четвереньках.

УПРАЖНЕНИЕ 1. Проверьте, не напряжены ли какие-либо мышцы вашего тела. Легче всего заметить нахмуренные брови, стиснутые кулаки и сжатые губы. Затем потренируйтесь последовательно расслаблять все группы мышц — от макушки до пальцев ног. Напрягайте, а затем расслабляйте каждую группу мышц, чтобы почувствовать разницу между двумя этими состояниями. Когда партнер подает вам сигнал «схватка», думайте: «Расслабиться и не сопротивляться». Прочувствуйте, как расслабляются напряженные мышцы.

УПРАЖНЕНИЕ 2. В последний месяц беременности чаще практикуйтесь в расслабляющих прикосновениях. Такие прикосновения подготавливают вас к тому, что за напряжением следует не боль, а удовольствие. Определите, какие прикосновения и какой тип массажа расслабляют вас лучше всего. Расслабьте мышцы всего тела, как описано выше. Напрягите каждую группу мышц, а затем попросите партнера ласково прикоснуться к этой зоне, одновременно расслабляя мышцы. Таким образом, отпадает необходимость в вербальной команде «расслабиться», которая со временем вызывает раздражение. Другая цель этого упражнения — научиться расслаблять напряженные мышцы от одного прикосновения партнера к больному месту. Тренировка: «У меня болит там-то и там-то — сильно надави на это место (погладь, прикоснись)».

● *Музыка для родов.* Музыка может оказать существенную помощь в релаксации. Тщательно выбирайте мелодии, которые вам нравятся и которые помогают вам расслабиться. Проигрывайте эту музыку во время домашних тренировок, чтобы у вас выработался рефлекс и вы во время родов автоматически расслаблялись при звуках знакомой мелодии.

● *Мысленные образы.* Ясное сознание, заполненное успокаивающими образами, помогает телу расслабиться во время родов — по крайней мере, между схватками. Кроме того, это усиливает выработку ускоряющих роды эндорфинов. Спортивные психологи используют мысленные образы для тренировки спортсменов.

Определите заранее, какие мысли и образы наилучшим образом способствуют вашему расслаблению, и несколько раз в день — особенно на последнем месяце беременности — тренируйтесь сосредоточиваться на них. Таким образом, к моменту родов вы соберете мысленную библиотеку коротких образов, на которые можно будет переключаться между схватками. Большинству рожениц помогают следующие образы: морской прибой, водопад, извилистый ручеек, прогулка по пляжу с мужем. Кроме того, вы можете подготовить несколько «картинок» с приятными воспоминаниями: знакомство с мужем, памятная дата, занятия любовью, отпуск.

Представляйте себе, что происходит во время родов. Когда начинаются схватки, рисуйте мысленную картину, как матка «обхватывает» ребенка и пытается натянуть себя на его маленькую головку. Во время стадии раскрытия представляйте, что шейка матки становится тоньше, а после каждой схватки отверстие расширяется еще больше. Некоторые роженицы успешно используют визуализацию и на следующей стадии родов, представляя себе, как их влагалище раскрывается, словно цветок.

Нужно переключиться с боли на приятные ощущения. Попробуйте применить прием под названием «упаковать боль». Представьте себе боль в виде куска модельной глины, который нужно взять, скатать в маленький шарик, завернуть в бумагу и поместить в воздушный шар, кото-

рый отрывается от вашего тела и уплывает в небо. Точно так же нужно поступать и с неприятными мыслями: упаковывайте их, а затем представляйте себе, как они уплывают прочь. Это упражнение особенно полезно в сочетании с очищающим дыханием во время схватки: сделайте глубокий вдох, а затем выдохните воздух вместе с болью.

Во время особенно сильных схваток, а также между ними сосредоточивайтесь на ждущей вас впереди награде, а не на боли, которую нужно вытерпеть. Представьте себе, что вы наклоняетесь, чтобы помочь ассистенту принять ребенка и положить его к вам на живот, что вы даете ребенку грудь.

Мысленные образы не относятся к приемам управления телом посредством сознания — в этом случае сознание просто помогает телу действовать эффективнее. Убедитесь, что мысленные образы — это инструмент релаксации, а не отвлекающий маневр.

Если вы убеждены, что сможете переместить свое сознание на другую планету и отвлечься от того, что происходит с вашим телом, в этом случае вас ждет большой сюрприз: схватки могут быть настолько сильными, что попытки мысленного бегства не дадут никаких результатов. Гораздо реалистичнее надеяться на то, что во время родов сознание будет помогать процессу родов, а не прятаться от него.

Боль во время родов

Однажды после выступления на собрании Международной ассоциации подготовки к родам нам представилась возможность побеседовать на тему боли при родах с опытными матерями, которые одновременно являлись инструкторами по подготовке к родам. Мы поняли, что они совсем по-другому относятся к боли, чем напуганные страшными рассказами подруг женщины с первой беременностью. Во время первых родов женщина запрограммирована на то, что боль, которую ей придется терпеть, сильнее любой боли, которую ей когда-либо приходилось испытывать. Она не знает, на что будет похожа эта боль, но знает, что это будет ужасно. Опытный инструктор по подготовке к родам — и особенно если эта женщина сама несколько раз рожала — воспринимает боль при родах совсем иначе. Нельзя сказать, что эта боль сильнее любой другой — просто она иная. Понимание этих отличий делает роды опытной женщины менее болезненными, чем у рожающей впервые.

Вспомните на мгновение самую сильную боль, которую вы испытывали в жизни, например зубную. Она застала вас врасплох и продолжалась несколько дней. Она сразу же стала сильной, и никакие средства не помогали. Она не проходила. Вы были готовы все отдать за несколько минут передышки. Боль при родах совсем другая:

● Вы знаете, что должно произойти, но просто не представляете, что будете при этом испытывать.

● Боль не является непрерывной. Между схватками есть благословенные паузы, которые могут быть длиннее самих схваток — по крайней мере, на начальной стадии. За паузой следует схватка, длящаяся от шестидесяти до девяноста секунд.

● Боль предсказуема. Вы знаете, что через минуту-другую будет следующая схватка.

● Через некоторое время вы уже знаете, какими будут ваши ощущения при следующей схватке. Возможно, схватка будет немного сильнее или слабее предыдущей, но в целом похожей.

● Родовые схватки усиливаются постепенно, подавая вам сигнал, чтобы вы приготовились к награде — рождению ребенка.

Вы знаете, что все это должно закончиться.

● Когда все закончится, вас ждет самая ценная награда в мире.

Когда вы рассматриваете боль при родах в широком аспекте, вам становится ясно, что мать-природа сделала так, что родовые схватки можно вытерпеть. В противном случае разве женщины стали бы рожать детей?

Я обнаружила, что лучше всего полностью исключить слово «боль» из своих мыслей. Когда у меня начались схватки, то вместо того, чтобы ждать боли, я представляла себе, что получу удовольствие.

Я представляла себе мой любимый десерт, и это помогало мне расслабиться.

Роды в воде

Часто случается так, что лучше всего помогают простые средства — как в обычной жизни, так и при родах. Одно из самых эффективных обезболивающих средств при родах оказалось и самым дешевым. Кроме того, у него нет никаких побочных эффектов. Что же это за чудо? Это вода — но не для питья, а для плавания.

Замечание Марты: Лично я испытала преимущество родов в воде, когда рожала нашего седьмого ребенка, Стивена. Через четыре часа после начала схваток я почувствовала сильную боль в нижней части живота. Это был сигнал, что что-то в моем организме требует внимания. Если бы у меня болела спина, то ослабить боль помогла бы поза «на четвереньках». Я все равно попробовала принять это положение, но боль только усилилась. Тогда я залезла в ванну с теплой водой и почувствовала, как все тело расслабляется. Я попробовала принять различное положение в воде, пока не нашла позу, при которой я от плеч и ниже была погружена в воду, а туловище и таз оставались полностью расслабленными. В этот момент боль буквально испарилась — лучше, чем от димедрола! Выталкивающая сила сделала для меня то, чего я не смогла добиться сама.

Ощущение полной расслабленности, сопровождавшееся чувством облегчения, было просто удивительным. Я оставалась в воде около часа, пока не началась фаза выталкивания. Затем я вышла из ванны и родила Стивена в кровати, в положении лежа на боку. После рождения ребенка мы обнаружили причину такой сильной боли: одна ручка ребенка вытянулась вдоль его головы, и поэтому через шейку матки одновременно проходили две части тела. Моему телу требовалось полностью расслабиться, чтобы мышцы смогли растянуться и дать дорогу*

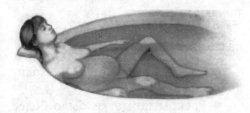

Роды в воде

большей, чем обычно, предлежащей части плода. Жаль, что мне потребовалось семь родов, чтобы понять чудесное действие воды.

Почему помогает вода? Помните физику, которую вы изучали в старших классах школы? На погруженное в воду тело действует выталкивающая сила, равная весу этого тела. Чтобы лучше понять закон Архимеда, представьте себе это так: вода приподнимает роженицу. Плавание в воде похоже на состояние невесомости. Уменьшение веса и напряжения мышц уменьшает боль и бережет силы для тех органов, которым они нужны — для выполняющей тяжелую работу матки.

Вода успокаивает. Мышцы, вес которых уменьшается, медленнее устают и меньше болят. Кроме того, противодавление воды может снять мышечную боль, и особенно при родах на спине. Вспомните о том, как можно уменьшить боль, загрузив нервную систему приятными ощущениями и не оставляя места для неприятных. Пребывание в воде сходно с непрерывным массажем тела, стимулирующим осязательные рецепторы кожи. Потребуется тысяча ласковых пальцев, чтобы прикоснуться к такому количеству рецепторов кожи, на которые воздействует вода, когда вы лежите в приятной теплой ванне.

Вода расслабляет. При погружении тела в теплую воду вы расслабляетесь как физически, так и психологически. Снижается уровень гормонов стресса, и повышается уровень вырабатываемых самим организмом расслабляющих и снимающих боль гормонов.

Вода помогает не сопротивляться. Смена положений и подчинение естественному процессу родов — это наиболее важные средства обезболивания и ускорения родов, которые доступны самой роженице. Пребывание в воде облегчает процесс родов и делает его более естественным. Многие женщины, рожавшие на твердой земле, говорили, что чувствовали себя прикованными к одному месту, боясь пошевелиться и тем самым усилить боль. Поддерживаемая водой женщина может свободно плавать, пока не найдет наиболее удобное для себя положение. Пребывание в воде также очищает ее сознание, и она получает возможность избавиться от психологического напряжения и следовать своим инстинктам. Во время следующего посещения бассейна проверьте, так ли это.

Роды в воде дают следующие обнадеживающие результаты:

● Роды у этих женщин проходили быстрее.

● Раскрытие матки было более эффективным — 2,5 сантиметра в

час против 1,25 сантиметра в час у рожениц, которые не использовали преимущества воды при родах.

● Скорость опускания плода была в два раза выше.

● Женщины испытывали не такую сильную боль.

● Процент кесаревых сечений оказался в три раза ниже, чем при традиционных родах в больнице.

● У рожениц, отнесенных к группе повышенного риска из-за высокого кровяного давления, через несколько минут пребывания в воде давление существенно снижалось.

Меньше боли — лучше результаты.

Использование воды при родах. В палатах для рожениц некоторых больниц и родильных домов установлены ванны «джакузи». Если в выбранной вами больнице такой ванны нет, попросите установить ее. Это лишь еще один способ, при помощи которого женщина может повлиять на то, как будут проходить у нее роды. Можно взять ванну напрокат: информация о такой возможности есть у акушерок или занимающихся родовспоможением организаций. (Разумеется, вы должны убедить своего врача и больничный персонал выполнить ваше пожелание.) Ванна должна быть достаточно большой, чтобы в вашей душе пробудилась русалка — не меньше пяти с половиной футов в ширину. Дискомфорт во время родов снимает не только само пребывание в воде; еще больше пользы приносит свобода движений. Вот несколько советов по использованию воды во время родов.

● Вода в ванне должна иметь температуру вашего тела.

● Постарайтесь лечь на спину, на бок, стать на колени или на четвереньки, чтобы вода покрывала матку и доходила по крайней мере до уровня сосков.

● Ложитесь в ванну с водой тогда, когда интенсивность схваток подскажет вам, что телу требуется некоторый отдых. Для большинства женщин лучше всего погружаться в воду, когда раскрытие матки будет составлять от 5 до 8 сантиметров, и активная фаза родов будет в самом разгаре. Кроме того, вы можете обнаружить, что успокаивающее воздействие воды максимально во время прохождения ребенка по родовым путям — наиболее интенсивной фазы родов. Свобода движений матери помогает ребенку найти путь наименьшего сопротивления (и наименьшей боли). Пребывание в ванне также способно ускорить затянувшиеся роды. Водный массаж сосков может усилить выработку гормонов, стимулирующих схватки. Кроме того, вода является эффективным средством облегчения стремительных и тяжелых родов, когда сильные схватки следуют одна за другой, лишая вас сил.

● Если роды приостанавливаются, когда вы расслабленно плаваете в ванне с водой, вылезайте из ванны, походите немного или присядьте на корточки, пока не возобновятся схватки. Затем снова возвращайтесь в свой «бассейн».

● Входить в воду и выходить из нее нужно между схватками. Воспользуйтесь чьей-либо помощью, чтобы не поскользнуться.

● Как только вы почувствуете желание тужиться, выходите из воды. (Дети рождаются в воду в тех случаях, когда все происходит очень быстро и женщина не успевает выйти из ванной или когда она чувствует себя настолько комфортно, что не в состоянии заставить себя покинуть воду. Такие новорожденные чувствуют себя превосходно, поскольку их тут же вынимают из воды и передают на руки матери. Ребенок просто попадает из воды в воду и не делает вдоха, пока его лицо не соприкоснется с воздухом.)

При отсутствии противопоказаний рожать в воде безопасно даже в том случае, когда уже произошел разрыв плодных оболочек. Обычно это происходит тогда, когда схватки становятся сильнее и вам действительно необходимо приносимое водой облегчение. Родильные дома, имеющие опыт родов в воде, не сообщают о повышенной вероятности развития инфекции у женщин, у которых произошел разрыв плодных оболочек, если они принимают активное участие в родах и соблюдают правила гигиены.

Обычно не требуется выходить из воды для проведения стандартных процедур. Если вам необходимы внутривенные вливания, то можно использовать гепариновый замок на венах одной руки, обернув эту руку водонепроницаемым пластиковым мешком, закрепленным резиновой лентой. Если потребуется периодический мониторинг плода, для него можно использовать ту часть живота, которую легко приподнять над водой. Если датчик фетального монитора не предназначен для использования в воде, поместите его в пластиковый мешок.

Если в больнице нет ванны для родов и вам не удалось взять ее напрокат, попробуйте использовать обычную ванну или даже душ. Приятные ощущения создают не только прикосновение струй воды к коже, но и звуки барабанящих по ванне капель.

Не рассчитывайте, что вся боль при родах буквально растворится в воде. Однако наш собственный опыт и опыт других женщин свидетельствует о том, что вода — это один из самых эффективных и доступных инструментов облегчения родов.

Нужные прикосновения

Успокаивающий массаж, ласковые прикосновения, страстный поцелуй и даже простое растирание ступней — все это может принести долгожданное облегчение роженице. В основе действенности прикосновений для снятия боли лежит теория управления болью. Поглаживая насыщенную осязательными рецепторами кожу и надавливая на расположенные под кожей прессорецепторы, вы бомбардируете мозг приятными ощущениями, вытесняя боль.

До начала родов вы не можете точно сказать мужу, в каком именно месте или как нужно потереть или нажать. Однако, если на протяжении двух последних месяцев беременности вы тренируетесь при помощи поглаживаний снимать боль в спине или расслабляться во время сокращений Брэкстон-Хикса, это подготовит вас обоих к родам, когда правильное прикосновение может оказаться очень важным. Объясните своему мужу, что интенсивная дородовая практика укрепит мышцы его руки, чтобы они не уставали в знаменательный для вас обоих день.

Применяя очищенное растительное масло или специальный крем для массажа, попробуйте различные типы массажа на разных участках тела. Энергичное поглаживание кончиками пальцев обычно применяют для лица и кожи головы. Глубокое нажатие и разминание хороши для крупных мышц плеча, бедер, ягодиц и ног. Для снятия боли в мышцах нижней части спины попробуйте применить противодавление основанием ладони.

Последние два месяца беременности дают возможность не только определить наиболее эффективные приемы массажа, но и выяснить, какие движения вам не подходят. Например, поглаживание кожи в направлении роста волос может вызывать приятные ощущения, тогда как поглаживание в обратном направлении раздражает. Помогите супругу понять, какая интенсивность и какой ритм массажа доставляют вам особое удовольствие. Делая массаж ему, покажите, что именно вам нравится, чтобы он прочувствовал эти движения на себе.

Мои первые роды были медленными, и расслабиться мне помогал массаж ступней. Вторые роды оказались стремительными и бурными, и мой муж быстро и энергично массировал мне все ноги, сверху донизу. Инстинктивно мы чувствовали, что только интенсивное воздействие способно ослабить эту ужасную боль.

Совет массажисту: не переносите критику своих действий на себя лично. Ваша супруга очень ранима на последних месяцах беременности и раздражительна во время родов. Ласковые прикосновения, которые ей так нравились, во время родов могут вызвать резкую реакцию: «Прекрати!» или «Не прикасайся ко мне!». Это значит, вы наткнулись на чувствительные точки, массаж которых не расслабляет, а раздражает ее. Во время занятий по подготовке к родам вы могли упражняться с такими массажными инструментами, как теннисный мяч или валик для краски, но вы должны быть готовы и к импровизации. На разных стадиях родов попробуйте различные типы прикосновений в различных местах. Проявите терпение и готовность быстро перестроиться, если супруге неприятны ваши действия. Она постарается сообщить вам о своих желаниях, но будет слишком занята, чтобы тратить силы на вежливость. Но вы можете быть совершенно уверены, что она чрезвычайно ценит ваши усилия.

Во время родов меня очень раздражало, когда муж пытался зачесать мне волосы не так, как я привыкла. Мне нравилось, как он гладит мой живот, когда мы лежали рядом и разговаривали с ребенком, но во время родов я не могла позволить, чтобы кто-то прикоснулся к моему животу.

Правильное дыхание во время родов

Дыхание относится к бессознательным движениям, и поэтому вы можете удивиться, зачем обучаться ему на курсах по подготовке к родам. Возможно, вы никогда не задумывались, каким образом правильное дыхание поможет расслабить ваше тело и снять боль. Тем не менее правильно дышать во время родов очень важно. У каждого физического упражнения есть оптимальный дыхательный ритм. Особенно справедливо это для родов.

Забудьте старые учебные видеофильмы, в которых женщины при появлении первых схваток начинали дышать, как автоматы. Даже если роженица может вспомнить искусственные дыхательные приемы, которым ее обучали на курсах по подготовке к родам, она обнаруживает, что они ни в коей мере не помогают снять боль. Вместо этого у женщин иногда появляется головокружение, и они напрягаются — а именно этого и нужно избегать.

Мы с мужем каждый вечер тренировались дышать в определенном ритме, но, как только начались первые сильные схватки, я тут же забыла, как нужно дышать.

Когда дыхательные маневры предназначены для отвлечения внимания, истинное назначение и роль дыхания в физиологии тела начинают игнорироваться. Медленное и глубокое дыхание оказывает расслабляющее действие и способствует насыщению крови кислородом. Частое поверхностное дыхание имеет обратный эффект. Если вы заметили, что во время схваток у вас учащается дыхание, то это может указывать на ваше паническое состояние. Дышите медленнее, и вы автоматически успокоитесь.

На протяжении десяти лет я работала медицинской сестрой в родильных домах, а теперь выполняю обязанности профессионального ассистента при родах. Я наблюдала более тысячи родов и практически не видела женщин, которые успешно применяли технику ритмичного дыхания во время родов. Большинство женщин настолько уставали от той концентрации, которая требовалась при таком дыхании, что приходили к выводу, что оно расстраивает их и вызывает стресс вместо того, чтобы успокаивать. Ритмичного дыхания было просто недостаточно, чтобы отвлечь их от интенсивных схваток, особенно на последней стадии родов. Я заметила, что на этой стадии большинство рожениц интуитивно сосредоточивается на своих внутренних ощущениях и начинает дышать медленнее и глубже, что помогает им расслабиться и прислушаться к работе собственного тела.

Правильным можно считать дыхание, которое помогает вам и обеспечивает максимальное поступление кислорода вам и вашему ребенку при минимальных усилиях. Попробуйте следовать приведенным ниже рекомендациям.

Что нужно делать:

● Между схватками дышите свободно и естественно, как при засыпании.

● Когда начинается схватка, сделайте медленный и глубокий вдох через нос, а затем медленно и долго выдыхайте ртом набранный воздух. На выдохе расслабляйте мышцы лица и конечностей, представляя себе, как напряжение вместе с воздухом покидает ваше тело. Рассматривайте этот выдох как глубокий вздох облегчения.

● На пике схватки напомните себе, что нужно дышать в удобном для вас ритме.

● Попросите супруга предупредить вас, если во время сильной схватки вы начнете часто дышать. Пусть медленно и глубоко дышит вместе с вами.

● Если вы по-прежнему дышите слишком часто, задержите дыхание и сделайте глубокий вдох, а затем сильный и продолжительный выдох, как будто хотите задуть огонь. Периодически проделывайте этот маневр, напоминая себе о том, что не нужно торопиться.

● Супруг должен следить за дыханием роженицы, чтобы определить, как она справляется с нагрузкой. Медленное, глубокое и ритмичное дыхание показывает, что она хорошо переносит схватки. Частое неровное дыхание говорит о напряженности и волнении роженицы. В этом случае обратитесь к помощи массажа, продемонстрируйте, как нужно дышать, или предложите сменить положение.

Чего делать не нужно:

● Не нужно часто и тяжело дышать. Такое дыхание неестественно для человека. (Собаки и кошки во время родов дышат часто и тяжело потому, что они не потеют. Это один из способов охлаждения тела.) Такое дыхание не только утомит вас, но уменьшит приток кислорода и может привести к гипервентиляции.

● Избегайте гипервентиляции. Слишком частое и тяжелое дыхание приводит к уменьшению содержания двуокиси углерода в крови, и вы можете почувствовать головокружение, а также покалывание лица и пальцев рук и ног. Некоторые женщины имеют тенденцию к гипервентиляции во время самых сильных схваток, и тогда следует заботливо напомнить им, чтобы они дышали реже. При появлении признаков гипервентиляции нужно как можно медленнее вдыхать через нос и выдыхать через рот.

● Не задерживайте дыхание. Даже во время потуг задержка дыхания, от которого бледнеет лицо и набухают вены, не только утомляет вас, но и лишает вашего ребенка необходимого ему кислорода.

● Не нужно слишком сильно беспокоиться по поводу дыхания во время родов. Если вы сохраните ясную голову, то сможете естественным образом поддерживать оптимальное для вас и ребенка дыхание.

Создайте благоприятную для родов окружающую обстановку

Атмосфера, окружающая вас во время родов, влияет на ваше восприятие боли. Кошки выискивают самое тихое и укромное местечко в доме, где их никто не побеспокоит. Несмотря на то что дизайнеры превзошли самих себя, разрабатывая проекты для родильных палат, вы должны добавить к атмосфере этого помещения несколько завершающих штрихов. Берите пример с кошки и оборудуйте себе мирный уголок, в котором вы будете рожать своего ребенка.

Используйте музыку. Как вы думаете, почему дантисты проигрывают музыку своим пациентам? Чтобы отвлечь сознание пациентов, пока они работают над зубами. Музыка действительно способна ослабить физический дискомфорт при помощи явления, которое носит название «аудиоанальгезии». Исследования показали, что роженицам, использующим музыку во время родов, требуется меньше обезболивающих препаратов, чем тем, кто не слушает музыку. Музыка стимулирует выработку эндорфинов в организме матери, которые играют роль естественных болеутоляющих и успокаивающих средств. Кроме того, музыка заполняет мозг приятными ощущениями, оставляя меньше места для боли. Музыка успокаивает и присутствующих при родах помощников, напоминая им о том, что нужно уважать безмятежность этого события.

Включите попурри из уже проверенных любимых мелодий, следя за тем, чтобы ритм выбранных песен успокаивающе действовал на ваш организм, а не способствовал возбуждению. Многие женщины приносят свои кассеты с записями мелодий, которые раньше помогали им справиться со стрессом. Особенно привлекательной может оказаться музыка, запускающая воспоминания о приятных событиях, таких, как ваш первый танец с мужем. Некоторые женщины утверждают, что природные звуки (шум водопада, завывание ветра и звуки океанского прибоя) и тихая инструментальная музыка с приливами и отливами (музыка «Нового века» или спокойный джаз) успокаивают сильнее, чем вокал. Вместе с любимыми кассетами и компакт-дисками захватите плеер и батарейки.

Замечание доктора Билла. *Во время родов Марты мы слушали концерты для арфы. Каждый раз при звуках первого концерта Буальдье она вспоминала, как мы впервые услышали это произведение: мы сидели у камина в загородном доме нашего друга и наблюдали за снежинками, кружившимися в падавшем из двери луче света.*

Садитесь на мяч для родов. В нашей гостиной находится 28-дюймовый «физиомяч» (прочный надувной

Мяч для родов

мяч, который можно найти в каталогах, посвященных физиотерапии и родам), с которым играют дети. Каждый раз, когда беременная женщина оказывается у нас дома, ее просто притягивает к мячу. Самая распространенная реакция: «Как приятно просто посидеть на этом мяче». Наша невестка так полюбила этот мяч на последних месяцах беременности, что попросила одолжить его для родов. Во время родов Шерил больше времени провела, сидя на этом мяче (см. рисунок), чем в кровати. В этом есть смысл — когда женщина садится на мяч, ее тазовые мышцы естественным образом расслабляются.

Попробуйте воспользоваться креслом с подушкой из «бобов». При покупке такого кресла испытайте разные варианты, пока не подберете себе мягкое гнездышко, в котором вам будет удобно сидеть на первой стадии родов. Проследите за тем, чтобы подушка была овальной или прямоугольной формы, а также достаточно большой, чтобы вы могли вытянуться на ней. Потренируйтесь расслабляться в таком кресле.

Принесите с собой подушки и пенопластовые клинья. Нельзя рассчитывать, что в больнице вам дадут много подушек, а вам понадобится как минимум четыре штуки. Толстые пенопластовые клинья, которые можно найти в мастерских по перетяжке мебели, служат превосходной опорой для спины в сидячем положении, а более тонкие можно использовать как прокладку между животом и кроватью, когда вы лежите на боку. Не рассчитывайте, что найдете эти клинья в больнице. Приобретите подушки и клинья в самом начале беременности, чтобы научиться расслабляться с их помощью еще до того, как начнутся роды.

Попробуйте использовать горячие и холодные компрессы. Горячие компрессы усиливают приток крови к тканям; холодные компрессы снимают боль. Вам понадобятся и те, и другие. Бутылка горячей воды или резиновая хирургическая перчатка, наполненная теплой водой, — превосходный компресс для живота, паха или бедер, который снимет боль в мышцах и поможет расслабиться. Пакет замороженных овощей, обернутый тканью, может послужить холодным компрессом, чтобы охладить горячий лоб или уменьшить боль в спине. Попробуйте прикладывать и горячий, и холодный компресс, чтобы определить, какой из них помогает лучше; иногда эффективнее всего чередовать их. Кроме того, теплый компресс, приложенный к промежности перед выталкиванием ребенка, поможет мышцам расслабиться, и головка ребенка родится легче и безболезненнее.

Медикаментозные средства обезболивания

Полное и безопасное обезболивание — такого вам не в состоянии пообещать ни один врач. Современные анальгетики и анестетики лучше и безопаснее, чем когда-либо, однако не существует совершенного обезболивающего средства, которое было бы эффективным и абсолютно безопасным для матери и ребенка. Зная доступные лекарственные препараты, понимая их преимущества и недостатки, а также принципы их разумного использования, вы сможете принять решение, какие из них вы будете — если будете вообще — использовать. Медикаментозные средства обезболивания могут быть хорошим дополнением — но ни в коем случае не заменой — рассмотренным выше естественным средствам самопомощи. Не забывайте о том, что исследования показали: женщинам, посещавшим курсы по подготовке к родам и изучавшим способы, при помощи которых они сами могут уменьшить боль, во время родов требуется меньшее количество медикаментозных средств, чем плохо информированным роженицам.

Наркотические препараты

Идеальным средством снятия боли был бы такой анальгетик, который действовал бы только на нервные проводящие пути матери и не передавался через плаценту ребенку. К сожалению, такой панацеи не существует. Избавляя мать от боли, наркотик одновременно воздействует на ребенка. Дополнительное беспокойство вызывает влияние наркотиков на сознание — они могут нарушать способность к концентрации. Тем не менее правильное применение наркотиков в сочетании с естественными средствами обезболивания может дать роженице временное облегчение, позволяя отдохнуть и восстановить силы. Вот что должна знать будущая мать относительно выбора и использования наркотических обезболивающих препаратов.

Как наркотик помогает матери. Наркотические обезболивающие средства (димедрол, морфий, нубаин, стадол и фентанил) снимают боль, блокируя болевые рецепторы мозга. Эти препараты по-разному действуют на разных людей. Варьируется не только степень обезболивания, но и сила побочных эффектов, действующих на сознание и эмоции. Одни роженицы чувствуют значительное облегчение в течение двадцати минут после укола, а другие говорят о том, что наркотик лишь приглушил боль до той степени, что ее можно было терпеть. Некоторые говорят о том, что боль почти не уменьшилась и что затуманенное сознание хуже, чем физические страдания. Одни женщины наслаждаются вызванной наркотиками эйфорией — ощущением легкости и беззаботности, которое помогает им отвлечься от родов. Другие роженицы считают, что наркотики ставят под угрозу их способность принимать решения, способствующие прогрессу родов. Если мозг женщины затуманен настолько, что она не в состоянии управлять процессом родов посредством движения и смены положения тела, роды могут затянуться — а вместе с ними и боль. Кроме того, наркотики могут вызвать сильную сонливость, и вы будете засыпать в перерывах между схватками, просыпаясь только на пике каждой схватки и не имея возможности сосредоточиться на ней. Если это ваша первая беременность или первый случай применения наркотиков, вы не можете заранее знать свою реакцию. Возможно, вы хорошо перенесете некоторые наркотики, почувствовав значительное облегчение без нежелательных побочных эффектов, однако вы должны быть готовы к таким неприятностям, как тошнота, рвота, головокружение и упоминавшееся выше ощущение одурманенности. Если вы уже с успехом применяли наркотики во время предыдущих родов, то велика вероятность того, что они помогут и на этот раз, хотя никакой гарантии дать нельзя.

Как наркотик действует на ребенка. Во время родов ребенок получает наркотик вместе с матерью. Давайте проследим за действием типичного наркотика с того момента, как он был введен матери, и рассмотрим его влияние на ребенка. Через тридцать секунд после внутривенного введения наркотика он попадает в систему кровообращения плода, где его концентрация составляет 70 процентов от концентрации в крови матери. Поскольку новорожденный не умеет говорить и не способен рассказать, какие ощущения вызвал у него наркотик, мы можем делать выводы только на основе внешних проявлений. Электронный мониторинг детей, матери которых получали наркотики во время родов, выявил, что их сердечный ритм отклоняется от нормы. У этих детей наблюдаются изменения энцефалограммы и дыхательных движений. В зависимости от типа, дозы и времени введения наркотиков у детей, подвергавшихся наркотическому воздействию, могло наблюдаться угнетение дыхания, и для стимуляции

дыхательной деятельности им требовалась временная помощь. Кроме того, после появления на свет эти дети могут находиться в состоянии легкого опьянения. В этом случае осложняется общение матери и ребенка: одурманенная мать и одурманенный ребенок производят не очень хорошее впечатление друг на друга. Кроме того, такие дети медленнее учатся брать грудь. Наркотики, вводившиеся во время родов, обнаруживались в крови ребенка даже через восемь недель после его появление на свет.

Эпидуральная анестезия

Многие женщины испытывают огромную благодарность к врачу, который во время родов применил эпидуральную анестезию. Во многих больницах более 60 процентов рожениц выбирают этот «дар небес». Эпидуральная анестезия сделала ненужными большинство других методов обезболивания, а также покончила с мнением, что женщина обязательно должна испытать боль, чтобы родить ребенка. Тем не менее, прежде чем обратиться к этому волшебному средству, вы должны знать его преимущества и недостатки. Существует несколько разновидностей эпидуральной анестезии и ее применяют на разных стадиях родов — обо всем этом вы должны знать.

Ниже приведены несколько медицинских терминов, которые помогут вам понять принцип действия и способ применения эпидуральной анестезии.

● «Эпи» — это греческое слово, обозначающее «вокруг» (или «снаружи»), а «дуральный» — это относящийся к твердой оболочке спинного мозга. «Спинальным» называется пространство внутри дуральной оболочки. В нем находится спинной мозг, нервы и цереброспинальная жидкость. При эпидуральной анестезии обезболивающие препараты водятся в окружающую дуральную оболочку область, а при спинальной анестезии — в спинальное пространство.

● «Анальгезия» — это обезболивание без потери подвижности. Такие препараты называются болеутоляющими.

● «Анестезия» связана с потерей чувствительности и ограничением подвижности в зоне воздействия. В состав препаратов для эпидуральной анестезии входят анестетики, и поэтому сам метод получил название эпидуральной анестезии. Во время некоторых самых современных процедур в эпидуральное или спинальное пространство вводят только болеутоляющие препараты, и такие процедуры называются «эпидуральной анальгезией» или «спинальной анальгезией».

Как делается эпидуральная анестезия и что вы можете при этом чувствовать. Прежде чем делать эпиду-

Эпидуральная анестезия

ральную анестезию, вам внутривенно введут литр жидкости, чтобы увеличить объем крови в организме и предотвратить снижение кровяного давления, которым иногда сопровождается эпидуральная анестезия. Затем врач или анестезиолог попросит вас сесть или лечь на бок и свернуться калачиком, прижав колени к груди. При этом увеличивается расстояние между позвонками поясничного отдела, облегчая нахождение нужного места для инъекции. Врач или медсестра протрет вам поясницу антисептиком, и вы ощутите холод. После этого вы почувствуете укол — вам под кожу введут немного анестетика местного действия, чтобы сделать это место нечувствительным к боли. После того как препарат подействует, врач более длинной иглой введет небольшое количество препарата в эпидуральное пространство, чтобы проверить, попала ли игла в нужное место. Если игла введена правильно, врач вводит через иглу пластиковый катетер, а затем извлекает иглу, оставляя гибкий катетер в эпидуральном пространстве. Затем через катетер подается тот обезболивающий препарат, на котором вы остановили свой выбор. Через несколько минут вы почувствуете в одной ноге резкую боль, как будто по ней пропустили электрический ток. Через пять минут вы начнете ощущать онемение нижней части тела или почувствуете прилив тепла и/или покалывание в ногах. Примерно через десять-двадцать минут нижняя половина вашего тела станет вялой, тяжелой или онемевшей — в зависимости от типа использованного препарата, — а боль при схватках ослабеет. Уровень снижения чувствительности точно предсказать нельзя. Большинство женщин говорят, что у них немеет тело ниже пупка, но некоторые сообщают, что снижение чувствительности доходит до сосков. Некоторые роженицы замечают, что у них на коже остаются зоны, где чувствительность сохраняется. Вы по-прежнему можете шевелить пальцами ног.

Именно в этот момент большинство женщин начинают восхищаться эпидуральной анестезией, однако в этот же момент они из активного участника родов превращаются в пациента. Конечно, после того как боль утихла, вы получаете возможность отдохнуть и собраться с силами. Однако из-за того, что нижняя половина вашего тела стала непослушной, для смены положения вам потребуется помощь. Ваша способность чувствовать позывы к мочеиспусканию подавляется, и поэтому медсестра введет вам катетер для отбора мочи. Из-за потенциальной возможности снижения кровяного давления при эпидуральной анестезии медсестра будет измерять вам давление каждые пять минут, а после того, как оно стабилизируется — каждые пятнадцать минут. Чтобы снять боль и в правой, и в левой половине тела, медсестра может переворачивать вас с боку на бок. Кроме того, вас подключат к электронному фетальному монитору, чтобы убедиться, что ребенок хорошо переносит эпидуральную анестезию. Врач или медсестра периодически будут проверять чувствительность кожи вашего живота, чтобы удостовериться, что вводимая вам доза обезболивающего в достаточной степени снимает боль, но не мешает вам дышать. Теперь нужно проделать очень тонкую работу — ввести такую дозу лекарства, чтобы оно ослабило боль и помогло вам выдержать роды, но не препятствовало родовой деятельности.

Мои первые роды было просто ужасными, и, честно говоря, в то время я не думала, что когда-нибудь захочу пройти через это еще раз. Но потом воспоминания о родовых муках поблекли, и я снова забеременела. На этот раз я выбрала эпидуральную анестезию, и я очень рада этому. Еще до начала родов сам факт, что мне сделают эпидуральную анестезию, снял большую часть страхов. Мне действительно понравилось рожать ребенка, не ощущая боли. У меня нет чувства вины, и я не ощущаю себя в меньшей степени женщиной из-за того, что выбрала этот метод обезболивания. Для меня это решение было правильным. У меня остались чудесные воспоминания о родах. Я с нетерпением жду следующего ребенка.

Я чувствовала себя выброшенным на берег китом. Мои ноги казались мне мешками картошки. Я не могла двигаться. Я не могла обходиться без посторонней помощи, и медсестра даже вынуждена была сообщать мне, когда у меня начинается схватка. Разумеется, это было не больно, но я не чувствовала, что происходит с моим телом. К следующим родам я, наверное, изменю свое отношение к эпидуральной анестезии.

Типы эпидуральной анестезии. С каждым годом препараты для эпидуральной анестезии не только становятся эффективнее и безопаснее, но появляются новые типы этого метода обезболивания, позволяю-

щие роженицам и врачам выбирать наиболее подходящий для данного случая. Ниже приводится перечень типов эпидуральной анестезии, которые вам могут предложить в больнице.

● *Непрерывная эпидуральная анестезия* означает, что прикроватный шприцевой насос непрерывно вводит анестетик в эпидуральное пространство. Это наиболее распространенная разновидность эпидуральной анестезии, поскольку она обеспечивает постоянное обезболивание. В отличие от периодической эпидуральной анестезии (см. ниже) давление в этом случае более стабильно, и в целом требуется меньшее количество обезболивающего препарата.

● При *периодической эпидуральной анестезии* препарат вводится по мере необходимости, позволяя роженице управлять соотношением между интенсивностью боли, которую она может выдержать, и желаемой степенью подвижности. Некоторым женщинам не нравится эффект «русских гор» от периодической эпидуральной анестезии.

● *Смесь препаратов.* Анестезиолог может смешать различные препараты (анестетики и анальгетики), чтобы добиться желаемого соотношения чувствительности и подвижности, однако гарантировать достижения желаемого результата он не в состоянии. Все женщины по-разно-

Облегченная эпидуральная анестезия

Новейшая разновидность обезболивающего средства в наборе анестезиолога — это введение малой дозы наркотика или сочетания наркотика и анестетика в эпидуральную область. Малая доза позволяет роженице сохранить чувствительность и подвижность, не испытывая невыносимой боли, что дает ей возможность управлять родами, избавившись от страха боли. Противники эпидуральной анестезии утверждают, что во время родов небезопасно полностью подавлять чувствительность, поскольку боль может являться важным сигналом неблагополучия и заставить роженицу внести коррективы в свои действия. Кроме того, они считают, что некоторые используемые при эпидуральной анестезии препараты затуманивают сознание женщины, и она отвлекается от родов, не следя за тем, что происходит с ее телом. При этом супруг роженицы тоже перестает быть вовлеченным в процесс родов, поскольку не чувствует в этом необходимости. Ответом на эти сомнения, а также полезным и более безопасным компромиссом для роженицы может стать облегченная эпидуральная анестезия.

При меньшей дозе женщина в большей степени вовлечена в процесс родов. При этой разновидности эпидуральной анестезии роженица чувствует схватки. Доза обезболивающего препарата достаточно велика, чтобы приглушить остроту боли, но она не снимает мучительную боль, которая является сигналом, привлекающим внимание и роженицы, и врача к возникшей проблеме. Облегченная эпидуральная анестезия уменьшает боль до такой степени, что уставшая роженица получает возможность расслабиться и обрести второе дыхание, чтобы затем продолжать тужиться. Небольшая доза обезболивающего позволяет женщине хотя бы сесть в кресло-качалку. Дальнейшее усовершенствование этого метода обезболивания — сочетание спинальной и эпидуральной анестезии. Малая доза препарата, введенная в спинальную область, действует мгновенно, и эффект обезболивания сохраняется в течение двух часов; одновременно с этим эпидуральная анестезия обеспечивает долговременное снятие боли.

Если женщина не чувствует, что происходит с ее телом в процессе родов, это вредно как для матери, так и для ребенка. С другой стороны, вредна и мучительная боль, которая может вызвать повышение уровня гормонов стресса в крови и отток крови от матки.

Безопасное состояние находится где-то посередине. Для большинства женщин таким компромиссом может стать облегченная эпидуральная анестезия.

Ни один анестезиолог не может гарантировать точной степени облегчения боли и степени подвижности, однако, чем лучше вы подготовитесь заранее, чем больше вопросов вы зададите, тем выше вероятность у вас получить такое обезболивание, которое будет наиболее подходящим и для вас, и для ребенка. Если анестезиолог знает, что вы склонны к компромиссу, он может принять решение остановиться на более низкой дозе.

Облегченная эпидуральная анестезия позволяет роженице сохранить чувствительность, но избавиться от невыносимой боли.

му реагируют на обезболивающие препараты.

● *Эпидуральная анестезия под контролем пациента* позволяет женщине самостоятельно управлять своим состоянием, нажимая кнопку и вводя предварительно рассчитанную компьютером дозу препарата в систему для эпидуральной анестезии. При этом способе одни роженицы используют больше обезболивающего препарата, другие — меньше, но у них, по крайней мере, есть выбор.

● *Новые препараты для эпидуральной анестезии.* И роженицы, и врачи давно мечтали об анестетике, который позволил бы женщине чувствовать все, что происходит с ней во время родов, и сохранить подвижность, но избавиться от боли. С новыми препаратами для эпидуральной анестезии эта мечта практически стала реальностью. Анестезиологи экспериментируют с сочетанием наркотических болеутоляющих и анестетиков или только с анальгетиками, надеясь, что они блокируют болевые рецепторы, не затрагивая двигательные нервы. Эти препараты, получившие название «ходячих», позволяют роженице вставать, становиться на колени, садиться на корточки и даже ходить (с поддержкой). Исследования показывают, что использование препаратов для эпидуральной анестезии, позволяющих женщине ходить или хотя бы принимать вертикальное положение, приводит к тому, что количество вмешательств в процесс родов уменьшается, а дети рождаются более здоровыми, чем в случае применения препаратов, лишающих женщину подвижности.

Такие «ходячие» обезболивающие вводятся одновременно в эпидуральную и спинальную области. Небольшая доза наркотика, введенная непосредственно в спинальную область, ослабляет боль, но сохраня-

Разумное отношение к обезболиванию

Некоторые женщины подходят к родам с абсолютным предубеждением против медикаментозных средств, настроившись максимально использовать резервы своего тела и своего мозга; любое отклонение от «чистых родов» они расценивают как неудачу. Другие беременные женщины просят врача «использовать все доступные средства», чтобы добиться безболезненных родов. Оптимальный подход лежит где-то посередине. Для большинства женщин разумнее всего подходить к родам, вооружившись всем набором описанных выше приемов естественного снятия боли, а *также* с непредвзятым отношением к тем возможностям медикаментозного обезболивания, которые могут потребоваться в конкретной ситуации. Роды — это не состязание в том, кто первым пересечет финишную черту с наименьшим привлечением медицинской помощи. В первую очередь — и самое главное — это появление на свет ребенка, а также важная веха в вашей жизни. Воспоминания о родах сохранятся у вас на всю жизнь. Подходящим нужно считать тот набор средств обезболивания, который поможет вам родить здорового ребенка и получить удовлетворение от самого процесса родов.

ет возможность двигаться. Роженица может ходить с чьей-либо помощью, принимать душ, сидеть, стоять или садиться на корточки. Эта разновидность анестезии особенно полезна, когда женщина испытывает невыносимую боль на ранней стадии родов и когда боль и усталость препятствуют прогрессу родовой деятельности. Если на этой стадии прибегать к помощи эпидуральной анестезии еще рано (раскрытие шейки матки 5 или 6 сантиметров), поскольку она способна еще больше замедлить роды, спинальная анальгезия может оказаться тем средством, которое позволит роженице отдохнуть и вос-

становить силы перед следующей, более трудной, стадией родов.

Некоторые из этих разновидностей эпидуральной анестезии еще не вышли из стадии эксперимента, а многие доступны не во всех больницах. Тем не менее вы должны знать, что понятие «эпидуральный» включает в себя различные варианты. Поинтересуйтесь, что именно вам могут предложить. Заранее рассмотрите различные варианты с врачом и составьте предварительный план действий. Еще раз обсудите этот вопрос с анестезиологом, которого вы увидите только после начала родов. Обязательно проинформируйте врачей, что вы готовы внести коррективы, если этого потребует ситуация. Реальность родов такова, что до их начала невозможно сказать, какими будут схватки и как вы будете переносить их. Знание возможных вариантов поможет вам, по крайней мере, сделать разумный выбор.

Принимая решение, отдавать ли предпочтение эпидуральной анестезии вообще и если отдавать, то какой именно, помните, что это решение должно быть результатом компромисса меду тем, какая степень обезболивания вам необходима и желательна, и тем, какую степень подвижности вы должны и хотите сохранить. Полное обезболивание и полная потеря способности двигаться помешают вашему организму оказать помощь ребенку в нахождении более легкого пути наружу, а также создадут предпосылки для медицинского вмешательства — возможно даже хирургического. Если вас не устраивает перспектива полной свободы движений и лишь небольшого облегчения боли, рассмотрите различные варианты эпидуральной анестезии, помня о том, что анальгетики и анестетики по-разному действуют на разных людей и что врач не в состоянии гарантировать, до какой степени уменьшится боль и какой свободой движений вы сможете наслаждаться.

Составление плана родов

Роды, как и сама жизнь, полны неожиданностей, однако, чем убедительнее вы заявите о своих желаниях, тем выше шансы их исполнения. Назначение плана родов состоит не только в том, чтобы повысить шансы, что ваши роды станут такими, как вы хотите, но и в том, чтобы предупредить помогающий вам персонал о ваших потребностях. Врачи и медицинские сестры имеют дело с самыми разнообразными желаниями рожениц. Некоторые женщины предпочитают более «естественный» стиль родов с минимальным использованием современной технологии. Другие нуждаются в применении современных достижений медицины и вмешательства в роды или хотят этого. Помощники могут не знать о ваших предпочтениях, если вы не сообщили им об этом.

Персонализируйте свой план. Не копируйте его из книги или пособия для занятий на курсах. Рожать будете вы, и это должен быть ваш план. Во время занятий по подготовке к родам вас научат, как составлять такой план. Кроме того, в нашей книге «Энциклопедия родов» вопросу составления плана родов посвящена целая глава.

Момент применения эпидуральной анестезии. Когда именно вводить обезболивающие препараты в эпидуральное пространство — это не менее важный вопрос, чем тот, на каком типе эпидуральной анестезии остановить свой выбор. Если применить эпидуральную анестезию слишком рано, это может затормозить родовую деятельность, а если ввести обезболивающий препарат слишком поздно, то пострадает ваша способность тужиться и выталкивать ребенка. (Непрерывная эпидуральная анестезия может быть отключена, когда матка полностью раскрылась и вы готовы к потугам.) Воздействие эпидуральной анестезии на процесс родов сугубо индивидуально, и поэтому здесь трудно установить жесткие запреты или давать рекомендации. Тем не менее есть несколько общих правил. Акушер-гинеколог и анестезиолог, скорее всего, порекомендуют воздержаться от эпидуральной анестезии, пока они не убедятся, что родовая деятельность протекает активно, что схватки регулярны, а шейка матки постепенно раскрывается. Все женщины достигают этой стадии в разное время, но непременным условием обычно является раскрытие шейки матки до 5 сантиметров и переход к активной фазе родов. Вы должны проделать уже половину работы, прежде чем достигнете той стадии родов, когда эпидуральная анестезия наиболее безопасна и эффективна, и поэтому важно разработать собственную систему снятия боли (она рассматривалась выше), даже если вы заранее знаете, что вам потребуется эпидуральная анестезия.

Некоторые роженицы и их ассистенты в отношении эпидуральной анестезии придерживаются выжидательной тактики. Если ваша собственная система обезболивания работает эффективно, если вы не очень устали, а боль при схватках терпима, то вам, возможно, захочется отложить магический укол в спину. Следует, однако, помнить, что время задержки (между принятием решения об эпидуральной анестезии и тем, когда вы почувствуете ее действие) составляет как минимум тридцать минут. Слишком долгое ожидание может привести к тому, что вы не получите требуемого облегчения.

Я прекрасно справлялась, пока боль при схватках не стала невыносимой, и тогда я попросила об эпидуральной анестезии. Врач осмотрел меня и сказал, что у меня уже началась фаза выталкивания. И для меня, и для врача было бы затруднительно сделать эпидуральную анестезию во время самых сильных схваток, а к тому времени, когда лекарство подействует, самое худшее будет уже позади, и обезболивание мне, скорее всего, уже не понадобится. Мне пришлось терпеть. Но в следующий раз я не стану ждать так долго, прежде чем запросить пощады.

Управляемые роды

Во время беременности вы могли слышать такой термин, как «управляемые роды» или «активно управляемые роды». Это означает, что если родовая деятельность не развивается с заранее определенной скоростью (обычно 1—2 сантиметра раскрытия шейки матки в час), то вместо того, чтобы позволить роженице придерживаться собственного темпа с риском развития усталости и остановки родовой деятельности, врач вмешивается в процесс, искусственно нарушая целостность плодной оболочки, стимулируя роды при помощи питоцина и предлагая женщине эпидуральную анестезию. Цель активно управляемых родов — уменьшить вероятность кесарева сечения, а основу их составляет идея, что вмешательство должно проводиться до того, как роженица и ее матка устанут до такой степени, что не смогут работать с нужной эффективностью. В центрах материнства, где практикуются такие «организованные роды», отмечается меньшая продолжительность родов и меньший процент хирур-

гических вмешательств. Термин «активно управляемые роды» не означает, что роды ведутся или врачом или роженицей. Это работа в команде, когда каждый делает то, чему его учили, чтобы родовая деятельность развивалась более эффективно. Активно управляемые роды обеспечивают преимущества процедур вмешательства еще до того, как накопится необратимая усталость, и эти процедуры перестанут помогать. При таком развитии событий роженице останется только одно — хирургическое вмешательство. Ключ к разумному использования активно управляемых родов — отбор рожениц, у которых действительно наблюдается остановка родовой деятельности и которые нуждаются в медицинской помощи, а также тех, у кого роды проходят слишком вяло. Если у вас подозревается остановка родовой деятельности, врач обсудит с вами возможность активного вмешательства еще до того, как у вас закончатся силы или ситуация сделает этот выбор неизбежным.

Когда вы просите ослабить или отключить постоянную эпидуральную анестезию, вы принимаете важное решение. Лучше подумать об

этой возможности заранее, примерно за час до принятия решения. Многие роженицы и врачи предпочитают остановить введение обезболивающего достаточно рано, чтобы воздействие препарата закончилось как раз к моменту начала стадии выталкивания. Это позволит женщине двигаться и изменять положение тела так, чтобы найти наиболее удобную позу. Если вы будете ждать, пока шейка матки полностью раскроется, а только после этого отключите эпидуральную анестезию, у вас не возникнет стремления тужиться, и ваши потуги будут неэффективными примерно в течение часа. В этом случае стадия выталкивания плода может продолжаться до трех часов — час неэффективных (ложных) потуг и два часа настоящих, после того как вы обретете способность чувствовать, что вы должны делать. Разумеется, это время зависит от того, какую комбинацию препаратов вам вводили. Помните, что принцип «то, что хорошо для матери, хорошо и для ребенка» применим и к родам. Если вы способны наслаждаться свободой движений, ребенку будет легче найти путь наименьшего сопротивления, в результате чего фаза выталкивания станет короче и легче.

В результате эпидуральной анестезии у меня возникло ощущение, что мозг и тело вступили в противоречие друг с другом. Моя потребность тужиться была приглушена, и я не могла определить, в какой момент мне нужно это делать. Мне понадобилась медсестра, которая прижала ла-

донь к моей матке и говорила мне, когда я должна тужиться. Я чувствовала себя наблюдателем во время рождения моего ребенка.

Возможные вопросы относительно безопасности эпидуральной анестезии

Безопасна ли эпидуральная анестезия для нашего ребенка?

Вероятно, да. На самом деле врачи не могут дать стопроцентную гарантию, что эпидуральная анестезия безопасна для новорожденных. Даже Управление по контролю за продуктами и лекарствами США относит эпидуральную анестезию к методам, «обычно считающимся безопасными». Эта оговорка означает, что они тоже не уверены. В природе не существует такого понятия, как абсолютно безопасное обезболивающее. Небольшие дозы наркотиков и анестетиков, используемые при эпидуральной анестезии, проникают через плаценту в кровь ребенка уже через несколько минут. У некоторых детей наблюдаются изменения сердечного ритма, хотя эти изменения и считаются неопасными. Некоторые наблюдатели обратили внимание, что у новорожденных, чьи матери отдали предпочтение эпидуральной анестезии, в первые недели после появления на свет чаще возникают проблемы с кормлением. По сравнению с детьми тех рожениц, которые не получали медикаментозных препаратов, часть таких детей не так активно искали грудь, когда их сразу же после появления на свет клали на живот матери. По неизвестной причине у некоторых женщин после эпидуральной анестезии развивалось лихорадочное состояние, а у 5 процентов детей, чья мать использовала этот метод обезболивания, тоже могла наблюдаться лихорадка. Врачу, наблюдающему за ребенком, трудно определить, является ли лихорадочное состояние просто побочным эффектом обезболивающего препарата или оно указывает на наличие инфекции у новорожденного. Иногда для большей верности врач назначает огромное количество анализов, чтобы исключить возможность инфекции — даже в том случае, когда наиболее вероятной причиной лихорадки является эпидуральная анестезия.

Изучая различные анестетики, используемые в акушерстве, мы обнаружили, что оценить их эффективность и безопасность чрезвычайно трудно. Анестезия в акушерстве развивается такими быстрыми темпами, что когда мы, к примеру, попросили анестезиолога прокомментировать результаты одного из исследований, то в ответ услышали: «Мы больше не используем этот препарат». Большая часть из того, что вы читали или слышали относительно потенциальных проблем, связанных с эпидуральной анестезией, уже устарела. Усовершенствованные иглы и более эффективные препараты, применяемые в небольших дозах, привели к тому, что эпидуральная анестезия стала еще более безопасной для младенца и вызывает меньшее количество неприятных побочных эффектов у матери. Вот почему важно обсудить проблему безопасности с анестезиологом. Иногда эпидуральная анестезия действительно идет на пользу ребенку: для ребенка плохо, если мать сильно страдает во время затянувшихся родов, когда у роженицы кончаются силы, а приток крови к матке уменьшается. В такой ситуации эпидуральная анестезия приносит пользу как матери, так и ребенку.

Безопасна ли эпидуральная анестезия для меня?

Проблема оценки безопасности эпидуральной анестезии заключается в следующем: все так хотят, чтобы она оказалась безопасной, что при этом легко потерять объективность. Для подавляющего большинства женщин эпидуральная анестезия безопасна и эффективна, и если вы спросите мнение тех, кто уже воспользовался этим методом обезболивания, почти все скажут, что с удовольствием прибегнут к нему вновь. Для других женщин, и особенно тех, кто не любит современных технологий и мониторов, которые являются обязательным условием эпидуральной анестезии, необходимость смириться с ролью «пациента» и невозможность принимать самое активное участие в родах приносят разочарование.

Как и при использовании любого лекарства, у некоторых женщин могут наблюдаться неприятные побочные эффекты: снижение кровяного давления, озноб, тошнота и рвота, зуд, трудности с мочеиспусканием, головная боль и даже судороги, когда обезболивающий препарат проникает в спинной мозг и поднимается вверх по позвоночному каналу. Некоторые женщины, получавшие эпидуральную анестезию, сообщают о неисчезающих длительное время болях в спине.

Эти побочные эффекты, как правило, не более чем временная неприятность, однако само их существование должно заставить вас задуматься о том, хотите ли вы применения эпидуральной анестезии. В основном большинство женщин переносят эпидуральную анестезию практически без побочных эффектов и возвращаются домой со здоровым ребенком и приятными воспоминаниями о родах.

Может ли эпидуральная анестезия помешать прогрессу родовой деятельности?

Эпидуральная анестезия способна усилить или ослабить родовую деятельность. Мы присутствовали при родах, когда вовремя примененная эпидуральная анестезия действительно ускорила роды, но мы также наблюдали роды, когда не вовремя введенный или неверно выбранный обезболивающий препарат замедлял родовую деятельность. Попытки исследования замедляющего действия эпидуральной анестезии, как и изучения ее безопасности, дают противоречивые результаты. В целом эпидуральная анестезия характеризуется тенденцией замедлять вторую фазу родов, и особенно при первых родах. Тем не менее современные препараты, применяемые в малых дозах, обычно не удлиняют роды. Ниже приведены два примера воздействия эпидуральной анестезии на роды.

У Джен и ее мужа Тони роды были первыми, и они хотели, чтобы их первенец родился «правильно». Они прослушали два разных курса по подготовке к родам, тщательно выбирали, кто будет принимать ребенка, пригласили профессионального ассистента и хорошо подготовились теоретически, понимая всю важность предстоящего события. Они вошли в родильную палату, обладая полной информацией обо всех доступных им вариантах действий, а также хорошими навыками в использовании естественных средств обезболивания.

Разработанная Джен система обезболивания была эффективна примерно до середины родов, пока схватки не стали особенно сильными. Затем Джен и Тони осознали, что естественные методы снятия боли не помогают. Джен ходила, становилась на колени, погружалась в ванну и садилась на корточки, Тони поддерживал и успокаивал жену, а медицинский персонал делал все, что от них требовалось. Тем не менее родовая деятельность стала замедляться. Джен использовала все свои ресурсы для борьбы с болью и начала все больше уставать. Родовая деятельность приостановилась: страданий много, а результата нет. Вместе с мужем и медиками Джен приняла решение о необходимости соответствующего медицинского вмешательства, чтобы она могла достичь своей цели и получить удовлетворительные ощущения от родов. Она выбрала эпидуральную анестезию, которая позволила ее организму отдохнуть, восстановить силы и продолжить родовую деятельность. Джен испытывала сожаление, что «не смогла этого сделать сама», но она знала, когда следует сказать «хватит», и считала свое решение правильным. После трех часов обезболивания при помощи эпидуральной анестезии Джен попросила, чтобы подачу обезболивающего от-

ключили. К моменту наступления стадии выталкивания плода действие анестезии закончилось, и Джен смогла сесть на корточки, чтобы родить младенца весом в 4,5 килограмма.

В данном случае разумное использование эпидуральной анестезии стимулировало роды Джен, дав женщине время для восстановления сил. Джен и Тони рассматривали применение эпидуральной анестезии не как неудачу, а как еще один доступный инструмент обеспечения безопасных и приносящих удовлетворение родов.

Другой случай. У Джона и Сьюзен была масса друзей, превозносивших достоинства эпидуральной анестезии и удивлявшихся, почему некоторые женщины хотят пройти тяжелое испытание родами без этого «дара небес». Джон и Сьюзен посещали курсы по подготовке к родам при больнице, но пришли к выводу, что поскольку Сьюзен все равно остановила свой выбор на эпидуральной анестезии, то нет никакого смысла тренировать ее умение расслабляться, правильно дышать и менять положение тела. Все равно это не понадобится.

Сьюзен сделали эпидуральную анестезию сразу же после того, как схватки стали усиливаться. Однако после введения обезболивающих препаратов Сьюзен вынуждена была оставаться в постели, и родовая деятельность замедлилась. Для стимуляции родов врач применил питоцин, синтетический окситоцин, который усиливает схватки.

Медсестра, ухаживающая за Сьюзен, подумала: «Сначала ей дали лекарство, которое ослабляет схватки, а затем препарат, который усиливает их. Могут ли два минуса превратиться в плюс?» Но даже после питоцина схватки Сьюзен не усиливались, и состояние роженицы скоро попадало в диагностическую категорию «остановка родовой деятельности». Пришлось делать кесарево сечение.

Важно понимать, как любое применяемое при родах медикаментозное средство, и особенно препарат для эпидуральной анестезии, может воздействовать на естественные гормоны родов, которые вырабатываются в организме матери. У матерей, которые не использовали эпидуральную анестезию, на второй стадии родов уровень окситоцина, натурального стимулирующего схватки гормона, оказался выше. Исследования также показали, что у рожениц, отдавших предпочтение эпидуральной анестезии, отмечается пониженный уровень эндорфина. При родах без применения медикаментов женщины естественным образом испытывают обезболивающий эффект от эндорфинов; кроме того, считается, что эти же эндорфины отвечают за эмоциональный подъем сразу

же после родов, о котором говорит большинство не принимавших медицинских препаратов рожениц. Таким образом, эпидуральная анестезия вместе с болью уничтожает и часть удовольствия от родов. Разумеется, в некоторых случаях эпидуральная анестезия благоприятно воздействует на гормоны матери, например, когда роженица измучена схватками, отнимающими у нее все больше сил. По мере того как у нее в крови повышается уровень гормонов стресса, сокращения матки ослабевают, а приток крови к плаценте сокращается — это плохо как для матери, так и для ребенка. Таким роженицам эпидуральная анестезия помогает уменьшить уровень гормонов стресса, в результате чего сокращения матки усиливаются и становятся более продуктивными.

Увеличивается ли риск кесарева сечения, если я остановлю свой выбор на эпидуральной анестезии?

Причин необходимости кесарева сечения достаточно много, и поэтому трудно дать однозначный ответ на этот вопрос. Проведенные исследования не позволили прийти к определенному выводу, и, кроме того, в них использовались старые анестетики и более высокие дозы, чем те, что применяются сегодня. Скорее всего, современные препараты для эпидуральной анестезии, требующие малой дозировки, не увеличивают риск кесарева сечения. Тем не менее давайте на время забудем о научных исследованиях и обратимся к здравому смыслу. Для того чтобы ребенок спускался по родовым путям, он должен иметь возможность двигаться и находить путь наименьшего сопротивления. Постоянная эпидуральная анестезия лишает движения мать, и поэтому она не может воспользоваться преимуществом очень ценного помощника — силы тяжести. Лишившись чувствительности, роженица не в состоянии определить, когда и как нужно двигаться или менять положение тела. Если ребенок проходит по родовым путям в неудобном положении, то не получавшая анестетиков роженица сразу же почувствует это и изменит позу.

В сущности, ребенок ищет помощи матери, а мать просит ребенка подсказать ей, какие действия являются эффективными. Если медикаментозные средства нарушают эту связь между матерью и ребенком, ребенок может не найти наилучшего положения для выхода, и тогда возникнет известная ситуация: «остановка родовой деятельности». Эпидуральная анестезия также требует электронного мониторинга плода, и при этом прибор может выдавать ложные сигналы тревоги, что приведет к неоправданному хирургическому вмешательству. Кроме того, роженице, находящейся под воздействием эпидуральной анестезии, часто требуется питоцин, что предполагает более тщательный мониторинг плода. Эта технологическая спираль нередко заканчивается в операционной.

В некоторых случаях, как, например, в случае с Джен и Тони, эпидуральная анестезия может предотвратить хирургическое вмешательство, сняв усталость и восстановив силы. Иногда мы становились свидетелями следующего сценария родов. У роженицы «останавливается родовая деятельность», и врач рекомендует кесарево сечение. При подготовке к операции женщине делают эпидуральную анестезию, она расслабляется и восстанавливает силы, а затем, к всеобщему удивлению — подготовка к операции продолжается, — самостоятельно рожает ребенка. Иногда выбор одного способа вмешательства предотвращает другое, более серьезное. При определенных клинических состояниях роженицы, например при высоком кровяном давлении, использование эпидуральной анестезии может снизить вероятность того, что потребуется делать кесарево сечение. Позволяя женщине отдохнуть и снижая ее кровяное давление, этот метод обезболивания повышает шансы женщины родить ребенка естественным путем.

После длительных и изнурительных схваток мне пришлось прекратить попытки «сделать это самой». После двух суток безрезультатных мучений мне сделали эпидуральную анестезию и ввели питоцин, чтобы шейка матки раскрылась до 10 сантиметров. Затем я заставила врачей отключить анестезию, чтобы я могла тужиться. Когда действие обезболивающего прекратилось, я с огромной радостью почувствовала желание тужиться, и мне не нужно было уже выполнять команду: «Начинается схватка — тужьтесь».

Мои эмоции: _____

_____

_____

Мои физические ощущения: _____

_____

_____

Мои мысли о ребенке: _____

_____

_____

Мои сны о ребенке: _____

_____

Как я представляю себе своего ребенка: _____

_____

_____

Мои главные тревоги: _____

_____

_____

Мои главные радости: _____

_____

Мои главные проблемы: _____

_____

Вопросы, которые у меня возникли, и ответы на них: ____

_____

_____

Обследования и их результаты; моя реакция: _____

_____

_____

Уточненная предполагаемая дата родов: _____

Мой вес:_____

Мое кровяное давление:_____

Прощупывание матки; моя реакция: _____

_____

Мои ощущения, когда чувствую, как шевелится ребенок: _____

_____

Ощущения отца, когда он чувствует, как шевелится ребенок: _____

_____

Что я купила во время похода по магазинам:_____

_____

Реакция братьев или сестер на движения ребенка: _____

_____

_____

Что я чувствую, когда думаю о боли во время родов: _____

_____

Я собираюсь использовать следующие методы обезболивания:_____

_____

Что я попытаюсь сделать во время этих родов, чего не делала во время предыдущих: _____

_____

Фотография на восьмом месяце беременности

Комментарии: _____
_____
_____
_____
_____
_____
_____
_____
_____
_____
_____
_____
_____

Визит к врачу: девятый месяц
(34—40 недель)

Частота и содержание визитов к врачу в последний месяц в значительной степени зависят от вашего состояния. Возможно, врач попросит встречаться с ним каждую неделю.

Что вас может ждать во время визита к врачу в этом месяце:
- исследование размеров и высоты матки;
- прощупывание матки с целью определить положение ребенка;
- при необходимости внутренний осмотр;
- проверка веса и давления;
- при необходимости ультразвуковое обследование, чтобы определить размеры и положение ребенка;
- анализ мочи на наличие инфекций, на сахар и белок;
- возможность обсудить, когда именно нужно вызывать врача, если начнутся роды;
- возможность обсудить разницу между сокращениями Брэкстон-Хикса и «настоящими» схватками;
- возможность обсудить признаки начала родов;
- возможность обсудить, когда следует ехать в больницу или родильный центр;
- возможность обсудить план родов, персоналии ассистентов, меры по предотвращению эпизиотомии или ваши особые пожелания;
- возможность обсудить свои чувства и проблемы.

Если ваши еженедельные (или даже два раза в неделю) визиты затягиваются, врач может поднять вопрос, что делать в том случае, если вы «перехаживаете». Возможно, вам придется еженедельно проходить ультразвуковое обследование, чтобы оценить объем амниотической жидкости, а также в определенный момент рассмотреть возможность искусственного вызывания родов. Если у вас переношенная беременность, врач укажет на тревожные симптомы, за появлением которых вы должны будете внимательно следить.

9

Девятый месяц — месяц родов

БОЛЬШУЮ ЧАСТЬ ДЕВЯТОГО МЕСЯЦА у вас займут роды. Несмотря на то, что эти растянутые на месяц роды не будут такими интенсивными, как «настоящие», с точки зрения акушера-гинеколога, правильнее говорить о «месяце родов», а не о «дне родов». В течение нескольких недель, предшествующих разрешению от бремени, ваша душа и ваше тело будут готовиться к одному из самых знаменательных событий в вашей жизни — к рождению ребенка.

ВОЗМОЖНЫЕ ЭМОЦИИ

Возьмите все эмоции, которые вы испытали за последние восемь месяцев, усильте их — и вы получите представление о том, что следует ожидать от себя на девятом месяце беременности. Возможно, вы устали от своего увеличившегося тела, от усталости, а также ждете не дождетесь окончания беременности. Ваша поглощенность приближающимися родами и изменениями в образе жизни может привести к усилению эмоциональной неуравновешенности, но неизбежность грядущих перемен поможет вам быстрее справиться с собой. Вот как большинство женщин описывают свои чувства.

Нетерпение нарастает. Выйдя на финишную прямую, вы с еще большим нетерпением ожидаете появления ребенка. Возможно, вы также хотите положить конец болтовне родственников и знакомых (Как, ты *еще* не родила?). Для многих женщин девятый месяц беременности кажется самым длинным. Некоторые даже говорили, что хотели бы ускорить приближение дня родов.

До предполагаемой даты родов осталось две недели, и мое тело стало огромным. Я едва втискиваюсь в одежду для беременных. Вчера я водила

своего двухлетнего ребенка на церков-
ный праздник. Я была раздражена,
смущена, и мне казалось, что все дру-
зья, с которыми мне пришлось столк-
нуться, думали, что я должна была
родить еще вчера. У всех у них уже
есть дети — их не проведешь.

Ранее мы уже предлагали вам сообщать родственникам и друзьям о
предполагаемой дате родов в туман-
ных выражениях или отодвинуть ее
на одну или две недели. Эта уловка
должна успокоить вас и уменьшить
нетерпение, если ребенок не появится на свет «в срок». Беспокойство
нарушит гармонию, расстроит вашего мужа и старших детей. И кто будет возражать против приятного
сюрприза, если ребенок родится
раньше? Единственными лицами,
посвященными в вашу маленькую
тайну, должны быть муж, профессионал, который будет принимать у
вас роды, а также тот, кто будет помогать вам в первые недели жизни
малыша, — в том случае, если этому
помощнику нужно подготовиться
заранее.

Усиливается раздвоение чувств.
Конечно, вы с нетерпением ждете
момента, когда можно будет обнять
своего ребенка. Вы жаждете покон-
чить с беременностью и ждете, чтобы ваше тело опять стало прежним.
Вероятно, вам хочется снова лечь на
живот! Тем не менее время от времени вы будете испытывать сожаление, что скоро лишитесь такой при-

вилегии, как выглядеть и чувствовать себя беременной. Многие женщины не хотят, чтобы беременность
заканчивалась. Теперь между вами и
ребенком существует особая связь.
Никто другой не испытывает подобных чувств, а такой близости с ребенком у вас больше никогда не будет. Утешает лишь то, что эта близость вскоре сменится другой,
особенной близостью.

Двойственные чувства по поводу
окончания беременности могут вызвать беспокойство относительно
перехода от беременности к материнству, особенно если вы вообще
плохо приспосабливаетесь к переменам. Возможно, вы будете искать
способ как-то попрощаться со своим прежним, более свободным образом жизни и жаждете какого-то сим-
вола или ритуала, который удостове-
рил бы вашу готовность перейти к
новому этапу взрослой жизни. Просто удивительно, как быстро вы забудете все огорчения и радости беременности, как только возьмете на
руки своего драгоценного малыша.
Тем не менее вы должны понимать,
что грусть из-за окончания беременности — это вполне естественная
потребность. Позвольте себе опла-
кать эту потерю сейчас — после рождения ребенка вы будете слишком
заняты.

Я обнаружила, что на последнем
месяце начала задумываться, почув-
ствовав толчок ребенка, разговари-

вать с малышом и обнимать свой живот, пытаясь сделать так, чтобы в моей памяти навсегда сохранились эти особенные ощущения. Но когда ребенок родился, я поняла, что беременность хоть и была прекрасным временем и мне нравилось делить свое тело с сыном, но отдельный человечек — это еще прекраснее. Беременность — удивительное состояние, но материнство буквально потрясло меня.

В один из дней я попыталась представить себе, какой будет моя жизнь, когда я снова стану «нормальной». Я поняла, что нормой для меня теперь является материнство.

Жажда уединения. Вряд ли вы превратитесь в затворницу, хотя в этот последний месяц беременности сердце большинства женщин обращается к дому. Возможно, у вас усилится склонность к размышлениям. До самого дня родов вы, скорее всего, будете редко бывать в обществе.

Желание и возможности развлекаться уменьшатся. Внезапно все, что происходит в окружающем вас мире, покажется вам не таким уж важным. Вас совсем перестанут волновать мировые события. Вы будете радоваться, что теперь (и на протяжении ближайших месяцев) у вас есть веское основание отказываться от всего, что отнимает время и силы, предназначенные для вашего домашнего гнездышка.

На девятом месяце я решила, что нужно учиться безмятежности и дать отдых и телу, и психике. Я хотела подойти к родам в хорошей физической форме и одновременно отдохнувшей, а также осознавала, что между родами и материнством не будет никакого перерыва. Наблюдая за подругами, я видела, сколько это потребует сил. Поэтому я понимала, что у меня остался последний шанс пополнить запасы энергии. Я отдыхала.

Повышенная чувствительность. Следует ожидать, что в этом месяце вы сделаетесь особенно ранимой и чувствительной к доброжелательным, но грубоватым замечаниям. Возможно, вас станет в большей степени раздражать супруг, беспокоить дети и вы будете выходить из себя из-за мелочей, которые обычно оставили бы без внимания. Обязательно используйте все доступные средства самоуспокоения, чтобы эти отрицательные эмоции не завладевали вами, не отнимали силы и не разрушали гармонию в доме. В последние недели подруги буквально засыплют вас ценными советами относительно воспитания детей. Раздражение и желание, чтобы все эти люди оставили вас в покое и дали вам родить (и воспитать) своего ребенка так, как вы считаете правильным, — абсолютно нормальные чувства. Это еще одна причина того, что в последние несколько недель перед родами будущие матери стремятся к уединению — они не желают стать мишенью для непрошеных советов. Возможно, вы обнаружите, что стали ревностно оберегать свой покой. Это естественный способ защитить себя от внешних воздействий, которые могут отвлечь вас от самого важного события, которое скоро наступит, а также запастись энергией на будущее.

Если вам все же не удалось избавиться от советов, выставьте «временное заграждение» и идите своим путем. Кивните головой, оставайтесь вежливыми, но не обращайте особого внимания на советчика. Лучше всего избегать людей, которые вас раздражают. В следующие несколько месяцев вам предстоит как следует потрудиться, и эту работу можете выполнить только вы.

Усиление озабоченности. Вы уже составили планы и купили все, что нужно новорожденному. Иногда вы лежите ночью без сна и вновь прокручиваете все это в голове. В своем стремлении как можно лучше подготовиться вы составляете различные списки, чтобы не волноваться из-за того, что вы что-то забыли. Но потом вы начинаете беспокоиться, не забыли ли вы внести в списки что-нибудь важное. (Держите поблизости от кровати карандаш и блокнот, чтобы вы могли пополнить список, а затем расслабиться и заснуть.) Успокойтесь и позвольте вашему сознанию и вашему телу делать то, что им

больше всего нужно, — отдыхать. Впоследствии выяснится, что вы все равно что-то забыли, но это уже не будет иметь особого значения.

Усиление страха. Даже если вы готовились к предстоящему событию на протяжении девяти месяцев и чувствуете себя морально и физически готовыми, тайные опасения — это абсолютно нормально. Сможете ли выдержать испытание родами? Очевидно, что пути назад нет, и миллионы женщин, включая вашу мать, уже рожали детей. Если это у вас первый ребенок, то страх перед неизвестным может действительно стать серьезной проблемой.

Позвольте себе задуматься над этим в самом начале месяца, пока ваше тело не приступило к работе, требующей неимоверного напряжения сил. Чем больше вы доверяете своему телу, тем выше ваши шансы справиться с психологическим напряжением.

Усиление инстинкта «обустройства гнезда». Так поступают птицы, пчелы и даже беременные женщины — готовят свои гнезда к появлению потомства. Не удивляйтесь, если вами овладеет внезапное и непреодолимое желание тщательно убрать в доме, вымыть окна, ставни и все остальное или заняться таким трудоемким делом, как раскладывание по альбомам горы фотографий, накопившихся за предыдущие десять лет.

За две недели до родов я начала мыть стены. Никогда раньше я этого не делала.

Природа может подарить вам чудесный прилив сил и желание подготовить свой дом к появлению нового обитателя. Это поможет вам отвлечься от скуки казавшихся бесконечными последних недель. Жажда деятельности вернет вам чувство контроля над своей жизнью и даст ощущение удовлетворенности. Только не переусердствуйте. Несмотря на то, что инстинкт «обустройства гнезда» у человека очень похож на тот, что наблюдается в животном царстве, у женщины нет такой необходимости чистить и приводить в порядок свой дом. Необязательно, чтобы еще до рождения ребенка все было приготовлено и приведено в порядок. Многие прекрасно оборудованные детские спальни все равно остаются неиспользованными в течение нескольких месяцев (или даже лет!). Не позволяйте себе увлекаться — это закончится переутомлением. Теперь не время тратить накопленную энергию. Многие из этих дел можно поручить кому-то другому или делать постепенно после родов, пока малыш мирно спит в колыбели. Даже если вы думаете, что до родов осталось две или три недели, не стоит особенно полагаться на свои расчеты. На девятом месяце любой день может стать «тем самым».

Акушерка сказала, что роды уже скоро, но я не понимала, что такое «скоро». Весь день я ходила по магазинам вместе со своим четырехлетним сыном, затем пришла домой, сменила постельное белье и рассортировала его, приготовила обед и только потом поняла, что у меня начались роды. На кухне царил полный разгром, в спальне был беспорядок — и это при том, что я собиралась рожать дома! Ребенок родился поздно вечером, но прошло еще три дня, прежде чем я смогла навести порядок на кухне.

ВОЗМОЖНЫЕ ФИЗИЧЕСКИЕ ОЩУЩЕНИЯ

Во время родов с вашим телом происходят такие изменения, которые невозможны в любой другой период вашей жизни. Большая часть этих изменений происходит автоматически. Ваша «родильная система» инстинктивно знает — это на собственном опыте испытали миллионы женщин, — что нужно делать. Тем не менее соответствующая подготовка, а также понимание того, что происходит с вашим телом на протяжении последнего месяца беременности, помогут вам оказать более эффективное воздействие на происходящие процессы, чтобы ваши роды стали безопасными и принесли вам удовлетворение. Ниже перечислены ощущения, типичные для этого месяца, когда ваше тело будет го-

Контрольный список — о чем нужно позаботиться перед началом родов

В последние несколько недель перед родами вам предстоит сделать большое количество дел и связаться со многими людьми. Поэтому не оставляйте все на последний момент. Вот некоторые советы, способные освежить вашу память.

◻ Позаботьтесь, чтобы старшие дети не остались без присмотра.

◻ Завершите все дела на работе.

◻ Присмотрите клинику, где вы будете рожать.

◻ Составьте план родов и обсудите его со своим врачом.

◻ Уведомите ассистентов, которые будут вам помогать при родах, о приближении предполагаемой даты родов.

◻ Оплатите счета.

◻ Удостоверьтесь, что вы знаете, когда нужно вызывать врача и когда ехать в больницу.

◻ Закончите подбор приданого для новорожденного.

◻ Купите удобную одежду, которая понадобится вам на завершающем этапе: ночные рубашки и бюстгальтеры для кормящих матерей.

◻ Приобретите автомобильное сиденье для ребенка и убедитесь, что оно должным образом устанавливается в машине.

Перечень необходимых вещей, которые понадобятся при родах:

Принадлежности, способные облегчить роды:

◻ удобные подушки;

◻ плеер и кассеты с любимой музыкой;

◻ крем или масло (не ароматизированное) для массажа;

◻ любимые продукты, которыми можно будет перекусить (леденцы, мед, сухофрукты, свежие фрукты, соки, гранола), а также бутерброды для мужа;

◻ специальные приспособления, к которым вы привыкли, например «родильный мяч».

Туалетные принадлежности:

◻ расческа, фен, гель для укладки волос;

◻ мыло, дезодорант, шампунь, кондиционер (откажитесь от духов, которые могут раздражать ребенка);

◻ гигиенические салфетки (они выдаются и в больнице);

◻ зубная паста, зубная щетка и гигиеническая губная помада;

◻ очки или контактные линзы (возможно, то и другое, поскольку контактные линзы вас могут раздражать во время родов);

◻ косметика.

Вещи для ребенка на время путешествия домой:

- распашонки;
- одеяло;
- ползунки и теплое одеяло на случай холодной погоды;
- шапочка;
- подгузники.

Прочее:

- страховые полисы;
- камеры (видео и фото);
- горсть мелочи для телефона;
- лист предварительной регистрации в больнице;
- подарки «на день рождения» для братьев и сестер новорожденного;
- любимые книги или журналы;
- записная книжка (с номерами телефонов).

товиться к активным родам. Совсем скоро вы почувствуете явные признаки того, что этот важный день, наконец, настал.

Ощущение своей огромности. Теперь ваше тело стало большим — по-настоящему большим. Возможно, вы обнаружите, что у вас болят мышцы живота, выполняющие тяжелую работу по удерживанию ребенка, или вы начнете чувствовать боль в бедрах или промежности во время ходьбы. Вам будет трудно даже доковылять до автомобиля. Ощущение своей огромности не будет оставлять вас ни на минуту. Даже ноги будут казаться вам тяжелыми. В первые одну-две недели девятого месяца насладитесь своим отражением в зеркале, потому что ребенок скоро опустится в полость таза, и контуры вашего живота изменятся. Вполне возможно, вы задаете себе вопрос, как выдержать еще один месяц.

Усиление усталости. Многие будущие матери на девятом месяце чувствуют, что силы их совсем истощились. Вам трудно таскать свое тяжелое тело со смещенным вперед центром тяжести вверх и вниз по лестнице. Даже попытка встать с дивана вызывает у вас одышку. Многим женщинам нравится работать вплоть до самого дня родов, но большинство будущих матерей чувствуют, что на последнем месяце беременности они должны уменьшить нагрузку или вообще оставить работу. Большинство женщин сообщают об отчаянии, которое охватывает их из-за невозможности выспаться. Как бы сильно они ни устали, беременные женщины плохо спят и никогда не чувствуют себя отдохнувшими. Причиной тому физическое и эмоциональное истощение последнего месяца. И виноват в этом не только недостаток сна. Женщины, у кого эта беременность первая, привыкают к той разновидности сна, с которой они раньше никогда не сталкивались — к чуткому сну. Такой ночной сон станет (и останется) привычным и удобным. Покормить ребенка, проследить, что старшие дети укрыты, успокоить их, если им приснился кошмар, посидеть рядом, если они больны, утихомирить взбудораженного ребенка — все это определяет необходимость чуткого сна на долгие годы вперед.

Мои пятеро детей появились на свет в течение восьми лет, причем последние двое — близнецы. Через четырнадцать лет после рождения первого ребенка я смогла, наконец, крепко уснуть ночью и мой сон ни разу не был прерван. Проснувшись, я вспомнила, что так спала только до первой беременности. За эти годы я привыкла вставать по ночам, чтобы проверить, как там дети. Мои уши автоматически улавливали любой кашель или плач.

Бывали дни, что я бродила по дому, как зомби, — вероятно, потому, что полночи проводила в ванной. Мама говорит, что эта бессонница — репетиция перед тем, что будет после рождения ребенка. Я боюсь, что если и после родов буду так уставать, то сделаю какую-нибудь глупость, например... забуду ребенка в бакалейной лавке.

Я практически засыпала на работе, и поэтому мне пришлось уйти в отпуск (на три недели раньше, чем я *рассчитывала). Мне никак не удавалось преодолеть чувство вины, что я перестала вносить свой вклад в семейный бюджет. Я работала на протяжении двенадцати лет, и мне было интересно, исчезнет ли это чувство вины после рождения ребенка.*

Потеря веса. Несмотря на то, что в этом месяце ребенок может прибавить пару фунтов, ваш вес, скорее всего, увеличится совсем немного, останется неизменным или даже уменьшится на фунт или два. Потеря веса на девятом месяце беременности обычно обусловлена уменьшением количества амниотической жидкости — по мере того, как гормоны начнут перераспределять жидкость, присутствующую у вас в организме. Уменьшение выработки амниотической жидкости и частое мочеиспускание могут привести к тому, что общее количество жидкости в вашем организме уменьшится, а значит, снизится и ваш вес. Ваше тело избавляется от лишней жидкости.

Трудности с нахождением удобного положения. Возможно, вам никак не удается найти комфортную позу. Вам неудобно сидеть, стоять или лежать в одном положении больше нескольких минут, и вы никак не можете найти подходящую позу для сна. Вы приходите в отчаяние на работе, никак не можете отдохнуть дома и — если вы похожи на большинство женщин — начинаете волноваться, что у вас не останется сил на роды. В этом месяце вам необходимы короткие и частые перерывы на дневной сон. То же самое можно сказать о методах релаксации, которым вас обучают на курсах по подготовке к родам. Используйте их для того, чтобы как можно лучше отдохнуть перед началом родов.

Самочувствие немного улучшается. На девятом месяце часто исчезают два неприятных явления, характерных для ранних стадий беременности — одышка и изжога. Когда ребенок опускается в полость таза (см. раздел «Опускание»), освобождается пространство для диафрагмы и вам становится легче дышать. Теперь, когда давление на желудок ослабевает, может исчезнуть и изжога. Одновременно с ослаблением источников раздражения, связанных с верхней частью матки, вновь появляются старые неприятности внизу живота, то есть учащаются позывы к мочеиспусканию, поскольку головка ребенка сильнее давит на мочевой пузырь. Состояние верхнего отдела пищеварительного тракта улучшается, но в нижних отделах могут опять возникать запоры и вздутия. (Методы борьбы с запорами рассмотрены ранее.)

Новые ощущения в тазовой области. По мере того как ребенок опускается в полость таза, у вас может появиться острая колющая боль в

пояснице или в центре таза, затрудняя ходьбу. Некоторые женщины ощущают неприятное покалывание или пощипывание в районе шейки матки. Возможно, вы будете чувствовать давящую тяжесть или резкую боль в области таза при попытке поднять ногу, когда вы надеваете белье или встаете с постели. Иногда эти боли могут охватывать всю поясницу или отдавать в бедро. Усиление болезненных ощущений в области таза на девятом месяце беременности, скорее всего, связано с ослаблением и растяжением связок, которые готовятся к предстоящей работе. Ослабить дискомфорт поможет вам смена положения тела. Не бросайте физические упражнения — ежедневно совершайте длительные прогулки медленным шагом или упражняйтесь на велотренажере. Если ходьба или физические упражнения причиняют вам боль, обратитесь к хиропрактику, имеющему опыт работы с беременными женщинами. Осторожными манипуляциями он вновь сбалансирует ваши бедра. Мы убеждены в том, что участие хиропрактика в вашей беременности позволит не только снять боли в спине, но и окажет влияние на сам процесс родов, подготовив ваш позвоночник и тазовые сочленения к нагрузке, которая выпадет на их долю.

Толчки ребенка меняют свой характер. На девятом месяце плод шевелится меньше, чем на восьмом, но уменьшение частоты толчков сопровождается увеличением их силы. Возможно, вы будете чувствовать сильные удары под ребрами и в области таза. Иногда у вас даже возникнет ощущение, что ребенок просовывает ручку или ножку в ваше влагалище — очень странное чувство.

Общие неприятные и болезненные ощущения. На девятом месяце многие женщины ощущают напряженность и скованность во всем теле — так, по их представлению, должны чувствовать себя пожилые люди, больные артритом. Голова ребенка давит на нервные волокна и кровеносные сосуды таза, что может стать причиной судорог бедра. Подобно неприятным и болезненным ощущениям в области таза, эти изменения вызваны расслабляющим действием гормонов беременности на суставы. Известно, что общее ослабление связок вызывает слабость в коленях и запястьях, отчего поднятие даже небольшого веса становится непосильной задачей, а ходьба теряет всякую привлекательность. Тем не менее движение поддерживает тонус вашего тела, и если вы уже отправились на ежедневную прогулку, то неприятные ощущения и боль скоро исчезнут. Старайтесь сохранить подвижность — в противном случае понизится тонус вашей мускулатуры, сердечно-сосудистой системы, а также респираторной и пищеварительной систем.

Средства самоуспокоения:

● почитать книгу;
● посмотреть смешной видеофильм;
● позвонить подруге-оптимистке;
● принять ванну;
● побаловать себя каким-нибудь деликатесом;
● сходить в музей;
● посмотреть в кинотеатре романтическую комедию;
● подписать открытки с сообщением о рождении ребенка, одновременно слушая расслабляющую музыку;
● перед тем как вздремнуть, включать музыку, которую вы выбрали для родов;
● сделать несколько глубоких вдохов и потянуться.

КАК РАЗВИВАЕТСЯ ВАШ РЕБЕНОК (37—40 НЕДЕЛЬ)

К дате родов большинство детей весят от 3 до 3,900 кг при росте от 47 до 53 см. На этой «финишной» стадии ребенок накапливает большую часть подкожного жира, поправляясь буквально на глазах. Пушок, покрывавший тело, исчезает, а с ним и часть первородной смазки. Остается лишь такое количество смазки, чтобы облегчить прохождение ребенка по родовым путям. К этому времени ребенку уже становится тесно, и он сворачивается плотным клубком, готовясь к родам. В последние недели перед родами ребенок в утробе матери сосет, глотает, дышит, моргает, перебирает ногами, поворачивает голову, сосет палец, сжимает и разжимает кулачки — словом, упражняется в тех движениях, которые ему понадобятся после появления на свет. Воздушные пузырьки его легких теперь покрыты поверхностно-активным веществом, которое позволяет легким оставаться в расширенном состоянии после каждого дыхательного движения, и поэтому практически все дети, родившиеся на этой стадии беременности (даже в самом начале), могут дышать воздухом за пределами матки.

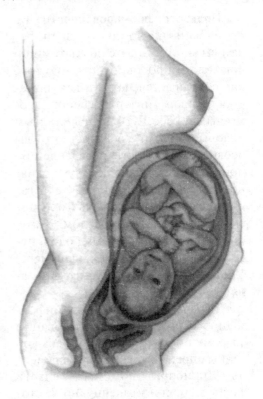

Ребенок в возрасте 37—40 недель

ВОЗМОЖНЫЕ ТРЕВОГИ

Ускорение родов — что вам нужно об этом знать

Что из того, что вы слышали по поводу родов, было самым ужасным? Это болезненный процесс, и он может продолжаться очень долго. Хорошей новостью можно считать то, что и интенсивность боли, и продолжительность этого тяжелого испытания в определенной степени зависят от вас. Вы можете помочь прогрессу родовой деятельности и избежать замкнутого круга отчаяния, то есть ситуации, когда врач осматривает вас и объявляет: «Ничего не происходит», — после чего вами овладевают отчаяние и тревога, схватки замедляются еще больше и перед вами возникает перспектива долгих и изнурительных родов. Для некоторых женщин медленный, но последовательный прогресс родовой деятельности является нормой, однако практически все женщины могут заставить свое тело работать более эффективно — и безболезненно.

Польза информированности. Во время занятий по подготовке к родам вы много узнаете об анатомии и физиологии родов, особенно о том, как сокращается матка и как двигается и поворачивается ребенок, прокладывая себе путь по извилистым родовым путям. Убедитесь, что вы осознаете важность расслабления, понимаете замедляющее роды влияние страха, знаете, как работают ваши гормоны и как помочь им лучше справиться со своим делом. Тому, что происходит во время родов, будет посвящено, по меньшей мере, одно занятие. Не пропустите это занятие.

До начала родов получите информацию о разумном использовании современных технологий и лекарственных препаратов. Часто современные приборы помогают спасти жизнь матери и младенцу, но не стоит забывать, что они предназначены для того, чтобы помогать родовой деятельности, а не препятствовать ей. Своевременно примененная эпидуральная анестезия, как уже говорилось в главе 8, дает измученной роженице отдых, возможность восстановить силы и обрести второе дыхание, что в конечном итоге приводит к ускорению родов. С другой стороны, ошибка в выборе обезболивающего препарата или времени его введения способна воспрепятствовать прогрессу родовой деятельности. Использование технологии, которая приковывает вас к постели,

может привести к затягиванию родов. Если вам необходимы внутривенные вливания, попросите поставить гепариновый замок, который обеспечит вам свободу передвижения, и тогда вы не будете привязаны к стоящей у кровати капельнице. Если необходим электронный мониторинг плода, попросите, чтобы его делали периодически, а не постоянно. Если по медицинским показателям требуется постоянный мониторинг плода, лучше воспользоваться телеметрическими системами, которые позволят вам свободно перемещаться. Использование самых современных достижений медицины дает роженице двойное преимущество — свободы движений и безопасности вследствие мониторинга. (См. также разделы «Разумное отношение к обезболиванию» и «Новые препараты для эпидуральной анестезии».)

Тренированность. Вот когда окупятся многие часы ежедневных прогулок, плавания, занятий на велотренажере или выполнения таких упражнений, как повороты таза и сидение по-турецки.

Необходимость отдыха. Выталкивание ребенка — это не только *тяжелая* работа, это еще и *эффективная* работа. Чем тяжелее работа, тем выше потребность в отдыхе. К счастью, природа предусмотрела для роженицы два периода отдыха. Первый период — это начальная стадия родов, когда схватки еще не такие сильные и их можно терпеть. Вторая разновидность отдыха периодически повторяется — это короткие передышки между схватками. Даже во время самой интенсивной родовой деятельности существует перерыв между окончанием одной схватки и началом другой. Типичная ошибка первородящих женщин — они стараются переделать слишком много дел на самом первом этапе родов. Вы можете возразить: «Эти схватки не так уж сильны. Я могу вытерпеть их. Самое время пропылесосить или подписать открытки о рождении ребенка, прежде чем начнется настоящая работа». Ни в коем случае! Настоящую работу будет гораздо труднее выполнить, если вы как следует не отдохнули — и физически, и психологически. Если вы рожаете дома, укройтесь в тихом месте, отключите телефон и попытайтесь поспать или, по крайней мере, немного отдохнуть. Перестаньте прокручивать в голове список необходимых дел. В больнице на самой ранней стадии родов старайтесь создать вокруг себя спокойную атмосферу.

Не забывайте отдыхать в паузах между схватками, особенно в самом начале родов, когда эти перерывы продолжаются по пять минут и более. Примените приемы релаксации, которым вы обучались. Даже в активной фазе родов, когда схватки могут длиться от одной до трех ми-

нут, мы видели, как опытные роженицы мгновенно отключались, как будто переносясь на другую планету, и даже умудрялись вздремнуть между потугами во время второй стадии родов. Не тратьте время между схватками на переживания по поводу того, какой будет следующая. Это только усилит боль. Страх обостряет восприятие боли. Отдыхайте, чтобы у вас не истощились силы.

В паузах между схватками вы должны сосредоточиться на отдыхе, релаксации и покое.

Правильное питание. Выполняющей тяжелую работу матке и окружающим ее мышцам требуется много энергии, которая поступает в организм с пищей, а также большое количество жидкости. Врачи обычно не рекомендуют есть или пить во время родов — на тот случай, если потребуется общий наркоз или кесарево сечение — и возлагают надежды на внутривенное питание роженицы. Но поскольку большинство женщин, которым необходимо хирургическое вмешательство, предпочитают оставаться в сознании и использовать эпидуральную или спинальную анестезию, в настоящее время отпала необходимость во время родов сохранять желудок пустым, как это делалось прежде. В тех крайне редких ситуациях, когда требуется общий наркоз, основное беспокойство вызывает возможность рвоты и попадания рвотной массы в легкие роженицы. По этой причине роженицам рекомендуется отдавать предпочтение небольшим порциям легкоперевариваемой пищи. Кроме того, обильная еда вызовет у вас чувство дискомфорта. Вот несколько советов относительно питания во время родов.

● *Поешьте как можно раньше.* Запасите энергию на начальном этапе родов; когда схватки станут интенсивными, ваш желудок может отказываться от пищи.

● *Ешьте часто.* Частые и небольшие «перекусы» легче переносятся вашим разборчивым желудком.

● *Отдавайте предпочтение высококалорийной пище.* На начальном этапе родов обеспечьте свой организм сложными углеводами (зерновые и макаронные изделия), которые не раздражают желудок и обеспечивают медленное и постоянное поступление энергии в течение последующих часов тяжелой работы. На последних этапах родов употребляйте (в виде твердой пищи или жидкости) простые углеводы, которые быстро проходят через желудок и обеспечивают быстрый прилив энергии: фрукты, соки, мед. Некоторые женщины во время родов грызут «энергетические» батончики.

● *Ешьте то, что не раздражает желудок.* Некоторые женщины испытывают приступы тошноты во время родов и не могут ни есть, ни пить. Тем не менее есть надо. Поэтому возьмите с собой продукты, уже проверенные ранее — в течение тех месяцев беременности, когда вы страдали от тошноты. Если вы не испытываете отвращения к тем или иным продуктам, то, скорее всего, вы будете в состоянии их усвоить. Избегайте жирного и жареного, откажитесь от газированных напитков — у вас и так достаточно работы, чтобы еще нагружать свой кишечник.

● *Пейте, пейте, пейте.* Избегайте обезвоживания, которое лишит вас сил, отрицательно повлияет на физиологию организма и замедлит роды. Мышцы, не получающие достаточного количества питательных веществ и воды, работают неэффективно. Обязательно загружайте свой «резервуар» водой каждый час на протяжении всех родов, а также пейте в промежутках между схватками. Не забудьте принести с собой в больницу не менее двух бутылок со своим любимым напитком и поставьте их рядом с кроватью. Мы видели, что многие женщины использовали проверенный временем рецепт напитка, который является полезной для здоровья разновидностью коктейля для спортсменов. Этот напиток содержит углеводы, электролиты и минералы, помогая поддерживать химический баланс в вашем организме:

1/3 чашки лимонного сока;
1/3 чашки меда;

1/4—1/2 столовой ложки соли;
1/4 столовой ложки питьевой соды;
1 — 2 измельченные таблетки кальция.

Добавьте в эту смесь воду, пока объем напитка не достигнет 1 кварты. Чтобы смягчить вкус напитка, можно добавить еще воды или своего любимого сока.

Многие женщины настолько поглощены процессом родов, что забывают утолить жажду. Одна из обязанностей присутствующего при родах супруга — заставлять роженицу пить.

● *Внутривенное «питание».* Если вас сильно тошнит и вы не можете ни есть, ни пить, а врач чувствует, что у вас наступает обезвоживание, он может назначить внутривенное введение жидкости. Это стимулирует замедлившиеся роды или придает силы измученной матери.

Дополнительное преимущество: большее количество жидкости означает дополнительные походы в туалет, которые сами по себе — из-за необходимости ходить и приседать на корточки — стимулируют родовую деятельность.

Спокойствие. Вам не обязательно брать пример с кошки, которая прячется в кладовку, чтобы произвести на свет котят, но вы должны создать вокруг себя спокойную обстановку. Ваши помощники (супруг, подруга, медсестра) не должны беспокоить вас во время схваток, чтобы вы могли сосредоточиться на выполняемой работе, а также между схватками, чтобы вы могли отдохнуть. Именно здесь большую помощь может оказать муж. Поручите ему роль хранителя вашего спокойствия, который обязан удалить болтливых, шумных и нетерпеливых людей из помещения, где вы рожаете, и охранять интимность и таинство этого события.

Не будьте слишком серьезными. Вы обнаружите, что во время родов есть место не только для тишины и покоя, но и для разговоров и смеха. И действительно, немного юмора не повредит процессу родов. Именно юмор может быть тем средством, которое пропишет врач роженице и собравшимся вокруг нее взволнованным людям и которое поможет им расслабиться. Смех повышает уровень эндорфина — вырабатываемого самим организмом обезболивающего и расслабляющего средства. Попробуйте посмотреть смешной фильм, особенно уже знакомый и любимый. Некоторые женщины на первом этапе родов слушают записанные на кассету книги любимых авторов. Именно вы и ваш муж определяете приемлемое для вас соотношение между покоем и легкомыслием. Создайте такую окружающую обстановку, которая бы помогала вам во время родов: приглушенный свет, расслабляющая музыка, приятные вам люди и вещи.

Сохраняйте оптимизм. Негативная окружающая обстановка вредна для роженицы. Удалите пессимистов из помещения для родов. Вам совсем не нужны чужие страшные рассказы, воспоминания о чьих-то проблемах или сравнения не в вашу пользу. Слушать пессимистично настроенных людей — это значит вступать в клуб «затянутых родов». Чем больше мы наблюдаем за родами, тем больше восхищаемся сильной связью, которая существует между сознанием и телом в процессе родов. Присутствовать при родах разрешается только оптимистам.

Создайте себе комфортные условия. Побалуйте себя всеми облегчающими роды удовольствиями, какие только сможете придумать (и какие поместятся в ваши сумки). Принесите с собой любимую музыку (см. раздел «Музыка для родов). Постойте под душем, примите ванну, попробуйте деликатесы, которые вы припасли специально для этого дня, загрузите работой своего массажиста, подложите под себя подушки — словом, делайте все необходимое, чтобы обеспечить себе покой и комфорт.

Идите в ногу с прогрессом. Чем больше инструментов воздействия на роды вы будете использовать, тем быстрее будут продвигаться дела. Если больница отстает в использовании самых современных средств,

обеспечьте себя собственными. Наилучшим помощником при родах может стать профессиональный ассистент (см. раздел «Кто вам будет помогать при родах»). Некоторые женщины, у которых мы принимали роды, приносили с собой набор карточек с ободряющими изречениями, которые помогали расслабиться и придавали силы. Если вам понравилась эта идея, выписывайте понравившиеся строки из любимых книг, строфы из поэм или отрывки из юмористических стихотворений. Возможно, вам захочется прочесть их самой или попросить об этом ассистента. Может быть, чудесное стихотворение из уст любимого человека — это как раз то, что поможет вам расслабиться между схватками.

Когда я рожала двух первых детей, в больнице считали меня фанатичкой — я привела с собой профессионального ассистента, принесла записи любимой музыки и любимую еду. Во время третьих родов у медсестер буквально глаза полезли на лоб, когда в мою комнату внесли ванну для рожениц. Когда я рожала четвертого ребенка, они радостно приветствовали все, что я принесла с собой. Думаю, они поняли, что такая роженица, как я, доставляет им меньше беспокойства, а приглашая собственного ассистента, я помогаю больнице сэкономить деньги. Надеюсь, в больнице поймут намек и примут его к сведению при проектировании и оборудовании палат для рожениц. Для того чтобы узнать, что должно находиться в палате, они должны побеседовать с настоящими специалистами — с женщинами, которые будут всем этим пользоваться.

Не молчите. Оставьте этикет для званых обедов и не испытывайте неловкости за те звуки, которые вы издаете во время родов. В конце концов, вы рожаете ведь не в библиотеке и не в церкви. На вопрос, как должна себя вести роженица, опытные ассистенты — особенно те женщины, которые рожали сами, — отвечают: «Как хочет». Некоторым женщинам в трудные минуты становится легче от крика, протяжного стона или крепкого словца. Эти часто неконтролируемые звуки отражают ваше избавление от напряжения и могут служить мощным средством мобилизации внутренней энергии, помогают вытерпеть по-настоящему сильные схватки. Эти звуки похожи на те, что слетают с губ спортсменов в моменты наивысшего напряжения или максимальной концентрации. Разумеется, одни звуки облегчают роды, а другие нет. Низкие протяжные стоны (так называемые «глубинные» звуки) приносят облегчение и придают силы. Высокие, резкие и внезапные вскрики вызывают напряжение и страх (не только у вас, но и у женщины, которая рожает в соседней палате). Обязательно подготовьте своего мужа к тому, что вы во время родов будете издавать странные звуки — в противном случае он может неправильно интерпретировать их, подумав, что вы теряете над собой контроль, и попытаться что-нибудь предпринять, чтобы успокоить вас.

Я профессиональная певица, и во время родов я вдруг обнаружила, что звуки могут приносить облегчение. Я брала боль от родовых схваток и выдыхала ее вместе со звуками. Мое горло устало за время родов, но не охрипло. Правильное пение предполагает умение расслабляться. Расслабиться во время родов мне помогла хорошая вокальная техника.

Сохраняйте мобильность. В «билль о правах» роженицы неотъемлемой частью входит право на свободное передвижение и на свободу принимать то положение, которое она считает самым удобным. Чтобы воспользоваться преимуществом природной способности вашего тела подсказывать вам оптимальные положения для родов и родоразрешения, вы сначала должны немного подумать над проблемой культурного репрограммирования. Выбросите из головы все сцены из фильмов с лежащей на спине роженицей — это наследие болезненных родов прошлого. И действительно, исследования показали, что женщины, не испытывавшие культурного давления, склонявшего их к родам лежа на спине, обычно принимали одно из восьми различных положений во время родов, причем большинство из них вертикальные, приподнятые или связаны с движением.

Если во время родов вы будете оставаться в постели, то роды, скорее всего, значительно затянутся. Ходьба особенно помогает на начальной стадии родов, снимая дискомфорт и ускоряя родовую деятельность. Как мы уже отмечали ранее, если вам требуются анализы и медицинское обеспечение, попросите применить новейшую технологию, которая оставляет женщине свободу передвижения.

Сохраняйте вертикальное положение. Большинство женщин, если их предоставить самим себе, рожают в вертикальном или приподнятом положении. Когда вы находитесь в вертикальном положении, сила тяжести помогает ребенку спускаться по родовым путям. Роды на спине с точки зрения физиологии не имеют никакого смысла ни для матери, ни для ребенка. В этом положении сила тяжести прижимает ребенка к позвоночнику матери, и матка вынуждена выталкивать ребенка вверх. И что еще хуже — матка может пережать проходящие вдоль позвоночника главные кровеносные сосуды, в результате чего нарушается кровоснабжение матки и схватки становятся менее эффективными. При родах в положении на спине выше

вероятность возникновения сильных болей в спине. Исследования показали, что при вертикальном положении повышается эффективность сокращений матки, лучше раскрывается шейка матки, а сами роды ускоряются. Наш опыт подтверждает, что роженицы, которые большую часть времени находились в горизонтальном положении, чаще мучились долгими и тяжелыми родами.

Рекомендация роженице. Попросите своих помощников, чтобы они не сидели рядом с вами и не смотрели на вас. Вспомните поговорку «кто над чайником стоит, у того он не кипит». По возможности займитесь своими обычными делами. Слишком пристальное наблюдение может усилить волнение и вызвать у вас ощущение, что действительно есть за чем наблюдать.

Кроме того, вертикальное положение тела расширяет отверстие таза, облегчая ребенку выход наружу. Когда вы находитесь в вертикальном положении, расслабленные гормонами беременности тазовые сочленения легче раздвигаются, приспосабливаясь к прохождению маленького «пассажира» с большой головой и широкими плечами. Вертикальное положение также обеспечивает более естественное растяжение тканей родовых путей, уменьшая вероятность разрывов.

Возможно, вам будет легче встать (как в буквальном, так и в переносном смысле) на защиту своего права рожать стоя, если вы будете знать, почему горизонтальное положение при родах так прочно засело в нашем коллективном сознании. Горизонтальные роды — это пережиток тех времен, когда широко применялись наркоз и акушерские щипцы, а роженица была до такой степени одурманена лекарствами, что не могла встать или помочь вытолкнуть ребенка наружу. Поскольку женщина не могла самостоятельно родить ребенка, кто-то должен был извлечь ребенка из чрева матери. Со временем «ловители детей» привыкли сидеть в ногах акушерского стола, чтобы помочь ребенку появиться на свет, а затем они решили, что такая ситуация «наиболее безопасна» — просто потому, что так им было удобнее. На самом деле ребенок может «безопасно» родиться при любом положении роженицы, если сама мать или кто-то из помощников могут принять ребенка.

Вертикальные роды не означают, что вы должны все время стоять, ходить или сидеть на корточках. Следующий порядок смены положения тела поможет вам обеспечить наиболее эффективную родовую деятельность:

● принимайте вертикальное положение *во время* схваток;

● откидывайтесь на подушки и отдыхайте *между* схватками.

Определение наилучшего положения для родов

Когда я лежала в кровати и ко мне время от времени приходил врач, то до меня вдруг дошло, что я превратилась в пациента. Если врач видел, что я хожу по комнате, прогуливаюсь в холле или опираюсь на руку мужа, он предполагал, что все идет хорошо, что я справляюсь и что необходимости в его вмешательстве нет. Лежа в кровати, я представляла собой объект для вмешательства. Думаю, пребывание в кровати делало меня зависимой и больной, и врач чувствовал себя обязанным что-нибудь предпринять.

Видели бы вы выражение лица моего врача, когда я попросила его опуститься на колени и принять ребенка, в то время как я тужилась, сидя на корточках, а муж поддерживал меня сзади. (Уверена, что это положение во время родов еще не вошло в пособия по акушерству.) Но это прекрасно помогло, и я уверена, что, если в следующий раз кто-то обратится к врачу с такой же просьбой, подушечки для ног у нее уже будут наготове.

Точно так же, как не существует «правильной» позиции для занятий любовью, нельзя говорить о «правильном» положении для родоразрешения. Зная, какие положения можно попробовать, а также имея свободу для эксперимента, вы получаете возможность действовать эффективнее. Попробуйте следующие проверенные положения.

Как продвигаются роды?

Вы хотите знать, как продвигаются роды. Это помогает понять термины, которые используют ваши ассистенты, и соотнести их с тем, что происходит с вашим телом. Ассистенты будут оценивать прогресс родов по трем показателям: стирание, раскрытие и опускание.

«Стирание» означает утончение шейки матки, которая из толстостенного конуса превращается в тонкую и широкую чашу под головкой ребенка. Во время осмотра врач или акушерка оценят степень «стирания»:

● «0 процентов стирания» означает, что шейка матки еще не начинала утоншаться;

● «50 процентов стирания» означает, что процесс завершен лишь наполовину;

● «100 процентов стирания» означает, что шейка матки стала максимально плоской и готова раскрыться, чтобы пропустить ребенка.

Бывает, что при первых родах шейка матки должна сначала полностью «стереться», и только потом начнется процесс раскрытия. При последующих родах стирание и раскрытие могут происходить одновременно. Во время осмотра вы можете услышать от врача, что шейка матка «созрела». Это означает, что шейка матки стала достаточно мягкой, чтобы началось стирание и раскрытие.

«Раскрытие» указывает на то, насколько расширилась шейка матки. Во время внутреннего осмотра врач или акушерка оценивают степень раскрытия шейки матки при помощи пальцев. Эта величина обычно выражается в сантиметрах. На предварительной или начальной стадиях родов раскрытие может составлять 1 или 2 сантиметра, а по мере усиления родовой деятельность достичь 5 сантиметров. Когда врач или акушерка сообщат вам радостную новость, что раскрытие составляет 10 сантиметров, это значит, что шейка матки раскрылась полностью. С точки зрения акушерства состояние «родов» означает постепенное раскрытие шейки матки.

«Опускание» указывает на то, насколько предлежащая часть ребенка (обычно голова) опустилась в таз. Во время внутреннего осмотра врач или акушерка определят, на какой уровень опустился ребенок. Нулевой уровень означает середину таза. Каждый сантиметр выше или ниже нулевого уровня указывает на свою стадию. Самое верхнее положение называется «плавающим» — это означает, что головка ребенка находится над отверстием таза и еще не вошла в него. Если врач или акушерка сообщает, что уровень ребенка «минус четыре», это значит, что он находится в четырех сантиметрах выше нулевого уровня. Если речь идет о «плюс четырех», значит, головка ребенка опустилась в полость таза и врач уже может ее видеть.

Помимо стирания, раскрытия и опускания, еще одним фактором, определяющим прогресс родов, является изменение положения ребенка.

Ребенок должен не только опускаться по родовым путям: при прохождении через таз его тело поворачивается, чтобы найти путь наименьшего сопротивления. Иногда в процессе родов степень раскрытия и опускания в течение часа (или даже больше) остаются неизменными, в то время как вы помогаете ребенку повернуться так, чтобы облегчить выход нару-

жу. Эти изменения могут не найти отражения в репликах врача или акушерки относительно раскрытия или опускания, но родовая деятельность тем не менее продолжается.

Не стоит падать духом, если врач или акушерка объявляет: «По-прежнему четыре сантиметра...» Акушеры-гинекологи считают «нормальным» или «обычным», когда скорость раскрытия шейки матки составляет около 1 сантиметра в час, а скорость опускания ребенка — тоже около 1 сантиметра в час (1,5 сантиметра в час при последующих родах), однако это лишь правило для приближенной оценки. Возможно, ваша матка не придерживается этого правила. Роды, которые развиваются медленнее, чем обычно, необязательно аномальны. Возможно, ваша матка и родовые пути просто не попадают в категорию «средних».

Приседание. Возможно, вы будете недоумевать, зачем вам садиться на корточки, если можно удобно устроиться в кровати, лежа на боку. Приседание полезно как для матери, так и для ребенка. В этом положении расширяются отверстия таза, снимается боль в спине, ускоряется родовая деятельность, расслабляются мышцы промежности, что уменьшает вероятность их разрыва, улучшается снабжение ребенка кислоро-

дом и даже облегчается изгнание плаценты. Если во время беременности вы много тренировались, то принять это положение во время родов вам будет легче.

Если вы прямо сейчас попробуете присесть на корточки, то почувствуете те места, где ваши бедренные кости соединяются с костями таза. При этом бедра выполняют роль рычагов, расширяя нижнюю апертуру таза на 20—30 процентов. Приседа-

«Медленный танец» *Приседание в висе* *Приседание с поддержкой*

ние обеспечивает ребенку прямой путь через более широкий проход, облегчая ему продвижение через тазовую полость. Если вы рожаете в горизонтальном положении, матка должна протолкнуть ребенка через более узкий и извилистый проход, а это труднее и болезненнее. (Роженицы с короткой второй стадией родов предпочтут не садиться на корточки.)

Рекомендации относительно положения на корточках.

• Сесть на корточки лучше во время второй стадии родов, когда шейка матки полностью раскрылась

и вы хотите обеспечить максимальную эффективность схваток (если только положение на корточках не ускоряет родовую деятельность на ранних стадиях). Обычно нет необходимости садиться на корточки на первых этапах родов, когда шейка матки еще раскрывается, а боль от схваток можно терпеть. Лучше не перегружать ноги, пока схватки не станут по-настоящему интенсивными.

• Желание тужиться — это сигнал сесть на корточки. Как только начнутся схватки, сразу же поднимайтесь с кровати и садитесь на корточки. Попросите прикрепить к акушерской кровати специальную перекладину или держитесь за чью-нибудь шею. Между схватками отдыхайте, приняв более удобное положение.

● Приседание усиливает схватки, потому что при таком положении роженицы головка ребенка надавливает на шейку матки — именно это обусловливает прогресс родовой деятельности. Если вы обнаружили, что приседание во время активной фазы родов делает боль от схваток слишком сильной, скорректируйте свои действия.

● Чтобы не поскользнуться и не устать слишком быстро, поставьте ноги на ширину плеч и садитесь на корточки постепенно. Избегайте рывков — это может привести к растяжению связок коленных суставов.

● Садясь на корточки, расслабьте мышцы живота и выпятите его,

чтобы выглядеть как на одиннадцатом месяце беременности. Напряженные мышцы живота могут усилить боль.

Приседание в висе — это естественная «расслабляющая» поза, которая напоминает вашему телу о необходимости не сопротивляться, ослабить напряжение и вытолкнуть ребенка. Принимая это положение, вы посылаете своему мозгу сообщение о «капитуляции».

Опускание на колени. Такое положение помогает смягчить слишком сильные схватки, снять боль в спине или повернуть ребенка, находящегося в ягодичном предлежании. Кроме того, эта поза позволяет вам экспериментировать, в результате чего вы можете «присесть на коленях», стать на четвереньки или принять положение «колени к груди».

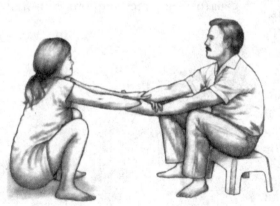

Приседание с поддержкой

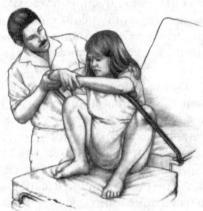

Использование перекладины

На четвереньках

Сидячее положение. Такая поза расширяет таз роженице, хотя и не в такой степени, как приседание. Наиболее эффективное положение — это сесть на низкую скамеечку. Альтернативный вариант — сесть верхом на сиденье унитаза, стул или «родильный мяч», с которым вы, возможно, тренировались. Если вы должны оставаться в постели из-за применения медикаментозных средств обезболивания, сядьте верхом на акушерской кровати.

Положение стоя с опорой и без опоры. Когда вы много ходите, родовая деятельность ускоряется и становится эффективнее, и поэтому вы можете обнаружить, что инстинктивно встаете во время сильных схваток. Попробуйте остановиться, прислониться к стене или ассистенту или опустить голову на лежащую на столе подушку.

Положение лежа на боку. Несмотря на то, что движение и вертикальное положение ускоряют роды, невозможно сохранять вертикальное положение на протяжении всех родов. Вашему телу, которое выполняет тяжелую работу, необходимо отдыхать, а иначе оно перестанет справляться со своей задачей. Лучше всего оставаться в вертикальном положении (в любой позе) во время активных родовых схваток, но как можно больше отдыхать на первых этапах родов и в паузах между схватками. Во время отдыха ложитесь на левый бок.

Как часто вы будете ложиться и как долго вы будете оставаться в этом положении, зависит от характера родов. Если вы хотите облегчить тяжелые и стремительные роды, ложитесь на бок — особенно в моменты сильных схваток. Если вы хотите ускорить затянувшиеся роды или увеличить интенсивность схваток, садитесь на корточки или

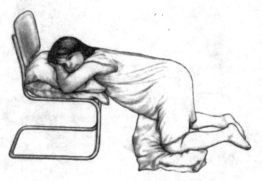

Опора на стул

на колени во время схваток, а в промежутках между схватками снова ложитесь на бок. Невозможно переоценить значение релаксации и отдыха в паузах между схватками.

Рекомендация роженице. Все советы, приведенные в разделе «Обезболивание при родах», также способствуют прогрессу родов. Боль и прогресс родов взаимосвязаны, причем зависимость часто бывает обратной: чем сильнее боль, тем сильнее усталость и тем меньше прогресс. Обязательно изучите приведенные в главе 8 рекомендации по ослаблению боли — их выполнение поможет обеспечить прогресс родов.

Некоторые женщины находят позу на боку настолько удобной, что рожают ребенка в этом положении. Если вы остановили свой выбор именно на этом положении, попросите одного из ассистентов помочь вам приподнять верхнюю ногу, чтобы расширить апертуру таза.

Обязательно потренируйтесь принимать все рассмотренные выше положения на курсах по подготовке к родам, а также дома. Напоминайте себе о том, что нужно принимать вертикальное положение во время схваток и отдыхать в промежутках между ними. Экспериментируйте во время родов, пока не найдете положение, которое поможет вам ослабить дискомфорт и усилит родовую деятельность.

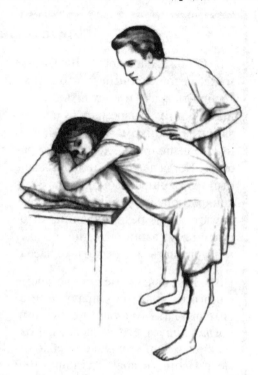

Опора на стол

РОДЫ И РОДОРАЗРЕШЕНИЕ

На девятом месяце желание быстрее избавиться от беременности и поскорее взять на руки драгоценное существо, которые вы вынашивали в себе все это время, может привести к тому, что любое болезненное ощущение в животе будет восприниматься как «это». Обычно эти ожидания не оправдываются и проходит несколько дней или даже недель, прежде чем вы увидите своего ребенка. У одних женщин роды начинаются внезапно и развиваются

Когда звонить врачу

«О боже, началось!» Вы будите мужа, который считает, что нужно сообщить врачу и получить от него инструкции. Повремените с телефонным звонком — сначала вам нужно выполнить «домашнюю работу». Когда делать этот долгожданный телефонный звонок, зависит от конкретной ситуации, однако существуют общие рекомендации, которые снимут ваши опасения и дадут врачу поспать еще несколько часов.

● На девятом месяце во время одного из визитов к врачу попросите его дать точные инструкции, когда следует его вызывать. Возможно, в вашем случае необходимо позвонить врачу раньше, чем это делают большинство рожениц. Кроме того, врач или акушерка сообщат вам несколько «цифр», за которыми нужно следить, прежде чем снимать телефонную трубку. Это время между схватками и продолжительность схваток. Кроме того, вам расскажут о признаках «истинных родов». Если этот ребенок у вас не первый, время вызова врача или акушерки может зависеть от того, были ли ваши предыдущие роды стремительными или медленными и вялыми.

● Вспомните разницу между родовыми и предродовыми схватками, чтобы вы могли быть уверены, что родовая деятельность прогрессирует.

● Прежде чем звонить, составьте таблицу схваток, как показано на рис. 355 оригинала.

● Если информация, занесенная в таблицу схваток, совпадает с тем, что говорил вам врач, звоните. Информировать врача или акушерку следует и в том случае, если вы подозреваете наличие каких-либо проблем (см. ниже), если вы волнуетесь, испуганы или не уверены в себе. Не нужно считать себя обязанной извиниться за ложную тревогу. Необходимость в поддержке и совете (особенно если это ваш первый ребенок) — это нормально. Некоторым опытным матерям тоже требуется поддержка.

Ниже приведены признаки, указывающие на возможные проблемы. При их появлении нужно немедленно вызывать врача.

● Сильное вагинальное кровотечение (кровь свежая, и ее больше, чем при обычной менструации).

● Оболочки плода разрываются, и вы замечаете, что из влагалища вытекает густая зеленая жидкость. Это меконий, или первый кал ребенка, и он может служить признаком патологического состояния плода.

● Вы ощущаете внутреннюю тревогу, хотя нет никаких внешних признаков, указывающих на возможную проблему. Доверьтесь своему материнскому инстинкту.

Обязательно сообщите врачу, как вы переносите схватки. Если все идет нормально и вы хотите оставаться дома как можно доль-

ше, скажите об этом. Если вы не можете сосредоточиться и вам необходима помощь, спросите, можно ли приехать в больницу немного раньше обычного — даже только для того, чтобы вас осмотрели, успокоили и вновь отправили домой, если такой вариант вам кажется наилучшим.

стремительно. У других процесс разворачивается медленно, иногда неубедительно, и родовая деятельность усиливается постепенно, хотя и эффективно. У некоторых рожениц роды начинаются, а затем приостанавливаются; в родовой деятельности наблюдаются приливы и отливы, а весь процесс может продолжаться насколько дней. Женщине легко запутаться среди многочисленных терминов: «ложные роды», «истинные роды», «подготовка к родам» и т.д. Роды и родоразрешение любой женщины индивидуальны, как и ее беременность, однако существуют определенные фазы, через которые проходят все роженицы, когда приходит время произвести ребенка на свет.

Подготовка к родам: день родов приближается

Возможные ощущения

Можно сказать, что весь последний месяц беременности — это роды, поскольку в вашем организме

происходят многочисленные изменения, подготавливающие вас к разрешению от бремени.

Опускание ребенка. В какой-то момент последних недель беременности вы можете обратить внимание, что ребенок в вашем животе опустился. Большинство женщин с первой беременностью замечают это за две недели до родов, хотя у некоторых опускание ребенка происходит за четыре недели до предполагаемой даты родов. У женщин, вынашивающих не первого ребенка, опускание может произойти только после начала родов, поскольку мышцы таза у них в достаточной степени растянуты и не нуждаются в «разминке». Опускание головки ребенка в полость таза также называют «облегчением», потому что расположенный ниже груз кажется легче и меньше, а также «вхождением», поскольку головка ребенка входит в апертуру таза. Как бы вы ни называли этот процесс, ваши ощущения и внешний вид изменятся. Грудь, скорее всего, перестанет касаться верхушки живота, и вы, возможно, будете чувствовать головку ребенка ниже центральной части таза.

Частое мочеиспускание. Теперь, когда головка ребенка располагается ближе к мочевому пузырю, ваши походы в туалет участятся.

Боли в пояснице. По мере того, как ребенок становится тяжелее и опускается ниже, вы можете почувствовать болезненные ощущения в пояснице и в области таза, обусловленные тем, что связки матки и таза растягиваются еще больше.

Усиление сокращений Брэкстон-Хикса. Вы можете заметить, что схватки-предвестники из неприятных превращаются в болезненные, напоминая менструальные спазмы. Даже несмотря на то, что эти предродовые схватки не такие сильные, как родовые, их может оказаться достаточно, чтобы начался процесс «стирания» шейки матки, когда она из толстостенной трубки превращается в тонкую чашу. Сокращения Брэкстон-Хикса станут еще сильнее перед самыми родами, однако они могут то усиливаться, то ослабляться в течение двух недель до начала родов. Боль уменьшается, если вы изменяете положение тела или начинаете ходить. Не забывайте во время этих схваток упражняться в технике релаксации.

У меня появлялось такое чувство, что в моем животе стягивают, отпускают, а затем опять стягивают ремень. Это продолжалось четыре недели — и только потом начались настоящие схватки.

Диарея. Гормоны родов, воздействующие на ваш желудочно-кишечный тракт, могут привести к усилению перистальтики кишечника — это естественная клизма, опорожняющая кишечник, чтобы освободить место для движения ребенка. Кроме того, эти же гормоны могут вызвать тошноту.

Усиление выделений из влагалища. Вы можете заметить более обильные выделения молочно-белого или розоватого цвета. Они отличаются от кровянистых выделений, описанных ниже.

Кровянистые выделения. Опускание головки ребенка в область таза в сочетании с предродовыми схватками может привести к «раскупориванию» слизистой пробки, закрывавшей вход в шейку матки. Консистенция этой пробки может быть разной, от тягучей до плотной и клейкой. У одних женщин наблюдается выход всей пробки сразу, а другие замечают усиление окрашенных кровью влагалищных выделений. Некоторые тонкие кровеносные сосуды шейки матки рвутся, когда шейка начинает «стираться», и поэтому вы можете заметить выделение небольшого количества (примерно чайную ложку) окрашенной кровью слизи, цвет которой варьируется от розового до коричневатого. Если в выделениях крови больше, чем слизи — как во время менструации — или если кровь ярко-красная, немедленно сообщите об этом врачу.

Если вы заметили кровянистые выделения, это значит, что до родов осталось не более трех дней. Однако некоторые женщины держатся еще неделю или даже две.

Разрыв плодного пузыря. Только у одной из десяти беременных женщин плодный пузырь разрывается до начала родов. У большинства будущих матерей этого не происходит до того момента, пока процесс родов не зайдет достаточно далеко. Если воды отошли до начала родов, следует ожидать их наступления через несколько минут или часов — в крайнем случае на следующий день.

Перечисленные выше признаки указывают на приближение родов, но не позволяют точно определить, когда это произойдет. У одних женщин некоторые или все эти признаки появляются за несколько дней до родов, а другие замечают их за неделю или две до родов. Время появления и интенсивность признаков различны у разных женщин. Многие вообще ничего не замечают. Если вы обнаружили у себя некоторые из этих признаков, постарайтесь как

следует отдохнуть, потому что велика вероятность того, что роды начнутся в ближайшие несколько дней.

Что происходит в вашем организме

Несмотря на то, что роды еще не начались, ваше тело начинает готовиться к тому, чтобы произвести ребенка на свет. Изменяется соотношение гормонов: уровень прогестерона снижается, а уровни эстрогена, окситоцина и простагландина повышаются. Эти гормоны родов еще больше, чем в предыдущие месяцы, ослабляют связки таза и делают ткани влагалища еще более эластичными. Под воздействием этих же гормонов шейка матки начинает «созревать», то есть становится мягче, тоньше и подготавливается к раскрытию.

Подготовка к родам может продолжаться от нескольких часов до нескольких недель. Обычно в это время ребенок опускается еще ниже в полость таза, а шейка матки становится тоньше (частично стирается) и раскрывается до уровня 1—2 сантиметров.

Ваши действия

Отдыхайте, отдыхайте и отдыхайте. Не пытайтесь ходить на работу — если это вообще вам под силу. Впереди вас ждет тяжелая работа другого рода. Теперь самое подходящее время собрать необходимые вещи, привести в порядок дела и просмотреть список того, что вам нужно успеть сделать до начала родов. Восполните запасы энергии большим количеством сложных углеводов и подготовьте свой мозг, вспомнив и повторив следующие моменты:

● методы релаксации;
● методы обезболивания;
● приемы, помогающие прогрессу родовой деятельности.

В преддверии напряженной работы вы должны как следует отдохнуть, запастись силами и повторить все, что вам может понадобиться.

Роды начинаются: как определить этот момент

Формально вы переходите в активную фазу родов, когда шейка матки раскрывается до 4 сантиметров. Некоторые женщины могут находиться на пороге этой фазы несколько дней или даже неделю, прежде чем у них не начнутся регулярные и сильные схватки. Другими словами, роды можно считать начавшимися, после того как схватки становятся регулярными и их сила постепенно увеличивается. После этого вы должны увидеть своего ребенка не позже чем через день.

Мы не считаем термины «истинные роды» и «ложные роды» полезными и точными, поскольку в природе не существует такого явления, как «ложные» родовые схватки. Как уже отмечалось раньше, все эти сокращения Брэкстона-Хикса, которые вы ощущали в течение нескольких недель или даже месяцев, повышали тонус матки, меняли положение ребенка и «стирали» шейку матки, подготавливая вас к тому дню, когда вы разрешитесь от бремени. Многие женщины, и особенно первородящие, не могут точно указать момент, когда у них начались родовые схватки. Поначалу родовые схватки бывают похожи на схватки-предвестники. Впоследствии женщина, конечно, может оглянуться назад и сказать: «Да, они начались именно тогда». После начала активной фазы родов у вас уже не должно оставаться сомнений, что все это закончится появлением ребенка на свет. Разница между предродовыми и родовыми схватками заключается в следующем.

Предродовые схватки (их иногда называют «ложными» схватками):

● Нерегулярные, то есть у них нет определенного ритма в течение нескольких часов.

● Не прогрессируют, то есть не становятся сильнее, чаще или продолжительнее.

● Ощущаются в основном спереди, в нижней части живота.

● Либо совсем безболезненные, либо просто неприятные; ощущаются скорее как давление, чем как боль.

● Становятся слабее, и дискомфорт исчезает, когда вы меняете положение тела, начинаете ходить, ложитесь, принимаете горячую ванну или душ.

● Матка становится похожей на твердый шар.

Родовые схватки (их иногда называют «истинными» схватками):

● Регулярные, то есть следуют в определенном ритме (хотя этот ритм редко выдерживается с точностью до минуты).

● Прогрессируют, то есть становятся сильнее, чаще или продолжительнее; схватки удлиняются, а интервалы между ними становятся короче.

● Ощущаются в основном в нижней части живота и распространяются на поясницу.

● Ощущения — от неприятного давления до схваткообразной дергающей боли, которую можно терпеть или даже уменьшить, сознательно расслабляя остальные мышцы тела.

● Не ослабевают, если вы ляжете или смените положение тела; могут усилиться от ходьбы.

● Обычно сопровождаются кровянистыми выделениями.

При отсутствии тревожных признаков нет никакой необходимости звонить врачу или акушерке, если только это не часы их приема, а ваше любопытство не позволяет вам больше ждать. Врач или акушерка могут осмотреть вас и сказать, настоящие ли это схватки или еще

Совет роженице: Если вы сомневаетесь, родовые у вас схватки или еще схватки-предвестники, воспользуйтесь формулой 1—5—1: если схватки продолжаются не меньше минуты с интервалом 5 минут (или меньше) в течение как минимум, часа, то у вас, скорее всего, начались роды.

Теперь самое подходящее время для составления таблицы схваток.

Время	Продолжительность
22:02	60 секунд
22:06	65 секунд
22:10	50 секунд
22:13	40 секунд
22:17	65 секунд
22:22	60 секунд

схватки-предвестники. Если шейка матки размягчается, становится тоньше и, возможно, раскрывается, это должно приободрить вас.

Теперь, когда вы (возможно, вместе с врачом или акушеркой) определили, что роды действительно начались, пришло время следить за появлением признаков каждой фазы родов. Ни одни роды не проходят в точности по указанному сценарию. Тем не менее у всех родов имеются общие стадии и фазы.

1. Первая стадия родов:
● ранняя, или скрытая фаза;
● активная фаза;
● переходная фаза.

2. Вторая стадия родов:
- фаза отдыха и потуг;
- фаза прорезывания головки плода и родоразрешения.

3. Третья стадия родов:
- изгнание плаценты.

У одних женщин фазы первой стадии родов легко различимы, а у других смешиваются. Не забывайте, что длительность и интенсивность этих фаз могут значительно отличаться как у разных женщин, так и одной и той же женщины при разных родах.

Приведенные ниже описания содержат лишь общие положения, тогда как длительность, ритм и интенсивность ваших родов — это вещь абсолютно уникальная.

Первая стадия родов: ранняя фаза

Возможные ощущения

Первая фаза родов называется «ранней», или «скрытой», потому что вскоре должна последовать активная фаза, даже если роженице кажется, что почти ничего не происходит. Некоторые женщины даже не понимают, что роды уже начались, или думают, что это просто более сильные сокращения Брэкстон-Хикса. Для большинства женщин скрытая фаза — наиболее легкий и самый длительный этап родов. В этой фазе интервал между схватками может составлять от пяти до тридцати минут, а сами схватки продолжаются от тридцати до сорока пяти секунд. Обычно схватки не такие сильные, чтобы вы не могли ходить по дому и заниматься обычными делами.

В этот период большинство женщин сохраняют спокойствие и контроль над ситуацией. Возможно, вы захотите с кем-нибудь поболтать или совершить прогулку. Возможно, вы будете взволнованы наступлением ответственного момента и попытаетесь представить, какими будут роды и как вы их выдержите. Возможно, вы почувствуете непреодолимое желание «обустроить гнездо» или заметите у себя один из физических признаков, о которых рассказывалось в разделе, посвященном подготовке к родам (диарея, боль в пояснице, схватки, похожие на менструальные кровянистые выделения, частое мочеиспускание).

В этой фазе у некоторых рожениц наблюдается утечка амниотической жидкости или разрыв плодных оболочек, хотя обычно это происходит на следующем этапе, то есть во время активной фазы родов. У первородящих женщин ранняя фаза родов в среднем продолжается восемь часов, причем ее временной диапазон достаточно широк — от нескольких часов до нескольких дней. Некоторые женщины во время этой фазы спят — если она приходится на ночное время.

Что происходит в вашем организме

Во время ранней фазы родов шейка матки становится тоньше, «стираясь» до уровня 50 — 90 процентов. Кроме того, происходит раскрытие шейки матки, достигая к концу фазы 4—5 сантиметров.

Ваши действия

На этой фазе родов ваше тело может обмануть вас. Возможно, вы почувствуете эйфорию, станете болтливы или ощутите внезапный прилив сил и желание чем-нибудь заняться — стремление найти укромный уголок придет позже. Если вы взволнованы и энергичны, то вам не захочется отдыхать, но вы *должны* это сделать. Многие неопытные роженицы тратят столько энергии во время этой начальной фазы родов, что к тому времени, когда начинается настоящая работа, у них уже не остается сил. Вам нужно отдохнуть и поспать, но психологическое возбуждение и определенные физические неудобства лишают вас покоя. Попросите мужа помассировать вам спину, примите теплую ванну или душ, посмотрите телевизор. Попытайтесь поспать или по крайней мере отдохнуть — делайте все возможное, чтобы накопить силы для предстоящей работы. Если вы не в состоянии сидеть на месте, совершите медленную прогулку. Вертикальное положение и осторожные движения при-

ведут к тому, что сила тяжести поможет ребенку опуститься еще ниже в полость таза, а схватки усилятся. Постарайтесь не поддаваться страху, который может быть вызван воспоминаниями о предыдущих тяжелых родах или тем, что вы не доверяете своему телу. Страх способен привести к психологическому и физическому сопротивлению. Если вы чувствуете, что вами овладевает беспокойство, постарайтесь поделиться своими опасениями с тем (хорошо, если ваш ассистент одновременно является близким другом), кто способен помочь вам обрести уверенность в себе.

По мере усиления схваток начинайте использовать приемы релаксации и естественного обезболивания. Поэкспериментируйте с различными положениями тела во время схваток. Попробуйте отдыхать лежа на боку в промежутках между схватками. Если у вас усиливается боль в спине, попробуйте часть пауз между схватками провести стоя на четвереньках. По мере того как скрытые роды становятся более активными и интенсивными, вы обнаружите, что во время схваток все больше времени проводите, опираясь на кого-то из присутствующих или на какой-либо предмет.

Большинство женщин на этой ранней стадии родов находятся в комфортной обстановке собственного дома. (Правила некоторых больниц гласят, что рожениц принимают только в активной фазе родов.) Ешьте как можно чаще, чтобы накопить достаточное количество энергии. Мочевой пузырь должен быть пустым — это помогает прогрессу родовой деятельности. Но самое главное — как можно лучше расслабьтесь психологически и физически.

Сознание и тело подскажут вам, когда скрытая фаза родов подходит к концу. К этому моменту увеличится частота (промежуток между ними сократится до пяти минут) и интенсивность схваток. Весьма распространенный признак наступления активной фазы родов — переход от эйфории к углубленности в себя, желание отключиться от внешнего мира и укрыться в спокойном месте. Эти эмоциональные перемены часто указывают на то, что пришло время сообщить врачу или акушерке, что у вас начались роды. Прислушайтесь к своему психологическому и физическому состоянию и действуйте в соответствии с ним (см. раздел «Когда звонить врачу» и раздел «Когда ехать в больницу»).

Советы будущему отцу — что делать во время ранней фазы родов

Будьте мальчиком на побегушках. Уговорите жену отдохнуть в заранее подготовленном «гнездышке», а сами приготовьте ей еду и напитки. Предложите свои услуги массажиста, а также окажите ту физическую и психологическую поддержку, которую попросит супруга.

Возможно, для вас это будет неприятный период. Задолго до того, как вы с женой стали посещать курсы по подготовке к родам, в книгах и фильмах вы сталкивались с эпизодами тяжелых родов, когда женщины кричали от боли, а мужчины не находили себе места за пределами родильной палаты. Это может стать причиной подсознательного страха. Такие картины обычно всплывают в памяти после начала родов. Внезапно вы начинаете бояться, что занятия любовью девятимесячной давности поставили под угрозу жизнь любимого человека. Вы чувствуете вину за усиливающиеся страдания жены, а также свою неспособность хоть как-то облегчить их. Массаж, ободряющие слова и даже поцелуи и ласки — все это, похоже, почти не помогает, и особенно если роды сделали жену отчужденной и раздражительной. У вас появляются опасения относительно того, как изменится ваша жизнь после появления ребенка, — будет ли жена снова радоваться романтическим вечерам, сможете ли вы заработать достаточно денег, чтобы обеспечить медицинское обслуживание и образование нового члена семьи, будете ли вы хорошим отцом и так далее. Труднее всего вам представить, как этот «арбуз» может пройти через влагалище жены.

Большинство мужчин не любят больниц, обезболивания и крови, и поэтому следующие сорок восемь часов вряд ли покажутся вам привлекательными — несмотря на тщательную подготовку. Будьте мужественными. Вы выдержите это. Любовь к жене и тревога за нее помогут вам. Больше всего ей нужно, чтобы в следующие несколько часов вы просто стояли рядом и разделили с ней все ее чувства. Это непростое время, но, взяв на руки только появившегося на свет сына или дочь, вы испытаете такое радостное волнение, что забудете обо всех тревогах и страхах. Этот маленький человечек и его мама в следующие недели и месяцы будут сильно зависеть от вашего спокойствия, вашей уверенности и постоянной поддержки. Ваша жизнь станет неизмеримо богаче от самого ценного дара, который когда-либо преподносила вам жена, — вашего ребенка.

Первая стадия родов: активная фаза

Возможные ощущения

Общее правило: если схватки становятся такими сильными, что вы умолкаете на полуслове — вы просто не можете говорить во время схваток — значит, роды перешли в активную фазу. Возможно, на ранней фазе родов вас успокаивает следующая мысль: «Все не так уж плохо, и я смогу это выдержать». Теперь, когда схватки стали сильнее и чаще и требуют к себе полного внимания, ваш тон может измениться: «Ой! Как больно!» Как правило, в активной фазе схватки следуют с интервалом в три-пять минут и продолжаются от сорока пяти до шестидесяти секунд. Если вы в это время ходите, то схватки заставят вас замереть на месте; у вас перехватит дыхание. Вам больше не удастся просто отвлечься от боли, и вам придется призвать на помощь методы релаксации и естественного обезболивания, которыми вы овладевали во время беременности.

Схватки в активной фазе родов женщины часто сравнивают с волнами, которые начинаются в верхней части матки и распространяются вниз или пробегают от спины к животу. Интенсивность этих волн достигает максимума в середине схватки, а затем постепенно уменьшается. В активной фазе родов возникает ощущение, что в схватках участвует все тело. Вы можете почувствовать интенсивное давление и натяжение прямо над лобковой костью, а также давящую тяжесть в пояснице или тазовой области. Именно в этой фазе родов чаще всего разрываются плодные оболочки и из вас выходит много жидкости.

Часто на наступление активной фазы родов указывает изменение эмоционального состояния, а не физические ощущения. Непосредственно перед переходом родов в более интенсивную стадию многие женщины инстинктивно ищут спокойное и уединенное место. Муж и другие помощники роженицы должны распознать этот сигнал, говорящий о стремлении будущей матери сосредоточиться на выполняемой работе, и вести себя соответственно.

Длительность активной фазы первой стадии родов составляет от трех до четырех часов, но это средняя величина. У вашей матки может быть собственное расписание. У многих женщин активная фаза родов проходит неравномерно: родовая деятельность сначала усиливается, затем схватки затихают, а потом вновь становятся сильнее.

Что происходит в вашем организме

В течение активной фазы шейка матки полностью «стирается» и раскрывается до уровня 4 — 8 сантиметров. Головка ребенка опускается еще ниже в тазовую полость, что часто приводит к разрыву плодных оболочек и стремительному отходу амниотической жидкости. На усиление дискомфорта мозг отвечает выбросом эндорфинов — естественных обезболивающих.

Ваши действия

Используйте методы релаксации, а также технику самопомощи для снятия боли. Вспомните также рекомендации по стимулированию родовой деятельности. В самом начале активной фазы родов многие женщины выбирают медикаментозные средства обезболивания (см. раздел «Разумное отношение к обезболиванию»). Вспомните следующие важные моменты для уменьшения дискомфорта и ускорения родов.

● Отдыхайте в промежутках между схватками, чтобы восстановить силы.

● Расслабьтесь и не сопротивляйтесь во время схваток. Почувствовав приближение схватки, сделайте вдох. Дышите медленно и равномерно, вдыхая через нос и выдыхая через рот. После окончания схватки сделайте еще один глубокий вдох, а затем вместе с выдохом попытайтесь избавиться от накопившегося напряжения.

● Часто меняйте положение тела. Импровизируйте: принимайте такую позу, которая кажется вам наиболее удобной.

● Каждый час опорожняйте мочевой пузырь.

● Подумайте — может быть, стоит погрузиться в воду.

В некоторые моменты этой фазы родов вы, возможно, будете как бы «отключаться» от происходящего. Это может происходить как во время схваток, так и между ними. Не бойтесь — вы не сходите с ума. Просто ваш организм делает то, что помогает вам вытерпеть боль.

Когда ехать в больницу

Возможно, вы рисуете в своем воображении картину, как вы изо всех сил торопитесь в больницу, но не успеваете и рожать ребенка вам приходится в такси. Может быть, вы волнуетесь, что мужу, превратившемуся в акушерку, придется в экстренном порядке принимать роды в спальне, потому что вы слишком долго ждали. Вы все это видели в кино, однако в жизни такое происходит крайне редко. Большинство будущих матерей, получив инструктаж от врача или акушерки, правильно рассчитывают время своего приезда в больницу. (Если у вас особый случай, при котором безопаснее прибыть в больницу несколько раньше, так и поступите.) Вот несколько общих рекомендаций:

● Практическое правило, применимое для первых родов, состоит в том, что необходимо отправляться в больницу тогда, когда схватки можно описать формулой 1—4—1, то есть они продолжаются не меньше минуты с интервалом 4 минуты в течение как минимум часа.

● Поезжайте в больницу, если схватки настолько сильные, что заставляют вас остановиться, умолкнуть или применить серьезные приемы самопомощи для снятия боли.

● Прислушайтесь к своему внутреннему голосу. Если он скажет: «Пора», — поезжайте в больницу.

Если врач не дал на этот счет особых инструкций, убедитесь, что роды прогрессируют, прежде чем отправляться в больницу. Постарайтесь оставаться в комфортной обстановке собственного дома как можно дольше. Большинству женщин на первом этапе родов приятнее находиться в знакомом окружении. Преждевременное прибытие в больницу может вызвать замедление родовой деятельности. Опоздание тоже не слишком приятно.

Не волнуйтесь, что персонал больницы посчитает ваш приезд ложной тревогой. Они привыкли к таким случаям. Они не будут смотреть на вас свысока и смущать вас такими вопросами, как: «Что вы делаете здесь так рано?» Если это ваш первый ребенок, то вы просто еще не можете знать, какими бывают роды. Кроме того, вы не можете проверить у себя шейку матки и выяснить, в какой фазе родов вы находитесь. Если эти роды не первые, у вас есть все основания считать, что в этот раз они пройдут быстрее.

Советы будущему отцу — что делать во время активной фазы родов

Очень важно, чтобы все присутствующие при родах уважали стремление роженицы к душевному покою, создавали для нее спокойную обстановку и сами сохраняли хладнокровие. Попросите медсестер и другой медицинский персонал прекратить лишние разговоры и не производить ненужного шума, чтобы роженица могла без помех делать свое дело.

Это критический момент, чтобы обезопасить роженицу от замкнутого круга страха, напряжения и боли. Внимательно следите за признаками страха, напряжения и боли и делайте все возможное, чтобы снять волнение и напряженность. Разговаривайте уверенно и спокойно. Следите за языком своего тела, стараясь жестами не выдавать свое волнение и свой страх. Скажите жене, что все идет хорошо и что она отлично справляется. После начала активной фазы попробуйте вместе с супругой применить различные приемы релаксации. Она может забыть о них, а если не сделать этого вовремя, то можно утратить способность к расслаблению.

Первая стадия родов: переходная фаза

Возможные ощущения

Термин «переходная» означает, что вы переходите от первой стадии родов — расширения родовых путей — ко второй стадии, то есть выталкиванию ребенка. Это не только самая интенсивная фаза родов. Утешает, правда, то, что эта фаза и самая короткая — обычно она длится от пятнадцати минут до полутора часов. Многие женщины во время переходной фазы ощущают не более десяти-двадцати схваток. Частота этих схваток выше, чем во время активной фазы, — интервал от одной до трех минут, — а длительность составляет от одной до полутора минут. У этих схваток может быть несколько максимумов. Они настолько частые и интенсивные, что у вас не остается времени на отдых и восстановление сил в интервалах между ними.

Когда ребенок пересекает границу между маткой и влагалищем, вы можете почувствовать усиление боли в спине, а также сильное давление в области таза и прямой кишки. Кроме того, интенсивность схваток может вызвать тошноту, приливы жара и холода, дрожь во всем теле, и особенно в ногах. Возможно, вы почувствуете сильную боль в бедрах.

Многие женщины теряют присутствие духа во время переходной фазы. Непрекращающиеся схватки кажутся им невыносимыми. Обычно они думают (или говорят): «Я больше не могу», «Когда это только кончится» или «Сделайте мне эпидуральную анестезию — быстрее!». Даже если до этого момента вы хорошо держались, справляясь с самыми сильными схватками, теперь вы можете утратить способность расслабляться. Схватки накатывают на вас, как приливные волны, между которыми почти нет промежутка. Возможно, вы будете вскрикивать, стонать или издавать низкие утробные звуки, которые помогают вам справиться с этой тяжелой работой.

Достигнув точки, когда вы почувствуете, что больше не в силах терпеть, напомните себе, что вы, если так можно выразиться, почти преодолели перевал. Ощущение, что вы больше не выдержите, это признак того, что вам не придется долго терпеть. После того, как закончится переходная стадия, сразу же начнется «спуск». Предстоящее выталкивание ребенка — это тяжелая работа, но для большинства женщин она менее болезненна и приносит большее удовлетворение.

Что происходит в вашем организме

Во время переходной фазы шейка матки раскрывается еще на несколько сантиметров. В конце этой фазы вы, наконец, услышите эти магические слова: «Хорошие новости! Шейка матки раскрылась полностью!» Причина такой интенсивности схваток заключается в том, что мышцы матки, стремясь раскрыть шейку матки до конца, выполняют двойную работу: продолжают тянуть шейку матки вверх, натягивая ее на головку ребенка, а также начинают проталкивать головку ребенка. Кроме того, при проходе головки ребенка через шейку матки создается сильное давление на кости таза, что становится причиной невыносимой боли, которую вы испытываете. К счастью, ваш мозг тоже осознает тяжесть переходной фазы и продолжает вырабатывать эндорфины.

Ваши действия

Переходная фаза чрезвычайно интенсивна, и поэтому вам нужно использовать все имеющиеся в запасе приемы релаксации и обезболивания. Попробуйте сделать следующее.

• Меняйте положение тела, чтобы найти позу, в которой вам будет легче: становитесь на колени или на четвереньки, садитесь, ложитесь на бок, присядьте на корточки. Тело само подскажет вам, когда нужно менять положение.

• Не лежите на спине.

• При помощи ванны для родов или душа попытайтесь вновь расслабиться и не сопротивляться происходящему процессу.

• Отдыхайте между схватками. Не вспоминайте предыдущую и не пытайтесь представить себе следующую.

• Сосредоточьтесь на том, что происходит у вас внутри: представьте, как шейка матки натягивается на головку ребенка.

● Не поддавайтесь желанию тужиться, все время выдыхая из себя воздух. Если вы начнете тужиться раньше, чем шейка матки полностью раскроется, то шейка матки в этом случае может стать толще, и протолкнуть через нее головку ребенка будет труднее. Сопротивляться рано возникшему желанию тужиться очень трудно. Поэтому о его появлении нужно сообщить врачу или акушерке, чтобы они проверили, насколько раскрылась шейка матки, и дали вам разрешение тужиться.

Женщины, которые решили не прибегать к помощи эпидуральной анестезии, во время переходной стадии часто меняют свое мнение. Не стоит расстраиваться, если в ответ на вашу просьбу врач скажет, что уже слишком поздно. К тому времени, как лекарство подействует, переходная фаза, скорее всего, закончится.

Советы будущему отцу — что делать во время переходной фазы

Не забывайте о том, что поведение женщины во время родов подчиняется определенным закономерностям. Переходная фаза — это совсем не романтичное время. Ваша любящая жена может накричать на вас или других помощников, проявить враждебность. Скорее всего, она будет не в состоянии объяснить, чем вы можете ей помочь. Она будет слишком поглощена происходящим, чтобы думать о ваших возможных действиях. Кроме того, она слишком нетерпелива и утомлена, чтобы объяснять вам то, что ей требуется. Не обижайтесь, если она вскрикнет: «Не надо!» или «Прекрати!». В этой фазе родов определенные прикосновения неприятны. Если она попросит вас «отстать», отступите, но оставайтесь рядом. Подбадривайте и хвалите ее, попытайтесь сделать так, чтобы она дышала медленно и глубоко, — дышите вместе с нею. Если вы пригласили профессионального ассистента, то настало время положиться на ее опыт (в противном случае на опыт врача, акушерки или медсестры). Жене нужны вы оба.

В те моменты, когда ваша супруга страдает сильнее всего, вы должны быть на высоте. Будьте для нее опорой, к которой можно прислониться, или якорем, за который можно ухватиться. Вы не должны ничего делать — просто будьте рядом. Любите ее. Она ценит вашу любовь гораздо больше, чем вы думаете. Только не ждите от нее немедленного выражения благодарности — это придет потом.

Вторая стадия родов: выталкивание ребенка
Возможные ощущения

Две самые приятные особенности стадии выталкивания ребенка: она гораздо легче переходной стадии и заканчивается рождением ребенка. Схватки становятся менее болезненными и частыми. Промежуток между схватками составляет от трех до пяти минут.

Благословенный отдых. Между сильнейшей болью переходной фазы и появлением желания тужиться у многих женщин наступает перерыв в родовой деятельности, который продолжается от десяти до двадцати минут. Специалист по родовспоможению Хелен Вессель Николь называет этот перерыв «мирными временами», а Шейла Китзингер — «благодатным отдыхом». Если природа дала вам этот короткий перерыв, *отдыхайте*. Большинство женщин в это время испытывают прилив сил — нечто вроде второго дыхания перед выталкиванием ребенка.

Желание тужиться. После того как шейка матки полностью раскрылась, головка ребенка начинает опускаться в родовые пути. Вы можете почувствовать непреодолимое желание тужиться.

Это было непреодолимое и ошеломляющее ощущение, похожее на сильнейший позыв сходить в туалет (разумеется, не совсем такое). Такого земного и естественного ощущения я никогда раньше не испытывала, и по сравнению с переходной фазой это было чудесно.

Во время проталкивания ребенка по родовым путям у вас может возникнуть тревожное ощущение, что ткани влагалища, расширяющегося под давлением головки ребенка, вот-вот порвутся. Не забывайте, что ваше влагалище предназначено именно для такого расширения. Через несколько минут давление головки ребенка на стенки влагалища притупит это ощущение.

Некоторые счастливицы выталкивают ребенка несколькими мощными толчками, а у других этот процесс может занять два часа и даже больше. При первых родах фаза выталкивания в среднем продолжается от одного до полутора часов. (Во время вторых и последующих родов выталкивание ребенка происходит гораздо быстрее.)

Как и для других фаз родов, длительность этого этапа заметно различается у разных женщин, а если эпидуральная анестезия ослабила желание и способность тужиться, то он продолжается дольше, чем было предусмотрено природой. Именно поэтому многие роженицы и их помощники уменьшают или отключают эпидуральную анестезию во время переходной фазы, что позволяет женщине принять активное участие в фазе выталкивания. В зависимости от применяемого медикаментозного препарата до полного прекращения его действия может пройти около часа.

Что происходит в вашем организме

К моменту окончания переходной фазы шейка матки полностью раскрывается, позволяя головке ребенка (или ягодицам при ягодичном предлежании) опуститься в родовые пути. По мере того, как головка ребенка растягивает мышцы влагалища и тазового дна, микроскопические рецепторы этих тканей подают сигналы, вызывающие желание тужиться. Это называется «рефлексом Фергюсона». Данный рефлекс также подает сигнал организму усилить выработку гормона окситоцина, стимулирующего схватки. Эти два фактора совместно помогают вытолкнуть ребенка. Один заставляет вас тужиться изо всех сил, а другой дает команду матке сокращаться и выталкивать ребенка. На предыдущей стадии родов всю работу выполняла матка, а теперь пришла пора включаться брюшным и тазовым мышцам, чтобы помочь матке закончить работу. Когда вы тужитесь, мышцы живота и тазового дна давят на матку, помогая ей выталкивать ребенка наружу.

Ваши действия

Если вы знаете, когда и как надо тужиться, то ребенок родится быстрее и с меньшими усилиями. Ниже приведены несколько советов, основывающихся на нашем собственном опыте, а также на рассказах опытных рожениц, которые научились с максимальной эффективностью управлять своим телом на этой нелегкой, но приносящей наибольшее удовлетворение стадии родов.

Попробуйте работать в собственном ритме. Тужьтесь тогда, когда почувствуете желание, а не тогда, когда вам приказывают. С точки зрения физиологии это наиболее эффективный путь. Чтобы вытолкнуть ребенка в кратчайший срок и с наименьшими усилиями, ваша матка должна работать синхронно с другими мышцами. Как только вы почувствуете непреодолимую потребность тужиться, тужьтесь. Эта потребность может возникнуть в начале или в самом разгаре схваток. Иногда это желание будет длительным и постоянным, а иногда вы ощутите несколько таких приступов во время одной схватки. Тужьтесь тогда и так, как подсказывает вам ваше тело. Принимайте любое удобное положение и не стесняйтесь выражать переполняющие вас чувства.

Не тужьтесь по указанию медицинского персонала. Присутствующие при родах, подобно болельщикам, наблюдающим за финишем марафонца, любят подбадривать роженицу во время стадии выталкивания плода. Эта привычка требует от роженицы спокойствия, терпения. Объясните всем своим «наставникам», что они своими криками:

«Тужьтесь сильнее!» — нарушают ваш внутренний ритм. Подобное руководство является пережитком тех времен, когда роженица была настолько одурманена лекарствами и лишена способности двигаться, что не чувствовала, когда нужно тужиться, а все ее попытки тужиться самостоятельно были неэффективными. Деятельность этих «руководителей» продиктована лучшими побуждениями, но она контрпродуктивна и часто приводит к разрывам промежности.

Позволить роженице тужиться тогда, так долго и так сильно, как подсказывает ей каждая схватка — это все равно что позволить матке дирижировать симфонией родов (специалист по родовспоможению Шейла Китзингер).

Иногда более спокойное руководство потугами просто необходимо — например, когда вы не испытываете потребности тужиться или когда этот рефлекс приглушен медикаментами. Медицинская сестра родильного отделения или приглашенный ассистент (поглядывая на фетальный монитор) подадут вам сигнал тужиться (возможно, они прижмут вашу ладонь к матке, чтобы вы могли почувствовать приближение схватки). После начала схватки ваш «руководитель» может дать вам следующие указания: «Сделайте глубокий вдох, округлите (а не выгибайте) спи-

ну, напрягите мышцы живота, расслабьте ягодицы и тужьтесь. Постепенно выдыхайте воздух из легких и представляйте себе, как вы раскрываетесь и выталкиваете из себя ребенка». (См. также раздел «Момент применения эпидуральной анестезии».)

Тужьтесь правильно. Выбросьте из головы все сцены из фильмов, в которых роженица с покрасневшим от напряжения лицом лежит на спине и тужится, пока у нее глаза не вылезут из орбит. В отличие от описанных выше физиологических потуг, такое чрезмерное напряжение, поощряемое громкими командами помощников, только мешает матери и может быть опасным для ребенка. В конце концов, это же не олимпийский турнир по тяжелой атлетике. Когда роженица тужится и на длительное время задерживает дыхание, у нее поднимается давление в грудной клетке. Это замедляет возврат крови к сердцу, снижает кровяное давление и может вызвать ухудшение кровоснабжения выполняющей тяжелую работу матки. Чем дольше задерживается дыхание, тем выше вероятность этих нарушений кровообращения. Исследования обнаружили связь между задержкой дыхания во время потуг длительностью более шести секунд и изменениями сердечного ритма плода, что может указывать на то, что ребенок получает недостаточное количество кислорода.

Как избежать эпизиотомии

Вскоре эпизиотомия пополнит список устаревших акушерских процедур и больше не будет считаться стандартной — наряду с такими подарками прошлого, как бритье лобка и клизма перед родами. При эпизиотомии врач при помощи местной анестезии лишает чувствительности ткани, а затем делает надрез кожи, мышц промежности и влагалища непосредственно перед прорезыванием головки плода, чтобы расширить проход.

Мифы об эпизиотомии. Плановая эпизиотомия — это наследие прошлого, когда большинство женщин рожали лежа на спине и подняв закрепленные в специальных стременах ноги. В таком положении мышцы промежности напрягаются, что усиливает вероятность их разрыва во время родоразрешения. Для того, чтобы вытащить младенца, применяли акушерские щипцы. Сейчас женщины рожают по-другому, и это заставляет многих рожениц и врачей ставить под сомнение разумность плановой эпизиотомии.

Несмотря на то, что многие акушеры-гинекологи считают плановую эпизиотомию лишней, эта процедура все еще делается чаще, чем нужно — особенно при первых родах. Этому способствуют несколько мифов.

● **Миф первый:** Ровный надрез ножницами заживает быстрее, чем естественный разрыв тканей. Исследования показывают, что несколько незначительных разрывов — в основном кожи — затягиваются быстрее, чем один большой разрез ножницами, проходящий через все слои кожи и мышцы. Естественный разрыв и заживает естественнее. Разумеется, врачу легче наложить прямой шов, чем зигзагообразный, но, в конце концов, чье это тело?

● **Миф второй:** Естественные разрывы тканей во время родов могут распространиться до прямой кишки. *Ничего подобного.* Исследования показали, что разрезы от эпизиотомии чаще естественных разрывов склонны к расширению даже до прямой кишки, становясь причиной серьезных проблем. Возьмите старую тряпку и попытайтесь разорвать ее. Затем сделайте на той же тряпке крошечный надрез и повторите попытку. После надреза ткань рвется гораздо легче.

● **Миф третий:** Эпизиотомия укорачивает вторую стадию родов и поэтому полезна для ребенка. *Это и так, и не так.* Иногда эпизиотомия укорачивает вторую стадию родов, но исследования не выявили никакого ее влияния на здоровье ребенка — за исключением экстренных случаев.

● **Миф четвертый:** После эпизиотомии у женщины уменьшается вероятность возникновения проблем с мышцами тазового дна, таких, как недержание мочи. *Это не так.* Исследования доказали обратное: у женщин, не подвергавшихся эпизиотомии, в послеродовом периоде мышцы тазового дна оказываются сильнее.

● **Миф пятый:** Эпизиотомия предотвращает чрезмерное растяжение и потерю формы влагалищем. *Это не так.* Глупости. Ваше влагалище и так уже максимально растянуто, и маловероятно, что уменьшение этого времени растяжения на несколько минут будет иметь какое-то значение в долговременном плане. Никакая хирургическая процедура не способна сделать так, чтобы влагалище стало «как новое» — в конце концов через него прошел ребенок! Если эпизиотомия для вас относится к вопросам секса (возможно, вы слышали, что эпизиотомия обеспечивает «плотность» влагалища после родов), вам, возможно, будет интересно узнать следующее. Новейшие исследования подтвердили, что женщины, которым не делали эпизиотомии, могут вернуться к занятиям любовью раньше, болезненные ощущения у них слабее, а наслаждения от секса они получают больше. (Плотность влагалища в большей степени определяется силой мышц тазового дна —

так что не пренебрегайте упражнениями Кегеля!)

Новейшие исследования показали, что плановая эпизиотомия не только неразумна и лишена необходимости, но и может быть небезопасной. Разрывы при родах не являются неизбежными, и эпизиотомия часто делается тогда, когда никаких разрывов вообще не произошло бы (или они были бы минимальны). Эпизиотомия приводит к появлению двух проблем: во-первых, промежность относится к тем зонам тела, заживление которых происходит медленно, а во-вторых, здесь повышена опасность возникновения инфекции. После эпизиотомии многие женщины испытывают дискомфорт в течение нескольких месяцев.

Эпизиотомия была хуже самих родов. Две недели я не могла сидеть. А потом мне всюду приходилось таскать с собой резиновую подушку в форме кольца.

В некоторых случаях эпизиотомия является необходимостью. К ним относятся:

● Патологическое состояние плода — ребенка нужно извлечь как можно быстрее.

● Плечевая дистоция, когда в родовых путях застревают плечи ребенка.

● Ягодичные роды естественным путем.

● Роды с применением акушерских щипцов.

Как избежать эпизиотомии. Эпизиотомия — это не просто небольшой разрез обычных тканей, и поэтому вы должны играть важную роль в принятии решения о необходимости этой процедуры. Поскольку исследования доказали необязательность плановой эпизиотомии, существуют способы уменьшить вероятность того, что вам сделают этот неприятный и обычно ненужный разрез.

● В последние шесть месяцев беременности выполняйте упражнения Кегеля, делая не менее ста повторений в день. Простейший способ тренировки — сокращать ректальные мышцы, как будто вы пытаетесь остановить дефекацию, и одновременно напрягать мышцы, управляющие мочеиспусканием, как бы останавливая его. И не забывайте о фазе расслабления в этих упражнениях. Расслабленные ткани лучше растягиваются и не так легко рвутся.

● Во время родов не лежите на спине с поднятыми в стременах ногами. Эта наименее эффективная для родов позиция не только сужает апертуру таза, но и напрягает мышцы промежности, увеличивая тем самым вероятность разрывов или эпизиотомии. Исследования показали, что у женщин, рожавших в положении лежа на боку, гораздо реже наблюдались разрывы или возникала необходимость в эпизиотомии.

● Управляйте своими потугами. Чрезмерное напряжение и слишком быстрое родоразрешение увеличивают вероятность разрывов промежности или применения эпизиотомии. Когда врач видит, что у тканей промежности нет возможности для постепенного расширения, он делает надрез, чтобы избежать разрыва (вряд ли это убедительная причина для разреза, но так бывает). Естественные потуги позволяют мускулатуре влагалища и промежности растягиваться медленно, что уменьшает вероятность разрывов. Специалисты в области родовспоможения любят аналогию с рукавом пальто: если вы попытаетесь быстро просунуть руку в скомканный рукав, то, скорее всего, встретите сопротивление собранной в складки ткани. Если нажать сильнее, то можно порвать ткань. Но если вы будете постепенно расправлять рукав, медленно просовывая туда руку, то встретите не такое сильное сопротивление и вряд ли порвете ткань.

● Попросите ассистента сделать вам массаж промежности приемом, который называется «утюжкой». Ассистент осторожно расправляет ткани промежности по мере того, как головка ребенка растягивает их, а также накладывает теплый компресс, когда прорезается головка ребенка. Кроме того, на последних месяцах беременности можно делать массаж промежности с использованием специального масла, чтобы увеличить эластичность тканей отверстия влагалища.

● Расслабьтесь во время прорезывания головки ребенка. Как только вы почувствуете жжение, которое сопровождает растяжение тканей промежности при прорезывании головки ребенка, перестаньте тужиться. Пусть ассистент поддерживает ткани промежности, осторожно высвобождая ребенка. Этот прием называется «выдыханием ребенка».

Когда начинает прорезываться головка ребенка, у вас не остается времени на дискуссию с врачом по поводу преимуществ родов без эпизиотомии. Обсудите эту проблему во время визитов к врачу на восьмом или девятом месяце беременности. Пусть врач знает ваше мнение: при отсутствии угрозы вашему здоровью и здоровью ребенка вы предпочли бы избежать этой хирургической процедуры (ситуации, требующие эпизиотомии, возникают менее чем в 5 процентах случаев; возможные показания к эпизиотомии приведены выше).

Исследования доказали полезность того, что многие роженицы делают инстинктивно: короткие частые потуги берегут ваши силы и кровеносные сосуды лица, обеспечивают снабжение кровью матки, усиливают сокращения и позволяют ребенку получать больше кислорода. Исследования показывают, что большинство матерей тужатся правильно без всякой подсказки. Правильные потуги не только облегчают работу матери и полезнее для ребенка — они уменьшают вероятность разрывов промежности и необходимости эпизиотомии.

Как же лучше всего тужиться? Усилие должно быть максимальным, но не чрезмерным. Короткие (пять-шесть секунд) и частые (от трех до четырех во время каждой схватки) потуги не слишком утомят вас и поддержат постоянный уровень кислорода у вас в крови. После пяти или шести секунд максимальных потуг полностью выдохните воздух из легких. Затем сделайте быстрый вдох, наполнив легкие воздухом для следующего усилия.

Найдите наиболее удобное для потуг положение. Наихудшее положение для потуг — это поза лежа на спине. Лучше всего принять вертикальное положение или сесть на корточки. Когда вы лежите на спине, то пытаетесь вытолкнуть ребенка вверх, то есть самым неэффективным способом. Если вы опираетесь на нижнюю часть позвоночника (копчик), то не даете ему изгибаться при прохождении ребенка, что замедляет роды и усиливает боль. Садясь на корточки, вы расширяете апертуру таза и используете силу тяжести, которая помогает ребенку двигаться быстрее. Существует несколько вариантов положения на корточках, один из которых — это откидываться назад и раздвигать ноги во время потуг. Однако такое положение уменьшает преимущества силы тяжести по сравнению со строго вертикальным положением тела.

Если ребенок продвигается слишком быстро, ложитесь на бок. Одновременно ассистент должен поддерживать промежность теплым компрессом. Понадобится еще один человек, чтобы держать вашу верхнюю ногу.

Не торопитесь. Часто роженицы и их ассистенты хотят ускорить стадию выталкивания ребенка. Вы горите желанием побыстрее закончить роды и взять на руки своего малыша. «Медицинское» обоснование стремления побыстрее протолкнуть ребенка по родовым путям основывается на устаревшем представлении, что, чем дольше ребенок зажат в родовых путях, тем выше риск развития у него кислородного голодания. Современные исследования показали, что если вторая стадия родов проходит без осложнений, то она не несет в себе никакой опасности для ребенка. В самых последних работах показано, что недостаток кислорода может возникнуть из-за чрезмерных и длительных потуг, а не из-за продолжительности второй стадии родов. Не пугайтесь, если вы услышите, что звуковые сигналы, которые издает фетальный монитор, замедлятся во время схваток, — после окончания схватки их ритм восстановится. Обычно частота сердечных сокращений ребенка замедляется во время схваток и восстанавливается в промежутках между ними. Если эти сигналы раздражают или беспокоят вас, попросите отключить звук. Один из ваших ассистентов может следить за показаниями фетального монитора.

Отдыхайте между потугами. Специалисты по родовспоможению и опытные матери обязательно дают этот совет, но во время первых родов многие женщины не используют преимущества пауз между схватками. После окончания схватки нужно принять такое положение, которое позволяло бы вам отдохнуть. Пососите кусочек льда, послушайте музыку, попросите присутствующих соблюдать тишину, а также используйте все известные вам приемы релаксации, чтобы успокоиться и сосредоточиться. Визуализируйте процесс раскрытия родовых путей не только во время схваток, но и между ними. Представьте себе, как изящно распускаются лепестки розы — это поможет вашему телу раскрыться и выпустить ребенка.

Как работает матка во время родов

Вы когда-нибудь задумывались, каким образом матка выталкивает вашего ребенка наружу? Никто не может точно сказать, что запускает процесс родов, хотя ученые полагают, что роль спускового механизма играют простагландины, вырабатываемые ребенком, маткой или плацентой (возможно, задействованы все три источника) тогда, когда ребенок «созреет».

Представьте себе матку в виде перевернутой груши, оплетенной сотнями продольных резиновых лент — мышц. Эти длинные мышечные волокна разворачиваются над верхней и самой широкой частью матки, носящей название «дна». Нижняя и самая узкая часть «груши», шейка матки, содержит больше волокнистых структур, чем мышц; мышцы кольцом обхватывают шейку матки. Представьте себе, как мускулатура матки работает в двух режимах: верхняя группа мышц выталкивает ребенка, а нижняя натягивает на него шейку матки. Чтобы роды были успешными, обе эти группы мышц должны работать синхронно: верхние мышцы напрягаются и сокращаются, в то время как нижние расслабляются и расширяются. В конечном итоге матка из грушевидной превращается в цилиндрическую, что позволяет ребенку опуститься в родовые пути. Если вы напряжены и оказываете сопротивление действиям матки, работа двух групп мышц рассогласовывается, и сокращение верхней группы совпадает с напряжением нижней — «Ой, больно!».

Еще одно замечательное свойство мускулатуры матки состоит в том, что в отличие от любых других мышц тела они укорачиваются после каждого сокращения. И слава богу — в противном случае ваша матка никогда бы не вернулась к прежним размерам после того, как вся работа будет закончена!

Защитите промежность. Первые несколько позывов тужиться могут застать вас врасплох, и вы напряжете мышцы тазового дна вместо того, чтобы расслабить их. Именно теперь дадут о себе знать упражнения Кегеля и освоенные приемы релаксации (см. раздел «Как избежать эпизиотомии»).

Советы будущему отцу — что делать во время второй фазы родов

Напомните супруге, что она должна расслабиться, и помогите ей в этом. Помогите ей принять наиболее удобное для родов положение, вытрите ей лоб смоченной в прохладной воде тканью, предложите сделать массаж, если ей этого хочется, погладьте руки или ноги. Напомните ей, что нужно дышать глубоко и не сопротивляться. Поддерживайте тишину и спокойствие в помещении. Уберите от роженицы все (и всех), что беспокоит ее. Подбадривайте ее даже тогда, когда ей кажется, что дело продвигается медленно («Отличная работа!»). И не забывайте о своевременном поцелуе.

Прорезывание головки ребенка

Через некоторое время после начала потуг вы заметите, что половые губы становятся выпуклыми — видимый результат ваших усилий. Вскоре ваш ассистент сможет наблюдать, как во время потуг появляется голова ребенка, а после окончания схватки исчезает, чтобы вновь появиться во время следующей. После того, как ваш ассистент объявит, что начала прорезываться головка ребенка, промежность начнет постепенно растягиваться, пока отверстие влагалища не наденется, как корона, на голову ребенка. Это постепенное возвратно-поступательное движение ребенка облегчает растяжение тканей влагалища, защищая промежность от разрывов. После того, как головка ребенка повернется и окажется под костями таза, она больше не сможет втянуться обратно. (В этот момент вы можете протянуть руку и

коснуться головы малыша, чтобы усилить свою мотивацию.) По мере того, как растягиваются промежность и половые губы, вы ощущаете сильное жжение, которое называется «кольцо огня». (Попробуйте взяться за уголки рта и растянуть его. Обратите внимание на ощущение жжения. Усильте это ощущение во много раз, и вы получите то, что чувствует роженица.) Это жжение — сигнал, которые подает вам тело, чтобы временно перестали тужиться. Через несколько минут давление головки ребенка естественным образом снизит чувствительность нервных окончаний кожи, и жжение пройдет.

После прорезывания головки ребенка врач или акушерка могут посоветовать вам не тужиться, а медленно высвободить головку ребенка, чтобы избежать внутренних и внешних разрывов. После того, как головка ребенка начинает растягивать кожу промежности, некоторые врачи предпочитают делать эпизиотомию. Удостоверьтесь, что заранее изложили свои взгляды на эту процедуру (см. раздел «Как избежать эпизиотомии»). Еще несколько схваток, и головка ребенка поворачивается — это его плечи огибают лобковую кость. Последние усилия — и ребенок выскальзывает на руки ассистента или на кровать.

Врач или акушерка при необходимости отсосут слизь из носа и рта ребенка и разотрут его спину, чтобы стимулировать дыхание (именно тогда вы услышите первый крик ребенка), а затем положат его животом на ваш живот, пока выполняется оценка баллов по шкале Апгар. Потом перерезается пуповина (некоторые отцы желают, чтобы эта честь было предоставлена им), и ваш ребенок готов к встрече с вами. Некоторым детям требуются особые процедуры — отсасывание мекония, стимуляция дыхательной деятельности или подача кислорода — чтобы обеспечить безопасный переход к жизни вне матки. Как только жизненно важные системы ребенка заработают нормально, его передадут вам в руки.

Третья стадия родов: изгнание плаценты

Возможные ощущения

К этому моменту вы, наверное, измучены проделанной тяжелой работой и переполнены ликованием, получив заслуженную награду. Пока вы с мужем с восхищением разглядываете ребенка, удивляясь его крошечному тельцу, ваш ассистент и ваш организм продолжают трудиться. Вам предстоит еще одно небольшое дело — изгнание плаценты.

Возможно, вы будете так поглощены ребенком, что не заметите изгнания плаценты. Однако большинство рожениц отмечают, что их семейное общение прерывается — это ваша матка и ваш ассистент напоминают вам, что роды еще не закончились. Вы чувствуете легкие спазмы и желание тужиться, а более слабые сокращения помогают изгнать плаценту. Если вам делали эпизиотомию или у вас был разрыв, врач наложит шов. Вы почувствуете укол местной анестезии, который делают перед тем, как зашить рану. Не очень сильный дискомфорт на третьей стадии родов заслоняется чувством облегчения от того, что роды наконец закончились, и вы держите в руках своего драгоценного малыша.

Усталость после тяжелой работы и резкие изменения, произошедшие в вашем организме, могут вызвать озноб. Неконтролируемая дрожь нервирует, отвлекает и вызывает ощущение дискомфорта. Попросите укрыть вас теплым одеялом.

Что происходит в вашем организме

Матка продолжает сокращаться, чтобы изгнать плаценту и зажать кровоточащие кровеносные сосуды. Если сокращения слабые, вам могут сделать инъекцию питоцина и спорыньи, чтобы усилить сокращения матки и быстрее остановить кровотечение. Ассистент может помассировать вам матку, чтобы помочь ей сократиться и остаться в напряженном состоянии, поскольку в этом случае кровотечение остановится быстрее. Это довольно неприятная процедура. Изгнание плаценты занимает от пяти до тридцати минут.

Полезны ли роды для ребенка?

Возможно, вы волнуетесь, что сдавливание маткой и прохождение по узким родовым путям не принесет пользы ребенку. Новейшие исследования позволили сделать ошеломляющий вывод — все обстоит как раз наоборот. Мать-природа все предусмотрела.

Процесс родов и родоразрешения — это стресс для ребенка, но этот стресс полезен маленькому человечку. Роды вызывают у матери усиленную выработку гормонов стресса, которые помогают вытерпеть боль и приспособиться к непростым обязанностям по уходу за ребенком. Нагрузка на организм матери также стимулирует выработку надпочечниками ребенка гормонов стресса, получивших название «катехоламинов». Это явление называется «реакцией плода на стресс». Эти же гормоны — «сражайся или беги» — вырабатываются в организме взрослого человека в ответ на стрессовую или угрожающую жизни ситуацию и помогают взрослому быстрее адаптироваться к ней. Катехоламины помогают ребенку «сражаться» за привыкание к жизни вне утробы матери. Исследования показывают, что у новорожденных, чьи матери прошли испытание родами, уровень этих «гормонов-помощников» в крови выше, чем у тех детей, матерям которых было сделано плановое кесарево сечение еще до начала родов. «Реакция плода на стресс» помогает безопасному переходу ребенка к жизни вне утробы матери следующим образом.

Ваши действия

Радуйтесь своему ребенку. Обнимите и приласкайте это маленькое существо, рождение которого стоило вам стольких трудов. Положите ребенка себе на живот. Тепло вашего тела поможет малышу согреться. (Ассистент прикроет ребенка теплым полотенцем.) Поднесите ребенка к груди и помогите ему начать сосать. Сосательные движения ребенка, а также прилив материнских чувств от вида и прикосновений малыша усилят выработку гормона окситоцина, который поможет матке сократиться, изгнать плаценту и остановит кровотечение.

В первую неделю после родов каждый раз во время кормления ребенка вы будете ощущать сокращения матки, которые называются болезненными послеродовыми схватками. При второй и последующих беременностях эти схватки более интенсивные, чем во время первой. Не позволяйте, чтобы эти неприятные ощущения заставили вас прекратить кормление или вообще отказаться от грудного вскармливания. Если по-

● *Способствует дыхательной деятельности.* Гормоны стресса усиливают секрецию поверхностно-активного вещества, которое помогает сохранять расширенное состояние легких.

● *Помогает поддерживать раскрытыми легкие,* чтобы дать проход воздуху для дыхания. Кроме того, ускоряет процесс очистки легких от амниотической жидкости.

● *Усиливает приток крови к жизненно важным органам.* Гормоны стресса направляют кровоток к сердцу, мозгу и почкам ребенка.

● *Укрепляет иммунитет новорожденного.* Адреналин увеличивает количество белых кровяных клеток, противостоящих инфекциям.

● *Усиливает снабжение ребенка энергией,* обеспечивая его питательными веществами, используемыми во время перехода от плацентарного питания к грудному вскармливанию, и позволяет продержаться до того момента, как у матери появится молоко.

● *Облегчает общение.* Высокий уровень гормонов стресса помогает новорожденному быть настороже и живо реагировать на своих родителей.

Реакция плода на стресс — это еще одно доказательство того, как великолепно организмы матери и ребенка приспособлены к преодолению трудностей родов и к началу новой совместной жизни.

слеродовые схватки причиняют вам сильное беспокойство, спросите врача или акушерку, можно ли вам принимать ацетаминофен или ибупрофен. Послеродовые схватки служат признаком того, что матка, как и положено, возвращается к своим нормальным размерам. Вы и оглянуться не успеете, как послеродовые схватки исчезнут.

Обязательно дайте отцу подержать новорожденного, причем желательно, чтобы отец снял рубашку и они с ребенком некоторое время касались друг друга. Если ребенка нужно отвезти в палату для новорожденных для обычного осмотра или оказания медицинской помощи, отправьте вместе с малышом отца. Попросите, чтобы ребенка принесли вам как можно раньше.

После первого крика у ребенка нет никаких причин для плача. Если в палате для новорожденных нет мест, отец может подержать ребенка, пока его осматривают врачи. Не оставляете его одного. Малыш плачет потому, что он рождается с биологической потребностью быть рядом с матерью. Ребенок попадает в этот мир из теплого и безопасного места, и ему необходимо чувствовать любовь и заботу.

амниотическая
жидкость
оболочки
плода
слизистая
пробка
шейка матки
мочевой
пузырь
влагалище
прямая кишка

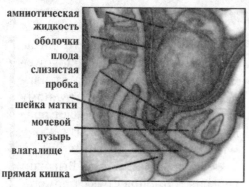

Подготовка к родам

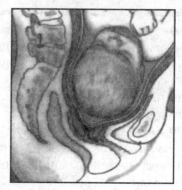

*Кровянистые выделения;
расширение шейки матки*

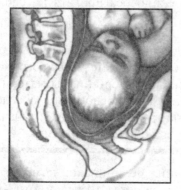

*Выпячивание плодных оболочек;
стирание шейки матки*

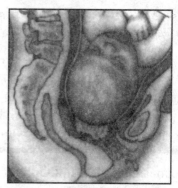

Разрыв плодных оболочек

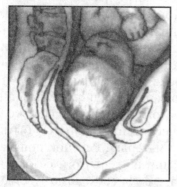

*Переходная фаза; шейка матки
раскрылась полностью; потуги*

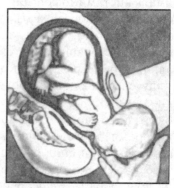

Рождение ребенка

Мои эмоции: _____

_____

_____

_____

Мои физические ощущения: _____

_____

_____

_____

Мои мысли о ребенке: _____

_____

_____

_____

Как я представляю себе роды: _____

_____

_____

_____

_____

Мой вес: _____

Мое кровяное давление: _____

Мои главные тревоги: _____

_____

_____

_____

Мои главные радости: _____

_____

_____

Мои главные проблемы: _____

_____

_____

Вопросы, которые у меня возникли, и ответы на них: _____

_____

_____

Обследования и их результаты; моя реакция: _____

_____

_____

_____

Мои ощущения, когда чувствую, как шевелится ребенок: _____

_____

_____

_____

Ощущения отца, когда он чувствует, как шевелится ребенок: ____

_____

_____

_____

Что я почувствовала, когда начались роды: _____

_____

_____

_____

Фотография на девятом месяце беременности

Комментарии: _____

_____

_____

_____

_____

_____

_____

_____

_____

_____

_____

_____

_____

_____

Десятый месяц — послеродовой период

НА ПРОТЯЖЕНИИ НЕСКОЛЬКИХ НЕДЕЛЬ после родов ваше эмоциональное и физическое состояние будет напоминать вам о той тяжелой работе, которую вы проделали, а также об изменениях, которые произошли в вашей жизни. Перед вами теперь стоят две задачи: восстановиться после родов и приспособиться к материнству. Несмотря на то, что счастье держать на руках своего ребенка с лихвой компенсирует все болезненные и неприятные ощущения после родов, вам предстоит преодолеть и определенные трудности.

ВОЗМОЖНЫЕ ЭМОЦИИ

Если вы думали, что беременность — это период повышенной эмоциональности, приготовьтесь к буре чувств, которая обрушится на вас после родов. Внезапно ваша жизнь перестала принадлежать вам — вы вскакиваете, стоит только ребенку подать голос. В вашем организме происходит новая перестройка, а баланс гормонов существенно изменяется. Через месяц или два вы научитесь держать ситуацию под контролем, но теперь радость и удовлетворение в вашей душе быстро сменяются волнением и страхом. Вот какие чувства вы можете испытывать.

Радостное волнение и возбуждение. Вы выдержали испытание родами и держите на руках своего ребенка. Это очень важный момент в вашей жизни. Возможно, вы не в состоянии спать и думаете только о ребенке. Вы с мужем испытываете непреодолимое желание рассказывать о родах всем, кто согласен вас слушать. Если осложнения в процессе родов привели к тому, что вы не получили от родов того удовлетворения, на которое надеялись, обсудите это с врачом или акушеркой, чтобы потом не винить себя в том, что находилось вне вашей власти.

Подавленность. Уход за крошечным ребенком — это чрезвычайно ответственная круглосуточная работа, и выполнять ее приходится вам — даже если у вас нет никакого опыта. Работа начинается еще тогда, когда вы измучены только что закончившимися родами, и может пройти несколько месяцев, прежде чем вам удастся поспать три или четыре часа подряд. Разумеется, вы чувствуете себя подавленными.

Разочарование. За эмоциональным подъемом часто следует спад. Много месяцев вы готовились к рождению ребенка, и вот теперь это важное событие позади. Вполне естественно, что вы немного разочарованы, особенно в свете произошедших перемен. Возможно, вы иногда грустите, что беременность закончилась. Вы перестали быть центром внимания — теперь ваше место занял ребенок. И несмотря на то, что о малыше заботитесь в основном вы, ребенка приходится делить с мужем, семьей и друзьями.

Плаксивость. «Послеродовая депрессия» — это неотъемлемая часть жизни многих молодых матерей в послеродовом периоде. Она обрушивается на женщину через несколько дней после родов. Сами не зная почему, вы можете чувствовать тоску и подавленность. Вы будете ощущать тревогу и волноваться, способны ли вы должным образом позаботиться о ребенке, и эти мысли будут, в свою очередь, вызывать у вас чувство вины.

Скорее всего, послеродовая депрессия является результатом резких перемен как в вашей жизни, так и в уровне гормонов в вашей крови. Специалисты утверждают, что подавленное настроение в послеродовом периоде наблюдается у 50 процентов молодых матерей. Вскоре ваше самочувствие улучшится — особенно если вы ощущаете заботу и поддержку близких. Если вы не в состоянии самостоятельно справиться с послеродовой депрессией, обратитесь к специалисту.

ВОЗМОЖНЫЕ ФИЗИЧЕСКИЕ ОЩУЩЕНИЯ

Ощущение «разбитости». Вы только что выполнили самую тяжелую работу в своей жизни. Практически каждый орган и каждый мускул вашего тела трудился изо всех сил, чтобы вытолкнуть ребенка. Поэтому неудивительно, что последствия такого напряжения ощущаются во всем вашем теле — с головы до пят. В зависимости от продолжительности и тяжести родов, а также от того, рожали вы естественным путем или вам делали кесарево сечение, последствия могут ощущаться в течение нескольких недель. У вас могут покраснеть белки глаз из-за лопнувших во время интенсивных потуг кровеносных сосудов. Возможно, несколько кровеносных сосудов выступят у вас на лице. Похожую «паутинку» вы можете заметить и на личике ребенка, но у малыша она пройдет через несколько дней, тогда как у вас этот процесс займет не одну неделю. В течение нескольких дней после родов вы, вероятно, будете выглядеть бледной и измученной.

В первые дни вы будете чувствовать неимоверную усталость, а также скованность и болезненные ощущения во всем теле. Даже ходьба может стать для вас непосильной задачей, а глубокий вдох вызовет боль в переутомленных мышцах груди. Время вылечит вас, но для смягчения неприятных ощущений в послеродовом периоде можно попробовать следующие средства:

- Отдых.
- Теплая ванна.
- Частый массаж, особенно тех мышц, в которых ощущается боль.
- Восполнение запасов энергии — употребление в пищу продуктов и напитков с высокой питательной ценностью.
- Много заниматься ребенком, чтобы отвлечься от своего тела.

Слабость. В течение одного-двух дней после родов женщины обычно испытывают приступы слабости и головокружения при резкой смене положения тела. Возможно, у вас будут подгибаться коленки при ходьбе. Окончание беременности приносит с собой резкие изменения в объеме крови и общем количестве жидкости в организме, и вашей сердечно-сосудистой системе требуется некоторое время, чтобы привыкнуть к этим изменениям и соответствующим образом реагировать на изменение положения тела. Поэтому садиться и вставать вы должны медленно и постепенно. Пока головокружения не пройдут (обычно через день), вам может понадобиться посторонняя помощь, чтобы встать с постели.

Дрожь и озноб. Сразу же после родов многие женщины ощущают сильный озноб. Возможно, это происходит из-за перестройки системы терморегуляции организма после тяжелой работы. Отдохните и попросите укрыть вас теплым одеялом. Этот озноб пройдет через несколько часов после родов.

Кровотечение и вагинальные выделения. В течение нескольких дней, а иногда и недель после родов матка продолжает избавляться от остатков крови и тканей, которые называются «лохии». В первые несколько дней лохии обычно бывают красными, их количество сравнимо с обильной менструацией, и в них могут содержаться сгустки. К концу первой недели объем лохий, как правило, уменьшается, цвет становится красновато-коричневым, а консистенция менее густой. В следующие несколько недель цвет выделений постепенно станет розовым, затем желтовато-белым, и количество используемых прокладок будет все время уменьшаться. Все, что стимулирует очищение матки, например вертикальное положение, ходьба или кормление грудью, увеличивает объем выделений.

Продолжительное вагинальное кровотечение может испугать вас, если вы не знаете, что считать нормой, а что нет. Ниже приведены несколько признаков, указывающих на возможные проблемы. При их появлении следует обратиться к врачу.

● Длительное обильное кровотечение с кровью ярко-красного цвета. В каждый последующий день послеродового периода количество вагинальных выделений должно уменьшаться, и они все меньше должны напоминать кровь. Если через несколько дней после родов вам приходится в течение четырех часов подряд каждый час менять пропитанную кровью гигиеническую прокладку, обратитесь к врачу.

● Выделение больших сгустков крови ярко-красного цвета. У многих женщин наблюдается выделение больших шарообразных сгустков крови после кормления ребенка грудью, но это кровотечение быстро останавливается. Сгустки величиной с виноградину — это обычное явление для первых дней послеродового периода.

● У лохий все время неприятный запах. Вагинальные выделения должны либо вообще не иметь запаха, либо пахнуть так же, как менструальная кровь.

● У вас усиливается слабость, вы бледнеете и покрываетесь холодным потом, вас знобит, у вас учащается сердцебиение.

Если кровотечение вас беспокоит, не стесняйтесь позвонить врачу. Во время восстановления после родов ваша обязанность — замечать все изменения в своем организме, а обязанность врача — определять, укладываются ли эти изменения в границы нормы.

Если у вас обильное и вызывающее тревогу кровотечение, ложитесь на спину, приложите лед к матке, выше центра лобковой кости и ждите инструкций от врача или приезда неотложки. Если болит и кровоточит шов от эпизиотомии, приложите лед к месту разреза. Наиболее распространенные причины кровотечения: неспособность матки должным образом сократиться, остатки плаценты или инфекция. Врач осмотрит вас и скажет, действительно ли у вас имеется какая-либо из этих проблем, или это обычные вагинальные выделения послеродового периода.

Послеродовые схватки. Даже после того, как вы уже родили ребенка, ваша матка должна продолжать сокращения, чтобы вернуться к своему нормальному размеру. Сокращения также помогают зажать кровеносные сосуды слизистой оболочки матки и таким образом уменьшить кровотечение. В течение нескольких часов после родов эти сокращения могут быть сильными и регулярными. Частота и сила послеродовых схваток будут постепенно уменьшаться на протяжении нескольких недель. Послеродовые схватки могут напоминать менструальные спазмы или сокращения Брэкстон-Хикса, которые вы ощущали в последние месяцы беременности. Они усиливаются во время кормления грудью, поскольку сосательные движения ребенка стимулируют выработку гормона окситоцина, который способствует сокращению матки и остановке кровотечения. Многие специалисты по родовспоможению советуют матери кормить малыша сразу же после родов, поскольку это помогает матке сократиться.

Послеродовые схватки бывают не очень сильными при первых родах, но при последующих они могут стать довольно чувствительными. Чтобы преодолеть дискомфорт, используйте методы релаксации, которые помогали вам в процессе родов. Это сделает кормление грудью более приятным занятием. Попросите врача выписать вам болеутоляющие, которые безопасно принимать в период кормления грудью.

Трудности с мочеиспусканием. В первый день после родов вы можете не чувствовать позывов к мочеиспусканию, испытывать трудности с проходом мочи или ощущение жжения. Мочевой пузырь и мочеиспускательный канал находятся в непосредственной близости от родовых путей, и поэтому нет ничего удивительного в том, что они сжимаются и растягиваются во время родов. Работа мочевого пузыря подавляется эпидуральной анестезией и может не восстановиться до полного прекращения действия препарата. Эпизиотомия или даже небольшой разрыв могут вызвать трудности с мочеиспусканием, поскольку поврежденная кожа жжет при соприкосновении с мочой. Вот почему может потребоваться некоторое время, чтобы поход в туалет перестал доставлять вам неудобства. Задержка мочи — это настолько частое явление после родов, что медсестра будет постоянно спрашивать вас: «Вы уже мочились сегодня?» Приготовьтесь к тому, что медсестра попытается прощупать ваш мочевой пузырь через брюшную стенку, чтобы определить, не растянут ли он. Ускорить восстановление работы своих мочевых путей можно следующим образом:

● Выпейте много жидкости — не менее двух стаканов воды или сока — сразу же после родов.

● Пустите струю воды в раковине. Звук падающей воды вызовет у вас соответствующие ассоциации.

● Расслабьте мышцы тазового дна.

● Сохраняйте вертикальное положение. Стойте или ходите. Пусть сила тяжести поможет процессу мочеиспускания.

● Попробуйте во время мочеиспускания расслабить мышцы тазового дна. Постарайтесь расслабить все тело.

● Погрузитесь до пояса в теплую ванну и помочитесь прямо в ней, если вам так удобнее.

● Медсестра может помассировать вам мочевой пузырь (если он увеличен), чтобы стимулировать мочеиспускание.

● Если на вашей промежности есть шов от эпизиотомии или разрыва, попросите принести вам бутылку из мягкого пластика. Наполните бутылку теплой водой и прикладывайте ее к промежности во время мочеиспускания. Тепло расширит мочеиспускательный канал и уменьшит жжение.

Иногда мочевой пузырь наполняется, но не опорожняется несмотря на все усилия, которые прилагаете и вы, и ухаживающая за вами медсестра. Если вы не мочились в течение восьми часов после родов, врач может порекомендовать вам использовать катетер, чтобы опорожнить мочевой пузырь и избавиться от чувства дискомфорта, вызванного его переполнением. Длительная задержка мочи может вызвать цистит, то есть воспаление мочевого пузыря.

Проблемы с задержкой мочеиспускания исчезают через день или два, но вы должны быть готовы к тому, что в течение двух недель вы будете часто бегать в туалет. Это нормальная реакция вашего организма, который избавляется от излишков жидкости, накопившихся за девять месяцев беременности.

Недержание мочи. Утечка нескольких капель мочи, когда вы кашляете, чихаете или смеетесь — это нормальное, хоть и неприятное явление. Эта временная неприятность возникает из-за того, что мочевой пузырь и органы таза постепенно возвращаются в то положение, которое они занимали до беременности. В течение нескольких недель вам придется пользоваться гигиеническими прокладками, пока это досадное явление не пройдет само собой.

Повышенное потоотделение. Еще один способ избавиться от лишней жидкости, накопившейся в организме за время беременности — это усиленное потоотделение, особенно по ночам. В первую ночь наденьте хлопковое белье, которое впитывает пот, а также прикройте подушку и простыню полотенцем, которое впитает выделившийся ночью пот. Усиленное потоотделение или ощущение жара особенно заметны в первые недели после родов, а к концу первого месяца эти явления постепенно ослабевают.

Боль в промежности. Чувствительные ткани промежности во время родов были растянуты до предела и, возможно, поцарапаны или порваны. После эпизиотомии боль будет еще сильнее. Чтобы ослабить дискомфорт, ускорить заживление и предотвратить воспаление тканей промежности, следуйте приведенным ниже рекомендациям.

• Сделайте все возможное, чтобы избежать эпизиотомии. Многие женщины говорят, что неприятные ощущения в период заживления шва от эпизиотомии мучительнее, чем сами роды, потому что пульсирующая боль в месте разреза может не проходить несколько недель.

• Попросите медсестру или врача научить вас ухаживать за промежностью. Тепло усиливает приток крови и ускоряет заживление; холод снимает боль и уменьшает припухлость. И холодные, и теплые компрессы необходимы для заживления травмированной промежности. Медсестра почти сразу же после родов приложит к вашей промежности лед (это так приятно). Затем она порекомендует вам принять теплую ванну и покажет, как прикладывать холод и тепло к промежности при помощи пластиковой бутылки с во-

дой. Попробуйте положить смоченную прохладным настоем гаммамелиса марлю между промежностью и гигиенической прокладкой.

• Сидите или лежите в наиболее удобном для вас положении. Возможно, боль будет ощущаться слабее, если вы будете сидеть прямо на твердой поверхности и не наклоняться в строну. Если вы никак не можете найти приемлемого положения, попробуйте воспользоваться надувной резиновой подушкой в форме кольца, чтобы уменьшить нагрузку на промежность. Для предотвращения инфекции каждые несколько часов меняйте гигиеническую прокладку и всегда вытирайтесь по направлению к прямой кишке, чтобы бактерии из прямой кишки не попадали в промежность.

• Мойте промежность после мочеиспускания и дефекации под струей теплой воды. Затем насухо промокните промежность полотенцем. Трение может вызвать боль в чувствительных тканях или расширенных геморроидальных узлах.

• Если боль в промежности не проходит, врач может прописать анальгетики, которые безопасно принимать в период кормления грудью.

Запоры. Возможно, после родов ваш кишечник отказывается работать — подобно мочевому пузырю и по тем же причинам. Мышцы, участвующие в проталкивании каловых масс, могут быть травмированы во время прохождения ребенка по родовым путям. Наркотики и болеутоляющие препараты способны вызвать временную вялость кишечника. Во время родов ваш кишечник, скорее всего, очистился естественным образом — этому способствует диарея, которая обычно предшествует родам. Помимо этих физиологических причин возникновения запоров имеют место и психологические причины. Многие женщины не хотят напрягать мышцы промежности, боясь повредить промежность или стремясь дать отдых травмированным тканям. Чем раньше вы восстановите деятельность кишечника, тем лучше будет ваше самочувствие. Вот что вы можете предпринять:

● Ходите. Движение усиливает подвижность кишечника.

● Пейте много жидкости.

● Ешьте и пейте натуральные слабительные: нектары (сливовый, персиковый, абрикосовый), свежие фрукты, продукты из цельного зерна, овощи. Откажитесь от продуктов и напитков, содержащих кофеин, таких, как шоколад, кофе и кола.

● Расслабьтесь. Не переживайте, что от дефекации могут разойтись швы. Напряжение не очень полезно при геморрое, но вы можете использовать мускулатуру промежности, как до беременности.

Газы и вздутие живота. Вялость кишечника, которая способствует появлению запоров, может также вызвать скопление газов, особенно если вы восстанавливаетесь после кесарева сечения. Чтобы ослабить неприятные ощущения, нужно есть и пить часто и понемногу, а также заставить себя больше двигаться. Для тех, кто перенес кесарево сечение, особенно полезно раскачиваться в кресле-качалке.

Набухание груди. В первые два дня после родов с вашей грудью произойдут лишь небольшие изменения. Возможно, вы даже начнете волноваться, появится ли у вас вообще молоко, поскольку из груди выделяется лишь небольшое количество молозива (которое тем не менее богато питательными веществами и укрепляет иммунитет ребенка). Однако где-то на третий день вы можете вдруг проснуться от того, что ваши груди стали величиной с арбуз — и почти такими же твердыми. Вы обнаружите, что за одну ночь грудь увеличилась на два размера. Молоко, наконец, прибыло, и теперь вы задаете себе вопрос, как приспособиться к этому неприятному набуханию и как крошечный ротик ребенка ухватит этот плотный круглый сосок.

Это явление называется набуханием молочных желез. У некоторых женщин это быстрый и болезненный процесс, а у других, особенно у тех, чьи дети после рождения питались часто и эффективно, груди набухают постепенно. Здесь в дело опять вступают гормоны: в первые дни после родов уровни эстрогена и прогестерона уменьшаются, а уровень пролактина — гормона, стимулирующего выработку молока, — растет. По мере того, как груди начинают выполнять свою работу, составляющие их ткани набухают — частично из-за молока, а частично из-за другой жидкости. Эти драматичные изменения грудных желез могут не совпадать с тем представлением о безмятежном кормлении грудью, которое вы составили себе во время беременности. Кроме того, ваш новорожденный малыш, возможно, все еще пытается научиться брать грудь. Постарайтесь сохранить спокойствие — все самое приятное еще впереди. После того, как ребенок научится правильно брать грудь, а ваши груди установят нужный баланс выработки молока, когда спрос будет совпадать с предложением, вы начнете получать удовольствие от процесса кормления. Вы должны понять, что некоторый дискомфорт — это весьма распространенное явление (особенно для тех, у кого этот ребенок первый), которое скоро проходит. Определенная степень набухания груди неизбежна, но вы можете принять кое-какие меры, чтобы уменьшить дискомфорт и мини-

мизировать это набухание. Длительное набухание увеличивает вероятность инфекции, а также возникновения других проблем, связанных с кормлением ребенка.

• **Научите ребенка правильно** брать грудь *до того*, как она начнет набухать. В первые два дня, когда грудь еще мягкая, научите ребенка широко открывать рот, когда он берет грудь, — чтобы его губы и десна располагались на околососковом кружке позади соска. В таком случае ребенок хорошо захватит грудь. Не позволяйте ребенку сосать только сосок — очень быстро вы начнете испытывать болезненные ощущения.

• **Попробуйте правильно расположить нижнюю губу ребенка.** Убедитесь, что нижняя губа ребенка вывернута наружу и удобно расположена под околососковым кружком. Если губа малыша подвернута внутрь, аккуратно высвободите ее пальцем или отнимите ребенка от груди и повторите попытку. Не позволяйте ребенку «поджимать» губы или смыкать их вокруг соска, поскольку это приведет к воспалению соска.

• **Вместо того, чтобы прикладывать теплый компресс, что может** привести к увеличению припухлости тканей груди, к твердым и болезненно набухшим грудям приложите холодный компресс или мешочек со льдом.

● Теплый душ может вызвать рефлекс выделения молока, что позволит опорожнить набухшие груди. Пусть вода стекает по груди, а вы попробуйте помассировать грудь и выдавить немного молока.

● При набухании груди сосок становится более плоским, околососковый кружок твердеет, и ребенок не может хорошо ухватить ртом грудь, чтобы сжать заполненные молоком полости, расположенные позади околососкового кружка. В этом случае ребенок сосет только сосок и не получает достаточного количества молока, однако стимулирует выработку молока, что увеличивает набухание грудей. Если ваши груди слишком полные, чтобы ребенок правильно взял их, специальным отсосом или просто рукой сцедите часть молока, чтобы около-

сосковый кружок стал мягче и ребенок обхватил губами не только сосок.

Лучшее лекарство от набухания груди — это частые кормления. Ничто так быстро не освобождает грудь, как хорошо сосущий ребенок. Кроме того, частое кормление синхронизирует выработку молока с потребностями ребенка. Поощряйте ребенка есть чаще. Если он долго спит днем, через пару часов будите его для того, чтобы покормить.

Медикаментозные препараты для прекращения выработки молока, которые раньше назначались женщинам, не кормившим грудью, больше не считаются безопасными. (В любом случае они были не особенно эффективными.) Вам все равно придется сцеживать молоко из грудей, чтобы уменьшить набухание

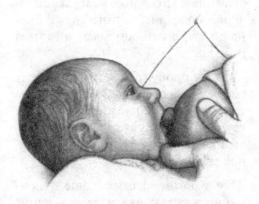

Широко раскройте рот ребенка, чтобы он правильно взял грудь

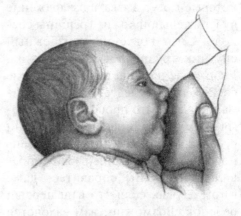

Оттопыривание нижней губы

и предотвратить воспаление. Выработка молока уменьшится через неделю или две.

Замечание доктора Билла. Когда я совершал обход своих маленьких пациентов, студенты называли эти занятия «Обходами нижней губы» доктора Серса. Переходя из палаты в палату, я показывал молодым матерям, как правильно давать грудь ребенку. Указательным пальцем я оттягивал подбородок и нижнюю губу младенца, чтобы он правильно захватил грудь. «О, так гораздо лучше!» — тут же восклицала мать.

Трещины сосков. Большая часть трещин сосков возникает из-за того, что ребенок неправильно берет грудь. Когда ребенок правильно захватывает грудь и энергично сосет, сосок проникает ему глубоко в рот и не касается двигающихся языка и десен, которые могут вызвать раздражение чувствительной кожи. Трещины сосков — это вовсе не неизбежный спутник грудного вскармливания. Если у вас начинается раздражение сосков, то вам следует обратить внимание на то, что происходит во время кормления. В первые дни жизни ребенка в ваши материнские обязанности входит обучение ребенка правильно есть. Вы справитесь даже в том случае, если это ваш первый ребенок. Возможно, вам захочется призвать кого-нибудь на помощь (квалифицированную медсестру, спе-

циалиста по грудному вскармливанию, опытную подругу), никто лучше вас не знает вашего ребенка. Сохраняйте спокойствие и проявите немного терпения — у вас с малышом все получится. Вот несколько советов, как уменьшить раздражение сосков, пока ваш ребенок не научится правильно сосать.

● Прежде чем отнимать ребенка от груди, убедитесь, что он перестал сосать. Нажмите на грудь или просуньте палец между десен ребенка. Отрывать сосущего ребенка от груди больно!

● Первой давайте ребенку грудь, сосок которой меньше раздражен. Боль в сосках обычно уменьшается после того, как начнет выделяться молоко. Дайте ребенку другую грудь, как только вы заметите признаки рефлекса выделения молока: покалывание в молочных железах, выделение молока из другого соска, смена ритма, в котором сосет и глотает ребенок.

● Попробуйте стимулировать рефлекс выделения молока еще до того, как вы приложите ребенка к груди. Используйте для этого теплый компресс, массаж или осторожное сцеживание.

● Кормите ребенка чаще — примерно каждые два часа в течение всего дня. Это уменьшит набухание груди и облегчит ребенку прикладывание к груди.

● После кормления дайте соскам высохнуть на воздухе. Выдавите несколько капель молока и дайте им высохнуть на соске. Бактерицидные свойства молока ускорят заживление поврежденной кожи.

● Между кормлениями наносите на кожу сосков препараты из очищенного ланолина, чтобы кожа оставалась влажной и быстрее заживала. Не используйте мазей и кремов, которые нужно вытирать перед кормлением ребенка.

● Носите хорошо подогнанный хлопковый бюстгальтер, а сверху надевайте хлопковую футболку. Откажитесь от бюстгальтеров из синтетических или искусственных волокон, которые не впитывают влагу.

● Специальные прокладки с пластиком могут усилить раздражение сосков. Если прокладка прилипает к груди, смочите ее водой, чтобы облегчить ее снятие и избежать повреждения кожи.

Большая часть возникающих при грудном вскармливании проблем может быть разрешена за считаные дни.

Если вы не получаете необходимой помощи и убеждены, что ребенку мало молока, попросите врача направить вас к специалисту по грудному вскармливанию. Кормление грудью оправдывает все затраченные усилия.

ВОЗМОЖНЫЕ ПРОБЛЕМЫ

Разрешившись от бремени, вы потеряете примерно половину той прибавки в весе, которая накопилась у вас за время беременности. Большая часть оставшегося веса принадлежит скопившейся в организме жидкости, которая постепенно на протяжении нескольких недель выведется из вашего тела, чему будет способствовать усиленное потоотделение и частое мочеиспускание. Остальное — это запасы жира, которые будут поставлять энергию для выработки молока в течение нескольких следующих месяцев. Насколько быстро вы сбросите последние несколько фунтов, зависит от того, сколько вы прибавили во время беременности и как вы будете соблюдать режим питания и заниматься физическими упражнениями в послеродовом периоде. Девять месяцев злоупотребления калориями не могут быть скомпенсированы рождением ребенка. Вы будете сжигать эти калории другим способом. Если ваша прибавка веса во время беременности соответствовала норме, то вы можете вернуться к тому весу, который у вас был до беременности (плюс несколько фунтов в качестве резерва для кормления грудью) за несколько месяцев послеродового периода. Большинство женщин возвращают себе прежнюю форму только через девять месяцев после родов. Некоторые женщины, став матерью, увеличивают свой вес примерно на 2,5—3 килограмма.

Насколько быстро вы восстановите форму после родов, зависит еще и от того, хорошо ли вы поддерживали тонус мышц во время беременности, и продолжаете ли вы упражняться в послеродовом периоде. Не нужно думать, что на следующий день после родов вы увидите в зеркале свою девичью фигуру. На самом деле еще несколько недель вы будете выглядеть как на пятом месяце беременности, и только потом ваша талия постепенно начнет становиться тоньше. Вы по-прежнему будете видеть и ощущать «выпуклость» нижней части живота, пока ваша матка не сократится до первоначальных размеров, которые были у нее до беременности. Этот процесс может занять около шести недель (меньше, если вы кормите грудью). Попросите врача или акушерку показать вам, как прощупать матку, которая постепенно прячется под костями таза. Сразу же после родов вы можете нащупать матку ниже пупка. Через пару недель вы, скорее всего, уже не найдете ее, хотя до возвращения матки к нормальным размерам пройдет еще около двух месяцев.

Многие женщины, и особенно после нескольких беременностей, замечают, что их грудная клетка стала немного шире. Это распространенное и нередко необратимое изменение обусловлено необходимостью обеспечить нормальное дыхание в тот период, когда матка достигает максимального размера.

Безопасное и эффективное избавление от лишнего веса. Вы прибавляете в весе на протяжении девяти месяцев, и поэтому избавление от лишних килограммов тоже должно занять не менее девяти месяцев. Вот несколько простых, безопасных и эффективных способов сбрасывания лишнего веса в послеродовом периоде.

• Вычислите вашу суточную потребность в калориях. Это означает, что нужно определить, сколько калорий, содержащихся в полноценных продуктах питания, вы можете употребить, чтобы чувствовать себя хорошо, но при этом не полнеть. Не забывайте о том, что кормящей матери для выработки молока требуется дополнительно около 500 ккал. Большинство женщин в послеродовом периоде могут ежедневно потреблять около 2000 ккал и при этом постепенно избавляться от лишнего веса. Совершенно очевидно, что количество калорий, которые вы можете потреблять, не прибавляя в весе, зависит от того, сколько калорий вы сжигаете во время физических упражнений.

• Один час в день посвящайте физическим упражнениям. Это может быть просто быстрая ходьба с сидящим в специальном рюкзачке ребенком. За один час быстрой ходьбы или плавания сжигается примерно 400 ккал. Такие упражнения плюс воздержание от одного не содержащего питательных веществ лакомства в день (калорийность одного шоколадного печенья составляет около 100 ккал) означает, что дефицит энергии составляет 500 ккал в день или 3500 ккал в неделю — вполне достаточно, чтобы избавиться от одного фунта накопленного в организме жира. Уменьшение веса на один фунт в неделю — это оптимальный режим. Он позволяет матери обеспечить полноценное питание и себе, и ребенку. Лучше всего постепенно избавляться от лишнего веса в процессе кормления грудью. Быстрое сжигание жира небезопасно, потому что накопленный в организме жир содержит пестициды и другие вредные для здоровья вещества. При быстрой потере веса эти соединения попадают в грудное молоко.

● У кормящих матерей наибольшая потеря веса часто происходит в период между третьим и шестым месяцами после родов, когда в их организме вырабатывается много молока. Поэтому не стоит расстраиваться, если в первые недели ваш вес не уменьшается.

● Следите за тем, как вы сбрасываете вес, а также выработайте привычку к здоровому питанию и занятиям спортом — это поможет вам достичь поставленной цели.

Разоритесь на красивую одежду, которая хорошо сидит на вашей изменившейся после родов фигуре. Если вы сосредоточитесь на том, чтобы влезть в джинсы, которые носили девять месяцев назад, то можете заработать себе депрессию. И никому не хочется в течение нескольких недель после родов носить одежду для беременных. Брюки или легинсы с эластичной талией в сочетании с яркими блузками помогут вам приспособиться к своему продолжающему меняться телу. Костюмы, в которых удобно кормить грудью, значительно облегчат ваши прогулки с ребенком.

Переход к материнству

Резкий переход от вынашивания ребенка в своем животе к уходу за новорожденным может быть трудным и пугающим. Многие женщины в этот момент чувствуют растерянность и собственную некомпетентность. Сколько раз во время беременности вы спрашивали себя: «Смогу ли я стать хорошей матерью?» Если вы прочли много книг о новорожденных, то у вас может сложиться впечатление, что от вашей реакции на срыгивание, плач или диарею ребенка зависит будущее цивилизации. Материнство — это огромная ответственность. Вы действительно имеете возможность сформировать личность ребенка и определить его дальнейшую жизнь. В этой ситуации вполне естественно ощущать свою некомпетентность и бояться, что вы не будете знать, что делать, когда ребенок заплачет. Хорошей новостью можно считать то, что и вас, и ребенка природа снабдила механизмами, которые помогают вам понять друг друга. Любая мать от природы наделена способностями к воспитанию детей, хотя одним супружеским парам на начальном этапе требуется несколько большая помощь, чем другим.

За более чем двадцать пять лет педиатрической практики мы убедились, что одни женщины легче переходят от беременности к материнству, чем другие. Все эти годы мы записывали секреты их успеха. Прислушавшись к приведенным ниже рекомендациям, вы повысите свои шансы на успешный старт процесса воспитания ребенка.

Установите контакт с ребенком

Начало общения матери и ребенка закладывает основу их будущих отношений. Контакт с ребенком означает, что вы знаете своего малыша, можете понимать его желания и догадываетесь, что он хочет сказать, что вы знаете, как нужно с ним обращаться, откликаетесь на его нужды и в конечном счете справляетесь с материнскими обязанностями. Имея эту основу, вы получите возможность почувствовать своего ребенка. Вы получите возможность формировать поведение ребенка так, чтобы достичь простой, но очень важной цели — получать радость от общения с малышом. Неплохо звучит, правда? Тем не менее вы можете по-прежнему волноваться: а что, если вы единственная на Земле женщина, у которой отсутствует та самая легендарная «интуиция», с которой молодая мать должна покидать родильную палату? Не позволяйте идее интуиции запугивать вас. Действительно, у одних женщин интуиция развивается быстрее, а у других медленнее, но эта особенность присуща всем молодым матерям. Интуиция — это всего лишь аккумуляция знаний о своем ребенке. По мере накопления сведений о ребенке — что заставляет его плакать, что успокаивает, как его нужно держать, как он реагирует на окружающую обстановку — вы обнаружите, что уже не гадаете, что случилось. Ваше «материнское чувство» работает быстрее, чем логические рассуждения. Это и есть интуиция.

Лучший способ развития интуиции — использовать те средства общения с ребенком, которыми снабдила вас природа. Такой подход к воспитанию малыша помогает вам установить контакт друг с другом. Его основные компоненты: связь, грудное вскармливание и ношение ребенка на руках.

Установите связь со своим ребенком во время родов. Слово «связь» теперь часто звучит в родильных домах и в посвященной воспитанию детей литературе. Любая статья или журнал рассуждает о концепции связи, как будто это открытие двадцать первого века. На самом деле понятие «связь» означает, что нужно быть ближе к своему ребенку, нужно знать и понимать его. Разумные матери именно так и поступают. Специалисты просто «расфасовали» это естественное материнское поведение, придумали термин и продают его матерям под видом нового продукта. В некотором смысле концепция связи — это попытка современной медицины оправдаться за те десятилетия, когда проповедовалось разделение матери и ребенка, что приводило к разрыву связи между ними.

Эта связь не похожа на клей «момент», который наносится сразу же после родов и автоматически соединяет мать и новорожденного. Связь во время родов просто дает отношениям матери и ребенка начальный толчок. Если по медицинским показаниям вы не можете взять на руки ребенка сразу же после родов и провести с ним некоторое время, не волнуйтесь. Это непрерывный процесс. Связь с ребенком будет развиваться по мере того, как вы будете находиться рядом с ним в последующие дни, недели и годы.

Если этому не препятствуют осложнения медицинского характера, ребенок должен быть в одной комнате с вами с момента рождения до выписки из больницы. В этом случае вы станете основным опекуном ребенка, а персонал больницы будет играть роль помощников и советчиков. Пребывание в одной комнате — это естественное продолжение периода формирования связи с ребенком. Оно облегчает переход ребенка из утробы матери в комнату матери. Быть рядом двадцать четыре часа в сутки — это лучший способ узнать друг друга. Из своего опыта мы можем сделать вывод, что новорожденные, которые остаются в одной комнате с матерью, меньше плачут и быстрее учатся брать грудь, а матери больше отдыхают, поскольку меньше волнуются за своих малышей. Если вы нервничаете, напрягаетесь, не знаете, как обращаться с ребенком, и не чувствуете той любви с первого взгляда, которую вам обещали на курсах по подготовке к родам, пребывание в одной комнате с малышом вам поможет. Если вы будете проводить много времени с ребенком, смотреть в его глаза, это пробудит в вас материнские чувства.

Кормите грудью. Вероятно, вы уже знаете, насколько полезно грудное молоко вашему ребенку, но не осознаете, как благотворно грудное вскармливание влияет на вас. Кормление грудью — это тренировка понимать ребенка. В самом начале вы остро реагируете на плач ребенка. Независимо от того, хочет ли малыш есть или просто нуждается в том, чтобы его взяли на руки, вы действуете одинаково. Ваша грудь — это источник питания и успокоительное средство одновременно. Однако со временем вы учитесь распознавать сигналы, которые подает вам ребенок еще до того, как заплачет. Если его потребности будут удовлетворены, плакать ему не придется вообще.

Кормление грудью стимулирует выработку гормонов материнства. Каждый раз, когда ребенок сосет вашу грудь, в кровь выбрасываются гормоны, помогающие вам ощущать умиротворение и любовь. Эти чудодейственные вещества не только позволяют вам расслабиться, но, вполне возможно, являются биологической основой материнской интуиции. В спокойном состоянии легче понять своего ребенка и удовлетворить все его потребности.

Носите ребенка на руках. Носите ребенка на руках или в специальном рюкзачке по меньшей мере несколько часов в день. Этот древний обычай воспитания детей оказывает благоприятное воздействие как на ребенка, так и на вас самих. Ребенок, которого носят с собой, меньше плачет и поэтому доставляет больше радости. У тесно прижавшегося к вам ребенка нет причин для волнений. Вместо того, чтобы беспокоиться, ребенок больше времени тратит на общение с вами и на изучение окружающего мира. Когда ребенок все время находится с вами, вам легче понять его желания и потребности. Как и грудное вскармливание, ношение ребенка на руках облегчает взаимопонимание. Вы учитесь читать сигналы, подаваемые ребенком, ребенок учится отчетливее выражать свои желания, и ваши отношения постепенно достигают гармонии — вы создали для этого благоприятные условия.

Не пренебрегайте помощью

Для того, чтобы установить контакт с ребенком, вам потребуется время, место и силы. Чтобы ваша связь могла развиваться, вы не должны тратить энергию на работу по дому. Эти первые недели дома мы называем периодом «гнездования», когда вся семья дружно помогает матери создать вокруг себя спокойную атмосферу и наслаждаться ею. Очень хорошо, если друзья, родные и супруг могут освободить вас от всех обязанностей, кроме ухода за малышом. Если нет, наймите помощницу, которая специализируется по уходу за молодой матерью (но не ребенком), и переложите на нее все домашние обязанности, отвлекающие ваши силы. Такого рода услуги предоставляются во всех регионах страны, и вы можете найти их практически в любом крупном городе.

Убедитесь, что ваш помощник понимает: вы заботитесь о ребенке, а на его плечи ложится домашнее хозяйство.

Помощник вам нужен для того, чтобы вы могли насладиться первыми днями материнства и чтобы послеродовой стресс не превышал разумных границ. Этот человек освободит вас от забот и сохранит вам силы для удовлетворения всех потребностей ребенка. Если вам помогает, например, мать или свекровь, которая не может удержаться от искушения покомандовать, вы должны вежливо, но твердо установить определенные правила («Ребенок плачет — я собираюсь его покормить. Может быть, вы пока приготовите нам поесть?»). Разумеется, когда вам нужно принять душ или немного прогуляться, бабушка может понянчиться с внуком или внучкой.

После рождения третьего ребенка моя мама часто приходит к нам, чтобы помочь со старшими детьми. Она протирает пол, читает книги двухлетнему внуку, убирает игрушки и, конечно, обожает возиться с новорожденным. В один из дней я решила принять душ и отдала младенца бабушке. Вернувшись из ванной, я застала такую картину: двухлетний малыш, бабушка и новорожденный ребенок мирно спали в большом кресле. Они выглядели такими счастливыми.

Балуйте себя

В своем стремлении как можно лучше заботиться о ребенке легко забыть о самой себе. Приготовьтесь к тому, что в какие-то дни новорожденный будет требовать повышенного внимания к себе — его придется носить на руках день и ночь. Это те «радости» материнства, о которых вам, наверное, никогда не рассказывали. Тем не менее, если вы будете отдавать все время и силы ребенку, забывая о себе, это не пойдет на пользу ни ему, ни вам. Определите, что вам нужно, чтобы чувствовать себя счастливой, и приспособьте отношения с ребенком к своим потребностям. Если вам требуется потратить на себя один час в день, найдите это время. (Только не используйте этот час для домашних дел!) Если вам нужны тишина и покой в доме, потребуйте их. Научитесь делегировать обязанности. Потакание своим слабостям — самое лучшее профилактическое средство от послеродовой депрессии, причиной которой часто становится неразумное использование молодыми мамами своих сил. Во время следующего путешествия на самолете обратите внимание на слова стюардессы, которая объясняет правила пользования кислородной маской: «При необходимости воспользоваться кислородной маской сначала наденьте маску *на себя*, а затем на ребенка».

Другими словами, если вы задыхаетесь сами, то не сможете помочь ребенку.

Замечание доктора Билла: Даже родив восьмерых детей, Марта склонна рассуждать следующим образом: «Я так нужна ребенку, что у меня не хватает времени даже принять душ». Мне приходится время от времени напоминать этой опытной матери: «Больше всего на свете нашему малышу нужна счастливая и отдохнувшая мать». Потом я забираю ребенка, а она идет принимать душ.

Будьте открытыми и гибкими

Вступив в период материнства, вы, возможно, еще не знаете, какому стилю воспитания отдать предпочтение (то есть как вы будете строить отношения со своим ребенком). Кроме того, вы не знаете темперамент своего ребенка и уровень его потребностей. Не начинайте материнства, ограничив себя определенными концепциями и правилами. Будьте открытыми. Проявите гибкость. Вырабатывайте такой стиль отношений, который подходит и вам, и ребенку.

Остерегайтесь «доброжелателей», которые советуют ребенку «выкричаться». Они не знают ни вас, ни вашего ребенка. Такие советы не только ослабляют вашу связь с ребенком и затрудняют понимание сигналов, которые вам подает малыш, но и являются неверными с точки зрения биологии. Исследования показывают, что, когда мать слышит плач новорожденного, у нее усиливается приток крови к молочным железам и она испытывает непреодолимое желание взять на руки и успокоить ребенка. Природа сделала так, чтобы вы реагировали на плач своего малыша, а не игнорировали его. Плач заменяет ребенку язык. Если вы будете реагировать на плач, ребенок научится доверять вам. В самом начале ваша реакция на плач ребенка должна направляться интуицией, а со временем вы вместе с ребенком выработаете коммуникационную систему, которая позволит вам постепенно задерживать свою реакцию — по мере того, как ребенок будет становится старше и научится либо ждать несколько минут, либо успокаиваться самостоятельно. Прислушайтесь к своим инстинктам и доверяйте своей способности правильно понимать ребенка — это станет надежной основой хороших отношений с ребенком на долгие годы вперед.

Остерегайтесь «специалистов»

После появления ребенка на свет вы автоматически становитесь мишенью для всевозможных советов. Особенно остерегайтесь самозваных специалистов, которые проповедуют жесткие правила воспитания детей, такие, как «пусть выкричится — быстрее научится спать по ночам» или «приучите его к порядку, чтобы он не привыкал манипулировать вами» и «Вы испортите ребенка!». Прислушивайтесь к своим инстинктам и своему ребенку, а не к непрошеному советчику, у которого отсутствует биологическая связь с вашим ребенком и чьи рекомендации могут не подходить вашему малышу. Помните, что это *ваш* ребенок и что *вы* его мать.

Прежде чем последовать какой-либо рекомендации, касающейся воспитания ребенка, попробуйте понять, кажется ли она вам интуитивно правильной, а также спросите совета у опытных матерей, мнению которых вы доверяете. Откажитесь от любого метода или совета, противоречащего вашей интуиции. Концепция, основанная на том, что «дети не должны причинять неудобств», способствует возникновению отчужденности между матерью и ребенком, мешает вам узнать своего ребенка и разрушает доверие, которое изначально присутствует в ваших отношениях. Ребенок — это самое замечательное из «неудобств». Даже те методы воспитания детей, которые на первый взгляд кажутся гибкими, могут не учитывать различий в темпераменте детей и в образе жизни родителей. Станьте специалистом по своему ребенку. Никто не справится с этой работой лучше вас.

Если что-то не помогает, попробуйте действовать по-другому

По мере того как вы вырабатываете стиль отношений с ребенком, подходящий всей семье, сохраняйте открытость к тем изменениям, которые могут оказаться полезными. Приведем следующий пример. Лу и Мэри относились к той категории молодых родителей, которые желали получить максимум информации о воспитании детей. Они посещали занятия для молодых родителей, где преподаватель рассказывал о новом методе воспитания, при котором ребенок за шесть недель приучался спать по ночам и привыкал жить по удобному для родителей расписанию. Разработчики этого метода обещали, что, купив несколько книг и кассет, а также строго придерживаясь изложенных в них инструкций, родители улучшат супружеские отношения, поскольку ребенок не будет им так сильно мешать. Поскольку этот метод представлялся как официальный, молодые люди взяли его на вооружение и с первых дней заставляли ребенка придерживаться строгого распорядка. Они кормили ребенка только по расписанию и позволяли выплакаться, чтобы он устал и заснул. Мэри все это давалось с трудом, и ей приходилось затыкать уши, чтобы справиться с желанием успокоить малыша. Но со временем ей стало легче не обращать внимания на плач ребенка. Когда маленькой Джессике исполнилось три недели, в гости к Мэри пришла подруга, уже имевшая детей. Женщины беседовали в гостиной, а в это время из детской послышался плач ребенка. Мэри как ни в чем не бывало продолжала беседу. Гостья все больше волновалась, слыша плач младенца, и, наконец, не выдержала: «Пойди посмотри, что там с малышкой. Потом поговорим». — «Нет, — ответила Мэри, взглянув на часы, — ее еще рано кормить». Подруга, которая сама была опытной и заботливой матерью, предупредила Мэри, что та становится безразличной к своему ребенку. Игнорируя свой материнский инстинкт, Мэри утрачивает его. Плач ребенка должен беспокоить ее, но этого не происходит.

Когда Джессике было около месяца, вся семья пришла ко мне на консультацию. Между родителями и ребенком нарастало отчуждение, и взрослые понимали, что взяли неверный старт. Мэри начала наш разговор словами: «Я лишилась целого месяца материнства». Она сердилась на себя за то, что проявила глупость и взяла на вооружение чужой метод воспитания вместо того, чтобы выработать свой. К счастью, у нее хватило мудрости понять это. Я утешил Лу и Мэри, объяснив, что все молодые родители очень уязвимы для советов и рекомендаций относительно воспитания детей, и особенно если эти рекомендации исходят от таких уважаемых и авторитетных фигур, как врач или священник. Кроме того, я заверил их, что наладить контакт с ребенком никогда не поздно, хотя этот процесс и займет определенное время. После того, как молодые родители стали реагировать на сигналы Джессики и рассматривать их как выражение потребностей дочери, а не как помеху, атмосфера в семье значительно улучшилась.

Окружите себя теми, кто имеет опыт воспитания детей

Точно так же, как и во время беременности, тщательно отбирайте своих советчиков. Ничто так не разделяет подруг, как различный подход к воспитанию детей. Прислушайтесь к советам тех опытных родителей, мнение которых вы цените и чьих детей вы любите. Можете посещать группы поддержки молодых родителей — особенно если это ваш первый ребенок.

Первые цифры: _____

Дата рождения: _____

Время: _____

Место: _____

Вес: _____

Рост: _____

Кто присутствовал при родах: _____

_____

_____

_____

Фотография новорожденного

Как проходили роды: _____

_____

_____

_____

_____

_____

_____

Что я почувствовала, когда впервые взяла на руки ребенка: _____

_____

_____

_____

_____

_____

_____

В течение этих первых дней мы: _____

_____

_____

_____

_____

_____

_____

Приложение A:
если вы заболели

ЕСТЬ ОДНО ИЗРЕЧЕНИЕ, ОТНОСЯЩЕЕСЯ К ВОСПИТАНИЮ ДЕТЕЙ, в истинности которого мы имели возможность убедиться: ХОРОШО ЗАБОТЬТЕСЬ О СЕБЕ, ЧТОБЫ ВЫ МОГЛИ ХОРОШО ПОЗАБОТИТЬСЯ О РЕБЕНКЕ. Этот совет в полной мере относится и к беременности. Но иногда болеют даже те женщины, которые уделяют пристальное внимание своему здоровью.

ПРИЕМ ЛЕКАРСТВ ВО ВРЕМЯ БЕРЕМЕННОСТИ

Если во время беременности вы заболели, то вы, естественно, начинаете беспокоиться за ребенка. Вас волнуют два вопроса. Повредит ли ваша болезнь ребенку? Повредят ли ребенку лекарства, которые вы принимаете?

Ответы на оба вопроса содержат хорошие новости. Подавляющее большинство заболеваний беременной женщины при правильном лечении не вредят ребенку. Кроме того, подавляющее число лекарств, необходимых будущим матерям, безопасны для ребенка. Тем не менее это не означает, что вы можете принимать любое имеющееся в аптеке лекарство. Необходимо проконсультироваться с врачом. Большинство медикаментов безопасны, некоторые безопасны с оговорками, а небольшое количество представляют собой серьезную опасность.

● Точно соблюдайте указанные в рецепте дозу и продолжительность приема препарата. Превышение дозы или продолжительности приема часто приносит не пользу, а вред.

● Без консультации с врачом не уменьшайте предписанную дозу. Меньшая доза может не оказать на

Ваши страхи относительно приема медицинских препаратов во время беременности могут принести и вам, и вашему ребенку как пользу, так и вред. Желание избежать приема лекарств заставляет вас отдавать предпочтение профилактической медицине (вы минимизируете свой контакт с болезнетворными микроорганизмами, загрязнителями окружающей среды и аллергенами, которые попадают к вам с пищей), а также узнаете о безопасных альтернативах лекарственным препаратам. Но иногда страх перед лекарствами может сослужить плохую службу. Бывают случаи, когда не принять лекарство опаснее, чем принять. Возможно, для ребенка будет лучше, если восстановится здоровье матери. Иногда вредное воздействие заболевания на мать и ребенка серьезнее, чем побочный эффект от лекарств. Иногда задержка с необходимым лечением вынуждает мать в течение продолжительного времени принимать более эффективный препарат с сильными побочными эффектами. Такой ситуации можно было бы избежать применением соответствующих лекарств на ранней стадии болезни. Ниже приводятся некоторые рекомендации относительно приема лекарств во время беременности.

вас должного воздействия, а ее влияние на ребенка останется таким же.

● Не читайте инструкций, вложенных в упаковку лекарства. Содержащаяся там информация относительно употребления лекарств во время беременности предназначена скорее для защиты производителя, чем для информирования потребителя. Предупреждения излишне строги и часто основаны на исследованиях, в которых подопытным животным вводились огромные дозы того или иного препарата. Кроме того, выводы, сделанные на основе опытов с животными, могут быть неприменимы к людям. Очень часто в тех случаях, когда не проводилось широкомасштабных исследований по выявлению действия препарата на беременных женщин, для производителя безопаснее не рекомендовать его прием во время беременности. (Такая надпись снижает вероятность судебного преследования производителя лекарства.)

● Не принимайте лекарств (даже тех, что продаются без рецепта) без консультации с наблюдающим вас врачом.

● Без назначения врача не принимайте продающихся без рецепта препаратов, в состав которых входят различные вещества (например, средства от простуды могут содержать комбинацию антигистаминных препаратов, противоотечных средств, аспирина и т.д.). Воздействие смесей изучать достаточно сложно, и поэтому ни ученые, ни врачи не могут предоставить достаточно надежной информации относительно их безопасности.

● Подумайте о безопасных альтернативах лекарственным препаратам. Какие, к примеру, домашние средства можно использовать для лечения простуды?

● Не поддавайтесь панике, если вы принимали какое-то лекарство, а затем прочитали, что оно может быть небезопасным. Шансы на то, что вы не причинили вреда своему ребенку, достаточно велики. Очень немногие препараты способны оказать неблагоприятное воздействие на ребенка при однократном применении. Для проявления вредного побочного действия большинство лекарств нужно принимать в больших дозах и на протяжении длительного времени.

● Проявите готовность к компромиссу. Некоторые лекарства несут с собой определенный риск для ребенка, но больная мать ему тоже не идет на пользу. Например, недостаток кислорода из-за отека дыхательных путей или обезвоживание в результате рвоты и диареи могут представлять собой опасность для вашего ребенка. При таких состояниях лучше принять лекарство. Если, к примеру, у вас настолько заложен нос, что вам трудно дышать,

впрыскивание одной дозы такого противоотечного средства, как африн, в течение одного-двух дней не окажет, как показали исследования, вредного воздействия на плод.

● Учитывайте, какое воздействие может оказать препарат на ребенка. Печень и почки плода еще не сформировались окончательно и не могут эффективно удалять лекарство, и поэтому в организме плода препарат может оставаться более продолжительное время и в более высокой концентрации.

● Не принимайте лекарств, если вы пытаетесь забеременеть, особенно в предполагаемый первый месяц беременности. Первый месяц развития органов плода — это период повышенного риска, связанного с воздействием лекарств. Подхваченный вами «грипп» может оказаться недомоганием, характерным для ранних стадий беременности.

● Если с разрешения врача вы уже принимаете какие-либо лекарства, любой дополнительный препарат должен получать его одобрение. Кроме того, при получении рецепта на новый препарат обязательно проинформируйте врача, какие лекарства вы уже принимаете. Некоторые лекарственные препараты могут быть безвредными при индивидуальном применении, но в сочетании с другими могут образовывать опасную смесь.

НАИБОЛЕЕ РАСПРОСТРАНЕННЫЕ ЗАБОЛЕВАНИЯ ВО ВРЕМЯ БЕРЕМЕННОСТИ

В период беременности неприятные ощущения во время болезни многократно усиливаются. Вы и так чувствуете усталость, ваше питание не всегда бывает достаточным (особенно в первые месяцы), а энергетические резервы направляются на вынашивание ребенка. Болезнь нарушает и без того хрупкое равновесие. Ниже перечислены наиболее типичные заболевания во время беременности, а также безопасные методы их лечения, эффективные практически для всех беременных женщин.

Заложенный нос и синуситы

Во время беременности слизистая оболочка носовых ходов и носовых пазух часто становится отечной — вероятно, из-за тех же гормонов, что воздействуют на слизистую оболочку влагалища. У некоторых беременных женщин возникает ощущение непрекращающейся «простуды» или они все время чихают. Те, кто и раньше страдал от аллергического ринита или сенной лихорадки, могут обнаружить, что их состояние ухудшилось (у некоторых, наоборот, наблюдается улучшение). Из-за дополнительного «пассажира»

и быстрого роста тканей ваша потребность в кислороде в период беременности значительно увеличивается. Чтобы удовлетворить растущие потребности, беременная женщина при каждом вдохе должна получать больше воздуха. А это требует чистых носовых ходов.

Носовые пазухи являются ответвлением носовых ходов, и поэтому отек носовых ходов может привести к развитию синусита. Отекшие слизистые оболочки закупоривают выход из носовых пазух, не давая вытекать секрету, и там — как в застоявшейся воде пруда — развиваются болезнетворные бактерии. Признаки развития инфекции в носовых пазухах — ощущение наполненности или боль в области носовых пазух, носа или над бровями, а также выделение слизи из носа, повышенная утомляемость, ощущение никак не проходящей простуды.

Как обеспечить разжижение и отход секрета носовых пазух. Ниже приведены рекомендации по предотвращению застоя в носовых пазухах и, значит, профилактике воспалительных процессов.

● Минимизируйте воздействие аллергенов и загрязнителей окружающей среды, таких, как смог и сигаретный дым.

● Увеличьте потребление жидкости.

● Несколько раз в день промывайте носовые ходы при помощи солевого раствора. Эти капли для носа продаются без рецепта в любой аптеке, но их можно приготовить и самостоятельно: 1/4 чайной ложки соли на 1 чашку воды.

● Используйте устройство для распаривания лица (обычно это парообразователь с маской для лица), чтобы «прочистить паром» носовые ходы и пазухи. Устройства для распаривания лица продаются в отделах косметики, в специализированных магазинах и некоторых аптеках. Можно соорудить такое приспособление самостоятельно. Для этого вскипятите воду в широкой кастрюльке, снимите ее с плиты и подышите над паром, укрыв голову полотенцем, которое образует нечто вроде палатки. Еще один способ уменьшить отек носовых ходов — подольше постоять под теплым душем.

Лечение синуситов. Воспалительные процессы в носовых пазухах лечатся при помощи противоотечных и антигистаминных препаратов.

Противоотечные препараты. Теоретически лекарства, сужающие кровеносные сосуды носа, могут попасть в кровь и сузить кровеносные сосуды матки или плаценты. Поэтому противоотечные препараты должны использоваться только под наблюдением врача, а также в дозах и с частотой, предписанных врачом. Женщинам с нарушением кровообраще-

Что спрашивать у врача

Помните, что забота о собственном здоровье предполагает сотрудничество с наблюдающим вас врачом. Убедитесь, что понимаете, зачем нужно принимать лекарства и как это делать, каково их воздействие и какие можно предложить альтернативы. Задайте врачу следующие вопросы:

▢ Насколько необходимо принимать лекарство? Станет ли мне хуже, если я этого не сделаю? Может ли прием лекарства угрожать моему здоровью или здоровью моего ребенка?

▢ Каковы возможные побочные эффекты, опасные для меня и для моего ребенка (если таковые существуют)?

▢ Есть ли альтернативные способы лечения, которые я могу попробовать, прежде чем принимать лекарство?

▢ Как часто и в течение какого времени нужно принимать лекарство? (Удостоверьтесь, что вы хорошо понимаете инструкции.)

Многие лекарственные препараты — даже те, которые относятся к категории «желтого света» и требуют осторожного подхода — можно без опасений принимать во время беременности, если в точности выполнять предписания врача.

ния плаценты следует с особой осторожностью подходить к любому типу вдыхаемых или оральных противоотечных препаратов. Одни спреи для носа безопаснее, чем другие, однако без консультации с врачом нельзя применять ничего, кроме соленой воды. Если ваш нос настолько заложен, что вы плохо себя чувствуете или не можете дышать, то польза от противоотечных препаратов и для вас, и для ребенка перевесит связанный с их применением риск. Многие противоотечные препараты для носа, по всей видимости, безопасны, если их применять один раз в день в течение одного или двух дней. Предположения о вреде противоотечных препаратов для ребенка были сделаны на основе тех случаев, когда эти средства применялись несколько раз в день на протяжении длительного времени. При беседе с врачом расспросите о следующих противоотечных препаратах для носа.

● Африн (оксиметазолина гидрохлорид). При применении дважды в день в течение двух дней не выявлено неблагоприятного воздействия на развитие ребенка.

● Вдыхаемые назальные стероиды (вансеназе, беконазе) относятся к категории «вероятно безопасных», особенно когда их прием ограничивается коротким промежутком времени, а частота приема не превышает двух раз в день. Если врач не прописал определенного препарата,

лучше остановить свой выбор на менее сильных стероидах.

● Назальные или оральные противоотечные препараты, содержащие перечисленные ниже вещества, отнесены к группе потенциально опасных для развития ребенка, и их не следует принимать, если только все другие средства не дали результата и врач не прописал именно их. К опасным веществам относятся: эфедрин, фенилпропаноламин, неосинефрин, фенилефрин. Основное опасение при приеме этих веществ заключается в том, что они, сужая сосуды в дыхательных путях, могут также сужать сосуды, снабжающие кровью ребенка.

Антигистаминные препараты. Одни антигистаминные препараты, например хлорфенирамин и трипеленамин, относятся к категории безопасных и разрешены к применению во время беременности («зеленый свет»). К использованию других нужно подходить осторожно («желтый свет»); это препараты, содержащие бромфенирамин, дифенгидрамин, терфенадин и клемастин. В некоторых случаях именно прием этих препаратов в последние две недели беременности по всей видимости приводил к повреждению глаз еще не рожденных детей. Если вы не уверены, что отек носовых ходов вызван аллергией, и если это вам не мешает дышать, лучше использовать медикаментозные и немедикаментозные средства, рассмотренные выше, и отказаться от антигистаминных препаратов из «желтой» категории.

Другие лекарственные препараты. Если до беременности вам делали уколы против аллергии, врач, вероятно, посоветует продолжить лечение, однако реакция на эти инъекции во время беременности может измениться, и поэтому врач, вполне возможно, изменит вводимую вам дозу. Маловероятно, что врач назначит вам курс инъекций против аллергии во время беременности.

Кромолин (интал) безопасен для беременных женщин. Он не относится ни к противоотечным средствам, ни к стероидам, ни к антигистаминным препаратам. Прием этого лекарства в течение длительного времени позволяет уменьшить отечность носовых ходов, вызванную аллергическими реакциями. Особенно помогает он при сезонных аллергических ринитах и сенной лихорадке. Интал не помогает при остром приступе аллергии или заложенном носе.

Во время беременности к микстуре от кашля нужно относиться с осторожностью и ограничить ее применение ночным временем и сильными приступами. Исключите микстуры от кашля, содержащие йод или алкоголь. Исследования не выявили связи между гвайяфенезином и аномалиями у плода. При беспокоящим кашле, и особенно по ночам, попробуйте перед сном подышать над паром.

Астма

Как и при других хронических аллергических заболеваниях, у некоторых женщин во время беременности отмечается обострение астмы, а некоторые чувствуют себя лучше. Поскольку респираторная система во время беременности работает с повышенной нагрузкой (повышается количество воздуха, набираемого в легкие во время каждого вдоха), в этот период астма может вызывать серьезную озабоченность. Если ваши дыхательные пути сужены и вы не получаете достаточного количества кислорода, ребенок тоже может испытывать кислородное голодание. Поэтому ради собственного здоровья и ради здоровья ребенка во время беременности больные астмой должны следить за своим состоянием. Приведенные ниже советы позволят вам взять течение болезни под контроль.

● В самом начале беременности (а еще лучше, когда вы только планируете забеременеть) проконсультируйтесь с семейным врачом или аллергологом, а также с акушером-гинекологом, чтобы внести необходимые изменения в схему лечения астмы. Определите, какие методы самопомощи вы можете использовать, и какие лекарства безопасно принимать во время беременности. В зависимости от частоты и тяжести астматических приступов, возможно, будет разумно повторить консультацию на последних месяцах беременности. Некоторые медикаментозные препараты на разных стадиях беременности вызывают разные проблемы.

● Избегайте ненужного контакта с аллергенами, и особенно с сигаретным дымом и другими загрязнителями окружающей среды. Особое внимание обращайте на атмосферу места, где вы спите. Возможно, во время беременности вам понадобится установить в спальне воздушный фильтр — даже если раньше в этом не было необходимости (наиболее эффективен сухой воздушный фильтр).

● Очищайте носовые проходы и пазухи методами, рассмотренными выше. Опытные астматики знают, что поддержание чистоты носовых проходов и пазух — одна из лучших профилактических мер при астме.

● Прибегайте к помощи лекарств и воздействуйте на приступ как можно раньше, еще *до того*, как он усилится до такой степени, что вам станет трудно дышать. Многие беременные женщины считают необходимым вызывать врача раньше и лечить астму более энергично, чем до беременности.

Лекарства от астмы. Если у вас хроническая астма и вы принимаете определенное лечение, которое вам помогает, ничего не меняйте и не приостанавливайте прием лекарств, не посоветовавшись с врачом. Не позволяйте страху перед лекарствами подвергать вас опасности астматического приступа, который может быть вреднее для ребенка, чем медикаментозные препараты. В карманных ингаляторах и домашних небулайзерах основным компонентом лекарств является альбутерол. Поскольку альбутерол может вызвать повышение частоты сердечных сокращений у матери и у плода, повышение кровяного давления у матери, а также изменение уровня сахара в крови матери и плода, его следует применять только по назначению врача. Несмотря на то, что в целом альбутерол считается безопасным для беременных женщин и относится к тем медикаментам, польза от которых превышает возможный риск, этот препарат причисляют к «желтой» категории, имея в виду, что его применение требует осторожности. Кромолин относится к «зеленой» (безопасной) группе и является поддерживающим препаратом при хронической бронхиальной астме. Препараты, содержащие эпинефрин, следует принимать исключительно по назначению врача; обычно они используются при тяжелых астматических приступах. Несмотря на то, что стероиды относятся к «желтой» категории, их ингаляция считается безопасной во время беременности — но только в том случае, если они применяются под наблюдением врача, а также строго выдерживается частота их применения и дозировка.

Инфекции
мочевых путей

Заполненный мочевой пузырь борется за место в тазовой полости с увеличивающейся в размерах маткой. В результате такой конкуренции могут развиться инфекции мочевых путей, мочевого пузыря и почек У многих женщин во время беременности такое происходит, как минимум, один раз. Симптомы инфекции мочевых путей или мочевого пузыря (цистит) — это боль при мочеиспускании, увеличенная частота позывов к мочеиспусканию, боль в нижней части живота и в области таза и, возможно, присутствие крови в моче. Иногда инфекция распространяется выше, достигая почек (пиелонефрит), и тогда отмечаются сильные боли в пояснице, лихорадка, озноб, учащенное сердцебиение, рвота и ухудшение общего состояния. Инфекции мочевых путей лечатся сочетанием методов самопомощи и выписанных врачом медикаментозных средств. Вот некоторые рекомендации, следование которым уменьшит риск инфекции мочевых путей.

● Пейте больше жидкости. Особенно полезен клюквенный сок — считается, что он убивает содержащиеся в моче бактерии.

● Не откладывайте визит в туалет; мочитесь сразу же, как почувствуете позыв.

● При каждом мочеиспускании

до конца опорожняйте мочевой пузырь: делайте три попытки с промежутком в несколько секунд.

● Опорожняйте мочевой пузырь до и после полового сношения.

● Не носите тесное белье, колготки и брюки.

● Регулярно посещайте врача во время беременности. Во время этих визитов у вас будут брать анализ мочи, проверяя наличие инфекции.

● Если вы подозреваете у себя инфекцию мочевого пузыря или почек, немедленно сдайте мочу на анализ. Часто врач способен определить наличие инфекции при помощи обычного анализа мочи, а иногда требуется ночная культура. У некоторых женщин размножение бактерий в моче происходит без всяких внешних симптомов (так называемая «бессимптомная бактериурия»), и такое состояние повышает вероятность развития инфекции мочевых путей. Чтобы не пропустить этот процесс, врач во время беременности может часто назначать вам анализы мочи.

Если у вас инфекция мочевых путей, врач назначит антибиотик, который можно принимать во время беременности. Тип антибиотика и продолжительность его приема будут зависеть от серьезности инфекции мочевых путей и стадии беременности. Очень важно строго выполнять предписания врача. Не вылеченная до конца инфекция мо-

Безопасный прием лекарств во время беременности[1]

Зеленый свет: путь открыт

Эти медикаментозные препараты, принимаемые по предписанию врача, при правильной дозировке и продолжительности приема считаются безопасными для матери и ребенка[2].

Ацетаминофен

Противокислотные препараты (тамс, ролаиды, миланта, маалокс, тагомед, зантак, пепсид)

Антибиотики

Пенициллин

Цефалоспорин

Эритромицин

Клиндамицин

Нитрофурантоин

Сульфамидные препараты (только первые шесть месяцев)

Аспартам

Кромолин

Доксиламин (юнисом)

Драмамин

Эметрол

Ибупрофен (только первые шесть месяцев)

Инсулин

Напроксен (алив; только первые шесть месяцев)

Фенацетин или хлорфенирамин (антигистаминные препараты)

Преднизон

Пиридиум

Слабительные

Лактулоза (слабительное; только первые шесть месяцев)

Минеральное масло (нерегулярно; только первые шесть месяцев)

Трипеленамин (антигистаминный препарат)

Желтый свет: будьте осторожны

Лекарства из этой категории следует принимать только тогда, когда врач придет к выводу, что польза от них для здоровья матери (а значит, и ребенка) перевешивает потенциальный риск для ребенка. Большинство лекарств этой категории продаются только по рецепту, и принимать их следует под наблюдением врача, соблюдая прописанные дозы и продолжительность приема. Некоторые лекарства отнесены к этой категории из-за того, что проведенные на животных опыты выявили их потенциальную опасность для плода. Другие требуют осторожного применения потому, что проведено недостаточное количество исследований, подтверждающих или опровергающих их безопасность для человека.

Ацикловир

Альбутерол

Антибиотики

Хлорамфеникол

Ципро
Флагил
Изониазид
Рифампицин
Ванкомицин
Противорвотные средства
    (компазин, тиган,
    фенерган)
Анальгетики, содержащие
    кодеин (только первые
    шесть месяцев)
Противоотечные препараты,
    содержащие эфедрин,
    фенилэприн,
    фенилпропаноламин
Микстуры от кашля, содержащие
    гвайяфенезин (вероятно,
    безопасны при кратковремен-
    ном применении)
Ломотил
Перкодан
Прозак
Пиретрины (против зуда)
Терфенадин (антигистаминный
    препарат)
Вакцины (только убитые)
Золофт

Красный свет: стоп!

Доказано, что эти препараты могут быть опасны для плода, и их применение рекомендуется лишь тогда, когда невозможно использовать альтернативные средства или здоровье матери подвергается серьезной опасности.

Аккутан
Антикоагулянты
Аспирин (третий триместр)
Кодеин (третий триместр)
Препараты спорыньи
Препараты, в состав которых входит йод (микстуры от кашля)
Препараты, в состав которых входит фенобарбитал
Антибиотики, в состав которых входят сульфамидные препараты (третий триместр)
Тетрациклин (вторая половина беременности)
Триметоприн (третий триместр)
Живые вакцины[3] (корь, краснуха, свинка, желтая лихорадка)
Валиум

---

[1] Отнесение препаратов к категории «зеленого света» основано на информации, доступной в момент написания книги. Поскольку новейшие исследования могут дать противоположный результат, даже применение этих лекарств должно получить одобрение врача.

[2] Препарат для лечения астмы, при приеме которого польза для матери обычно перевешивает потенциальный риск для плода. Он признается безопасным, если строго придерживаться дозировки и длительности применения, рекомендованных врачом.

[3] Не волнуйтесь, если вам вводили вакцину против краснухи, когда вы еще не знали о том, что беременны. У детей, матери которых оказались в подобной ситуации, не выявлено повышенной частоты врожденных дефектов.

чевых путей может привести к осложнениям беременности и к преждевременным родам.

Кишечные заболевания

Кишечная форма гриппа может явиться серьезным ударом для склонного к тошноте желудка беременной. Воспаление слизистой оболочки желудочно-кишечного тракта называется «гастроэнтерит». Оно сопровождается такими симптомами, как тошнота, рвота, диарея, схваткообразные боли внизу живота и даже лихорадка. Вам не нужно волноваться, что инфекция перекинется на ребенка, но результирующая потеря жидкости и солей (электролитов) может привести к обезвоживанию, угрожая и вашему здоровью, и здоровью ребенка. Поэтому при любом желудочно-кишечном заболевании, сопровождающемся рвотой и/или диареей, ваша главная цель — избежать обезвоживания организма.

• Ложитесь в постель и отдыхайте как можно больше.

• Предотвратите обезвоживание организма. В течение всего дня пейте жидкость — лучше всего часто и понемногу. Возможно, в дополнение к уже повышенной дневной норме вам придется выпивать еще кварту воды. Чтобы обеспечить должное пополнение электролитов, принимайте продающиеся без рецепта растворы (педиалит, ресол, регидралит, рицелит). Имеющиеся в продаже оральные препараты против обезвоживания содержат нужный баланс сахара и электролитов, обеспечивая адекватное всасывание жидкости из воспаленного кишечника. Многие препараты домашнего приготовления содержат либо слишком много сахара, либо недостаточно натрия. Избыток сахара в растворе может усилить диарею. Рецепт раствора для самостоятельного приготовления: 1 кварта сока (апельсинового, виноградного, яблочного или ананасового) и 2 чайные ложки поваренной соли.

• Из-за тошноты и рвоты вам, возможно, будет легче восполнять потерю жидкости при помощи замороженных соков и кубиков льда.

• Очень важно есть твердую пищу, если она хоть немного удерживается в вашем желудке. В противном случае диарея может усилиться, что приведет к недостатку питательных веществ в организме. Попробуйте следующие щадящие кишечник продукты: рис, печеный картофель, бананы и овощи желтого цвета.

Медикаментозные препараты для борьбы с тошнотой. Одни препараты для борьбы с тошнотой (они называются «противорвотными») безопасны для беременной женщины, другие нет. Эметрол (как правило, в виде микстуры) безопасен во время беременности и в некоторых случаях очень эффективен при тошноте и рвоте. Прием эметрола по одной чайной ложке несколько раз в день снимет неприятные ощущения в желудке. Фенотиазины (компазин) и триметобензамиды (тиган), несмотря на то, что они относятся к категории «желтого света», обычно считаются безопасными в период беременности, особенно если их принимают непродолжительное время для лечения рвоты при заболевании желудочно-кишечного тракта или сильного утреннего недомогания.

Медикаментозные средства для лечения диареи. Ни один из таких препаратов (даже те, что продаются без рецепта) нельзя принимать, не посоветовавшись с врачом. Усиленная перистальтика кишечника и последующая диарея — это естественный способ избавления организма от попавших в кишечник болезнетворных бактерий и токсинов. Препараты, которые ослабляют перистальтику и задерживают вредные вещества в кишечнике, могут оказаться вредными для организма, поскольку они удлиняют время пребывания болезнетворных бактерий и токсинов в желудочно-кишечном тракте. За исключением случаев сильного дискомфорта или угрозы обезвоживания, врачи не рекомендуют беременным женщинам принимать подобные препараты. Сочетание каолина и пектина (каопектат), даже будучи безопасным для беременной женщины, не очень эффективно. Имодиум А-D более эффективен и тоже считается безопасным. Тем не менее лучше позволить кишечнику естественным образом избавиться от болезнетворных бактерий и токсинов, и именно поэтому мы отнесли это лекарство к препаратам «желтого» света, которые следует применять осторожно. Однако если врач считает, что в вашем случае лучше ослабить диарею, имодиум А-D представляется наилучшим вариантом. Пепто-бисмол содержит салицилат (похожее вещество входит в состав аспирина), который может вызывать кровотечение у матери и/или у плода, а соединения висмута связывают с уродствами в опытах с животными. Эти препараты не считаются безопасными, и их нельзя принимать во время беременности.

Если рвота и/или диарея привели к опасности обезвоживания и болезнь никак не проходит, врач может принять решение восполнить потерю жидкости при помощи внутривенных вливаний. Эта процедура займет несколько часов, которые вы проведете в амбулаторном отделении или в палате оказания первой помощи. Для многих женщин внутривенные вливания — это самый быстрый способ предотвратить обезвоживание организма, и почти все они сообщают об улучшении самочувствия сразу же после процедуры.

Медикаментозные средства для лечения гастроэзофагеального рефлюкса, или изжоги. Лекарства, блокирующие выработку желудочного сока, такие, как тагамет, зантак, пепсид, считаются безопасными в период беременности и попадают в категорию «зеленого света». Тем не менее даже эти препараты не следует принимать, не посоветовавшись с врачом. Продающиеся без рецепта антациды, например тамс, миланта, магнезия, маалокс и ролаиды, тоже безопасны и относятся к категории «зеленого света». Из-за того, что в состав препарата алка-зельцер входит аспирин, его прием небезопасен во время беременности, но разновидности этого препарата, не содержащие аспирина, можно считать безопасными. Спазмолитические препараты, содержащие фенобарбитал (например, доннатал), попадают в категорию «красного света», поскольку фенобарбитал отрицательно сказывается на развитии плода.

Лихорадочное состояние

Во время беременности температура тела женщины повышается примерно на 1 градус. Это обусловлено действием гормонов беременности, а также ускорением обменных процессов. Однако высокая температура плохо переносится матерью и потенциально опасна для ребенка. Опыты на животных и наблюдения за беременными женщинами показали, что у матерей, испытывавших длительное повышение температуры свыше 39°C в первом триместре, и особенно между третьей и пятой неделями беременности, наблюдается статистический рост рождения детей с дефектами позвоночника. Эти наблюдения относятся к тем женщинам, повышение температуры тела у которых было следствием длительного пребывания в горячей ванне; временные скачки температуры, характерные для большинства инфекций, менее опасны для ребенка. Тем не менее во время беременности лучше активно лечить лихорадочное состояние. Вот несколько безопасных для будущего ребенка мер, позволяющих снизить температуру тела.

● **Одевайтесь правильно.** Вреден как избыток, так и недостаток одежды. Слишком теплая одежда будет задерживать выделяемое телом тепло, а слишком легкая способствует ознобу, во время которого организм вырабатывает еще больше тепла. Надевайте легкую и свободную одежду, позволяющую воздуху циркулировать у поверхности кожи. Часто меняйте одежду, если вы сильно потеете.

● **Поддерживайте прохладную атмосферу.** Откройте окно, включите кондиционер, выйдите из дома. Прохладный, свежий воздух отводит тепло от вашего тела.

● **Пейте много жидкости.** Потоотделение и учащенное дыхание приводят к тому, что организм теряет много жидкости, запасы которой требуют пополнения. Носите с собой бутылку с водой и отхлебывайте из нее в течение всего дня.

● **Кормите свою лихорадку.** Выработка организмом дополнительного тепла приводит к сжиганию запасов энергии, которые требуют пополнения в виде высококалорийной пищи. Богатые калориями прохладительные напитки удовлетворят потребность как в энергии, так и в жидкости.

● **Нырните в прохладную воду.** Примите чуть теплую ванну или душ; вода должна быть прохладной, но приятной и не вызывающей озноба. Затем вылезайте из ванны и позвольте вашему телу охладиться вследствие испарения оставшейся на коже воды. Энергичное растирание полотенцем усилит приток крови к коже и увеличит отдачу тепла.

Болеутоляющие и жаропонижающие средства. Аспирин нельзя назвать лучшим жаропонижающим для беременной женщины — существуют не менее эффективные, но более безопасные альтернативы. Не стоит волноваться, если вы несколько раз принимали по одной или две таблетки аспирина. Опасение вызывают большие дозы, принимаемые в течение продолжительного периода и особенно в третьем триместре, поскольку они могут привести к кровотечениям как у матери, так и у ребенка (аспирин относится к антикоагулянтам) или нарушать нормальное течение родов (аспирин блокирует простагландины). Иногда акушеры-гинекологи используют низкие дозы аспирина для предотвращения гипертонии беременных, эклампсии и других осложнений. Вопрос о том, связан ли длительный прием аспирина в первом триместре с врожденными уродствами, остается открытым, однако пока не существует никаких доказательств подобной связи.

Ибупрофен (мотрин, нуприн, адвил) считается более безопасным, чем аспирин, но и его во время беременности следует принимать только по назначению врача. Проведенные исследования не выявили связи между приемом ибупрофена в первом и втором триместрах беременности и врожденными уродствами, и поэтому этот препарат относится к «зеленой» категории для первого и второго триместров. Ибупрофен, в отличие от аспирина, не является антикоагулянтом, и его прием в третьем триместре вряд ли станет причиной кровотечения у матери или у ребенка. Тем не менее, поскольку ибупрофен тоже блокирует простагландины (гормоны, которые управляют процессом родов), принимать его в третьем триместре нужно осторожно. Из-за блокировки простагландинов ибупрофен также способен отрицательно воздействовать на движение крови внутри сердца и кровеносных сосудов ребенка в третьем триместре беременности. Этот эффект, по всей видимости, исчезает после прекращения приема препарата и не наносит никакого вреда ребенку. Таким образом, ибупрофен считается эффективным жаропонижающим средством, более безопасным, чем аспирин. Его можно принимать в первые два триместра беременности — но только под наблюдением врача.

Ацетаминофен безопасен на всех стадиях беременности. Он является эффективным жаропонижающим и болеутоляющим средством. Несмотря на то, что ацетаминофен относится к категории «зеленого света»,

прием больших доз этого препарата в течение длительного времени должен проводиться под наблюдением врача. (Это справедливо для всех лекарств.) Исследования показали, что большие дозы ацетаминофена в период беременности могут представлять опасность и для матери, и для ребенка. Правильная дозировка ацетаминофена в течение нескольких дней для лечения лихорадочного состояния считается безопасной как для беременной женщины, так и для плода.

Приложение C: экстренные роды

ДОМА

Иногда дети в утробе матери не подают обычных сигналов, которые позволяют вам определить, как скоро начнутся роды. Внезапно вы вскрикиваете: «Боже, началось!», — понимая, что не успеваете вовремя добраться до больницы. Имейте в виду, что в этом году такое случалось несколько сот раз, и практически для всех матерей и новорожденных все закончилось хорошо.

● Обратите внимание на признаки приближающегося родоразрешения: вы ощущаете внезапное и непреодолимое желание тужиться, которое постепенно усиливается; у вас возникает ощущение, похожее на сильный позыв к дефекации; вы чувствуете головку ребенка во влагалище, и с каждой схваткой она продвигается все дальше.

● Немедленно позвоните врачу или акушерке. Опишите свои ощущения и спросите, что вам нужно делать. Если врач или акушерка порекомендуют остаться дома, то они могут давать вам советы по телефону. Если у вас есть такая возможность, включите громкоговорящую связь и установите максимальный уровень громкости.

● Позвоните в службу спасения, особенно если вам не удалось связаться с врачом или акушеркой. Если это первый звонок, попросите операторов службы спасения связаться с вашим врачом и предупредить выбранную вами больницу. Затем возвращайтесь к своему делу — к родам.

● Приготовьте место для родов — обычно кровать. Чтобы не испачкать матрас, подложите под простыню водонепроницаемый материал (мешки для мусора, занавеску для ванны, несколько слоев газет или скатерть из синтетической ткани). Поверх постелите чистую простыню.

● Нагрейте воздух своей импровизированной родильной палаты до 22—23°C. Раздвиньте занавески и впустите солнечный свет, который согреет и осветит комнату.

● Пригласите помощника — желательно не мужа, на которого внезапно сваливаются обязанности инструктора во время родов, а также «ловителя» ребенка. Этот помощник (например, соседка, знакомый подросток или подруга) должен вскипятить две большие кастрюли воды: одна будет использоваться для стерилизации инструментов, а вторую нужно охладить до теплого состояния, чтобы этой водой обмыть роженицу после родов. В кастрюлю с кипящей водой следует положить ножницы и два кусочка ленты по тридцать сантиметров длиной (можно взять шнурки от обуви) для перевязки пуповины младенца. Приготовьте следующие принадлежности: широкий сосуд для плаценты, не меньше трех больших чистых полотенец, теплые одеяла или полотенца для ребенка (согрейте их в сушке).

● Вполне вероятно, что у вас уже отошли воды — в противном случае процесс родов вряд ли зашел бы так далеко. Если плодные оболочки еще целы, не нужно искусственно разрывать их — все произойдет в свое время.

● Положите полотенца на пол у края кровати или в ногах — в зависимости от того, где будет сидеть ваш ассистент. По скользкому полу ходить опасно.

● Ложитесь на кровать так, как вам удобно: на спину, на бок или становитесь на четвереньки. Наилучшим положением для родоразрешения считается положение на корточках, но в случае экстренных домашних родов вы вряд ли захотите ускорить процесс.

● Не стоит рожать ребенка в положении, которое вы часто видели в кинофильмах — когда ягодицы роженицы расположены на краю кровати. Новорожденный ребенок очень скользкий, и он может выскользнуть из рук ассистента прямо на пол. В качестве меры предосторожности расположитесь достаточно далеко от края кровати, чтобы ребенок мог родиться прямо на кровать. Ваша поза должна быть удобной для вас и безопасной для ребенка — удобство ассистента не принимается в расчет.

● Ассистент, который будет принимать ребенка, должен протереть руки спиртом или вымыть антисептическим мылом. Если рядом с вами никого нет и вам придется принимать ребенка самой, обязательно сначала вымойте руки.

● Ваши потуги должны быть физиологическими. Ни в коем случае не пытайтесь форсировать быстрые роды. Для ребенка безопаснее, когда у него остается время изогнуться и повернуться, чтобы найти наиболее легкий путь наружу.

● После того, как станет видна головка ребенка, приготовьтесь к тому, что она будет продвигаться вперед с каждым толчком, а в паузе отодвигаться назад на дюйм или два.

● После прорезывания головки ребенка (то есть когда она выйдет наружу как минимум наполовину) перестаньте тужиться. Не тяните за головку ребенка, а осторожно опустите ее на руки ассистента или на кровать. Часто пуповина несколько раз обматывается вокруг шеи ребенка. Аккуратно проденьте ее через голову малыша.

● После того, как голова ребенка внезапно поворачивается, начинается рождение плеч. Между появлением головки ребенка и рождением плеч защитите свою промежность от разрыва, поддерживая ее руками. В момент появления плеч руки должны прижимать полотенце к промежности над анальным отверстием.

● Если у вас есть резиновая груша, ваш ассистент должен отсосать слизь из носа ребенка и опустить на некоторое время головку ребенка вниз, чтобы слизь могла вытечь у него изо рта.

● Если плечи ребенка еще не родились, попросите ассистента поддерживать голову ребенка обеими руками, а сами начинайте тужиться. Обычно первыми появляются верхнее плечо и рука. Затем ваш ассистент, поддерживая голову и плечо ребенка, должен осторожно повер-нуть его вверх в направлении вашего пупка, чтобы облегчить рождение нижнего плеча.

● После рождения ребенка его нужно сразу же положить животом на ваш живот. Промокните лишнюю влагу с тельца ребенка. Вытирать первородную смазку с кожи новорожденного нет необходимости. Укройте голову и спину ребенка теплым полотенцем.

● Все новорожденные в течение первых нескольких секунд (иногда до минуты) выглядят синими. Легче всего нащупать пульс ребенка в том месте, где пуповина входит в пупок. Осторожно прижав пуповину большим и указательным пальцами, вы почувствуете пульс ребенка, такой частый, что его трудно сосчитать (выше 100 ударов в минуту). Если пульс ребенка составляет не менее 100 ударов в минуту и не снижается, вы можете быть уверены, что ребенок дышит — независимо от того, плачет он или нет. Если вам кажется, что ребенок не начал дышать самостоятельно, или если его пульс постепенно снижается, стимулируйте дыхание новорожденного, энергично растерев ему спинку. Совсем не обязательно, чтобы ребенок кричал, но, как только раздастся его крик, вы увидите, как он розовеет, и почувствуете, как увеличивается его пульс. Обычно как раз в это время приезжает бригада «Скорой помощи», и они при необходимости дадут новорожденному кислород или каким-либо другим образом начнут стимулировать его дыхание.

● Если у новорожденного синие губы (не забывайте о том, что ладони и ступни большинства новорожденных остаются синими от пяти до десяти минут), если вы не чувствуете дыхания ребенка, а его пульс падает ниже шестидесяти (медленно считайте: «одна тысяча один», «одна тысяча два» и так далее), осторожно сделайте ему искусственное дыхание «рот в рот» — пять или шесть вдохов. При этом накройте рот и нос ребенка своим ртом.

● Если медицинский персонал находится уже на пути к вашему дому, нет никакой необходимости самостоятельно перерезать пуповину или изгонять плаценту. Пусть ребенок просто лежит на вашем животе, прикрытый теплым одеялом или полотенцами. Если вы не перерезали пуповину, а плацента еще не вышла, вы с ребенком должны лечь на бок (по-прежнему живот к животу), чтобы новорожденный расположился на уровне плаценты. При этом из плаценты к ребенку будет поступать нужное количество крови.

● Если ваш телефонный консультант советует перерезать пуповину или на подходе нет никакой квалифицированной медицинской помощи и вам приходится это делать самостоятельно, выждите несколько минут после рождения ребенка, пока пуповина не станет тоньше и бледнее (это значит, что прекратилась циркуляция крови между ребенком и плацентой). Затем одной лентой плотно перевяжите пуповину примерно в дюйме от пупка новорожденного. Вторая лента должна перетянуть пуповину на дюйм выше первой. Перережьте пуповину между лентами.

● Не тяните за пуповину, пытаясь ускорить изгнание плаценты. Пусть ребенок начнет сосать вашу грудь — при этом выделяются гормоны, которые естественным образом сужают кровеносные сосуды, предотвращая чрезмерное кровотечение, и стимулируют изгнание плаценты. Обычно для этого требуется от пяти до тридцати минут.

● Пусть ребенок сосет грудь, пока не прибудет квалифицированная медицинская помощь или пока ваше состояние и состояние ребенка не стабилизируется до такой степени, что вы сможете поехать в больницу или туда, куда советует врач или акушерка. Это значит что мускулатура матки сократилась и зажала открытые кровеносные сосуды, подходившие к плаценте, и у вас не будет сильного кровотечения.

● Вероятно, вы все еще слабы после родов. Поэтому вам нужно оставаться в постели, а ходить можно только с чьей-либо помощью.

● Вам и вашему ребенку необходимы тепло и покой, пока не прибудет медицинская помощь или пока врач или акушерка не даст рекомендаций по поводу ваших дальнейших действий.

● После изгнания плаценты осторожно помассируйте матку непосредственно над костями таза, чтобы помочь ей сократиться еще сильнее и зажать кровеносные сосуды.

ПО ДОРОГЕ В БОЛЬНИЦУ

● Ехать нужно осторожно. Это не такой экстренный случай, чтобы рисковать жизнями всех пассажиров, включая того, кто вот-вот должен родиться.

● Если у вас в машине есть телефон, предупредите больницу, что вы уже в пути. Пусть роженица расположится на заднем сиденье. Защитите обивку сидений газетами, простынями, полотенцами или одеждой. По дороге и мать, и ребенок должны находиться в тепле.

● Притормозите или остановите машину в момент появления ребенка на свет. После рождения ребенка (см. описанную выше процедуру) продолжите путь в больницу.

Словарь
акушерских терминов

В данный словарь включены самые распространенные тревоги, проблемы, тесты и термины, с которыми вы столкнетесь во время беременности. Здесь приведены и менее распространенные проблемы, о которых не упоминается в основной части книги. Это сделано затем, чтобы не беспокоить вас редкими патологиями, с которыми вам, скорее всего, не придется иметь дело во время беременности.

Отслойка плаценты. В этом состоянии плацента частично или полностью отделяется от стенки матки до или во время родов. Отслойка плаценты в той или иной степени наблюдается менее чем у 1 процента беременных женщин. Чаще всего это происходит в третьем триместре. Первый признак отслойки плаценты — это внезапное и обильное кровотечение, которое часто сопровождается сильной болью в спине или в животе. Отслойку плаценты можно диагностировать при помощи ульт-

развука, но часто этого сделать не удается. Преждевременное отделение плаценты может считаться опасным состоянием, требующим экстренных родов, если нарушается кровоснабжение плода или кровотечение не прекращается. При подозрении на отслойку плаценты врач, вероятно, поместит вас в больницу, где будут наблюдать за состоянием ребенка и за кровопотерей. Если кровотечение остановилось, роды еще не начались, а ребенку ничего не угрожает, врач может порекомендовать постельный режим в домашних условиях, чтобы помочь вам доносить ребенка до срока или хотя бы до того момента, когда преждевременные роды будут относительно безопасными. В зависимости от степени отслойки вам может понадобиться кесарево сечение. Существует 10-процентный риск повторения отслойки плаценты, и поэтому на последних месяцах последующей беременности врач будет наблюдать за вами особенно внимательно.

Синдром приобретенного иммунодефицита (СПИД). Вызываемое вирусом иммунодефицита человека (ВИЧ), это заболевание ослабляет иммунную систему организма, что в конечном итоге приводит к смерти. Большинство женщин, больных СПИДом, могут успешно завершить беременность, а многие из них рожают здорового ребенка. Тем не менее до 50 процентов ВИЧ-инфицированных женщин и до 70 процентов женщин с активной стадией СПИДа передают вирус через свою кровь плоду, заражая ребенка смертельной болезнью. Не нужно обижаться на врача, который в период беременности предложит вам взять анализ крови на СПИД. Для многих врачей это стандартная процедура — даже если нет никаких оснований относить женщину к группе риска.

Амниоинфузия. Если на последних неделях беременности объем амниотической жидкости недостаточен для обеспечения нормальной жизнедеятельности ребенка, врач может ввести в полость матки физиологический раствор. Эта процедура особенно важна для предотвращения или лечения дистресса плода, когда пуповина пережимается во время схваток.

Амниотическая жидкость. Внутри матки ребенок плавает в особой жидкости, предназначенной для защиты плода от инфекций и механических воздействий. Амниотическая жидкость начинает формироваться примерно на четвертой неделе беременности, и в течение первого триместра у большинства беременных женщин ее накапливается достаточное количество. К одиннадцатой неделе почки ребенка начинают выделять мочу, которая добавляется к амниотической жидкости. После двенадцатой недели большую часть амниотической жидкости составляет моча плода, а остальное вырабатывается матерью. Пополнение амниотической жидкости происходит ежедневно. Ребенок заглатывает ее и пропускает через пищеварительный тракт. Кроме того, он вдыхает амниотическую жидкость, заполняя ею формирующиеся дыхательные пути. Амниотическая жидкость представляет собой богатую питательными веществами соленую воду, содержащую белки, жирные кислоты, аминокислоты, фруктозу, глюкозу и многие другие питательные вещества. Объем амниотической жидкости достигает максимума между тридцать четвертой и тридцать восьмой неделями, а в две последние недели беременности немного уменьшается.

Амниотомия. Эту процедуру также называют «искусственным вскрытием плодного пузыря». В этом случае врач вводит в шейку матки крошечный крючок, чтобы захватить и разорвать оболочку плодного пузыря. Эта процедура безболезненна и используется для того, чтобы стимулировать остановившийся процесс родов, вызвать роды при переношенной беременности или обеспечить возможность введения внутреннего датчика фетального монитора во время родов. Плодные оболочки разрывают только в случае необходимости, поскольку неповрежденный плодный пузырь позволяет более равномерно распределить силу сокращений на нижнюю секцию и шейку матки, а также защитить пуповину при опускании головки ребенка. Разрыв плодного пузыря до того момента, как головка ребенка опустилась в полость таза, может привести к тому, что пуповина окажется зажатой между головкой ребенка и костями таза. Преждевременный разрыв плодного пузыря также увеличивает вероятность проникновения болезнетворных бактерий внутрь матки и заражения ребенка. Перед выполнением процедуры врач должен обсудить с вами преимущества и возможный риск искусственного вскрытия плодного пузыря.

Шкала Апгар. В течение первых пяти минут после появления ребенка на свет врач или акушерка оценивают частоту сердечных сокращений новорожденного, дыхательное усилие, цвет кожи, мышечный тонус и реакцию на внешние воздействия, присваивая каждому из этих физиологических показателей здоровья

ребенка коэффициент от 0 до 2. Если все эти функции находятся на должной высоте, общий показатель может достигать 10. Очень важно, чтобы и родители и профессионалы подходили к шкале Апгар разумно. Ребенок с коэффициентом 10 не обязательно здоровее ребенка с коэффициентом 8. У большинства детей сразу после появления на свет бывают синие ладони и ступни, и поэтому коэффициент 10 встречается крайне редко даже у здоровых младенцев. Спокойный ребенок, который не кричит после появления на свет, тоже теряет очки, но это не значит, что его здоровье хуже, чем у «крикуна». Шкала Апгар — это не тест физического состояния новорожденного, и получившийся коэффициент ни в коем случае не нужно считать «отметкой», которую сообщают родителям. Изначально эта шкала была разработана как быстрый скрининг-тест, позволяющий оценить, за каким ребенком требуется более пристальное наблюдение, поскольку переход от внутриутробной к самостоятельной жизни у одних новорожденных требует более длительного времени, чем у других.

Искусственное вскрытие плодного пузыря. См. амниотомия

Биофизический профиль. Биофизический профиль используется на последних неделях беременности для оценки состояния плода в случае беременности с повышенным уровнем риска или переношенной беременности. Процедура выполняется в кабинете врача и сочетает в себе нестрессовый тест, оценку активности плода при помощи ультразвукового обследования, а также определение объема амниотической жидкости в матке. Врач использует полученные результаты, чтобы принять решение о наиболее безопасных процедуре и времени родов. Этот тест абсолютно безболезненный, а также безопасный для матери и ребенка; вся процедура занимает не более часа.

Ветрянка. Если у вас нет иммунитета к этой болезни, то контакт с возбудителем ветрянки во время беременности может вызывать определенные опасения. Большинство женщин обладают иммунитетом к вирусу, хотя многие могут и не помнить, что болели ветрянкой в детстве. Если вы не уверены, то врач назначит анализ крови, чтобы проверить уровень вашего иммунитета. Если иммунитет присутствует, то у вас нет причин для волнений, и никакого лечения не требуется. Если у вас нет иммунитета, то природа на вашей стороне — велика вероятность того, что ни вы, ни ребенок не заразитесь. Тем не менее все же существует небольшая вероятность, что в результате заболевания ветрянкой в первом триместре беременности ребенок появится на свет с врожденным дефектом. Наибольшую опасность ветрянка представляет на последнем месяце беременности. Если мать заболеет ветрянкой не менее чем за четырнадцать дней до родов, в ее организме выработается достаточно антител, чтобы передаться ребенку и защитить его от заболевания в первые дни после появления на свет. Если же мать заболеет ветрянкой менее чем за две недели до родов, ребенок родится с вирусом, но без защищающих его антител матери. В этом случае у ребенка разовьется опасная форма ветрянки. Осложнения после ветрянки, и особенно воспаление легких, чаще встречаются у женщин, которые перенесли это заболевание во время беременности.

Если у вас отсутствует иммунитет и вы имели контакт с возбудителем ветрянки во время беременности, врач может порекомендовать инъекции иммуноглобулина varicella-zoster в течение четырех дней после контакта, чтобы снабдить ваш организм антителами и уменьшить вероятность передачи вируса ребенку. Эти же инъекции могут применяться и на последней неделе беременности, если у вас отсутствует иммунитет и вы имели контакт с больным ветрянкой. Поскольку существующая вакцина против ветряной оспы относится к живым вакцинам, безопасность ее для беременных женщин не доказана и ее не рекомендуют применять во время беременности. Поэтому лучше всего проверить наличие у себя иммунитета к ветрянке еще до беременности и при необходимости пройти вакцинацию. Если вы уже беременны, то запланируйте вакцинацию сразу же после родов, чтобы избежать проблем при последующих беременностях. Если вы беременны и у вас есть другие дети, еще не переболевшие ветрянкой, было бы разумно сделать им прививки, чтобы минимизировать их шансы заболеть, а затем передать вирус вам. Вакцинация других членов семьи в период вашей беременности абсолютно безопасна для вас и ребенка.

Контрактальный стрессовый тест. Этот тест обычно выполняется на последних неделях беременности, когда есть сомнения в состоянии ребенка. Данная процедура обычно проводится в больнице и напоминает «пробные роды», позволяющие оценить, способен ли ребенок выдержать нагрузку родовых схваток. За работой сердца ребенка следят при помощи электронного фетального монитора, одновременно вызывая сокращения матки — либо искусственно при помощи внутривенной инъекции, либо естественным путем, стимулируя соски. Отрицательный результат теста должен вас успокоить: он означает, что в течение трех нормальных схваток сердечная деятельность ребенка не выходит за границы нормы. Положительный результат теста должен вызвать озабо-

ченность: он означает, что частота сердцебиения ребенка отклоняется от нормы во время схваток или после них, а это может свидетельствовать, что ребенок не получает достаточного количества кислорода во время схваток. Врач использует результаты контрактального стрессового теста (совместно с результатами других тестов), чтобы принять решение о необходимости кесарева сечения до начала родовых схваток. Поскольку контрактальный стрессовый тест может стимулировать начало родов, его не проводят в тех ситуациях, когда индуцирование родов может привести к осложнениям, например, при недоношенном ребенке или неправильном расположении плаценты.

У контрактального стрессового теста высока вероятность «неопределенных» или ложных положительных результатов. Это означает, что результаты теста указывают на опасность родовых схваток для здоровья ребенка, когда на самом деле такой опасности не существует. Вот почему врачи для определения наиболее безопасного способа родов наряду с результатами контрактального стрессового теста используют и другие тесты оценки состояния плода. Во многих случаях контрактальный стрессовый тест предупреждает врача о необходимости более внимательного наблюдения, чтобы вовремя заметить признаки дистресса плода.

В зависимости от вашего состояния врач порекомендует вам наиболее подходящий вариант. Исследования показывают, что стимуляция сосков и инъекция питоцина одинаково эффективны, хотя стимуляция сосков — это более простой и безопасный метод.

Синдром Couvade. Термин «couvade» (от французского слова *couver*, «вынашивать, высиживать потомство») применяется по отношению к симптомам, напоминающим симптомы беременности, которые появляются у некоторых мужчин во время беременности жены. В той или иной степени это состояние наблюдается у 25 — 50 процентов будущих отцов. Наиболее распространенные симптомы: тяга к определенной пище, перемены настроения, тошнота, признаки утреннего недомогания, прибавка веса, усталость, боли в спине, бессонница. Этот синдром обычно появляется к третьему месяцу беременности, ослабевает во время второго триместра и в той или иной степени возобновляется в третьем триместре. Считается, что такое состояние мужчины обусловлено подсознательным стремлением идентифицировать себя с беременностью и участвовать в ней, а также разделить внимание, которое оказывается будущей матери. Эти ощущения могут быть также реакцией организма на преувеличенную гордость от того, что мужчина скоро станет отцом.

Сахарный диабет. Хорошей новостью можно считать то, что большинство больных диабетом женщин при надлежащем контроле за своим состоянием способны нормально выносить и родить здорового ребенка. Если вы страдаете диабетом, то лучше еще до беременности взять течение болезни под контроль и добиться идеального веса тела. Ваше здоровье и здоровье вашего ребенка зависят от того, насколько тщательно вы будете следить за уровнем сахара в крови во время беременности. Нужно держать течение болезни под контролем во время всей беременности, но особенно важно это в первый месяц, когда формируются основные органы ребенка, а также в последние два месяца, когда наиболее высок риск преждевременных родов. Во время беременности контролировать течение диабета особенно трудно, но делать это жизненно необходимо. Потребность в инсулине у беременной женщины возрастает, поскольку гормоны беременности блокируют действие этого гормона. Инсулин не передается в кровь ребенка через плаценту, а сахар передается. Поэтому если уровень сахара в вашей крови слишком высок, от организма ребенка может потребоваться усиленная выработка инсулина. Лишний сахар, попадающий в кровь ребенка, откладывается в виде запасов жира, и поэтому у матерей, страдающих диабетом, часто рождаются более крупные дети. Если до беременности вы контролировали свое состояние при помощи таблеток, вполне вероятно, что ваш врач порекомендует во время беременности перейти к инъекциям инсулина. Доказано, что таблетки не только неэффективны для лечения диабета во время беременности, но могут представлять опасность для развивающегося плода, тогда как инъекции инсулина признаны безопасными. Если до беременности вы ежедневно получали определенную дневную дозу инсулина, то во время беременности вам, скорее всего, потребуется увеличить дозу. Важно совместно с врачом внести необходимые изменения в дозу инсулина, физическую нагрузку и диету. В зависимости от того, до какой степени вы держите под контролем течение болезни, врач может принять решение об индуцировании родов раньше срока, поскольку диабет может привести к тому, что кровеносные сосуды матки перестанут справляться с питанием плода. Чтобы минимизировать опасные колебания уровня сахара в крови ребенка сразу же после рождения, важно контролировать свое состояние в течение недели перед родами. Вы должны быть готовы к тому, что ваш новорожденный ребенок будет нуждаться в тщательном врачебном наблюдении в течение нескольких дней после появления на свет, чтобы убедиться в стабильности уровня сахара в его крови, а также не пропустить временные проблемы с дыханием, которые чаще наблюдаются у детей, чьи матери больны диабетом.

Индекс соотношения размеров таза и плода (FPI). В этом тесте сочетается рентгеновское обследование с целью определения размеров нижней апертуры таза матери и ультразвуковое обследование для определения размеров ребенка. Данный тест особенно полезен для оценки возможности естественных родов при ягодичном предлежании плода. Кроме того, он используется для определения размеров таза у женщин, которые хотят рожать естественным путем после предыдущего кесарева сечения. Поскольку в данном тесте учитываются как размеры родовых путей, так и размеры ребенка, его результаты оказываются точнее, чем те, что получены при рентгеновском снимке таза. Тем не менее, эти результаты не должны лишать мать уверенности, что она способна родить ребенка естественным путем, а решение о необходимости кесарева сечения не должно основываться исключительно на результатах этого теста. Простые измерения не учитывают того биологического факта, что нижняя апертура таза увеличивается на 20 процентов, если вы рожаете сидя на корточках, и что тело ребенка поворачивается, приспосабливаясь к конфигурации узких родовых путей и ища наиболее легкий путь наружу.

Проба крови из кожи головы плода. Проба крови из кожи головы плода используется во время родов для того, чтобы оценить, достаточно ли плод получает кислорода. Через тонкую трубочку, водимую через влагалище и шейку матки, врач берет несколько капель крови из кожи головы ребенка. В лаборатории определяют содержание кислорода в пробе, а также оценивают другие химические факторы крови ребенка, отражающие его состояние. Проба крови из кожи головы плода — это более точный тест, чем фиксация изменений сердечной деятельности ребенка при помощи электронного мониторинга. Часто эта процедура выполняется тогда, когда показания фетального монитора дают основания предположить дистресс плода.

«Пятая болезнь». Это инфекционное вирусное заболевание (оно названо так потому, что это был пятый по счету из открытых вирусов, вызывающих лихорадку и сыпь), очень часто встречается в детском возрасте. Оно чрезвычайно заразно, но обычно не представляет опасности ни для детей, ни для взрослых. Эта болезнь характеризуется лихорадкой, красной сыпью на щеках (выглядит как «следы от пощечин»), а также «кружевной» красной сыпью на ногах и туловище. Иногда у зараженных этим вирусом взрослых болят суставы, а у больных различными типами гемолитической анемии может наблюдаться обострение. «Пятая болезнь» заразна в течение недели до появления сыпи на лице, и поэтому люди часто не подозревают о своем контакте с вирусом. Несмотря на то, что вирус считается неопасным для детей и взрослых, в отношении беременных женщин имеются определенные сомнения. Если у вас нет иммунитета против этого заболевания (у большинства взрослых есть) и вы переболели «пятой болезнью» в первом триместре беременности, у вас немного повышается вероятность выкидыша (на 1—2 процента по сравнению с нормой). Заражение ребенка на последних месяцах беременности может привести к разрушению его кровяных клеток, вследствие чего у ребенка развивается анемия. Если вы имели контакт с больным «пятой болезнью», врач может назначить вам анализ крови, чтобы определить наличие иммунитета. Если иммунитет есть, то волноваться нечего. Если результаты анализа показали отсутствие иммунитета или выяснилось, что вы недавно заразились вирусом «пятой болезни», врач будет следить за состоянием плода, чтобы не пропустить симптомов тяжелой анемии, которая выявляется при помощи многократных ультразвуковых обследований.

Акушерские щипцы. Акушерские щипцы — это инструмент, похожий на щипцы для салата, который используется для того, чтобы помочь головке ребенка пройти по родовым путям. Существует небольшой риск травмирования матери и ребенка, однако правильно наложенные щипцы обычно безопасны и помогают обойтись без кесарева сечения в тех случаях, когда у роженицы не получается вытолкнуть ребенка или имеет место дистресс плода.

Стрептококки группы В. Стрептококки группы В — весьма распространенные обитатели влагалища. Это не те бактерии, которые вызывают боль в горле. Многие женщины являются носителями стрептококков группы В, сами не подозревая этого, и могут передать болезнетворные бактерии ребенку во время родов. Стрептококки группы В способны вызвать тяжелую и, возможно, смертельную инфекцию у новорожденного. По этой причине многие врачи обязательно берут пробы вагинальной и ректальной культур, а также мочи, чтобы определить, не является ли будущая мать носителем стрептококков группы В. Повторные анализы необходимы потому, что в один месяц у женщины может быть обнаружен стрептококк, а в другой месяц нет. Если дата родов приближается, а у будущей матери выявлен стрептококк, врач обычно назначает лечение антибиотиками, чтобы мать не заразила этими болезнетворными микробами ребенка. Если у вас преждевременные роды, если после разрыва плодного пузыря прошло более двадцати четырех часов или если перед родами повысилась температура, врач должен быть особенно внимателен к результатам теста на наличие стрептококков группы В. Несмотря на то, что стрептококки группы В очень опасны для новорожденного, большинство детей, чьи матери являются носителями этих бактерий, не заражаются при родах. Это происходит благодаря тому, что современные врачи внимательно следят за присутствием стрептококков группы В в организме матери.

Синдром HELLP. Синдром HELLP представляет собой комбинацию симптомов, характерных для тяжелой преэклампсии: гемолиз (распад красных кровяных клеток), повышенный уровень ферментов печени и низкий уровень тромбоцитов (клеток крови, которые влияют на ее свертываемость). Без лечения этого тяжелого состояния опасности подвергается и мать, и ребенок.

Гепатит В. Вирус гепатита В передается половым путем, через кровь или пищу. Беременная женщина может быть носителем вируса, но из-за отсутствия каких-либо симптомов даже не подозревать об этом. Основная опасность заключается в возможности передачи вируса ребенку во время родов. Дело не только в том, что мать заражает ребенка — эти новорожденные сами становятся носителем вируса гепатита В, и у них развивается хроническое заболевание печени. Хорошей новостью можно считать то, что своевременно введенная вакцина может защитить младенца от заражения. Врач может включить анализ на наличие у вас вируса гепатита В в стандартную процедуру обследования во время беременности. Если вы инфицированы, ребенку введут иммуноглобулин гепатита В и первую дозу вакцины сразу же после появления на свет. Следующая вакцинация производится в возрасте одного и шести месяцев. Позже ребенка проверят еще раз, чтобы убедиться, что принятые меры предотвратили заражение.

Недостаточность шейки матки. Если шейка матки начинает раньше времени раскрываться и «стираться», это означает, что существует риск преждевременных родов. Такая ситуация может быть следствием врожденной недостаточности шейки матки, чрезмерного ее растяжения во время предыдущих родов, а также хирургической операции. Недостаточность шейки матки в той или иной степени встречается у 1—2 процентов беременных женщин, однако при своевременно поставленном диагнозе и правильном лечении большинство женщин рожают здоровых детей. Недостаточность шейки матки может быть выявлена при выкидыше, при определении причины кровотечения, а также после преждевременного отхода слизистой пробки. При подозрении на недос-

таточность шейки матки врач может наложить серкляж, то есть нерассасывающийся круговой шов, который поддерживает шейку матки в закрытом состоянии. Обычно шов накладывают между восемнадцатой и двадцатой неделей беременности, а снимают незадолго до предполагаемой даты родов. Помимо серкляжа врач может рекомендовать постельный режим, а в случае преждевременного начала схваток и медикаментозное лечение. Примерно у 25 процентов женщин с недостаточностью шейки матки роды наступают преждевременно, но большинство родившихся раньше срока младенцев здоровы.

Внутриутробная задержка развития. Термин «внутриутробная задержка развития» применяется к новорожденным, вес которых не превышает 2500 граммов. Дети с внутриутробной задержкой развития не достигают максимально возможной степени зрелости обычно вследствие различных факторов, которые уменьшают кровоснабжение матки. К таким факторам относятся курение матери, высокое кровяной давление, хронические заболевания, например почек, недостаточное питание, употребление алкоголя или наркотиков, а также внутриматочные инфекции. Часто внутриутробная задержка развития связана с недостаточностью плаценты, развившейся без всякой видимой причины. Врач может заподозрить, что ребенок развивается медленнее, чем положено по росту матки, размеры которой измеряются при каждом визите. Подозрения могут подтвердиться при ультразвуковом исследовании. В зависимости от причины и степени внутриутробной задержки развития врач будет внимательно наблюдать за ростом ребенка в течение третьего триместра. Из-за повышенного риска осложнений у детей с внутриутробной задержкой развития врач может предпринять особые меры предосторожности, такие, как тщательный электронный мониторинг плода, индуцированные роды или даже кесарево сечение, если здоровье ребенка подвергается опасности. У таких детей меньше подкожного жира, и им труднее поддерживать температуру тела сразу после появления на свет. Кроме того, у них отмечается склонность к дисбалансу химического состава крови, например, нестабильности уровня сахара. Часто детям с внутриутробной задержкой развития требуется провести несколько дней в специальном инкубаторе или, по крайней мере, им нужно обеспечить тщательное наблюдение, если они остаются с матерью.

Макросомия. Термин «макросомия» означает слишком крупного ребенка и применяется к новорожденным, вес которых превышает 4500 граммов. Большинство крупных младенцев являются просто результатом наследственной комбинации генов, но некоторые набирают лишний вес вследствие неправильного питания матери или диабета, когда будущая мать недостаточно тщательно контролировала уровень сахара в крови во время беременности. Крупным детям не только сложнее появиться на свет — у них еще повышается риск родовых травм. В некоторых случаях врач может посчитать, что безопаснее прибегнуть к кесареву сечению.

Нестрессовый тест. Нестрессовый тест используется для оценки состояния плода в случае переношенной беременности. Это безболезненная, а также безопасная для матери и ребенка процедура. Нестрессовый тест выполняется в кабинете врача. Врач регистрирует частоту сердцебиений плода и просит женщину сообщать, когда она чувствует движение ребенка. Во время двигательной активности частота сердечных сокращений здорового ребенка увеличивается примерно на 15 ударов в минуту. Если частота сердечных сокращений плода не увеличивалась в течение контрольных сорока минут, это может указывать на то, что здоровье ребенка находится под угрозой. В то время как наличие реактивности коррелируется со здоровым ребенком, отсутствие реактивности в процессе нестрессового теста (частота сердечных сокращений не увеличивается) в 75 процентах случаев является ложной тревогой. Ребенок может спать, или у него просто нет настроения повышать свою сердечную активность во время теста. Обычно врач назначает повторную процедуру, прежде чем волновать мать или назначать более инвазивный тест для оценки состояние плода.

Пелвиметрия. При помощи рентгеновского снимка можно измерить размеры ваших родовых путей. Сравнение полученных размеров с «нормой» позволит определить, достаточен ли размер ваших родовых путей для безопасного прохождения через них ребенка. Сомнения в безопасности и точности рентгеновского метода привели к тому, что в последнее время его вытесняет более точный индекс соотношения размеров таза и плода (см. выше). Несмотря на отсутствие доказательств опасности рентгеновского метода для матери и плода, и особенно на последних неделях беременности, его применение рекомендуется лишь в том случае, когда польза перевешивает возможный риск. Точность рентгеновской пелвиметрии тоже ставится под сомнение, поскольку нижняя апертура таза может увеличиваться во время родов — особенно в положении на корточках. Рентгеновский снимок может не отражать истинного размера родовых путей. Кроме того, пелвиметрия не учитывает размеров головки ребенка и поэтому не способна установить «соответствие» между проходом и «пассажиром».

Черескожная умбиликальная проба крови. Этот метод получения образца крови плода состоит в ведении иглы через брюшную стенку матери в кровеносный сосуд пуповины. Такая процедура проводится при помощи ультразвукового аппарата и похожа на амниоцентез. Черескожная умбиликальная проба крови берется в крупных медицинских центрах между шестнадцатой и тридцать шестой неделей беременности в тех случаях, когда необходимо выполнить анализ крови на генетические аномалии, нарушение обмена веществ или заболевания крови, которые не могут быть выявлены посредством амниоцентеза. Поскольку риск выкидыша при этой процедуре в два раза выше, чем при амниоцентезе, черескожную умбиликальную пробу крови берут только тогда, когда полученная с ее помощью информация абсолютно необходима для принятия решения, касающегося здоровья и благополучия ребенка. Результаты анализа крови обычно бывают готовы быстрее, чем результаты анализа амниотической жидкости.

Перинатолог. Это акушер-гинеколог, прошедший специальную подготовку для ведения осложненных беременностей или сопровождающихся осложнениями родов. Такие специалисты обычно работают в крупных медицинских центрах и принимают пациентов по направлению врачей, осуществляющих первичное наблюдение за беременными. Часто перинатологи помогают роженице разрешиться от бремени совместно с обычным акушером-гинекологом.

Питоцин. Питоцин — это синтетический гормон окситоцин, который используется для усиления сокращений матки. Он вводится внутривенно, а скорость его введения регулируется переносным шприцевым насосом. Это вещество используется для индуцирования родов и стимуляции остановившейся родовой деятельности. Поскольку вызванные питоцином схватки гораздо интенсивнее естественных схваток, таким роженицам может потребоваться эпидуральная анестезия. Возможно, при внутривенном введении питоцина врач порекомендует электронный мониторинг плода, потому что сила схваток нарастает быстрее, что может негативно отразиться на ребенке. Питоцин ускоряет течение родов, но из-за эпидуральной анестезии и электронного мониторинга вам, скорее всего, придется оставаться в постели. Таким образом, вы рискуете лишиться свободы движения, которая тоже усиливает родовую деятельность и помогает ребенку найти наиболее безопасный путь наружу. При своевременном применении и правильной дозировке питоцин может ускорить процесс родов, но его неправильное использование увеличивает вероятность хирургического вмешательства.

Предлежание плаценты. Иногда нормальная плацента развивается в необычном месте, частично или полностью закрывая шейку матки. Такая ситуация называется предлежанием плаценты. Плацента, закрывающая шейку матки, несет с собой опасность внезапного и угрожающего жизни кровотечения до или во время родов. Это состояние возникает примерно в одном случае на двести родов. Иногда подозрение на предлежание плаценты возникает тогда, когда у женщины наблюдаются безболезненные кровотечение во второй половине беременности, и особенно на последнем месяце. Бывает, что кровотечения отсутствуют, а предлежание плаценты выявляется во время ультразвукового исследования. Цель проводимого лечения состоит в том, чтобы предотвратить кровотечение и уменьшить риск преждевременных родов. При опасности возникновения кровотечений врач может прописать постельный режим или ограничение активности. При тяжелой форме предлежания плаценты ребенок появляется на свет при помощи кесарева сечения. Современная технология позволяет выявить предлежание плаценты еще до того, как здоровье матери и ребенка подвергнется опасности, а при соответствующем медикаментозном лечении женщина успешно рожает здорового ребенка.

Преэклампсия. Преэклампсия обычно развивается во второй половине беременности и характеризуется такими симптомами, как отеки лица и рук, высокое кровяное давление, а также белок в моче, который обнаруживается при рутинном анализе. Преэклампсия развивается примерно у 7 процентов беременных женщин и чаще всего встречается при первой беременности. Кроме того, риск преэклампсии повышают многоплодная беременность и хронические заболевания матери, такие, как высокое кровяное давление, болезни почек или диабет. У многих женщин на начальной стадии не наблюдается никаких симптомов, и первым признаком преэклампсии может стать высокое кровяное давление или белок в моче, обнаруженный во время обычного визита к гинекологу — именно поэтому так важны регулярные посещения врача. Неожиданное ускорение прибавки веса (более 3 килограммов в месяц) из-за увеличенной задержки жидкости в организме тоже может указывать на преэклампсию. Некоторые женщины замечают отечность лица и рук, ослабление зрения и головные боли. Если преэклампсию не лечить, то это состояние становится достаточно тяжелым и начинает угрожать здоровью и матери, и ребенка. Высокое кровяное давление опасно для матери, а недостаточное кровоснабжение матки отрицательно сказывается на развитии ребенка. Первая задача при лечении преэклампсии — контроль за кровяным давлением беременной женщины. Обычно это делается при помощи постельного режима, но в тяжелых случаях требуется госпитализация и применение медикаментозных средств, которые снижают кровяное давление и улучшают кровоснабжение матки. В зависимости от тяжести преэклампсии врач может порекомендовать преждевременные роды, причем часто посредством кесарева сечения — если это в интересах матери и ребенка. Если во время предыдущей беременности у женщины развилась преэклампсия, то вероятность преэклампсии при последующих беременностях повышается. Это состояние обычно называли «токсемией», ошибочно считая, что оно вызвано присутствием токсинов в крови беременной женщины. В большинстве случаев причина преэклампсии неизвестна, но современные средства позволяют практически во всех случаях успешно лечить это состояние, в результате чего рождаются здоровые дети.

Простагландиновый гель. Это синтетический «размягчитель» шейки матки, действие которого сходно с действием натуральных простагландинов, которые вырабатываются в организме женщины во время родов. Врач может применить простагландиновый гель для того, чтобы шейка матки быстрее «созрела», и таким образом ускорить роды.

Резус-конфликт. Если у вас резус-фактор крови отрицательный, а у отца ребенка положительный, то есть основания беспокоиться по поводу возможного резус-конфликта. У ребенка может быть положительный резус-фактор, а часть его крови может попасть в вашу систему кровообращения во время беременности, родов или после выкидыша. В вашем организме начнут вырабатываться антитела к крови ребенка с положительным резус-фактором. Такая реакция обычно не вызывает никаких проблем при первой беременности, но если во время следующей беременности у ребенка тоже будет положительный резус-фактор, ваши антитела проникнут через плаценту в кровь ребенка, что приведет к развитию анемии. Если у вас отрицательный резус-фактор, врач введет вам специальный препарат против резус-конфликта «RhoGam» сразу же после выкидыша или амнеоцентеза. Это понизит вероятность того, что у ребенка разовьется сенсибилизация на резус-фактор. Некоторые врачи также назначают инъекцию «RhoGam» на двадцать восьмой неделе беременности, чтобы предотвратить раннюю сенсибилизацию. Если у вас в крови присутствуют антитела, за вами будут внимательно наблюдать во время беременности и родов — на случай досрочных родов или необходимости переливания крови.

Плечевая дистоция. Плечевая дистоция встречается в 0,15 — 1,7 процентов родов и состоит в том, что плечо ребенка слишком велико или находится в неправильном положении и не может пройти в отверстие таза. Это действительно экстренный случай, требующий умелых действий для предотвращения родовой травмы. Плечевая дистоция чаще наблюдается при рождении крупных детей (более 4,5 кг). Чтобы уменьшить риск того, что плечи ребенка застрянут в нижнем отверстии таза, женщина может сделать две вещи: правильно питаться, чтобы излишний вес не набирался ни у нее, ни у ребенка, и управлять своим телом во время родов, меняя положение таким образом, чтобы ребенок получил возможность изогнуться и повернуться, ища наиболее легкий путь прохождения по родовым путям.

Токсемия.
См. преэклампсия

Черескожная электростимуляция. Этот прибор для обезболивания часто используется для снятия боли после различных операций. Действие его подобно электрической акупрессуре. Роженица держит в руке прибор размером с колоду карт. Отходящие от прибора провода прикрепляются к коже в том месте спины, где появляется боль. Когда роженица начинает чувствовать боль в спине, она нажимает кнопку, посылая электрические импульсы в кожу и мышцы вокруг больного места. Сила стимуляции регулируется. Считается, что при черескожной электростимуляции усиливается локальная выработка обезболивающих гормонов, или эндорфинов.

Вакуумный экстрактор. Это устройство с присоской, напоминающее вантуз сантехника, является альтернативой щипцов, когда нужно помочь ребенку пройти по родовым путям. Шапочка-присоска из мягкой резины или пластика прижимается к голове ребенка во время схваток, а трубка от нее отходит к вакуумному отсосу, обеспечивающему постепенное разряжение воздуха. Врач осторожно тянет за ручки шапочки-присоски, помогая ребенку спускаться по родовым путям. Еще одно преимущество вакуумного экстрактора перед акушерскими щипцами состоит в том, что для его применения не требуется эпизиотомии. Щипцы же требуют больше места во влагалище. После рождения ребенка на месте приложения шапочки-присоски вы заметите безвредное вздутие, которое может исчезнуть только через несколько месяцев.

Содержание